O ÚLTIMO PALÁCIO DE PRAGA

NORMAN EISEN

O ÚLTIMO PALÁCIO DE PRAGA

Tradução
Sandra Martha Dolinsky

1ª edição
Rio de Janeiro-RJ / Campinas-SP, 2022

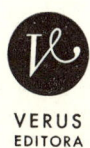

VERUS
EDITORA

Editora
Raïssa Castro

Coordenadora editorial
Ana Paula Gomes

Copidesque
Érica Bombardi

Revisão
Pedro Siqueira

Diagramação
Myla Guimarães

Título original
The Last Palace : Europe's Turbulent Century in Five Lives and One Legendary House

ISBN: 978-65-5924-059-3

Copyright © Norman Eisen, 2018
Todos os direitos reservados.

Tradução © Verus Editora, 2022
Direitos reservados em língua portuguesa, no Brasil, por Verus Editora. Nenhuma parte desta obra pode ser reproduzida ou transmitida por qualquer forma e/ou quaisquer meios (eletrônico ou mecânico, incluindo fotocópia e gravação) ou arquivada em qualquer sistema ou banco de dados sem permissão escrita da editora.

Verus Editora Ltda.
Rua Benedicto Aristides Ribeiro, 41, Jd. Santa Genebra II, Campinas/SP, 13084-753
Fone/Fax: (19) 3249-0001 | www.veruseditora.com.br

CIP-BRASIL. CATALOGAÇÃO NA PUBLICAÇÃO
SINDICATO NACIONAL DOS EDITORES DE LIVROS, RJ

E37u

Eisen, Norman L., 1961-
  O último palácio de Praga: [o turbulento século XX retratado pelos diversos habitantes de uma mansão lendária] / Norman Eisen; tradução Sandra Martha Dolinsky. - 1. ed. - Campinas [SP] : Verus, 2022.
  23 cm.

  Tradução de: The last palace : Europe's turbulent century in five lives and one legendary house
  Inclui bibliografia
  ISBN 978-65-5924-059-3

  1. Palácio Petschek (Praga, República Tcheca) - História. 2. Praga (República Tcheca) - História - Século XX. 3. Europa - História - Século XX. I. Dolinsky, Sandra Martha. II. Título.

22-75691
CDD: 943.712
CDU: 94(437.311)"19"

Camila Donis Hartmann – Bibliotecária – CRB-7/6472

Revisado conforme o novo acordo ortográfico.

Seja um leitor preferencial Record.
Cadastre-se no site www.record.com.br e receba informações sobre nossos lançamentos e nossas promoções.

Atendimento e venda direta ao leitor:
sac@record.com.br

À minha mãe, Frieda; minha esposa, Lindsay; e minha filha, Tamar, que me ajudaram a encontrar meu caminho em Praga — e em tudo o mais.

*A residência do embaixador americano em Praga era
conhecida como o último palácio construído na Europa...
Agora ele sabia por que se afeiçoara tanto ao embaixador e
à sua esposa, por que se sentia tão seguro na residência e tão
sutilmente relutante em ir embora. Ele estava com medo da
Europa.*

John Updike, "Bech in Czech", *The New Yorker*, 20 de abril de 1987

Sumário

Nota do autor ... 11

Prólogo ... 13

Parte I
1. O filho de ouro da cidade dourada ... 27
2. O rei do carvão ... 60
3. O palácio sem fim ... 88
4. A filha mais nova ... 115

Parte II
5. Um artista da guerra ... 139
6. O homem mais perigoso do Reich ... 170
7. Praga está em chamas? ... 195
8. "Se estiver atravessando o inferno, siga em frente" ... 216

Parte III
9. "Ele, o mestre da Boêmia e da Europa" ... 235
10. Vida exuberante ... 259
11. Pequenas salvações ... 280
12. "Nunca, nunca, nunca se renda" ... 315

PARTE IV
13. Nada esmaga mais a liberdade que um tanque   337
14. Uma produção revolucionária   367
15. A verdade prevalece   398
16. "O passado nunca está morto. Nem sequer é passado"   434

FONTES E AGRADECIMENTOS   463
NOTAS   466

Nota do autor

A história contada neste livro é baseada principalmente nos diários, cartas e outros documentos dos principais protagonistas, muitos nunca antes divulgados. Mais detalhes foram conseguidos por meio de minhas entrevistas com seus descendentes diretos e pessoas que os conheciam, além de outras pesquisas históricas.

As citações que servem como diálogo foram extraídas de correspondências ou outros materiais, conforme detalhado nas notas. Mas há uma exceção: a história de minha mãe é substancialmente baseada em mais de meio século de conversas com ela. Eu as reconstruí com base na memória, incluindo citações atribuídas a ela.

Agradeço às famílias das pessoas que viveram no palácio por me oferecerem cooperação extraordinária. Sem a generosidade delas, a história completa do palácio de Otto Petschek — secreta durante tanto tempo — não poderia ter sido contada.

Prólogo

Oceano Atlântico; 10 de abril de 2010

Peguei o pesado fone branco do aparelho ao lado de minha poltrona e pedi ao telefonista que fizesse uma ligação para minha mãe.

Ouvi quando ele abriu uma linha e digitou.

— Alô — atendeu ela com seu característico sotaque da Europa Oriental.

— Frieda Eisen?

— Ela mesma.

— Aceita uma ligação do Força Aérea Um?

— Sim — respondeu ela, animada, mas cética.

— Olá, mãe — disse eu.

— Oh, Nachman — exclamou ela, chamando-me por meu nome em iídiche. — Achei que pudesse ser o presidente Obama!

— Não, sou só eu.

— Bom também — disse ela, rindo. — O que está fazendo no Força Aérea Um?

— Estou viajando com o presidente. Para Praga.

— Como? Por quê?

— Ele me convidou para assumir o cargo de embaixador lá.

— Embaixador de onde?

— Nosso, claro. Dos Estados Unidos.

Eu esperava um grito de felicidade. Minha mãe nascera na Tchecoslováquia e imigrara para os Estados Unidos. Algumas das primeiras canções de ninar que ela entoara para mim foram em tcheco e eslovaco. Ela venerava o pai do país, seu primeiro presidente, Tomáš Masaryk; seu sucessor e protegido, Edvard Beneš; e seu sucessor moderno mais brilhante, Václav Havel. E se orgulhava de minhas realizações como primeira geração tcheco-americana, mais recentemente de meu trabalho como advogado da Casa Branca. E achei que ela ficaria emocionada por eu representar os Estados Unidos na República Tcheca de hoje.

Mas a linha ficou muda.

— *Maminka*? — perguntei, usando o diminutivo tcheco de "mãe".

— Você está aí?

— Sim — respondeu ela, com súbita secura.

— Qual é o problema?

— Não é nada.

— Você não parece muito animada.

— Hmm.

— Mãe, o que foi?

Mais silêncio.

Por fim, ela falou:

— Estou com medo.

— De quê?

— De que eles matem você.

Fiquei atordoado.

— Quem me mataria? — perguntei.

Ela fez uma pausa antes de responder:

— Você sabe o que aconteceu conosco lá.

Em 1944, os nazistas deportaram minha mãe e sua família da pequena cidade onde viviam, Sobrance, para um gueto, e depois para Auschwitz. Ali, seus pais, a maior parte de seus parentes e quase todo mundo de sua vila que ela conhecia foram assassinados. Ela sobrevivera, acabara indo para os Estados Unidos e começara uma vida nova.

Eu sabia que suas cicatrizes nunca haviam se curado por completo; mas ela amava tudo que havia perdido, e ansiava por tudo, e eu tinha certeza de que ela veria a oferta do presidente como eu a via: exculpação. Um círculo que se completava. Uma história de sucesso americana.

E foi o que eu lhe disse.

— Eu não suportaria se algo acontecesse com você — sussurrou ela.

Eu me amaldiçoei em pensamento. Deveria ter previsto isso. Mas fiquei tão empolgado que não me ocorreu que ela pudesse reagir assim.

Eu havia aprendido com a vida que vivemos juntos — da maneira mais difícil — que discutir com minha mãe não era eficaz quando ela estava ansiosa. Então, tive outra ideia:

— Mãe, adivinhe onde o embaixador mora.

— Onde?

— No palácio de Otto Petschek.

— Ohhh — ofegou ela. — É mesmo?

Minha mãe talvez houvesse sido a judia mais pobre da Tchecoslováquia, e Otto Petschek o mais rico. Otto e sua família eram famosos entre seus pares tchecos — os equivalentes locais dos Rothschild ou Rockefeller. A casa deles em Praga era uma obra-prima das belas-artes que evocava Versalhes, com mais de cem aposentos — tantos que ninguém chegava a um acordo quanto à contagem exata. Era cheio de antiguidades, quadros de antigos mestres da pintura, livros raros e outros objetos preciosos que Otto havia colecionado e que permaneciam na casa. A mansão se espalhava por um jardim exuberante do tamanho de um quarteirão americano. Erigido após a Primeira Guerra Mundial, era conhecido como "o último palácio construído na Europa" — um derradeiro monumento a uma era dourada que acabou definitivamente em 1938.

Minha mãe foi derretendo um pouco enquanto conversávamos sobre o palácio — o suficiente para eu aproveitar o momento:

— Mãe — disse eu —, nós adoraríamos que você fosse conosco.

Minha esposa, Lindsay, e eu concordávamos: queríamos que Frieda fosse junto para Praga.

— Ir com vocês?

— Por que não? Há espaço suficiente. Nós cuidaríamos de você. Você não precisaria levantar um dedo. E voltaria para casa.

Ela ficou em silêncio de novo.

— Vou pensar — disse por fim. — Diga-me, como é a comida no Força Aérea Um?

Depois de voltar aos Estados Unidos, fui para Los Angeles visitar minha *maminka*. Eu queria lhe contar sobre a viagem, tranquilizá-la e convencê-la a se mudar conosco.

Ela me abraçou com força, pressionando a cabeça em meu peito. Seu abraço ainda era forte, embora estivesse chegando aos noventa anos. Ela nunca tivera muito mais que um metro e meio de altura, mas parecia estar mais baixa — talvez desde minha última visita, poucos meses antes. Porém eu ainda podia ver em seu rosto a garota bonita sorrindo nas fotografias que sobreviveram da Tchecoslováquia de 1945. Sua pele ainda era clara, apesar das rugas finas. Ela começara a pintar o cabelo de um loiro pálido, em vez da tonalidade castanha que usava nos anos 70, e tornou a ajeitá-lo quando por fim me soltou.

Sentamos no sofá, e ela segurou minha mão. A dela tinha veias e manchas na parte de cima, mas a palma não era menos macia que quando eu era criança. Eu lhe disse que Praga era linda, como ela sempre afirmara ser. Estivera no castelo de Praga com o presidente Obama e ele me apresentara ao atual presidente tcheco, Václav Klaus. Eu até conseguira dar uma olhada na casa Petschek, apesar de não ter entrado — agir como se estivesse muito confiante na vitória era malvisto em futuros embaixadores. Mas sua fachada parecia justificar os superlativos, com suas torretas, torres, varandas e querubins correndo por toda a extensão do quarteirão.

Dessa vez, minha menção ao palácio não a distraiu.

— Nachman, você é tão bom no trabalho que faz na Casa Branca. Por que tem que sair?

Ela carregava meu cartão de visita em um envelopinho plástico para evitar o desgaste e o mostrava a todos que conhecia. E adorava o apelido que a imprensa havia me dado: o Tsar da Ética. Ela gostava de dizer às pessoas: "Essa é a única vez que um tsar é bom para os judeus!"

— Eu não *tenho* que sair. É uma promoção — respondi.

— O que você entende de diplomacia?

— Mãe, o presidente disse que eu serei um ótimo embaixador.

— Bem — respondeu ela —, espero que não se importe de eu dizer isso, mas não é hora de mandar um amador.

Ela sentia a Europa em crise. O nacionalismo de direita, com seu ódio aos judeus e a outras minorias, estava se agitando, e o urso russo também. Minha mãe, ainda marcada pelas grandes revoltas do século, via tudo através dessa lente.

Suas suspeitas se estendiam ao presidente tcheco. Ela amava Havel, mas pouco se importava com seu sucessor extremamente conservador: Klaus negava as mudanças climáticas e abraçava a Rússia. Ele ridicularizava o slogan de Havel, "Verdade e amor prevalecerão sobre mentiras e ódio", e zombava de Havel e seus acólitos, chamando-os de *pravdoláskaři*, idólatras da "verdade e do amor". Minha mãe achava que o relacionamento entre os EUA e a República Tcheca havia se deteriorado muito durante a era Klaus, e ela o culpava, junto com muitos outros.

~

Tudo isso não condizia com o que eu havia acabado de ver com meus próprios olhos. Os tchecos tinham recebido Obama com entusiasmo. Ele e os russos haviam acabado de assinar, no castelo de Praga, um tratado de controle de armas. Estavam se dando bem. O presidente Klaus me recebera calorosamente. A vida judia estava florescendo por Praga inteira, e eu não vira nenhum sinal de antissemitismo. E contei tudo isso a ela.

— Nachman, ouça-me. Você esteve em Praga por vinte e quatro horas com o presidente dos Estados Unidos. Você não conhece a Europa como eu. Ela não mudou muito.

Minha mãe defendia sua posição ferozmente. Embora estivesse no final de sua oitava década, ela era uma debatedora formidável — tão inteligente quanto qualquer outro que eu conhecesse. Seu apartamento estava cheio de livros e periódicos, e ela vivia na biblioteca. Com um floreio, ela sacou da bolsa um maço de recortes de jornais sublinhados e o pôs em minhas mãos.

Eu lhe disse que, se as coisas estivessem tão ruins quanto dizia, ela ficaria feliz por eu voltar a seu país para ajudar.

— Meu país? Por acaso meu país ainda existe, Nachman?

Minha mãe aceitara mal a divisão da Tchecoslováquia em duas nações em 1993. Ela nascera na parte oriental do país, agora Eslováquia, mas também morara na parte ocidental, agora República Tcheca, onde eu serviria. Ela tinha laços afetivos profundos com os dois lados, e ainda se considerava tchecoslovaca.

— Ora, mãe. Quando eu era criança, você só falava de seu país. Você ama aquele lugar!

— Nachman, é um erro amar um país. Ele não retribui esse amor.

— Bem, nós vamos para Praga, está resolvido. Queremos que você vá conosco.

Ela pestanejou, irritada.

— Mãe, isso é um triunfo para nossa família.

— Não, de jeito nenhum. Essa porta está fechada. Eu saí, e não voltarei.
— Nem para uma visita?
— Meus médicos não permitiriam.
— Você já os consultou?
Ela suspirou alto e percebi que eu havia marcado um ponto.
— Veremos.

Quase oito meses se passaram antes de eu deixar a Casa Branca para assumir meu trabalho em Praga, em janeiro de 2011. Praticamente todos com quem eu me reunira para me preparar mencionaram o palácio onde eu moraria, dizendo com inveja bem-humorada que era a embaixada mais bonita entre todas de propriedade dos Estados Unidos. Muitas vezes, contavam as estranhas lendas do lugar: que Otto Petschek havia criado compartimentos e passagens ocultos, em um dos quais escondera uma fortuna em ouro; que, depois que os alemães invadiram Praga, foi palco de selvagens bacanais militares, com os oficiais e suas amantes se divertindo na piscina olímpica coberta; que os Estados Unidos haviam adquirido de graça a mansão e os terrenos imensamente valiosos após a guerra, como um presente envolvendo um general tcheco e sua futura nora americana; que os aparelhos de escuta da época da Guerra Fria ainda estavam escondidos dentro dos painéis e lustres; e assim por diante.

Curioso, eu fiz perguntas, mas fatos verificáveis mostraram-se surpreendentemente escassos. Confirmei a cronologia básica dos proprietários judaico-tchecos e da ocupação alemã, seguida de uma longa posse americana. Recebi um pequeno guia do palácio, com algumas informações históricas básicas, principalmente sobre como Otto Petschek e sua família haviam usado o local; e encontrei outros documentos de semelhante utilidade. Mas, tirando isso, os detalhes eram incompletos, e não consegui confirmar nenhum dos rumores mais malucos.

Quanto menos eu descobria, mais eu queria saber. Quem realmente foram as pessoas que moraram em meu futuro lar — e qual havia sido sua experiência no turbulento século passado? Toda essa história não pertencia apenas ao palácio; era a história de minha família também. As pessoas que moraram ali haviam impulsionado — e sido impulsionadas por — forças grandes e pequenas que moldaram a terra natal de minha mãe e a primeira parte de sua vida — e a acabaram levando aos Estados Unidos. E agora o *zeitgeist*, o espírito da época, estava trazendo nossa família de volta a Praga.

Há um ditado em iídiche que eu ouvi muitas vezes de minha mãe: *"Az men est chazzer, zol rinnen uber den bort"* — "Se for para comer carne de porco, lambuze a barba toda". E foi isso que eu decidi fazer enquanto morasse em Praga: devorar a história do palácio até lambuzar minha barba.

A demora de oito meses para assumir meu cargo também me deu muitas oportunidades de conversar com minha mãe e de ela se acostumar à realidade de meu novo emprego. Eu soube que estava progredindo quando a ouvi dizer às pessoas:

— Eles nos tiraram de lá em uma carroça e meu filho voltou no Força Aérea Um!

Houve outro sinal promissor também: ela começou a me dar conselhos sobre o cargo. Ela e meu falecido pai haviam seguido um rigoroso código moral nos negócios de nossa família, uma hamburgueria. Quando fui visitá-la pela última vez antes de partir para a Europa, ela me pediu para não esquecer as três regras, mesmo vivendo em uma mansão.

— Faça sempre o que é certo, Nachman. Seja sempre leal.

— E... — interferi, e nós dois rimos antecipando a fala final.

— Sirva sempre o melhor hambúrguer possível!

Quando eu, Lindsay e nossa filha Tamar aterrissamos em Praga, na segunda-feira, 17 de janeiro, minha *maminka* havia concordado em nos fazer uma visita assim que nos acomodássemos.

Então, eu cometi o erro de lhe contar sobre a suástica.

Telefonei para ela no fim de meu primeiro dia inteiro na capital tcheca, da biblioteca do palácio de Otto Petschek. Chamas crepitavam na lareira enquanto eu ligava para Los Angeles.

Minha mãe queria saber tudo. Falei sobre o voo e como nosso comboio havia nos tirado do aeroporto e nos levado para a cidade. Descrevi como os parques comerciais ultramodernos de Praga, de vidro e cromo, contrastavam com os altos e brutos edifícios da era da Cortina de Ferro. Mosteiros medievais situavam-se ao lado de residências assinadas pela Bauhaus, e mansões *art nouveau* laboriosamente detalhadas aninhavam-se entre igrejas rococó em forma de fuso.

— E a casa Petschek? — perguntou ela.

Nós havíamos chegado por uma longa avenida. Na distância, vimos um muro externo rosa patrulhado por policiais vestidos de preto. Quando nos aproximamos, surgiu a casa, como se acordasse de uma soneca para nos receber, espreguiçando-se e bocejando. Era um arco de alabastro reclinado sobre um gramado verde entre um caminho ladeado por árvores frondosas. Janelas redondas pareciam emergir de trás da cerca para encontrar nosso olhar, fitando-nos firmemente sob uma mansarda de ardósia preta.

Entramos no complexo. Passando por um portão de ferro ornamentado, cujas barras negras cortavam romãs douradas, nosso carro chegou em uma entrada de cascalho. No começo da rua, a cerca de cem metros da entrada, ficava o palácio. Sua fachada extensa e suas alas retangulares salientes eram ricamente ornamentadas com pedra rústica, grades e estátuas, tudo tão complexo que não podia ser absorvido de uma só vez. À medida que o comboio avançava devagar pela entrada da garagem, a forma do edifício também mudava; parecia totalmente diferente visto da rua. Quando chegamos ao pórtico, uma varanda alta sustentada por colunas da Toscana, não conseguimos mais ver as extremidades de nossa nova casa.

Na frente dos pilares, firmemente plantado, estava Miroslav Černík, o mordomo, radiante. Alto, com peito de pombo, cabelos prateados e mais de sessenta anos, ele parecia mais um embaixador que eu. Ele nos cumprimentou e nos levou para dentro. Os quartos eram uma confusão de paredes de pedra fria e quentes painéis de madeira esculpida, prata reluzente, tapeçarias ricamente coloridas e tapetes orientais. Saindo para um pátio com vista para vários hectares de jardins bem organizados, voltamo-nos para contemplar a parte de trás do palácio. Vi que era construído em uma curva; toda aquela estrutura neobarroca maciça se dobrava em um pronunciado arco côncavo. Era por isso que a casa parecia estar se movendo quando subimos a rua.

Minha *maminka* adorou ouvir todos os detalhes.

— Nachman, imagine só, o palácio de Otto Petschek é sua primeira casa!

Era verdade; eu cresci em apartamentos, e vivi neles desde então.

Em meu entusiasmo, avancei para lhe contar o momento mais dramático do dia.

Na câmara oval da recepção, na parte da frente da casa, diante de uma das janelas que iam do chão ao teto, havia uma mesa francesa antiga. Černík parou diante dela. Como todo o resto do palácio, era opulenta: o tampo era de cerejeira, com bordas recortadas; na superfície avermelhada incrustavam-se frisos de uma madeira mais escura. As pernas curvas se afunilavam abruptamente para baixo até acabar em pontos, cada um recoberto por um casco de metal que combinava com a moldura de latão brilhante que contornava a borda da mesa.

— Por favor, olhe aqui embaixo, senhor embaixador — disse ele, apontando para baixo da mesa.

PRÓLOGO

Fiquei de quatro e mergulhei embaixo do móvel. Ao esticar o pescoço e olhar para cima, vi uma velha etiqueta de papel. Era do tamanho de um grande selo comemorativo. Estava amarelada e desbotada, ligeiramente deformada, havia uma bolha na cola que fora usada para fixá-la muitos anos antes. Tinha um número de série e uma assinatura ilegível rabiscada a tinta. Havia também um símbolo estampado na etiqueta, difícil de decifrar.

Aproximei-me e apertei os olhos sob a luz fraca, e a imagem entrou em foco. Era uma águia negra estilizada, com as asas estendidas e a cabeça virada para a esquerda. Segurava uma coroa de flores nas garras. A guirlanda envolvia uma pequena suástica de arestas afiadas. Černík disse que havia vestígios semelhantes da ocupação nazista escondidos por todo o palácio.

— Mãe, dá para acreditar? E agora *nós* estamos morando aqui. Não é incrível?

Frio silêncio.

— Mãe?

— Há suásticas na casa?

Droga.

Tentei controlar os danos.

— Mãe, não pense assim.

Fiz com que recordasse que nós transformaríamos o palácio em um lar judeu. Continuaríamos sendo *kosher*, observando o sábado e colocando o mezuzá no batente das portas. Que melhor vingança contra Hitler que isso? Ela precisava ir para ver com os próprios olhos.

— Por que eu ia querer visitar um lugar de que os nazistas gostavam?

— Vamos, mãe, não diga isso; é uma casa bonita.

— E se eu encontrasse uma suástica em meu quarto?

— Vou vasculhar seu quarto. Inferno, vou vasculhar o palácio inteiro antes de você vir.

Mas ela não se comoveu.

Para mim, a suástica era uma evidência sombria do triunfo de nossa família e um fascinante artefato histórico — um sinal do passado. Ela me fez pensar de novo em meus antecessores: quem haviam sido; como haviam ido parar naquela casa? Como era o século passado — o tornado de forças históricas que açoitaram a pátria de minha mãe — para cada um deles pelas janelas desse mesmo palácio?

Mas, para minha mãe, o símbolo nazista não era uma relíquia atraente. Não lhe provocava curiosidade. Evocava um trauma visceral; um peso sinistro que ela carregaria para sempre. Quanto mais eu me esforçava para convencê-la do contrário, mais implacável ela ficava.

Melhor mudar de assunto. Olhando em volta, observando a biblioteca do palácio, com seus milhares de livros pertencentes ao proprietário original, suas lombadas recebendo a luz do fogo, perguntei a ela a primeira coisa que me veio à mente:

— O que você sabe sobre Otto Petschek, mãe?

— Ah — suspirou ela —, Otto Petschek! Os tchecoslovacos eram as pessoas mais inteligentes da Europa, e os judeus eram as pessoas mais inteligentes da Tchecoslováquia. E Otto? Ele era o melhor de todos. Ele tinha tudo: talento, dinheiro, educação. Mas era um otimista como você, Nachman, e o otimismo pode ser algo muito perigoso em Praga.

Parte I

1
O FILHO DE OURO DA CIDADE DOURADA

Praga, Tchecoslováquia; primavera de 1924

Foi pouco antes do amanhecer. Na colina com vista para a Cidade Velha, ao norte do Castelo de Praga, um homem de trinta e nove anos acordou em sua casa pequena mas elegante. Era uma das que salpicavam o bairro de Bubeneč; rural até pouco tempo, tornara-se o distrito mais requintado da cidade. Ele enfiou os pés nos chinelos, os braços no roupão e amarrou o cinto. Movia-se com cuidado, para não acordar sua esposa, cuja forma esbelta subia e descia sob as cobertas. Abrindo com cuidado a porta do terraço, ele saiu.

Todas as manhãs Otto Petschek saudava o sol nascente, que naquele momento agitava-se abaixo da linha do horizonte. O mordomo, vestido com fraque e colete listrado, juntava-se a ele na suave luz azul e servia a mesa do café com suas mãos de luvas brancas. Naquele dia, com prática eficiência, ele encheu uma xícara, entregou a Otto e voltou para dentro da casa. Otto segurou sua xícara; o calor do café irradiava pela delicada porcelana Meissen, que tinha uma intricada estampa de flores rosa e folhas douradas. O jogo de porcelana fora um presente para sua esposa, Martha. Depois de onze anos juntos e quatro filhos, Otto ainda se encantava ao ver seu rosto se iluminar quando ele lhe dava coisas bonitas.

Otto tomou um gole de café e admirou a vista. Ele morava perto do centro de Praga — uma cidade que havia sido construída um milênio antes, com novas construções eternamente espremidas e sobrepostas —, mas um descampado se estendia logo atrás de sua casa. *Sua terra* agora, vários lotes que primeiro seus pais, e depois ele, acumularam ao longo de décadas, juntando-as em um único terreno de cinco acres. Ele observou os contornos da propriedade. O terreno estava parcialmente tomado pela escuridão que ainda encobria o solo, mas ele o conhecia de cor, praticamente até a última folha. Passara anos caminhando pelos lotes individuais, indo aos fins de semana, participando de celebrações familiares, inclusive pedira Martha em casamento ali. Árvores velhas se erguiam, altas e desgrenhadas. Entre elas corriam cercas vivas, bancos de flores, trechos de gramado. Na distância, Otto ouvia o clec-clec de cascos de cavalos, as primeiras carroças do dia entregando produtos, gelo e leite às casas de seus vizinhos.

Mais atrás dele e daquele amorfo emaranhado de terra, a leste, ficava o coração de Praga: o centro da cidade onde Otto nascera, a sinagoga em que ocorrera seu *bar mitzvah*, as escolas onde estudara, os negócios que ele ajudara a construir. Ele era um cidadão-modelo da capital da Tchecoslováquia. Mesmo assim, todas as manhãs, olhava para o oeste: para a Alemanha, em busca de língua e literatura; para a França, por causa da arte e da arquitetura; para a Inglaterra, cuja perspicácia nos negócios ele admirava; e, do outro lado do Atlântico, para os Estados Unidos, cuja energia ele abraçara, grato por seu papel na formulação do recém-criado Estado da Tchecoslováquia. Na neblina que precedia o amanhecer, se escrutasse, ele podia imaginar a curvatura da Terra e sua enorme extensão e traçar seu arco, um vetor conectando-o a cada uma das nações que admirava.

Como sempre, havia música na cabeça de Otto. Fora sua primeira grande paixão, e ele ainda era um intenso aficionado dos clássicos, um sustentáculo da Ópera Alemã de Praga e um ardente wagneriano, admirando os heróis do compositor e seu apetite por desafios aterrorizantes. Talvez naquela manhã ele tenha ouvido o baixo dedilhar de cordas que dava início a *Das Rheingold*, e o dia se agitando como os instrumentos, os tons se espalhando como o sol.

Enquanto ouvia sua orquestra invisível e observava o amanhecer dia após dia sobre sua extensa propriedade coberta de vegetação, Otto havia pensado sobre o que fazer com suas terras.

Ele construiria um palácio, que competiria com qualquer outro da cidade. Seria enorme, mais de cem aposentos, da extensão de todo um quarteirão. Sua fachada combinaria as colunas matematicamente elegantes da Grécia antiga e a força das formas esculturicas romanas com as proporções áureas da arquitetura renascentista italiana e a majestade do barroco francês. Reproduziria a marcha da civilização ocidental em pedra, mármore e tijolo, até o presente — dobrando a fachada em uma curva acentuada e ultramoderna, um dramático floreio contemporâneo que distinguiria sua criação de todos os palácios de uma cidade cheia deles.

Seria uma residência condizente com seu status de banqueiro e industrial líder na nova democracia, o lar perfeito para sua amada Martha e os filhos que tinham. E seria uma personificação do futuro brilhante do século XX — a nova era de paz e prosperidade que se iniciara após a guerra para acabar com todas as guerras.

Os devaneios de Otto foram interrompidos pela agitação da casa despertando. O sol já estava alto. Martha e as crianças acordavam e os empregados começavam o dia de trabalho.

Quando deu as costas ao pátio iluminado pelo sol e entrou de novo em sua casa, ele cantarolou, fazendo elaborados planos para o palácio.

As coisas sempre foram fáceis para Otto. Ele nasceu em 1882, de Isidor Petschek e Camilla Robitschek, descendentes de duas das famílias judias mais prósperas das províncias austro-húngaras da Boêmia e da Morávia. Ele foi o primeiro filho de sua geração, e os Petschek esperavam sua chegada com não menos ansiedade que uma nação aguardaria o nascimento de um bebê real. Em 17 de outubro, o gemido musical do rechonchudo bebê foi ouvido pela primeira vez dentro da mansão, no centro de Praga. Otto nasceu em casa, foi limpo pela parteira e apresentado à mãe. Isidor e seu irmão (Julius, tio de Otto) inspecionaram o bebê nos braços de Camilla. Suas maneiras severas escondiam o carinho que sentiam ao estudar os marcados traços Petschek no pequeno Otto: crânio grande, testa larga e nariz curto.

Três gerações ocupavam a mesma casa robusta, empilhadas uma sobre a outra formando um bolo Petschek em camadas. Otto estudou em casa com um tutor até os seis anos — era uma criança naturalmente confiante. De calça curta, paletó e gravata preta frouxa, ele era levado diante de Isidor e Julius para fazer suas somas. No salão, ele se postava atento, e os números fluíam dele. Otto puxara a Isidor, bonito, de cabeça quadrada, mas sem o exuberante cavanhaque do pai. Julius tinha um corpo em forma de pera e era careca; usava um bigode longo e caído, e costumava se acomodar em um dos sofás do salão. Os irmãos estavam satisfeitos com o talento de Otto. Eles eram financiadores, davam empréstimos e compravam e vendiam ações de minas de carvão e outras empresas, e tinham grandes expectativas para Otto no mesmo campo de trabalho. Otto era um *showman* nato, e talvez por isso gostasse tanto daquelas performances. Se ele parecia gostar *demais* dos holofotes, bem... os irmãos achavam que no devido tempo expurgariam isso.

Os dons do jovem Otto se estendiam à música. Ela estava por toda parte em Praga. Recitais, concertos, sinfonias, óperas — melodias se derramavam nas ruas, fluindo livremente pela cidade como o rio Moldau (ou como os tchecos o chamavam: Vltava). A música também nadava dentro dos muros da mansão de Petschek: quando a família estendida se reunia, carruagens puxadas a cavalo costumavam parar na Stadtpark Street, cheias de músicos contratados. Os membros da família se vestiam da maneira mais elegante possível, os homens com fraques, as mulheres com golas altas por cima de espartilhos. Embora a família fosse judia, a alta cultura do Império Austro-Húngaro e da vizinha Alemanha era também sua religião, e vários membros se apresentavam com os profissionais, cantando ou tocando piano.

Algumas crianças ficavam impacientes, sentadas à beira dos sofás, de rosto lavado e cabelos engomados. Mas o jovem Otto ficava fascinado. Ele implorou por aulas de piano, e logo estava empoleirado diante das teclas, com seus dedos dominando perfeitamente a métrica de Schubert, Chopin e Schumann. Com seus pais, ele visitou a nova casa de ópera alemã, inaugurada em 1888. *Die Meistersinger*, de Wagner, foi a obra inaugural do edifício, e suas outras peças foram apresentadas nas estações seguintes. Otto olhava as espirais de seu teto neobarroco enquanto os sons o banhavam, despertando uma adoração pelo compositor que duraria sua vida inteira. Otto também amava Mozart e Beethoven, ambos criados e regidos em Praga — e todos os outros mestres de língua alemã. Ele encantava sua família ao voltar para casa depois de concertos musicais e correr os dedos pelas teclas de marfim, tocando só com a fresca memória da apresentação que acabara de ver. Otto encontrava beleza em todo lugar. Libertado dos limites da casa da família ao começar a frequentar a escola, ele percorria a cidade de olhos arregalados, estudava os ritmos no estuque, na pedra e no gesso que revestiam as ruas da cidade, amálgamas de séculos de construção europeia. "Música é arquitetura líquida; arquitetura é música congelada", dizia o ditado atribuído a Goethe, uma autoridade venerada na casa germanófona de Otto. A Velha Nova Sinagoga e os outros edifícios medievais eram barítonos, profundos em pedra sólida. Monumentos renascentistas, como o Palácio Real de Verão, eram sopranos, emocionantes. A Igreja de São Nicolau e o Jardim Wallenstein, gigantes barrocos, eram tenores. Para alguns, a justaposição desses estilos podia parecer discordante; mas, para Otto, a paisagem urbana era um coro harmonioso.

Os admiradores de Praga apreciavam as fachadas idiossincrásicas e as conheciam tão bem quanto o próprio rosto. Havia detalhes que os olhos menos treinados deixavam passar: um afresco obsceno aqui, uma passagem secreta que levava a uma gruta antiga ali. Os moradores da cidade havia muito tempo formaram um culto que adorava sua beleza. Preservaram a história que dava vida às fachadas: lendas extravagantes, segredos que corriam de boca em boca, legados de videntes e excêntricos. Pais e avós sussurravam aos filhos histórias da clarividente fundadora da cidade, a princesa Libuše; do padre milagreiro Nepomuk; do rabino Löew e seu golem; e de milhares de outras pessoas — apontando para as casas onde viviam e por onde andavam. Todas as grandes cidades têm seus guardiões, mas os de Praga eram particularmente ferozes em sua devoção. Esses habitantes, aqueles que nunca esqueciam, que sempre observavam, que transmitiam a tradição da cidade de geração em geração, eram os Vigilantes de Praga.

Otto era um deles. Mas ele não se satisfazia apenas observando. Ele ainda não sabia como, mas, tal qual os protagonistas das óperas que admirava, pretendia deixar sua marca heroica na cidade que amava.

Em 1892, aos dez anos, Otto entrou na escola preparatória para a universidade, o *gymnasium*, onde passaria os oito anos seguintes imerso no clássico currículo de artes liberais. Ele escalou desde as raízes da Europa, latina e grega, até as copas de suas árvores: literatura contemporânea, ciência e matemática. O curso dos estudos pretendia incutir a fé iluminista na razão e no progresso — e, no caso de Otto, conseguiu. Mas Isidor e Julius se asseguraram de que a exposição de Otto a Atenas e Roma, a Paris e Viena, não acontecesse à custa de Jerusalém. Eles haviam sido criados em um lar ortodoxo, e, embora houvessem se tornado mais liberais, ainda faziam Otto estudar a lei, a tradição e a história judaica nas aulas diárias de religião.

Em 1895, sua voz clara soou na Velha Nova Sinagoga, enquanto ele entoava sua porção em seu *bar mitzvah* em um hebraico bem treinado, marcando sua ascensão à idade adulta judaica. Ele inclinou a cabeça para ler a minúscula caligrafia no rolo da Torá, guiando com a mão um *yad* de prata da direita para a esquerda, percorrendo a antiga escrita hebraica. As notas de seu canto pairavam alto, na penumbra, entre as abóbadas góticas de cinco nervuras. (A quinta costela era puramente decorativa, para evitar formar uma cruz.) No ático, dormia o golem — rezava a lenda —, pronto a ressurgir, se necessário, para proteger a comunidade judaica de Praga. Abaixo, seu mais novo membro liderava o serviço com confiança. Ele estava mais alto, mais magro, mas ainda tinha a acentuada aparência da família — um tufo de cabelos pretos acima da testa alta. Seu pai e seu tio, versões mais volumosas do jovem Otto, flanqueavam-no no bema, enquanto sua mãe e a irmã dela, Berta, agora casada com Julius, observavam-nos através de fendas nas grossas paredes que separavam as mulheres dos homens.

Nos anos seguintes a seu *bar mitzvah*, Otto aprendeu que nem todos os habitantes de sua cidade e das terras ao redor gostavam igualmente de sua tribo. O nacionalismo tcheco estava surgindo: a reafirmação da língua e identidade tchecas quase três séculos depois que os boêmios e morávios eslavos foram conquistados pelos austríacos germanófonos. A família Petschek apoiava com entusiasmo o atual governante austro-húngaro, o benigno veterano Franz Joseph. Ele era conhecido pelas relações calorosas com seus súditos judeus em todo o vasto império, reunindo dezenas de nacionalidades em toda a Europa. De fato, tio Julius o servira como *Oberfinanzrat*, conselheiro financeiro do império.

Mas os tchecos étnicos e muitos outros se ressentiam dos séculos de domínio dos Habsburgo sobre Praga e as terras ao seu redor.

Os nacionalistas, insatisfeitos com sua representação fragmentária no Parlamento de Franz Joseph, queriam autonomia ou independência. À medida que o novo século se aproximava, uma minoria de nacionalistas eslavos começou a focar sua ira nos residentes culturalmente alemães de Praga, com judeus se destacando entre seus alvos. Circulavam panfletos antissemitas intitulados *"Pro Lid"* ("Para o povo"), difamando os judeus por causa de sua assimilação da língua e cultura alemãs. Fanáticos marchavam para exigir boicote às lojas judias, pisando firme pelas ruas e cantando *"svůj k svému"* ("cada um por sua conta"), resultando na falência de muitos negócios.

O pior de tudo foi que alguns nacionalistas ressuscitaram a antiga calúnia de que judeus matavam cristãos para obter sangue, ingrediente secreto do *matzá* da Páscoa. Um judeu itinerante, Leopold Hilsner, foi falsamente processado por assassinar ritualmente uma gentia. Durante aquele período, houve tumultos antigermânicos e antissemitas, e brigas de rua em Praga; judeus foram espancados, as vitrines de suas lojas, quebradas, e suas mercadorias, saqueadas. Casas judias e sinagogas também foram atacadas e destruídas, até que Franz Joseph enviou seu exército, marchando pelas ruas cheias de vidros quebrados, para restaurar a ordem.

As ondas *fin de siècle* do antissemitismo haviam deixado o pai e o tio de Otto nervosos. Eles haviam fugido para Praga para escapar de um *pogrom*, e isso ainda os assombrava. Eles foram criados em Kolín, onde o pai deles havia comprado terras a preços baixos e depois as revendido ao governo, com um lucro substancial, para a construção de uma ferrovia. Em 1876, uma multidão enfurecida se reunira em frente à casa deles. A família espiava cautelosamente por trás das cortinas, imaginando se seriam violentamente atacados. Decidiram fugir, estabelecendo-se em Praga e, discretamente, obtendo sucesso como investidores passivos, longe da vista do público. Os Petschek não estavam ansiosos para se mudar de novo.

Com todo o idealismo de um rapaz de dezessete anos, Otto adotou uma visão mais otimista. Os Petschek não eram apenas judeus; eram austro-húngaros, boêmios e praguenses germanófonos. Certamente o antissemitismo estava enfraquecendo — uma erupção periódica à margem da sociedade. Afinal, um não judeu, o nacionalista tcheco Tomáš Masaryk, principal defensor de Hilsner, era contra o libelo de sangue. Masaryk, de quarenta e nove anos, filósofo, escritor e editor de um jornal liberal, com um olhar feroz por trás dos óculos pincenê, era um formidável defensor dos judeus. As fileiras nacionalistas incluíam muitos outros que haviam acolhido judeus — e até alguns judeus tchecos (mas Otto não estava entre eles). Otto acreditava que nada aconteceria com o império e que os Petschek estavam firmemente incrustados nele. Franz Joseph até havia se oferecido para elevá-los à nobreza, mas Julius e Isidor recusaram. Eles preferiam ser discretos, baseados na cautelosa filosofia judaica *"sha shtil"* — "silêncio, fique quieto".

Otto não tinha tal constrição. Um novo século estava chegando, e, em sua aurora, 1900, ele se formaria no *gymnasium* e continuaria seus estudos. Ele queria ser maestro. Era musicalmente talentoso e temperamentalmente adequado para aquele tipo de trabalho, dominante e alegremente desenfreado. Ele havia visto os grandes maestros da Europa e admirava a maioria deles. Certa vez, escreveu aos pais: "Dez dias em Viena e nada de Wagner, só lixo! Como se Mahler fizesse isso para me chatear!" Se ele fosse maestro, poderia programar o que quisesse, sempre que quisesse.

Julius e Isidor o proibiram. A música era um hobby, não uma profissão. Eles tinham outros planos para o primogênito Petschek: Otto estudaria direito, como ambos, e depois entraria nos negócios da família. A exuberância de Otto deixava seu pai e seu tio inquietos, e eles tinham esperança de que os estudos profissionais o deixassem mais sóbrio. Talvez eles houvessem sido indulgentes demais com Otto.

Supervisionar uma das maiores fortunas de Praga não era coisa romântica; ninguém deve confundir os poços de uma mina de carvão com um camarote na ópera. E, se Otto achasse o direito chato, tanto melhor.

Se Otto se ressentia dos ditames do pai e do tio — e devia se ressentir —, guardava seus sentimentos para si. Não há indicação alguma de que ele tenha reclamado ou tentado convencê-los do contrário. Ele era de uma cultura e de um lar que impunham hierarquia; era um filho e sobrinho obediente, e atendeu aos desejos dos mais velhos. Eles o mandaram para sua *alma mater*, a área germanófona da Universidade Carolina de Praga. Fundada em 1348, era uma das mais antigas instituições de ensino superior da Europa e uma das mais destacadas. A universidade atraía acadêmicos de todo o mundo germanófono (Einstein entrou na Faculdade de Artes dessa universidade poucos anos depois de Otto se matricular, em 1911).

Mas estudar direito pouco serviu para conter Otto. As capas pretas de seus livros tinham títulos intimidadores: *Verwaltungslehre und Oesterreichisches Verwaltungsrecht Allgemeiner Theil*; *Deutsche Reichs- und Rechtsgeschichte*; *Sammlung von Civilrechtlichen Entscheidungen der k.k. obersten Gerichtshofes*. No entanto, por dentro de suas capas fúnebres, os sublinhados e as anotações de Otto inflamavam as páginas. Uma explosão de tinta vermelha, azul e verde deslumbrava os olhos. A lei era mais um sistema complexo — como matemática, música ou a miscelânea arquitetônica de Praga —, e a imaginação de Otto despertava com seus padrões, intangíveis mas onipresentes. Suas regras sustentavam o império de Franz Joseph, que, por sua vez, protegia e nutria Otto, sua família, os judeus e todos os seus súditos. Era o instrumento da visão iluminista de uma sociedade racional e ordenada que o inebriara no *gymnasium*. Ele estava encantado.

Esse entusiasmo não era compartilhado por todos os colegas de Otto. Um de seus conhecidos descreveu o currículo jurídico como uma "serragem intelectual que milhares de pessoas já mastigaram por mim". Esse pessimista estudante de direito era Franz Kafka. Franz e Otto trilharam em paralelo o programa de graduação e pós-doutorado na Universidade Carolina de Praga. Otto fazia anotações furiosamente, curvado sobre a folha, tentando captar todos os detalhes, como se estivesse transcrevendo uma sinfonia. Franz escutava com postura duvidosa; seus traços estreitos e agudos expressavam ansiedade. Para ele, os meandros do sistema jurídico austro-húngaro inspiravam terror de injustas, incompreensíveis até, acusações, culpa e punição. Mas tal perspectiva sombria era totalmente estranha para Otto.

A formação jurídica de Otto não teve um efeito discernível sobre sua extravagância. No vigésimo quinto aniversário de casamento de seus pais, em 1906, ele levou os membros mais jovens de sua família ao exuberante jardim dos Petschek em Bubeneč. Obrigou todo mundo a se vestir com a elegância mozartiana da era clássica e a apresentar seleções musicais. (*Ver imagem 1.*) Os irmãos e primos mais novos de Otto, e seus amigos, foram convocados para o evento e (com algumas objeções) a se fantasiar para compor uma orquestra. Otto era o maestro, resplandecente com suas calças justas e seu longo casaco branco adornado com pesadas tranças douradas. Seu traje era coroado por uma ultrajante peruca empoada amarrada com uma fita preta. Na fotografia do aniversário, o rosto de todos os demais mostra pouca alegria. Mas Otto, com os pés firmemente plantados no palco, adorou o espetáculo.

Otto completou seus estudos jurídicos com um doutorado *juris utriusque* em 1909, e Isidor e Julius o mandaram trabalhar por um longo período como secretário no escritório de um de seus amigos, dr. Julius Popper. Ali, o recém-cunhado doutor em direito não teria privilégios especiais de herdeiro natural. Apesar de sua formação avançada, Otto era um aprendiz, e o trabalho não era dramático:

pesquisa jurídica, redação e, inclusive, manter a mesa de seu chefe arrumada. Quando essa humilhante iniciação foi concluída, Otto ingressou formalmente nos negócios da família. Isidor e Julius lhe ensinaram os aspectos menos fascinantes de suas operações: contabilidade, correspondência e departamento pessoal; e o designaram aos recessos subterrâneos de seus investimentos, o labirinto de minas de carvão do norte, na Boêmia e na Silésia, para aprender as operações. Levavam-no a suas reuniões como observador silente, estabelecendo um ritmo cansativo:

> Tive que sair com papai e tio Julius na segunda e na terça. Nunca passei uma semana tão confusa quanto esta última. E eu estava tão cansado que consegui realizar a incrível façanha de dormir por uma hora no carro no caminho de volta de Aussig — não chegamos a tempo de pegar o trem e partimos de carro às 21h30. Levando em conta que a estrada é ruim e cheia de poças d'água e que o motorista tocava a buzina a cada curva, dá para ver que essa grande façanha deve ser muito valorizada.

Seus mentores o estavam testando para ver se ele faria as coisas como lhe haviam dito. Otto parecia obedecer, pelo menos na superfície. Ele vestia a mesma expressão impassível, a mesma postura empertigada e o mesmo terno escuro de três peças que o pai e o tio.

Havia uma área, no entanto, em que Otto resistia aos ditames de Isidor e Julius: casamento. Quando estava na casa dos vinte, seu pai e seu tio, bem como sua mãe e sua tia, pressionaram-no para se casar. Ele objetou; queria estar apaixonado. (Ópera demais, resmungavam eles.) Mas, quando estava trabalhando com Popper, alguém por fim chamara sua atenção: a filha de seu chefe, Martha. Ela também era uma judia praguense germanófona. Seu pai fazia parte do círculo social e empresarial dos Petschek. Otto, cinco anos mais velho que Martha, tinha uma vaga lembrança dela quando era criança.

Em 1911, ela tinha vinte e três anos e era adorável: esbelta, rosto macio e redondo e membros longos e elegantes. Era de uma gentileza que fazia as pessoas lhe confiarem seus segredos; todos, de avós a crianças, procuravam-na para falar de seus problemas. Otto a via todos os dias quando ela ia buscar o pai para um passeio. Ela era gentil e carinhosa com o velho advogado. Um dia, de repente, Otto pensou: "Por que não me casar com Martha?"

Durante a maior parte do ano, Otto tentou envolvê-la em conversas, para se conectarem. Ela era educada, mas sempre se esgueirava para evitar as confissões sussurradas de seus carentes confidentes. Na verdade, Martha achava a extravagância de Otto desagradável. Ele havia cometido o erro de revelar a ela que tinha quarenta e cinco chapéus — um número ridículo. Ela estava interessada em pessoas, não em coisas.

Mas Otto, sempre obstinado, continuou persistindo até 1912; e, certa noite, enquanto estavam sentados em frente à lareira na casa do pai dela e sombras dançavam sobre seu vestido cinza, Martha cedeu. Ela descobriu que as mesmas paixões borbulhavam em ambos: música, arte e literatura. O entusiasmo um pelo outro cresceu, e, em pouco tempo, estavam passando mais tempo juntos. Martha tinha um senso de humor provocador, que empregava com uma voz suave e rítmica. Ela fazia Otto rir chamando-o de *Dumme* ("tolo"). Ele a chamava assim também, e o apelido se tornou o tratamento afetivo entre eles.

Ela também zombava gentilmente de suas características tipicamente judias. Ele estava uma geração distante do gueto de Kolín, onde seu pai e seu tio haviam nascido e crescido falando iídiche. Otto dizia a Martha que ele era "um grande realista e um são Tomé" — resultado de seus longos estudos seculares. Mas temperava a sofisticada conversa entre eles com palavras em iídiche, respeitava os feriados judaicos e, uma vez, parou para rezar quando por pouco não sofrera um acidente de carro. "Poderia ter sido muito ruim", ele disse a ela. "Nos momentos em que nossa sorte parece terrivelmente pequena, sempre tenho o forte desejo de agradecer a alguém. A Deus, ao destino... Ontem também eu disse 'Graças a Deus' do fundo de meu coração quando tudo acabou. Você ri de mim por causa disso?"

Ela ria; mas logo se viu borrifando "Graças a Deus" no próprio discurso.

Apesar de seu bom senso, ela também começou a ceder ao esteticismo dele. Ele a recrutou para os Vigilantes de Praga, levando-a pelas ruas pitorescas da cidade. Eles paravam para ver as vitrines, e ele a fazia corar com suas sensuais avaliações da porcelana da Morávia, a delicada vidraria boêmia e os suntuosos tecidos importados. A cidade já havia sido um centro de alquimistas — "Praga Mágica" —, mas, para Otto, a verdadeira alquimia era a criação de lindos objetos pelas mãos humanas. Ele tentava conquistar Martha comprando-lhe as coisas mais encantadoras. Ela o repreendia por gastar tanto dinheiro. Às vezes, ela até devolvia os presentes. Mas também ficava com alguns.

Um dia Martha comprou um presente para *ele*: seu quadragésimo sexto chapéu. Ele brincou dizendo que "talvez eu esteja meio na moda *demais*", e acrescentou: "A propósito, eu não acharia ruim se você cuidasse do resto de meu vestuário também. Pelo menos eu gastaria menos". Mas suas brincadeiras contrastavam com a grande felicidade que sentia. Talvez Martha tenha reavaliado seu gesto quando ele, logo depois, deixou-lhe um bilhete anunciando que o presente que ela lhe dera tinha um novo companheiro:

> Incentivado por seu melhor presente, comprei um chapéu novo ontem, verde — na verdade, devo dizer "haaaayut", pois parece muito tirolês. Número 47. Fico simplesmente encantador com ele — como as garotas de Ischl! Quando ando pelas

ruas, sempre tenho medo de que um policial me prenda por andar malvestido. Mas vou arriscar. Em anexo está minha fotografia mais recente. Por favor, usufrua com cautela!... As criancinhas na rua choram quando me veem. Acho que você fará o mesmo.

Qualquer reserva que isso tenha provocado não foi nada comparada com a próxima desventura de seu desajuizado pretendente. Otto estava viajando a negócios e percebeu que havia deixado na casa dela um documento de que precisava. Ele mandou um de seus colegas buscar os papéis. O homem passou pela empregada de Martha, entrou no quarto dela e vasculhou a mesa. Martha chegou à casa e encontrou a criada chorando; e mandou a Otto uma carta ferina. Ele respondeu desculpando-se profusamente. "Minha mãe sempre diz: 'Nasceu idiota e nunca aprende nada!' Se me perdoar, dou-lhe o poder de dizer o mesmo." Apesar de toda sua genialidade na análise de sistemas, Otto era meio inepto nas relações humanas. Martha se deixou aplacar, porém levantou a guarda de novo.

Mas Otto continuou sendo paciente. Foram visitar um jardim silvestre ao lado de uma casa de veraneio que os pais de Otto haviam comprado em Bubeneč. Seguiram da Cidade Velha para o norte, atravessando a ponte Čech, em estilo *art nouveau*, que passava por cima do Vltava. Subindo pelo parque Letná, pararam no topo da colina para ver a deslumbrante paisagem da cidade abaixo. Em todos os lugares pelo caminho eles encontraram amigos e parentes, e trocaram acenos, cumprimentos e conversas.

Os judeus abastados de Praga estavam começando a se mudar do centro da cidade, e a família estendida Petschek, *feinschmeckers* (*connaisseurs*), havia comprado lotes por todo o bairro no topo da subida. Os pais de Otto possuíam vários lotes em um único grande quarteirão de terra nobre em Bubeneč. A casa de veraneio ficava à beira da enorme propriedade, mas o quarteirão estava praticamente vazio. Era um jardim silvestre, aberto para o bairro inteiro. Moitas de flores silvestres e centelhas de vermelho e amarelo pontilhavam as sebes e o gramado. Otto e Martha, de braços dados, paravam e observavam as flores, cada uma delas uma pequena obra-prima.

Eles visitavam o local regularmente, observando a mudança da folhagem, e a sintonia entre eles crescia com as variações sutis das estações. Quando as folhas caíram, o mesmo aconteceu com as reservas de Martha. Apesar das peculiaridades, das indulgências e da falta de jeito de Otto, ela não conseguia mais imaginar sua vida sem ele. Em outubro, as árvores estavam nuas. Em 25 de outubro de 1912, Otto convidou Martha a ir ao jardim. Ele falava com especial energia; a réplica dela era ainda mais intensa. Depois do passeio habitual, ele se ajoelhou e perguntou a ela, com um brilho nos olhos e o tom de brincadeira que usavam: "Senhora, gostaria de se tornar uma Petschek? Você quer se arriscar comigo?" (*Ver imagem 2.*)

Eles se casaram em 1913 e passaram a lua de mel na Itália. Otto já havia viajado pelo país, e estava ansioso para mostrar a Martha suas coisas favoritas — ruínas deterioradas, catedrais abobadadas e arcadas renascentistas —, como se as houvesse pessoalmente encomendado para ela. Ele gravou imagens da viagem na memória: de Martha diante das maravilhas arquitetônicas que visitaram, cada uma delas tingida do brilho rosado de sua paixão pela esposa. Eles falavam em italiano com os vendedores e funcionários do hotel e entre si — e sempre voltariam a essa língua quando não quisessem que o restante da família ouvisse seus segredos.

Voltando a Praga para morar com a família de Martha, Otto retomou seu trabalho como sócio pleno nos negócios. Tendo terminado seu período de treinamento, ele vibrava com o "romance e tragédia" do negócio bancário, como dizia o título de um de seus livros americanos. Mas ele se esforçava para não demonstrar, assumindo ainda mais a fisionomia séria de seus mentores, começando inclusive a acumular parte da massa corpórea deles. Eles o recompensaram mandando-o se reunir com parceiros de negócios e inspecionar investimentos em todo o continente em 1913 e 1914. Foi a última fase de um século de relativa paz, quando uma criança europeia podia vagar livremente por qualquer parte, de São Petersburgo à Escócia, de Aachen a Atenas. Otto fazia uma viagem atrás da outra, atravessava o continente, vivia fora de seu mundo. Como companheira de viagem, ele adquiriu uma coleção de grossos guias vermelhos Baedeker. Entre as reuniões, em trens e quartos de hotel, Otto se debruçava sobre as páginas brilhantes, e então erguia os olhos para admirar a paisagem real. Sempre que tinha um minuto livre, ele dava uma escapada e se deliciava com a cultura, devorando a ornamentação dos palácios, das igrejas e dos teatros que visitava, guardando tudo para referência futura.

Otto bebia a beleza do continente, mas ansiava por voltar para casa e para Martha. Ele derramava seus sentimentos em longas cartas que escrevia diariamente para ela, às vezes até duas vezes por dia. "Está TRANSBORDANDO", escrevia sobre seu amor por ela, rabiscando em grossas folhas de papel almaço com o timbre do Hotel Imperial em Viena, o Continental em Paris ou o Grand Hotel no Mar do Norte, na Holanda. Ele também lhe mandava presentes de todas as grandes cidades da Europa: uma miniatura do século XV de um santo orando; vidro veneziano vermelho antigo; pequenos incunábulos com capas de marfim e prata trabalhadas de forma intrincada. Martha respondia às cartas ou mandava telegramas, censurando-o com bom humor a quantidade de dinheiro que ele estava gastando com ela, assinando com "HRDLS", a palavra secreta que usavam para expressar beijos.

Em fevereiro de 1914, Martha deu um presente a Otto — o melhor de todos: um filho. Batizaram-no Viktor. (*Ver imagem 3.*) A criança era a cara de Otto: cabelos escuros salpicados no característico crânio da família. Viktor era um bebê alegre e faminto. Otto e Martha o apelidaram, em particular, de *der Hund* ("o cachorro"), devido à natureza afetuosa do filho e o grande apetite.

Foi uma época feliz — mas estava prestes a terminar.

Naquele verão de 1914, as coisas na Europa começaram a virar calamidade. A catástrofe começou com o assassinato, em junho, do herdeiro do trono austro-húngaro, Franz Ferdinand, pelas mãos de ultranacionalistas radicais na Sérvia, que se opunham à interferência austríaca em seus assuntos. Otto trabalhou longos dias lado a lado com o pai e o tio para avaliar a deteriorada situação, que ficou conhecida como Crise de Julho. Os três se debruçavam sobre os jornais de Praga, Viena e Berlim, reunindo informações coletadas de seus colegas de trabalho, debatendo sobre a precisão dos rumores que corriam na Bolsa de Valores de Praga. Haveria guerra? A ansiedade deles não era só pelos negócios. Otto havia concluído seu serviço obrigatório como oficial do exército do imperador, mas seus três irmãos mais novos (Paul, Fritz e Hans, vinte e oito, vinte e cinco e dezoito anos, respectivamente) ainda eram comissionados na reserva, e seria de esperar que lutassem se a guerra eclodisse.

Em 28 de julho de 1914, a Áustria-Hungria declarou guerra à Sérvia. Os aliados de cada lado entraram no conflito, e em duas semanas a Europa inteira estava lutando pela primeira vez desde a derrota de Napoleão. Praga também estava dominada pela febre da guerra — apesar de os tchecos, ressentidos por três séculos de dominação pelo trono austríaco, estarem menos entusiasmados que suas contrapartes croatas, alemães e magiares. Otto, no entanto, uniu-se à causa do imperador Franz Joseph e da aliada do monarca, a Alemanha, que formavam as Potências Centrais. A língua e a cultura de Otto eram alemãs, o núcleo de seus negócios estava na Áustria-Hungria, e sua família venerava Franz Joseph. Os irmãos de Otto serviriam como oficiais nas forças armadas, como o próprio Otto servira. De modo que ele abraçou a aliança pangermânica de seu imperador com o cáiser Guilherme II.

A princípio, Otto sentiu-se encorajado pelos resultados da guerra no leste e tranquilizado pelas cartas de seu alegre irmão Paul. O bem-humorado e segundo mais velho Petschek estava trabalhando como observador de artilharia, usando as limusines da família (com motorista) para se locomover pelas linhas de frente, estimando o que as balas austríacas estavam atingindo. Pelo que Otto sabia por meio dessas e outras cartas, pelos jornais e pelo fluxo constante de informações de colegas de trabalho, alemães e austríacos pareciam estar progredindo na frente oriental (mas as coisas pareciam meio atoladas no oeste). As cartas de Paul descreviam em 1915 a desordem e a retirada dos exércitos russos, alimentando as esperanças de Otto de que a guerra logo acabaria. Otto fez uma campanha de arrecadação de fundos para assistência médica aos soldados e foi condecorado com a medalha da Cruz Vermelha por conseguir uma grande quantia. Martha o ajudou nisso, e recebeu uma medalha de prata, que ela orgulhosamente usava como broche em seus vestidos.

Mas 1915 chegou e se foi; a guerra se arrastava. No terceiro ano, 1916, até Otto estava desiludido. As unidades das terras tchecas sofreram as maiores baixas do exército austríaco. Otto via os homens feridos nas ruas de Praga: uma manga presa onde antes havia um braço, uma muleta compensando a falta de uma perna — ou pior: mais e mais famílias usando braçadeiras pretas para indicar um pai, um irmão ou um filho morto. Os Petschek também esperavam diariamente más notícias. Todo telegrama que chegava provocava uma explosão de ansiedade. A bateria de Hans foi atingida, mas ele escapou. Paul não teve tanta sorte; ele foi ferido em batalha, hospitalizado e depois designado para um cargo no Ministério da Guerra, em Viena. O pior de tudo foi que Fritz teve um colapso nervoso devido ao estresse da frente de batalha e foi dispensado, voltando a Praga em choque pós-guerra. Ele vagava pelos corredores da empresa da família, escrevendo seu nome no ar repetidas vezes. Ninguém estava seguro, independentemente do status que ocupasse na sociedade; até mesmo o imperador Franz Joseph, após extraordinários sessenta e oito anos no trono, foi derrubado pela doença e pela tensão da guerra. Ele morreu em novembro de 1916 — outro golpe para seus súditos. Julius havia sido conselheiro do imperador durante muitos anos, de modo que a dor dos Petschek foi especialmente profunda.

Isso foi um teste para a confiança de Otto — a primeira vez na vida que ele enfrentava verdadeiras adversidades. Mas ele se recusava a desistir. Para Isidor e Julius, para o mundo, podia parecer um impasse, um caos, uma confusão imprevisível. Mas Otto, como se ouvisse a afinação dos instrumentos antes de uma sinfonia, achava que podia prever as notas do próximo movimento da partitura. A paz estava chegando. Quando isso acontecesse — acreditava ele —, o carvão tcheco impulsionaria a reconstrução e seu valor dispararia. Naquele momento, enquanto a névoa da guerra ainda encobria o mercado de energia e os preços estavam em baixa, era a hora de monopolizá-lo.

O exato raciocínio por trás de seu cálculo é obscuro; em 1916 suas cartas a Martha de repente se tornaram enigmáticas, referindo-se a pessoas e eventos elipticamente, e até mesmo em código. Sua correspondência sugeria uma heresia: o Ocidente venceria a guerra e as terras tchecas — a Boêmia, a Morávia e a Silésia tcheca — acabariam alinhadas com ele. Os Aliados haviam declarado que seus objetivos de guerra incluíam a autonomia dos europeus centrais que viviam sob domínio estrangeiro. Desde 1914, Masaryk — o mesmo professor que se destacara na luta contra o libelo de sangue de Hilsner —, como exilado, pressionava por esse resultado enquanto ziguezagueava de Londres a Paris, de Moscou aos Estados Unidos. Otto não era um nacionalista tcheco. No entanto, parecia ter concluído que uma política tcheca autônoma e orientada para o Ocidente ofereceria enormes oportunidades econômicas, e o carvão os levaria adiante.

Qualquer que fosse sua lógica, Otto argumentou com seus parceiros dizendo que deveriam apostar tudo, comprar carvão e ativos relacionados nas terras tchecas com agressividade, expandindo sua posição o máximo possível. Os Petschek mais velhos olhavam-no desconfiados — o pai: implacável, perspicaz, com seu cabelo cortado rente e seus olhos penetrantes; tio Julius: ponderado, menos entusiástico, alisando o bigode e tentando entender. Otto defendeu sua visão. Ele conhecia todas as principais minas, havia visto as operações, conversara com os mineiros, e as visitara tantas vezes que poderia andar por elas de olhos vendados. Era hora de adquirir posições majoritárias, assumir o controle dos conselhos diretivos e passar para a administração ativa.

Otto havia encontrado uma saída para seu otimismo inquieto: investir na paz que estava por vir. Seus mentores, sempre mais cautelosos, começaram a embromar. Tio Julius, em particular, era um "*schlmiel*" e "não quer ouvir nada que alguém diga", relatou Otto a Martha; mas admitiu: "Estou meio nervoso, e louco... Sinto-me como uma mulher no oitavo mês! Pelo menos é como imagino que deva ser". Mas ele foi em frente, e escreveu à sua "querida e única *Dumme*" que faria uma grande reunião para tentar convencer o pai e o tio. Precisaria apresentar fatos e números que embasassem sua posição. Ele recrutou os filhos adolescentes de Julius para ajudá-lo a fazer as contas. "Eles estão sentados em volta da mesa de jantar [...] fazendo aritmética com grande concentração. Estão trabalhando com muito entusiasmo, e é um prazer vê-los", relatou alegremente a Martha.

Apesar da relutância que os dois homens mais velhos sentiam em relação à estratégia ousada de Otto — objeções baseadas em considerações comerciais, perigo ou patriotismo —, eles cederam de má vontade aos cálculos do rapaz acerca da enorme vantagem. Referindo-se a seu sucesso, Otto contou a Martha, exultante, que "a criança nasceu e está muito bem!" Durante o inverno congelante de 1916-1917, quando o carvão era escasso e valioso e aquecia casas por toda a cidade, formando minúsculas manchas de fuligem que voavam para fora pelas chaminés e se misturavam com os rodopiantes flocos de neve, Otto deu início a uma onda de aquisições. Para acomodar a nova atividade, ele expandiu suas operações em Praga: "Para a surpresa de papai e titio, mobiliei um escritório inteiro [...] duas salas com cinco novas secretárias [...] Também criei um novo sistema". Logo os funcionários chegaram a trinta e seis, exigindo a divisão dos escritórios existentes para que coubessem todos. Mas nem todos os Petschek compartilhavam da visão arquitetônica de Otto. "Papai ficou muito surpreso quando viu os homens construindo uma parede hoje", continuou contando a Martha. "Tenho que ir embora antes que papai volte, caso contrário ele vai me matar."

E Otto foi embora. Ele viajava constantemente, passava dias e noites visitando vendedores e fazendo acordos. Como resultado, ficava em casa ainda menos que quando atravessava a Europa antes da guerra. Sentia falta de Martha e de Viktor, já um menino de três anos, simpático e curioso. Seus pais haviam lhe dado mais apelidos; além de *Hund*, também o chamavam de *Bursche* ("menino") ou Viky. Ele os fazia rir com seus primeiros esforços para falar; entrando no quarto certa manhã, sem conseguir localizar nenhum deles, ele proclamara: "Não mamãe, não papai aqui".

Otto pedia desculpas ao filho por sua constante ausência, escrevendo: "Meu querido *Burschischi* [garotinho], papai tem muito trabalho [...] é por isso que ele não pode estar aí em seu aniversário [...] Quando papai voltar para Viky, levará seu pacote. Papai manda muitos beijos para você e para mamãe [...] Tchau! Tchau!" Martha deve ter estremecido — ela sabia que seu marido tinha boas intenções, mas presentes não substituíam sua presença. Isso era um ponto sensível entre eles. Ela não tinha vergonha de lhe dizer o que pensava, e suas cartas às vezes eram dilacerantes. Mas, no fim, eles sempre resolviam as brigas, e Otto assinava nas cartas de desculpa: "Mil e mais beijos, eu te amo loucamente".

Nas cartas para Martha de 1917 e 1918, Otto aludia às suas manobras comerciais e aos eventos externos que foram decisivos para sua grande aposta, alertando-a sobre as notícias que determinariam seu destino. A entrada americana no lado ocidental em 1917 deu apoio à sua aposta; o subsequente colapso da Rússia, aliada do Ocidente, foi uma ameaça; e a coisa ficou flutuando, com todos os outros desvios imprevisíveis daquele ano; as marés do campo de batalha subiam e desciam, e com elas sua fortuna. As condições de vida em casa também pioraram: restaurantes e teatros fechavam cedo; hotéis sofriam apagões; o cigarro, depois o café, e por fim a carne, desapareceram. Os irmãos de Otto, a pedido deste, mandaram suas cotas de manteiga a Martha e Viky para que eles tivessem reservas. Greves e tumultos periódicos irrompiam entre os tchecos cansados da guerra e seus senhores austríacos, os Habsburgo.

Em meio a tudo isso, para quem via a situação de fora, Otto parecia impassível, ameaçador até. Ele já havia adotado completamente o estoicismo de seus mentores — o tempo e a pressão dos anos de guerra aplicaram o selo hermético final por trás do qual se escondia sua verdadeira personalidade. Mas, para Martha, ele divulgava seus grandes planos, suas esperanças crescentes e suas terríveis angústias:

> Por fim concluí o negócio aqui. Foi uma tortura durante quatro dias [...] É como se eu tivesse que decidir hoje o que vestir para o clima quente ou frio de amanhã. A coisa depende do tempo que fizer amanhã, mas tenho que decidir hoje, entende? Acho que, depois de quatro dias, tomei a decisão certa. Rudi [um colega] sempre diz que nunca estou satisfeito comi-

go mesmo. Hoje estou um pouco. Se tenho o direito de estar, o futuro dirá. Tchau, meu anjo, ame-me tanto quanto eu a amo!

Quando estavam os dois em Praga, o casal passava momentos juntos no início ou no fim do dia. Quando estavam afastados, cartas e telegramas eram necessários — às vezes três ou quatro por dia, e muitos terminavam com uma instrução de Otto para destruir o documento, para que sua orientação pró-Ocidente não vazasse: "Rasgue a carta imediatamente e jogue-a no vaso sanitário!"

Em 1918, Martha talvez houvesse se envolvido *demais* com ele; parecia absorver as crises de estresse dele. Sua energia diminuiu, e ela tinha uma tosse persistente que se aprofundou. Certa manhã, Martha não conseguiu sair da cama. O médico da família temia que fosse tuberculose. Otto, ansioso, correu de volta a Praga. Os especialistas não chegavam a um acordo quanto ao diagnóstico, e decidiram mandá-la para um sanatório em Semmering, nos Alpes austríacos. Otto esperava que o ar puro, a dieta cuidadosa e a atmosfera pacífica curassem o que quer que a afligisse.

A ausência de Martha provocou inesperadamente em Otto a obsessão que dominaria sua existência: a construção.

Antes de ela adoecer, eles haviam decidido que era hora de sair do apartamento do centro da cidade. Planejavam ter mais filhos depois da guerra (esperavam que o próximo fosse uma menina, e já haviam escolhido o nome: Eva). O apartamento também havia ficado muito pequeno para acomodar tudo que Otto comprava. Eles precisavam de mais espaço. E o encontraram em Bubeneč, em um terreno que tinha um significado romântico para o casal: dava para o jardim silvestre onde Otto a havia pedido em casamento. Já tinha uma estrutura, uma casa neoclássica relativamente modesta, de dois andares.

Com Martha fora, Otto adquiriu a propriedade e a preparou para eles. Para sua consternação, a casinha, tão encantadora por fora, havia sido muito negligenciada por dentro. Um cômodo "tinha tanta umidade que a água escorria pelas paredes". Em outro espaço aberto, "havia dois montes de esterco de cavalo". Mas Otto disse a Martha que não se preocupasse; ele deixaria tudo "limpo e seco como uma pista de dança". Aquele seria seu mais novo presente para ela, e o maior de todos.

Para ajudá-lo, Otto procurou um dos principais construtores de Praga, Matěj Blecha. Esse engenheiro, de cinquenta e sete anos, um camponês da Boêmia que se fizera sozinho, moldara a eclética paisagem urbana que Otto adorava; ajudara a construir tudo, desde apartamentos *art nouveau* até um famoso poste de iluminação cubista. Blecha não aceitaria comumente um trabalho de reforma, mas Otto era um cliente digno de ser cultivado. O engenheiro começou planejando um sistema de aquecimento central para secar as paredes úmidas e adaptar para o inverno aquela residência de verão.

Otto, curioso, pediu para ver os esboços técnicos. Ficou fascinado. A caldeira, os condutos serpenteantes, os cálculos de calor, era tudo mais um sistema sedutor para explorar (e, assim como o império em expansão de Otto, era movido a carvão).

Em pouco tempo, ele estava debruçado sobre plantas e dando ideias para reformar a casa e seus jardins. Informou a Martha: "Estou transformando a garagem em uma sala com jardim no nível da rua. Blecha chama isso de '*salla terrena*'. Os custos, *nebbich*", disse, usando um termo em iídiche que significa aproximadamente "pobre de mim". Mais tarde, ele lhe escreveu dizendo que havia projetado um conjunto de pilares para a casa, e mandou um desenho de sua obra, e também descreveu seu novo projeto paisagístico de arquitetura:

Agora que o muro foi tirado e o canal que acabava no jardim, redirecionado [...] quero que reduzam o grande canteiro de flores entre o portão de entrada e a entrada da rua, e deixem os caminhos mais amplos. Além disso, quero colocar um banco perto dos arbustos que se alinhavam no velho muro, de frente para o jardim de mamãe. Você concorda?

Em outra carta, ele avisa sua frugal Martha de que havia sido "muito imprudente", e enumerou um monte de móveis novos, que havia escolhido em Viena, para a casa; apesar de listar onze itens, concluiu: "não se pode comprar nada neste momento [...] *voilà tout*! [isso é tudo]". Martha lhe respondeu pedindo contenção. A resposta de Otto foi mostrar pessoalmente os projetos da casa para ela no sanatório. Ele a guiou pelas plantas, apontando cada detalhe. No fim, ela se permitiu ficar encantada, como ficava com os presentes extravagantes dele; eram difíceis de resistir.

Ele saiu dali com a bênção de Martha e uma especificação adicional. Decidiram que dividiriam um quarto — um empreendimento ousado naquele tempo, quando marido e mulher normalmente tinham quartos separados. Era algo tão escandaloso que Otto aparentemente tinha vergonha de informar diretamente as criadas e os demais empregados que estavam começando a ajeitar o local para o retorno de Martha. "Por favor, arranje tudo com mamãe", escreveu a seu pai, "já que eu *nebbich* [pateticamente] não posso lhe pedir isso diretamente".

Otto tinha pressa de acabar a casa. Mas houve uma série de atrasos, que o fez brincar com Martha: "Segure-me, ou vou pular pela janela". Mas, por fim, ele pôde lhe dizer que "Bubeneč foi finalizada" e "a casa ficou muito bonita".

Enquanto fazia as malas para deixar o sanatório na montanha, Martha certamente achava que a mania de construção de Otto havia passado. Na verdade, mal havia começado.

~

Durante o verão e o outono de 1918, a entrada dos EUA na guerra foi tão decisiva quanto Otto parecia ter previsto — o Novo Mundo estava indo socorrer o Velho. Otto não aguentava mais o conflito, e brincava com Martha: "Qual é a diferença entre a guerra e as hemorroidas? Estou farto da guerra". Otto tinha "grandes esperanças de paz". Ele achava que a campanha tcheca para garantir o apoio dos Estados Unidos à autonomia (e, com isso, a sua aposta) parecia promissora. Otto ficou satisfeito com o fato de os tchecos terem dado ao presidente dos EUA, Woodrow Wilson, as garantias que ele desejava.

Em 1918, as reclamações eram levadas pessoalmente a Wilson, em Washington, D.C., por Tomáš Masaryk, com o mesmo vigor e a mesma eloquência com que havia combatido o libelo de sangue durante o surto de antissemitismo do *fin de siècle*. O velho filósofo, com seu enorme bigode branco de morsa, pressionava seu colega acadêmico, Wilson, pela criação de um Estado tcheco em confederação com seus vizinhos eslavos, os eslovacos. Os dois professores se uniram, dando o impulso final a anos — na verdade, uma vida — de busca de Masaryk pela liberdade e autonomia nacional, e, em 18 de outubro de 1918, o novo Estado da Tchecoslováquia declarou sua independência, com o apoio total dos Estados Unidos. A proclamação, escrita por Masaryk, foi denominada Declaração de Washington.

A inclusão da Eslováquia parecia ter sido uma surpresa para Otto (que não havia investido ali) e para muitos outros. Aquela província austro-húngara, adjacente à histórica República Tcheca (Boêmia e Morávia), era mais rural, menos instruída e histórica e culturalmente diferente. A maioria dos eslovacos era católica, e fervorosa, em oposição aos tchecos, mais seculares, que haviam caído no ceticismo e na modernidade. O contraste entre as respectivas comunidades judaicas das duas regiões também era dramático; a sensibilidade moderna de Otto (e ainda mais de Martha) contrastava demais com a ultraortodoxia chassídica dos judeus do leste.

Mas as línguas das duas terras vizinhas eram bastante semelhantes; eram majoritariamente eslavas, de modo que o casamento deles foi ungido com os ideais do nacionalismo pan-eslavo. E havia muitas outras afinidades também, incluindo o fato de que o próprio Masaryk era meio eslovaco. Juntar-se a seus vizinhos deu a Masaryk mais peso com os aliados, e assim surgiu a Tchecoslováquia. A França e outras nações se somaram aos Estados Unidos e assinaram a declaração também. Isso se deu, em grande parte, graças ao árduo trabalho, em Paris, de um assessor de Masaryk — um jovem jornalista e acadêmico tcheco cujas maneiras secas, tímidas até, escondiam uma mente astuta e calculista. Seu nome era Edvard Beneš, e ele se destacaria na vida do novo país — e na de Otto.

Algumas semanas depois, em 11 de novembro, a guerra formalmente acabou. Quando os tratados de paz foram concluídos, Otto havia vencido sua aposta. Os americanos e os franceses insistiram no reconhecimento do novo país de Masaryk. A Alemanha, a Hungria e a Áustria obedeceram de má vontade (esta última estava perdendo setenta por cento de sua capacidade econômica). O novo Estado da Tchecoslováquia, apoiado pelo Ocidente, era uma realidade, tornando-se a décima maior economia do pós-guerra. Os bens da família Petschek dispararam em termos de valor, estabelecendo-a como figura central na economia tcheca. Eles eram os maiores detentores de linhito na região e controlavam quase metade do comércio desse carvão na Europa. Otto era o rei do carvão.

Mas se passariam mais cinco anos até que o monarca pudesse começar a pensar em um palácio digno de seu trono. As propriedades da família estendida eram vastas, e administrá-las demandava todo o tempo de Otto. A saúde de seu pai decaiu, e em 1919 Isidor morreu. Otto sentia muita falta dele; apesar da severidade, Isidor amava Otto e agia como um amortecedor quando tio Julius e o restante da *mischpoche* ("família") Petschek irritavam Otto.

Isso acontecia com mais frequência agora que Otto assumira o papel de seu pai como líder de fato dos negócios da família. Ele converteu os escritórios que construíra com tanto esforço em um banco privado de pleno direito, Petschek & Co., sua principal empresa que administrava o crescente império da família. Eles expandiram sua participação na Tchecoslováquia e em toda a Europa, entrando no ramo do papel, do vidro, de produtos farmacêuticos, da celulose, de produtos químicos e muito mais, inclusive investindo no outro lado do Atlântico, nos Estados Unidos. Otto insistiu em abrir espaço para seus irmãos Paul, Fritz e Hans, já de volta da guerra. Julius resistiu, mas Otto achava que o tio "não percebia que havia jovens à sua volta ansiosos para trabalhar e assumir responsabilidades [...] que as crianças que ele havia carregado no colo haviam se tornado homens". Assim, Otto conseguiu cargos para os três, afastando Julius. Mas Otto era tão benevolente com seus irmãos quanto seus mentores haviam sido com ele. Ele amava os rapazes mais novos, mas a única forma de agir que conhecia era a tutela rigorosa.

Os irmãos de Otto eram leais veteranos do exército austro-húngaro e viam o rompimento do império com graus variados de amargura. Não eram nacionalistas tchecos, sentiam pouca afinidade com a cultura ou o povo e mal falavam a língua. (Para grande diversão de seus filhos, Paul havia encontrado um broche no chão e, correndo para a mulher que o havia perdido, disse em seu tcheco macarrônico: "Com licença, nós comemos este broche".) Mas o novo país era atraente para Otto e sua educação liberal, como uma ideia arquetípica do Iluminismo: que povos e territórios díspares podiam ser virtualmente costurados do zero formando um todo coeso e funcional, em torno de ideias de liberdade política, pessoal e de mercado. Parece que ele preferia essa virtude em sua forma mais inalterada, pelo menos no que dizia respeito à economia, adornando sua casa com nada menos que sete bustos e retratos do pró-negócios e libertário primeiro-ministro

Karel Kramář e mantendo laços com o economista austríaco conservador Ludwig von Mises.

A Tchecoslováquia se apoiou fortemente em Otto naqueles anos imediatos do pós-guerra. Estabelecer um novo país, mesmo um país próspero e rico em recursos, era caótico. Quando houve uma grande demanda pela moeda da Tchecoslováquia, em 1921, Otto a apoiou, e o banco Petschek comprou coroas para acabar com o pânico. Ele também assumia uma responsabilidade desproporcional na manutenção da paz no trabalho. Com a propriedade total das minas, ele tinha que administrar a frágil liderança dos mineiros, incluindo alguns comunistas inspirados pelo novo regime bolchevique russo. Eles o dilaceraram, assim como a outros proprietários de minas, acusando-os de exploradores. Otto também foi agredido pela direita. Em periódicos como *Shield of the Nation*, nacionalistas pan-eslavos e populistas de direita atacaram "o poder judaico de bilhões, que imediatamente e com a ajuda da imprensa assumiu o controle do povo desinformado de nosso novo Estado" e alegaram que "a desacreditada nobreza [austríaca de Habsburgo] foi imediatamente substituída por uma nova nobreza mil vezes pior [...] Weimann, Petschek, Bloch etc." Outra publicação conservadora reclamou: "Para onde esses judeus enviam carvão, há dinheiro. Para onde eles não enviam, não há nenhum. Dois judeus, Petschek e Weimann, controlam a vida de catorze milhões de pessoas na República da Tchecoslováquia". O antissemitismo não se limitava às palavras; houve erupções esporádicas de violência nas partes tcheca e eslovaca do país em 1918, que tiveram que ser reprimidas pelas autoridades, em episódios remanescentes dos saques dos anos 1890.

Otto ignorou os extremistas, tanto de esquerda quanto de direita. O novo país era liderado por Masaryk, que fizera seu nome defendendo os judeus e sendo um formidável protetor do liberalismo. Ele foi descrito pelo sempre modesto líder comunista Lênin como seu "mais sério antagonista ideológico em toda a Europa". O braço direito de Masaryk, Beneš, dedicara-se igualmente a promover a democracia e a resistir ao antissemitismo, levando alguns judeus a brincar dizendo que mudariam o tradicional convite iídiche a rezar, *"mir viln bentschen"* ("queremos orar") para *"mir viln Beneš"* ("queremos Beneš").

Otto mantinha negócios ocasionais com o presidente Masaryk e outros mais frequentes com Beneš, a ponto de a imprensa antissemita afirmar que o ministro das Relações Exteriores estava aceitando subornos de Petschek. A realidade era mais simples: a mente dos dois trabalhava da mesma forma. Ambos eram pensadores iluministas, crentes em sistemas e na razão, convictos de que seu intelecto prodigioso e sua ética de trabalho poderiam resolver qualquer problema (com uma pequena ajuda da benigna divindade na qual ambos confiavam). Beneš foi jantar com o magnata, pediu a Otto para sustentar financeiramente o Estado da Tchecoslováquia e buscou seu apoio. Até encorajou o patrocínio dos Petschek à Nova Ópera Alemã a fim de dar suporte à minoria alemã no Estado multiétnico.

Os dois homens compartilhavam uma profunda afinidade com a nova Liga das Nações promovida por Wilson e pela ordem internacional do pós-guerra — a aliança europeia e americana defendida pelo presidente americano. Otto chegou a adquirir uma versão de bolso do pacto da Liga para poder carregá-lo consigo. As liberdades que garantia — políticas, econômicas, pessoais — podiam ser confusas, mas ele tinha fé nelas.

O pouco tempo livre que tinha, Otto passava com sua família em casa. Em 1920, Viky havia ganhado uma irmã mais nova. Otto e Martha lhe deram o nome de Eva, exatamente como haviam decidido durante a guerra. Em 1922, a família deu as boas-vindas às gêmeas Ina e Rita. Otto brincava com as crianças no jardim de Bubeneč, onde ele havia cortejado a mãe delas. Ele comprou mais lotes conforme foram ficando disponíveis. Sem dúvida, podia pagar por isso; tinha tanto dinheiro que nem sabia o que fazer com ele. Em 1923, ele possuía ou tinha opções de compra de cinco acres contíguos — praticamente o quarteirão inteiro.

Naquele ano, as energias artísticas de Otto se reacenderam. Seus negócios estavam mais ou menos em ordem, assim como seu novo país. Ele começou a acordar cedo; ia para fora e sonhava acordado. Admirava a paisagem selvagem, muitas vezes obscurecida pela névoa da manhã, e relembrava suas caminhadas com Martha mais de uma década antes. Quanta coisa acontecera desde então — uma turbulência constante que só servira para absolver seu otimismo. Nos anos seguintes, uma parte do trabalho de que ele mais gostava estava na pequena casa e nos seus arredores.

Ele queria se expressar manifestando algo grandioso em sua terra, e as ideias começaram a se desenrolar — construir um palácio, remodelar o jardim e harmonizar os dois. Essa visão foi surgindo em lampejos durante o ano todo e até 1924. Ele refletia sobre a ideia no trabalho, ou diante de sua taça de vinho no jantar, ou fitando os murais de seu camarote na ópera, lentamente construindo-o em sua imaginação.

Seria outro presente para Martha, para seu herdeiro, Viky, e para as três meninas mais novas; e para os filhos de seus filhos: uma homenagem à amada cidade de Praga, à próspera nova nação da Tchecoslováquia e à Europa, onde estavam ancoradas. Seus descendentes viveriam ali como praguenses, tchecoslovacos, europeus e judeus. O palácio seria magnífico, e ele o preencheria com todos os pequenos tesouros europeus que havia comprado para si e para Martha, e adquiriria muitos outros, atravessando o continente para obter antiguidades, pinturas, tapeçarias e objetos de arte com os fundos ilimitados de que agora desfrutava. Não seria só bonito — seria *bom*, expressaria seus valores, sua fé na razão, no humanismo e no progresso, na nova era da história que ele acreditava estar nascendo.

Essas motivações o despertaram tanto quanto o café que ele tomou na manhã de primavera de 1924, no terraço, enquanto admirava o jardim. Ao ouvir sua família despertar, Otto deu as costas ao jardim, abriu a porta da varanda e foi cumprimentar Martha.

Ele estava pronto para começar.

2

O REI DO CARVÃO

Otto precisava contar seus planos a Martha. Mas procrastinou, pois a conhecia bem.

Ela iria se opor com firmeza.

Martha às vezes era extraordinariamente enérgica com Otto, mas sempre em particular. Certa ocasião, quando ela se opôs ao comportamento dele, escreveu uma carta de vinte e quatro páginas criticando-o. Ele não tinha fama de quem pedia desculpa ou admitia estar errado, exceto com ela. Mas, quando Otto realmente queria alguma coisa, nem mesmo sua amada *Dumme* podia ficar no caminho. E, nesse caso, seria fácil para ele: Martha o adorava, queria que ele fosse feliz.

A melhor arma retórica dela — argumentar que eles não podiam bancar — não era mais precisa nem eficaz. As reclamações de Martha sobre as extravagâncias de Otto nunca foram meramente sobre o fluxo de caixa, claro; no discurso iídiche que Otto e Martha compartilhavam, a discussão recorrente dizia respeito a *ruchneus versus gashmeus*: alma contra materialismo. No entanto, em 1924, a eterna alegação de Martha de que Otto estava estourando o orçamento da família havia perdido força por completo. A bem-sucedida aposta dele na economia da Tchecoslováquia significava que eles tinham somas ilimitadas à disposição.

Ambos acreditavam ter mais do que algum dia poderiam gastar.

De modo que ela cedeu.

Otto começou reconstruindo os vastos jardins selvagens que o atraíram desde o início. Eles foram o cenário de sua corte e da conquista de Martha. Agora, seriam o local onde ele cuidadosamente incrustaria sua nova casa — como uma joia engastada.

A arquitetura da paisagem era uma disciplina por si só; tinha as próprias veneráveis tradições: a horticultura francesa de André Le Nôtre; o estilo inglês mais natural de Capability Brown; os jardins alemães, brutos e indomáveis, de Franz Späth. Otto conhecia bem os três estilos — pelos livros que acumulara em sua biblioteca e pelos passeios que fizera nos grandes jardins da Europa em suas viagens. Ele pretendia tomar emprestado o melhor de cada um deles. Até se debruçou sobre um livro intitulado *American Gardens*, aparentemente determinado a refletir todos os pilares da nova estrutura transatlântica que acreditava que protegeria seu país.

Otto contratou a empresa que o clã Späth havia fundado, agora em sua sexta geração de gestão familiar. Embora fosse sediada em Berlim, a Späth operava globalmente, despachando exploradores com capacetes e *lederhosen*, traje típico alemão que consiste em bermuda e suspensório, para o mundo todo com o objetivo de atender a clientes e coletar árvores e plantas raras e novas. Assim como Otto, Späth fazia negócios internacionalmente, coordenava viagens de estudo e intercâmbios com jardins botânicos do mundo inteiro. A extremamente requisitada divisão de design de jardins de estufa estava na vanguarda da arquitetura paisagística europeia. Que expressão melhor desse *éthos* que ajudar a projetar uma paisagem gálica-britânica-teutônica presidida por um judeu linguisticamente alemão, legalmente tchecoslovaco e culturalmente europeu?

Todas as manhãs, pelotões de trabalhadores de macacão de lona e boné se dirigiam ao terreno de Otto. A área foi limpa em etapas, árvores foram retiradas e replantadas, e caminhões despejaram terra negra nova e rica. Milhares de plantas e mudas foram entregues para realizar o plano dos projetistas, jardineiros e engenheiros de Späth. Os trabalhadores invadiram a grande faixa de terreno, cavando, amontoando a terra, nivelando-o e plantando em todos os lugares. Otto contratou um jovem arquiteto paisagista de Praga, Valášek, para supervisionar os trabalhadores. Otto, porém, estava ali de manhã antes de ir trabalhar, voltava para almoçar e supervisionar, e fazia questão de conferir tudo no final do dia, dando instruções a Valášek a cada vez que aparecia. Depois de anos de comunhão com aquele pedaço de terra, Otto se sentia intimamente familiarizado com seu específico *genius loci* — seu espírito particular.

Martha devia olhar horrorizada para a desagradável bagunça em seu quintal. Mas, para Viky, já com dez anos, era fascinante. Seus pais (que tinham fobia a germes, depois dos problemas de saúde de Martha) não permitiam que ele brincasse na areia com seus amigos por causa do risco de poliomielite, de tuberculose e de outras doenças. De modo que, para o garoto tão protegido, a terra revirada era um playground gigante. Muito mais interessante que os trabalhos escolares. Ele era esperto, mas, para frustração de Otto e Martha, não era aplicado. Seus professores relatavam que era distraído e inquieto. Ele era travesso: espionava as irmãs e fazia piadas quando a ama de leite alimentava as gêmeas. Uma vez, a mulher revidou, pegando um dos seus seios nas mãos e esguichando leite no rosto de Viky, do outro lado da sala. Isso instantaneamente se tornou uma lenda da família.

Todos os integrantes do clã Petschek achavam engraçado, exceto seus pais. Essa falta de disciplina não era boa para o herdeiro de Otto. Otto pressionava o garoto como o haviam pressionado, fazendo-o ficar diante dele declamando verbos latinos e outras lições. Ele havia planejado a educação de Viky logo após seu nascimento, traçando seu currículo até a idade adulta: latim aos quatro, seguido de outras línguas em intervalos de dois anos, e camadas de matemática, ciências, economia e literatura ano a ano. Mas, quanto mais Otto pressionava, pior Viky reagia.

Para tentar estabelecer uma conexão com o garoto, Otto o levava em suas caminhadas pela construção. Tudo aquilo seria de Viky, no devido tempo. Viky prometeu aos pais que faria um esforço maior. Mas, mesmo assim, ressentia-se cada vez mais da pressão do pai, e continuava com problemas na escola. Otto o advertiu sobre o fato de que, se não se preparasse, seria tirado do *gymnasium* e estudaria com tutores em casa. O garoto, que era sociável, temia isso — mas a severidade havia funcionado para Otto, e ele a aplicava aos irmãos mais novos no trabalho, por isso estava confiante de que seus métodos seriam bons para o jovem Viky.

Otto pretendia participar do projeto de seu palácio tanto quanto participava da construção de seu jardim. Dada sua experiência anterior com a casa pequena, ele sabia que precisaria de ajuda. Como arquiteto, Otto contratou um nome conhecido, Max Spielmann. Ele era, assim como Otto, judeu de origem tcheca, germanófono, e tinha boas credenciais, tendo estudado em Viena e Praga. A família o havia contratado para construir uma sede para o novo banco Petschek & Co., no centro — uma enorme fortaleza renascentista no estilo dos Médici. Mas ela não era nada perto da casa que Otto estava imaginando. Ele tivera ideias novas sobre como seu palácio capturaria o melhor da história da Europa enquanto abarcaria o presente e até mesmo o futuro: uma residência curva como o arco da história; uma casa que romperia com a mais fundamental distinção na arquitetura — entre exterior e interior —, o que faltava levemente nos outros projetos de Spielmann. Mas, se Otto tinha alguma dúvida inicial em relação ao arquiteto, não deixou nenhum registro disso.

De sua parte, Spielmann aceitou com entusiasmo a tarefa. Ele estava acostumado a lidar com clientes ricos e exigentes; fazia o que *ele* achava melhor e os fazia gostar. Sem dúvida, ele acreditava que poderia fazer o mesmo com Otto.

Spielmann criou impressionantes desenhos arquitetônicos para seu cliente: cada folha tinha noventa centímetros de comprimento por quarenta e cinco de largura. Milhares de linhas finamente traçadas saturavam página após página, umas empilhadas para representar o telhado escuro, outras espaçadas para esboçar o corpo do edifício. Ele representou a estrutura de todos os ângulos possíveis, com vistas dos quatro lados do edifício, das elevações e das seções transversais.

Otto analisou os projetos. Em estilo francês, o palácio ficava acima do jardim, em um plinto, um terraço elevado. Do outro lado do terraço havia uma longa fachada ornamentada com pilares e arcos gregos e romanos. O *piano nobile*, andar principal, para entretenimento, era o térreo, como nas construções italianas e inglesas. No andar seguinte ficavam os aposentos. Um porão, mais dois andares e um sótão completavam os cinco andares. Havia janelas por toda parte, com painéis representados com todos os seus detalhes, formando retângulos e quadrados minúsculos e perfeitos na página plana.

As plantas, por mais lindamente apresentadas pela caneta de Spielmann, eram muito convencionais. Tinham o sabor de Versalhes — uma inspiração adequada, dados os tratados de paz assinados ali e ao redor ancorando a ordem do pós-guerra, dos quais a Tchecoslováquia e os Petschek foram os beneficiários. Além disso, a representação de Spielmann tinha pouca semelhança com o palácio que Otto parecia ter imaginado com tanta precisão: um casamento entre o antigo e o moderno, a curva arrebatadora, a unidade do espaço interno e externo. No entanto, Otto aprovou o projeto. Talvez tenha sido seduzido pela elegância do desenho, ou era apenas novo demais para ler os planos arquitetônicos e ver quão longe de sua ideia o design ficaria quando fosse executado.

Spielmann não sabia muito bem com quem estava lidando. Parece que viu apenas a superfície de Otto: o financista sério, vestido de lã preta. Ele não conhecia o cromático Otto interior, que regia orquestras apaixonadamente usando peruca empoada e sobretudo com tranças douradas; que se identificava com os protagonistas de Wagner e suas missões impossíveis; e que era capaz de escrever três ou quatro cartas de amor por dia sobre seu coração "TRANSBORDANDO!" de amor por Martha. Mas Spielmann conheceria esse homem em breve.

Os planos de Spielmann foram submetidos às autoridades municipais e aprovados em julho de 1924. A construção do palácio começou de imediato. Uma segunda horda de homens entrou no campo oposto aos paisagistas. Os grupos eram como dois exércitos ocupantes reencenando a Grande Guerra, mas, dessa vez, o objetivo era a criação, não a destruição. Topógrafos, engenheiros, mestres de obra e uma equipe completa de escavação cavaram profundamente para assentar a fundação. No extremo oeste do terreno começou a se formar um poço retangular. Havia trincheiras por toda parte, e o barulho da construção era ensurdecedor.

Otto caminhava entre os trabalhadores, fazendo perguntas, urgindo-os. Passou a carregar bolos de notas coloridas do dinheiro da República Tcheca nos bolsos de seus ternos escuros, dando aos trabalhadores notas de vinte e até de cinquenta coroas. "Rosa" e "Azuis", era como os tchecos as chamavam. Para trabalhadores que ganhavam menos de duzentas coroas por semana, um dinheirinho extra era bem-vindo. Otto também lhes dava cerveja e cigarros. Os homens, alguns musculosos, outros esguios, paravam para tirar o boné, enxugar a testa e tomar uma bebida ou fumar um cigarro com *Herr Doktor*.

Os homens pareciam gostar dele de verdade. Para Otto, a gentileza que demonstravam era uma prova de que ele era um capitalista iluminado, que gerava empregos, distribuía a riqueza e fazia a economia tcheca girar. Esperava que seus mineiros se sentissem da mesma maneira. Otto acreditava que estava prestando um serviço público. Acaso os mineiros teriam emprego se não houvesse comércio de carvão? Poderiam alimentar a família? O povo tcheco poderia se aquecer no inverno, viajaria de trem ou faria funcionar as fábricas que fizeram desse país próspero a inveja dos novos Estados do pós-guerra que também haviam entrado na Liga das Nações?

O dom de Otto era a compreensão de sistemas, e o liberalismo — democracia e mercado livre — era o mais complexo dos que estudara. Sua biblioteca estava cheia de livros, em todas as línguas, que o avaliavam, de críticos de esquerda (o vitorioso Trótski) aos de direita (o derrotado cáiser Guilherme II). Embora Otto estivesse do lado conservador, ele era devoto do economista inglês John Maynard Keynes, de esquerda; estudara toda sua obra, começando com *As consequências econômicas da paz*. Para Otto, a Tchecoslováquia era um vasto e intrincado conjunto de mecanismos, como o interior de um dos relógios de bolso que ele possuía. Política, cultura, comunidades, negócios, pessoas, eram as engrenagens interligadas, rodas complexas dentro de rodas, todas girando simultaneamente. E os mercados eram a fonte principal de tudo, produzindo prosperidade para o país a cada passo.

Mas os organizadores comunistas que circulavam em suas minas entre os trabalhadores tinham uma visão muito diferente do capitalismo. Encorajados pela revolução bolchevique que produzira a nascente União Soviética, os esquerdistas acreditavam que o proletariado acabaria se rebelando na Tchecoslováquia, e por onde seria melhor começar senão pelos homens sujos de fuligem que trabalhavam sob pressão abaixo do solo? Apesar de todas as suas leituras e suas grandes doações aos pobres, Otto tinha um ponto cego quando se tratava de comunistas, que tinham cerca de dez por cento do Parlamento da Tchecoslováquia. Para ele, seus ataques eram pessoais, e os odiava.

Também não gostava muito dos social-democratas, menos extremos, pois achava que arruinariam o capitalismo se seus apoiadores (flutuando entre quinze e vinte e cinco por cento dos eleitores) permitissem. Quando ouviu dizer que uma pessoa da família se dizia socialista, ficou furioso. Mas ela não quisera dizer isso, apenas pretendia dizer que tinha consciência social. Bem, como um bom capitalista, que tornava todo mundo mais rico, *ele também tinha.*

Mas Otto tinha seus limites. Ficou furioso quando a municipalidade perguntou se ele poderia pensar em deixar como público parte do jardim que estava construindo, permitindo que os pedestres entrassem e passassem por sua propriedade à vontade. Isso cheirava à coletivização soviética supervisionada por Lênin na Rússia. A resposta foi um categórico não. Otto foi firme nesse ponto, e a municipalidade se deu por vencida.

Para Otto, a cena que ocorria em seu quintal exemplificava o pacto social subscrito na crescente economia tcheca: o talvez mais rico homem do país confraternizando com sua equipe de paisagismo toda suja de terra. Eles pareciam aceitá-lo devido a seu evidente interesse e respeito pelo trabalho que faziam (se bem que o dinheiro, as garrafas de cerveja e os cigarros provavelmente também não atrapalhavam). Otto não detectou nenhum cheiro do comunismo, nem qualquer indício de antissemitismo. Ele tinha certeza de que esses males nunca floresceriam no bom solo tcheco que ele estava plantando.

Otto não deixou a escolha da coleção de espécimes botânicos para seu jardim só nas mãos de Späth. Naquele ano, em uma viagem a negócios a Lučany nad Nisou, nas montanhas do norte da Boêmia, ele visitou um fabricante de vidro, Fischer. Enquanto estava na propriedade de Fischer, Otto avistou um abeto-prateado de quase dez metros de altura. Era magnífico. Imediatamente Otto pediu para comprá-lo para sua casa.

Nenhum registro da conversa exata sobreviveu, mas não é difícil imaginar:

— *Fischer, mais uma coisa: quanto custa essa árvore?*
— *Como é?*
— *A árvore, homem, a árvore. Quero comprar essa árvore.*
— *Por quê?*
— *Para o meu jardim em Praga.*
— *Não há árvores em Praga?*
— *Fischer, pretendo ter essa árvore. Diga seu preço.*
— *Mas como vai levá-la até lá?*
— *Deixe isso comigo.*

Um pouco depois, uma equipe de jardineiros estava a caminho de Lučany com instruções para desenterrar, embrulhar a raiz em um enorme e bem amarrado saco de lona cheio de terra, descer a árvore da montanha e mandá-la para Praga de trem. Otto era um dos maiores clientes da ferrovia, transportava inúmeras toneladas de carvão anualmente. Seu pedido foi atendido — a árvore viajou como uma celebridade, em um vagão reservado, até sua nova casa na propriedade de Otto.

Depois que Otto comprou sua primeira árvore perfeita, ele as via em todos os lugares por onde passava: olmos, tílias, castanheiras e muito mais. Valášek e os paisagistas se acostumaram a recebê-las, com as raízes firmemente embrulhadas, troncos que se estendiam em amplos galhos e folhas, repousando em vagões que chegavam de todas as terras tchecas e até de outras partes da Europa. Muitas eram gigantes; sua altura criava uma impressão de antiguidade no Éden que Otto estava moldando.

Na primavera de 1925, quando Otto acordou e de novo foi para seu terraço, já com um ano trabalhando no projeto, o jardim estava florescendo. Em meio às árvores altas, havia flores por toda parte abrindo-se diariamente. Sua propriedade se tornou uma profusão de cores quando cerca de quarenta mil bulbos explodiram em flores, incluindo mil e quinhentos rododendros, três mil jacintos e cinco mil tulipas.

Mas foram as campânulas, conhecidas pelos ingleses como *bluebells*, que causaram a impressão mais poderosa. Certo dia, durante o café da manhã, Otto disse a sua família que tinha algo novo para lhes mostrar. Foi guiando uma procissão pela trilha que levava da casa ao jardim. Martha ia ao lado dele, com sua mão branca aninhada na dobra do braço robusto e coberto de lã de Otto. Viky, agora com onze anos, tentava agradar ao pai imitando seu comportamento seguro, e a pequena Eva, com cinco anos, e seus cabelos lisos e curtos, seguia logo atrás. Na retaguarda, Ina e Rita, com três anos, iam sob a supervisão da babá.

Quando chegaram ao fundo da encosta, as árvores e os arbustos se abriram para revelar o gigantesco campo oval no centro da propriedade. Martha e as crianças pararam, sem poder acreditar. Milhares e milhares de pequenas *bluebells* haviam surgido da noite para o dia; as delicadas flores pareciam pairar centímetros acima do gramado — um impressionante manto azul cobria um hectare de terra. Viky mergulhou no campo azul, correndo em círculos. As três gêmeas (como as meninas eram chamadas) foram logo atrás, também andando em círculos, pulando e se esquivando das pequenas flores e umas das outras. Rindo, dançando, elas foram atrás de Viky quando ele entrou no meio do campo, onde todos se deitaram entre as flores. Eles pareciam flutuar, extasiados. Os jardineiros que cuidavam dos canteiros de flores, os pedreiros que cavavam a fundação, os demais trabalhadores que lotavam o local — todos pararam para apreciar a visão de quatro crianças brincando em êxtase.

Otto olhou para Martha, sorrindo. Ela tinha que admitir que aquilo era incrivelmente bonito. As crianças ficaram encantadas. E Otto também — a alegria era visível em seu rosto. Martha e Otto se voltaram para sua família — felizes, por enquanto.

A notícia de que uma nova maravilha de Praga estava tomando forma correu por entre as ruas estreitas da cidade antiga. Rumores e fofocas eram inevitáveis — em alguns dias, parecia que metade da cidade estava trabalhando no projeto. A obra estava longe de acabar; era ainda só um jardim com um enorme buraco. No entanto, na primavera de 1925, o povo de Praga começou a aparecer, fazendo o possível para espiar pela cerca. Gente de todas as idades subia a colina da Cidade Velha, descia pelo bairro dos Castelos ou pegava o bonde até a parada de Bubeneč e fazia a pé o resto do caminho: casais de braços dados, avós levando seus netos pela mão ou estudantes em pequenos grupos, carregando livros em bolsas de couro. Eram os guardiões da memória, os Vigilantes de Praga. Eram eles que passavam as tradições orais da cidade de geração em geração; não confiavam em acadêmicos e especialistas para entender a experiência vivida em seu próprio lar. Estavam avaliando o trabalho de Otto, e o próprio Otto como membro do panteão das lendas de Praga. Os Vigilantes ficaram maravilhados com o plantio e as explosões de cores — como um quadro pintado pelo proprietário. Se aquilo era só o jardim, como seria o palácio quando fosse construído?

Otto sentia o olhar avaliador de seus colegas vigilantes sobre sua obra — e sobre ele mesmo. Quando ia para o terraço, seus olhos eram atraídos para o extremo oeste da propriedade, onde ficaria o palácio. A fundação havia sido escavada, o cimento derramado, os tubos do encanamento e da instalação elétrica colocados. Otto tentou erguê-lo na imaginação. Visualizou o design de Spielmann no topo da magnífica paisagem, tentou evocá-lo da página bidimensional e sobrepô-lo às vigas de ferro que começavam a subir do chão. O palácio planejado estaria à altura do esperado? Ele começou a espalhar as plantas de Spielmann na grande mesa da biblioteca, prendendo os cantos e analisando cada linha. Sondou o projeto do palácio como se fosse um dente dolorido, para ver se estava mole.

Para Otto, o dente parecia estar mole. Por mais que tentasse, ele não conseguia se livrar da sensação de que aquilo que estava tomando forma no topo de seu terreno não era o que ele queria. A longa fachada era reta demais. Onde estava a curva que ele pedira? Onde estava a fusão de dentro e fora, a combinação de clássico e moderno? Mesmo assim, Otto havia aprovado o projeto. Mas ele não era mais o mesmo homem que assinara o projeto um ano antes. Ele evoluíra de consumidor a criador, como um daqueles alquimistas que sempre admirara, que magicamente infundiam materiais básicos com ideias, dando beleza ao mundo. Ele, Späth, Valášek e seu exército de jardineiros e paisagistas haviam feito isso; extraíram o potencial da terra, transformaram-na em algo exuberante. Otto impressionara Martha e sua família. Os guardiões da memória de Praga haviam notado, e outras pessoas também. Tão marcante havia sido sua paixão (e seus gastos) que os horticultores batizaram uma nova espécie de flor em sua homenagem: *Aster amellus "Doktor Otto Petschek"*, uma planta perene de floração tardia que parecia um arbusto comum, até explodir em centenas de flores cor de lavanda com miolo amarelo, enquanto outras plantas iam desaparecendo até o ano seguinte.

Após muito refletir, Otto confrontou Spielmann. O arquiteto, sem dúvida acostumado ao nervosismo dos clientes, tentou acalmá-lo. Os projetos unidimensionais, mesmo os bons, não podem fazer justiça a um edifício. Spielmann criaria um modelo real. Se Otto visse como seria o palácio, iria gostar.

Pouco tempo depois, Spielmann exibiu o palácio em miniatura a seu cliente. O austero domicílio neobarroco, representado em três dimensões, tinha cerca de noventa centímetros de comprimento e era de um branco brilhante e virginal, como um templo grego. Cada detalhe havia sido perfeitamente recriado. Pilares dóricos emolduravam a entrada. Lances de escada levavam ao palácio. Para Spielmann, aquilo representava os princípios da arquitetura belas-artes que ele seguia tão servilmente: simetria, harmonia, história.

O modelo convenceu Otto, mas não como Spielmann pretendia. A falta de ornamentos destacava as características frias e severas. Colocar a estrutura no alto do jardim, em um plinto, isolava o palácio de seu ambiente — o oposto do que Otto queria. Quanto à curva desejada, era quase imperceptível. Era uma expressão do exterior austero de Otto, não de seu eu interior. Spielmann não o havia entendido em absoluto.

Otto deu um passo em direção à mesa; pegou a maquete com uma mão de cada lado. Antes que Spielmann pudesse reagir, Otto levantou a peça inteira, ergueu-a bem acima da cabeça; então, baixou-a, fazendo-a assobiar no ar, sobre seu joelho levantado. Com um estalo agudo, ela se partiu perfeitamente ao meio.

Otto deixou as duas partes do palácio na mesa de novo. Com calma, inclinou as metades uma em direção à outra, como se a maquete fosse articulada no centro.

E disse a Spielmann que era *isso* que ele queria: um palácio curvo.

O arquiteto, de rosto pálido, concordou em refazer os planos, antes de sair com um pedaço de sua maquete embaixo de cada braço.

Spielmann fez novos projetos, dobrando a curvatura, para parecer que o palácio estava abraçando o jardim. Mas a deflexão foi extrema — quando parado em uma ponta do corredor central, Otto não poderia ver a outra extremidade. Por exigência de Otto, os novos planos também eliminaram o terraço elevado que anteriormente separava o palácio do jardim. Em vez de o palácio ficar acima do terreno, seria nivelado, para melhor apreciação da magnífica paisagem.

Como se tudo isso não fosse radical o bastante, Otto propôs outra inovação. Ele não queria que só as janelas e portas se abrissem para o jardim. Queria que toda a parede do salão de frente para o jardim fosse retrátil. Apertando um botão, dez metros de fachada afundariam no porão, eliminando a separação entre o palácio e seus arredores. Otto andara lendo Frank Lloyd Wright, e queria a máxima integração entre a casa e o entorno. Isso era uma ideia surpreendentemente moderna, e a primeira em terras tchecas. (Mies van der Rohe sugeriria algo semelhante na mais famosa casa moderna da Tchecoslováquia, a Villa Tugendhat — mas só quatro anos depois, em 1929.)

Para acomodar essa novidade, os planos tiveram que ser desenhados e redesenhados. Os trabalhadores tiveram que parar, recomeçar e depois parar de novo. Os primeiros meses de obra de 1925 desapareceram. Em novembro, já havia se passado mais de um ano desde o início do projeto, e pouco progresso visível fora feito na estrutura.

Em meio a tudo isso, Spielmann, aparentemente atormentado, cometeu um erro: parecia ter esquecido de solicitar à prefeitura a aprovação do projeto revisado. Alterações não aprovadas eram contra a lei. Isso podia ser perigoso para a equipe de trabalhadores ou para os eventuais ocupantes. De modo que, quando o inspetor municipal de obras apareceu para verificar o progresso, em novembro de 1925, ele deve ter ficado chocado com as drásticas mudanças. O burocrata emitiu uma ordem no mesmo instante: qualquer construção no local teria que parar imediatamente.

Em 6 de novembro, a prefeitura notificou formalmente Otto e seu arquiteto, dizendo que a construção da casa havia sido "realizada sem alvará oficial e com desvios dos planos aprovados". Otto foi instruído a "solicitar imediatamente a aprovação das alterações e impedir que seguissem adiante enquanto isso, até que [recebesse] um alvará de construção".

A publicação nacionalista de direita *Shield of the Nation*, que havia sido tão cruelmente antissemita (e anti-Petschek) nos anos pós-guerra, foi rápida em atacar:

> A construção continua no bairro de Bubeneč. O banqueiro Petschek está construindo um grande palácio em seu parque, supostamente sem permissão do governo local [...] estão construindo um palácio no bairro de Bubeneč para, ao que parece, esconder rendimentos dos serviços fiscais, o que significa que eles têm tanto dinheiro que não sabem em qual faixa de imposto devem declarar [...] Os Petschek, banqueiros judeus, são, provavelmente, a dinastia bancária mais poderosa da Tchecoslováquia de nossos dias.

O assunto avançava terrivelmente devagar devido à burocracia da prefeitura — do gabinete do inspetor de obras ao magistrado público, ao Conselho da Cidade de Praga. Otto pediu desculpas, entregou as plantas corrigidas para aprovação e prometeu que isso não aconteceria de novo. Nervoso, Spielmann se voltou para o extremo oposto, pedindo a opinião de seu cliente para qualquer decisão, por menor que fosse. Otto disse a Martha: "Eu me recusei, e disse a ele que tem que imaginar as coisas como se eu não estivesse ali". A paciência de Otto estava se esgotando.

O inverno de 1925-1926 foi uma estação sombria para Otto, e não só por causa dos dias curtos e frios e pela interrupção da obra. O apoio aos comunistas de fato aumentara nas eleições de novembro. A extrema esquerda não ganhara por pouco. Acabaram meio ponto percentual atrás dos vitoriosos Agrários, de centro-direita, que formaram um governo de coalizão instável que incluía o partido preferido de Otto, o conservador Democratas Nacionais.

Enquanto Otto estava em casa fazendo cheques para seus operários quase ociosos, pensava que cerca de treze em cada cem eram comunistas — pelo menos, se refletissem o eleitorado. Em vez de desaparecerem, os comunistas estavam ganhando, e seu grande bloco não ajudara nos esforços para criar uma maioria parlamentar duradoura; nos meses seguintes, alianças foram formadas e reformadas; sete partidos geraram três coalizões governantes diferentes. Enquanto isso, das janelas bem fechadas da casa de Otto, o palácio semiconstruído parecia uma ruína antiga sob a neve que soprava.

Quando o clima esquentou, em 1926, e Otto retomou sua avaliação matinal diária da propriedade, pôde refletir sobre uma série de erros de Spielmann. Como Otto havia explicado uma vez a Martha: "Ou eu amo loucamente, ou não amo!" Ele com certeza não amava mais Spielmann loucamente. E o arquiteto também não devia gostar dos caprichos de seu cliente ou de suas alterações modernizadoras no rígido conservadorismo de Spielmann.

Foi o insatisfeito Otto que demitiu Spielmann, ou, farto da interferência de seu cliente, foi o arquiteto que se demitiu? Talvez a separação tenha sido consensual. Mas, seja qual for a explicação, a assinatura de Spielmann apareceu em só mais algumas plantas, para pequenas alterações submetidas às autoridades municipais no início de 1926. Depois disso, ele desapareceu por completo da obra. Para crédito de Otto, ele não exilou Spielmann do projeto do banco da família, nem o impediu de trabalhar para seus irmãos. O arquiteto passou a construir uma mansão, em estilo belas-artes, gigante e arquitetonicamente ortodoxa para Fritz e fez uma série de projetos para outros Petschek menos excêntricos.

Sem Spielmann, o próprio Otto poderia dirigir o projeto a partir de 1926 — por fim, o regente da orquestra. Otto continuou com a empreiteira para tocar o projeto, a equipe de Blecha. Era a mesma que o havia ajudado a reconstruir a pequena casa onde ele e sua família ainda viviam. O cabeça da empresa, Matěj Blecha, havia morrido. Talvez ele houvesse mergulhado demais em cada um dos seus muitos e variados projetos, e morrera aos cinquenta e sete anos — uma demonstração prática para aqueles que adoravam construir demais. A empresa era administrada por seu filho, Josef, um construtor e empresário vigoroso que tinha o espírito eclético do pai — e a disposição para atender a clientes impetuosos.

Em 1926, Otto se sentou à grande mesa de sua biblioteca e continuou vasculhando cada centímetro do projeto do palácio, como se trabalhasse em uma tela em branco. À sua frente estavam as plantas da casa, grandes folhas de papel espalhadas, cercadas por pilhas de grossos livros de arquitetura e design. Otto virava a cabeça para a frente e para trás entre seus esboços e os livros. Essas grandes obras tinham pouco texto, apenas página após página de gravuras, fotografias e outras construções elaboradas.

Ao observar as páginas, Otto sentia que seus métodos, suas experiências e suas tendências iam se liberando, pela primeira vez em seus trinta e oito anos. Ele poderia criar sem limites. Durante toda a vida ele procurara a beleza: os números dançavam em sua cabeça enquanto ele fazia contas para o pai e o tio; a música flutuava no ar de Praga; a miscelânea de edifícios ornamentados nas ruas da cidade; as sedutoras maravilhas da Europa em suas viagens; o vidro e a porcelana, preciosos e frágeis, que ele colecionava; Martha, cujas qualidades (e pessoa) o impressionaram quando a vira escoltando ternamente o pai idoso em sua caminhada diária. Entre os poetas ingleses que Otto gostava de ler, Keats havia dito: "A beleza é a verdade, a verdade é a beleza — isso é tudo/ que vocês sabem na Terra, e tudo que precisam saber".

Otto buscava as duas enquanto analisava os enormes livros de modelos, profundamente concentrado. Seus filhos, curiosos, às vezes se aproximavam e espiavam por cima do ombro dele as enormes fotos e gravuras. Os livros mostravam casas urbanas refinadas e castelos rústicos, redutos nas montanhas, com paredes grossas, e ainda construções à beira de lagos, abertas ao sol e ao ar. Essas obras eram uma fuga, assim como os livros de faroeste, os romances policiais e os de ficção científica que ele gostava de trocar com os amigos em sua "troca de literatura ordinária" e de ler no trem ou na cama à noite.

O ponto de referência de Otto era o *Barock und Rococo Architektur*, de Robert Dohme. Os três grossos volumes vermelhos eram quase tão grandes quanto pilares. Os palácios representados eram bonitos, mas desafiadores. Haviam sido projetados para impressionar esteticamente, mas também para repelir o ataque dos exércitos saqueadores que varreram o continente durante séculos. Mas tudo isso já havia acabado, era o que Otto esperava. O futuro havia chegado, garantido pelos tratados que acabaram com a Primeira Guerra Mundial assinados em Versalhes, Trianon e em outros castelos de Paris.

Quando Otto se encontrou com Josef, entregou suas listas de anotações e inspirações. O homem deve ter ficado em choque. Normalmente tão cuidadoso, reverente até, com suas coisas, Otto havia recortado centenas de páginas de seus queridos livros. Ele jogou um maço grosso delas para o empreiteiro. Aqui a base para as cártulas, aqui para a varanda, aqui para a biblioteca. E Otto não queria meras imitações. As ilustrações, acompanhadas por um extenso guia datilografado de Otto, eram apenas pontos de partida para voos de sofisticação. O palácio tinha que *fazer* história, não a imitar.

Josef fez o possível para cumprir as instruções extravagantes de seu patrão. Otto, frenético, não parava de dá-las, revisando constantemente os planos com seus rabiscos ousados e suas linhas categóricas. Ele alterava o design enquanto o palácio era construído, quando o esqueleto já havia começado a assumir forma e definição. Cada ajuste solicitado significava que partes do edifício teriam que ser revertidas, arrancadas e refeitas, com nova permissão do governo. Mais atrasos se acumularam. Os operários resmungavam. A prefeitura de Praga escrevia cartas ameaçadoras a Otto, deixando implícito que negaria a aprovação.

Quando 1926 se adentrou em 1927, o palácio meio construído e meio destruído podia ser confundido com uma ruína. Corria um rumor entre os Vigilantes de Praga que dizia que Otto havia consultado uma vidente. Diziam que ela havia lido a palma da mão dele e dito que ele morreria quando parasse de construir. Era por isso que, segundo diziam, a construção continuava, porque ele a destruía e refazia constantemente. Seu comportamento provocou comparações com os loucos construtores de Praga: o imperador Rodolfo, cuja compulsão pela arquitetura e pelas artes contribuiu para que os eleitores o considerassem insano e o depusessem; o conde Wallenstein, cuja propriedade magnífica foi um sintoma dos ares que levaram a seu assassinato, perpetrado pelo imperador Fernando; o conde Czernin, que faliu, deixando seu palácio inacabado (concluído após sua morte, era agora a casa do Ministério das Relações Exteriores, e seu chefe, Beneš).

Otto respondeu ao falatório. Atacou com raiva essa superstição, dizendo que era uma afronta à veneração da ciência e da razão. Ele ficava furioso sempre que a história da vidente era mencionada.

Os fofoqueiros não eram os únicos alvos da ira de Otto. Ele e Martha começaram a discutir com mais frequência. Aparentemente, foi nessa época que ela começou a perceber que o projeto havia se tornado uma obsessão doentia e que estava consumindo a fortuna deles a um ritmo alarmante. Ela voltou a alertá-lo sobre os gastos. Não era nada tímida quando sua raiva despertava, e nem ele. As crianças ouviam gritos por trás das portas fechadas. Ele se recusava a ceder; ela reclamava: "Você não me trata como uma adulta". Ele respondia que ela estava errada, e que, de qualquer forma, suas decisões eram "o resultado de um raciocínio lógico" e não tinham nada a ver com tratá-la como adulta. "Já chega", disse ele. Em um aparente esforço para acalmar Martha,

Otto fez outra maquete do palácio. Esta tinha componentes móveis, para que os dois pudessem planejar a construção juntos e ela pudesse ver como seriam as mudanças. Ela continuou em dúvida, e suas discussões privadas prosseguiram.

As crianças também passaram a temer o humor de Otto. Em vez de espiar por cima do ombro do pai enquanto trabalhava, elas passavam na ponta dos pés pela sala, ou simplesmente a evitavam. Mas Otto ainda era encantador quando queria. Em dias bons, ele fazia um jogo musical de adivinhação à mesa do jantar, batendo um ritmo com o garfo e desafiando as crianças a dizer o nome da música. Mas ele estava cada vez mais propenso a brigar com elas quando diziam o nome da ópera errada.

Viky, que havia completado catorze anos em 1927, era o alvo preferido das explosões de Otto. O adolescente foi se tornando cada vez mais indiferente aos estudos enquanto Otto ficava mais obcecado pelo palácio. O jovem Petschek levava para casa notas que chocavam o pai. "O *Hund* de novo teve uma omissão e outros erros na lição de casa de latim devido à desatenção. Mitzi queria convidá-lo para jantar hoje, mas… eu não permiti." Quando tudo mais falhou, Otto deu sequência à sua draconiana ameaça de tirar Viky da escola. Ele achava que o garoto tinha que arcar com as consequências de seus erros; acreditava que "somente o ato de assumir a responsabilidade pode ensinar jovens e fazê-los desfrutar seu trabalho. A responsabilidade lhes mostra resultados e realizações, e evita que sejam frívolos". Otto estava focado em seu dever de deixar Viky em forma da maneira como ele mesmo havia sido disciplinado por seu pai e tio, e afirmava: "Essa é a melhor maneira de formar membros úteis nos negócios".

Otto contratou uma série de tutores para supervisionar a educação de seu herdeiro, mas o jovem teve um desempenho ainda pior. Certa vez, visitas que chegaram à casa dos Petschek ficaram assustadas ao encontrar Viky em uma cadeira, proclamando em voz alta o discurso de Brutus do livro *Júlio César* em alemão: "*Römer! Mitbürger! Freunde!*" ("Romanos! Compatriotas! Amigos!", conforme reorganizado na tradução alemã de Schlegel), enquanto um ator profissional o corrigia. Otto ordenou a Viky que recitasse Shakespeare, como uma cura para as reclamações do garoto. Ele também assumiu o controle da vida social de Viky, banindo amigos que considerasse má influência. Em outra ocasião, Otto — talvez pensando nas brincadeiras e piadas de seu filho — de repente acenou para o mordomo no meio de uma refeição com seus irmãos e esposas e disse: "Vá procurar Viky, e o que quer que esteja fazendo, mande-o parar!", precipitando o riso abafado (sem dúvida, misturado com compaixão) dos demais comensais.

Às vezes, Viky anotava as palavras duras de seu pai nas margens de uma biografia em inglês da rainha Vitória, aparentemente para treinar o idioma. "Charlatão, boca suja", transcreveu o garoto, "levante-se e não fique por aqui". Uma vez, Viky perguntou ao pai se podia visitar a obra com ele, talvez tentando bajulá-lo, ou recordando o prazer que outrora sentira no parque de areia gigante. É "um momento desfavorável para ver o novo edifício", respondeu Otto. Viky registrou sua reação com sua caligrafia infantil: "O dia é sombrio".

Os irmãos de Otto também não foram poupados. Ele repreendia os três homens adultos como se também fossem crianças malcriadas (aparentemente, esquecendo as críticas que fizera a seu tio Julius no final da guerra por infantilizá-los). Fritz e Paul eram cordiais e tendiam a dar de ombros, mas Hans também tinha um temperamento forte, o que resultava em brigas com Otto. Seus irmãos e cunhadas começaram a chamá-lo de "Ottolini" pelas costas — uma sarcástica referência ao ditador italiano cujos discursos violentos o levariam ao poder na Itália. (Em 1927, o incipiente movimento fascista da Europa ainda era motivo de riso, e seu principal proponente alemão, um político obscuro chamado Adolf Hitler, era um ex-presidiário impedido de falar em público.)

Otto parecia descarregar sua ira até no palácio. Ele eliminou salas planejadas para fornecer mais iluminação natural. Baniu ao esquecimento a alta escadaria que servia para os convidados entrarem no palácio. No lugar dela, haveria alguns degraus rasos e duas entradas para duas chapelarias, com o intuito de facilitar a chegada do grande número de pessoas que ele esperava receber. Percebendo ou não, ele tendia a buscar o funcional, como os modernistas da Bauhaus, cujas obras eram cada vez mais exibidas nas publicações de arquitetura nas quais Otto procurava inspiração.

Mas tudo isso empalidecia em comparação com a piscina olímpica que Otto forçou no design — *dentro* do palácio. Ele arrancou o porão para estender a área de banho já existente e mais modesta. Logo Otto começou a focar nos elementos adicionais: chuveiros, vestiários e salas de ginástica e massagem. A piscina foi crescendo enquanto ele e Josef descartavam e revisavam as plantas repetidamente. Ela teria quarenta e oito metros de extensão, quase o comprimento do edifício, e sete metros de profundidade no ponto mais baixo.

Mais uma vez, Otto teve que ir à prefeitura para a aprovação oficial dos planos. A resposta foi incredulidade. Enfiar uma piscina gigante àquela altura, depois que as fundações já haviam sido feitas? Todo o edifício poderia desabar (como de fato aconteceu com outro prédio em Praga pouco depois, matando quarenta e seis pessoas). Seguiu-se uma longa negociação, e Otto concordou em tomar medidas corretivas substanciais. Acabou conseguindo a aprovação da prefeitura, concordando com todas as condições impostas. Em outubro de 1927, mais um período inteiro de obra havia sido perdido.

Otto manteve Josef e os homens ocupados no miserável inverno de 1927. Os Vigilantes passavam acelerados pelo complexo, enrolados em cachecóis e grossos casacos de tweed para se protegerem do frio, luvas nas mãos segurando na cabeça o chapéu que o vento queria levar

— estavam chocados, pois, após três anos de obra, ainda não estava pronto. Na verdade, não estava nem perto, como evidenciava o ar gelado que passava assobiando pelos andaimes e entrava nos espaços expostos, sem teto, do palácio semiconstruído. Em discussões nos bares de Praga, alguns afirmavam que Otto o destruíra e reconstruíra três vezes naqueles três anos. Outros zombavam, alegando que ele havia criado e destruído o palácio nada menos que seis vezes.

Mas, em 1928, quando o tempo começou a descongelar, o palácio por fim passou a emergir do chão. Já havia um segundo andar em cima do primeiro, e os trabalhos no terceiro estavam em andamento. O progresso talvez aplacasse a febre de outro homem, mas, em Otto, teve o efeito contrário. Com o exterior tomando forma, para sua satisfação (ou talvez estivesse já tão adiantada a obra que nem ele se atrevia mais a reduzi-lo à fundação de novo), Otto se voltou para os cavernosos vazios do interior. Estava determinado a bater seu carimbo em cada centímetro daqueles espaços brutos, planejando isolar a pedra, o tijolo e o aço expostos com uma grossa almofada de luxo e requinte. Encomendou os painéis das paredes, de madeiras nobres, na Gerstel & Co., em Praga; teriam guirlandas de flores e cornucópias de frutas cuidadosamente esculpidas à mão. Desenhou padrões geométricos para os pisos, que seriam executados em mármore italiano formando um quebra-cabeça de enormes peças, como um caleidoscópio. Para os tetos, ele comprou dezenas de lustres de cristal personalizados, fabricados pela venerável empresa Desliles, de Paris, com designs tão bonitos que o proprietário emoldurou um para exibir em seu escritório.

Embora o interior acabado existisse só nos olhos de sua mente, Otto começou a mobiliá-los também. Ele e seus agentes se espalharam pela Europa, dando lances em leilões e vendas privadas de antiguidades, quadros e tapetes — a ápice delirante de décadas comprando tesouros. Em uma viagem a um castelo francês para fazer compras, ele foi conduzido a um salão extravagante, com painéis de um verde pálido jateados com ouro, com quadros do século XVIII sobre a vida da corte francesa em molduras ovais douradas ornamentadas. Seu anfitrião lhe ofereceu algumas das antiguidades que havia por ali, mas Otto ficou fascinado com as paredes tão incomuns. Diz a lenda que ele perguntou ao homem: "Esqueça os móveis; quanto você quer *pela sala*?" Como as árvores antes transportadas para seu jardim, a sala desmontada logo estava deitada de lado em um vagão de trem, cuidadosamente embrulhada, seguindo para Bubeneč para posterior instalação como sala de música de Otto.

Martha, sempre nervosa com as extravagâncias de Otto, estava fora de si. O projeto que havia começado anos antes como um suposto presente para ela estava consumindo seu *Dumme*. O mau humor dele, a ansiedade dela, as brigas, as sussurradas queixas dos irmãos e das cunhadas de Otto, a pressão de manter uma aparência alegre — tudo foi demais. Ela envelhecia visivelmente, o cinza riscava seus cachos antes negros. Sua antiga doença pulmonar irrompeu. Ela tinha dificuldade para respirar, perdeu peso, tornou-se macilenta. Seus médicos de Praga e Viena debateram de novo sobre o que exatamente estaria causando seus problemas de saúde e a mandaram de volta a Semmering, nos Alpes austríacos, onde a família tinha uma casa de férias. Otto, alarmado, foi com ela para ajudá-la. Ela entrou em pânico quando sua visão tremeluziu e enegreceu. Temia estar ficando cega. Seu marido a tranquilizou, e o episódio passou. Assim que ela apresentou sinais de melhora, ele voltou ao palácio, à construção. Resignada, ela também voltou para ele em Praga.

Então, outro golpe atingiu Otto — o mais inesperado de todos.

~

A notícia provavelmente lhe foi dada naquele dia de 1928 por um de seus irmãos. Talvez tenha sido Paul, o segundo mais velho. Com seu terno escuro, o bigode e a testa alta dos Petschek, via-se que Paul era inconfundivelmente irmão de Otto, embora suas maneiras fossem mais gentis. Teria ele entrado na sala de Otto no banco, fechado a porta estofada e acolchoada de couro grosso (projetada para permitir privacidade, pois um sussurro que escapasse poderia abalar o mercado nas terras tchecas) e dito ao irmão que tinha uma coisa importante para falar?

Ou teria sido um de seus funcionários mais antigos que entrou de forma respeitosa perguntando se poderia perturbar o dr. Petschek, e então explicando, inquieto, o que havia descoberto?

Talvez Otto tenha descoberto sozinho, quando examinava as contas e os passivos do banco e folheava os enormes livros de contabilidade, suas páginas de sessenta centímetros de comprimento cheias de linhas e números. Esses livros mapeavam cada *koruna* ("coroa") que entrava e saía. Teriam os números mudado repentinamente enquanto Otto analisava, conferia e revisava os cálculos com crescente pânico, com o coração disparado, incapaz de acreditar que aquilo era verdade?

Qualquer que tenha sido a fonte, a notícia foi chocante. Otto estava sem dinheiro.

O amplo jardim; os arbustos, as flores e as árvores importados; a construção e reconstrução do palácio; os anos gastos no projeto; os acabamentos, os utensílios e a mobília haviam esgotado todos os seus recursos. Seu capital desaparecera, afundara nos ciclos de construção e demolição, nas compras, nos lances e nas aquisições. Ele não tinha dinheiro suficiente para continuar pagando tudo — todas as contas que chegavam ao banco incessantemente. De fato, ele já estava no vermelho com as que haviam chegado até então. Otto já tivera todos os recursos do mundo, mais do que ele conseguia contar. No entanto, sua obsessão pelo palácio o levara à beira da ruína.

De volta à casa de Bubeneč, Otto deu a notícia a Martha. Essa era uma conversa que ela temia desde a época do namoro deles — o risco da extravagância dele, sobre a qual ele fizera graça quando a pedira em casamento, por fim se concretizava. Alguns membros da família achavam que ela era gentil demais com ele em momentos como aquele, que cedia rápido demais quando a pressão apertava. Outra pessoa teria criticado seu cônjuge, repreendendo-o. Mas Martha amava Otto, profunda e incondicionalmente, apesar de tudo. As brigas do dia a dia eram uma coisa; um momento de crise era bem diferente. Com certeza ajudou o fato de que, no fundo, ela nunca dera muita importância aos bens; ela conseguiria superar a perda deles.

Aparentemente, ela não disse "Eu avisei" quando Otto lhe deu a notícia. As recriminações foram deixadas de lado enquanto o casal procurava, juntos, uma solução. Otto e Martha sentaram para conversar, com o palácio inacabado e esmaecido pairando no fim do terreno, visível à noite apenas como uma escuridão mais profunda. Eles não podiam simplesmente deixá-lo ali, vazio e incompleto (por mais que essa ideia pudesse ter sido uma tentação para Martha). No iídiche que Otto e Martha usavam em suas conversas mais íntimas, seria *shanda*: uma desgraça pública. Otto nunca mais deixaria de ouvir isso; os Vigilantes balançariam a cabeça durante os séculos vindouros (como ainda faziam com o conde Czernin, que abandonara sua construção mais de um século antes). Não, Otto havia investido demais no palácio — e não só financeiramente — para desistir.

Ele tinha só uma escolha: procurar seus sócios do banco — sua família — e lhes pedir o dinheiro necessário para acabar.

Os Petschek se reuniram para decidir o destino de seu chefe no ameaçador edifício do banco, no centro da cidade. Quatro andares de pedras rústicas, com janelas gradeadas para proteger a riqueza que abrigava. Eles se reuniram na exuberante sala de reuniões, no terceiro andar, com suas madeiras escuras, colunas coríntias e uma mesa de conferência com catorze cadeiras tão primorosas quanto os investimentos da família. Grandes retratos dos fundadores, o pai de Otto e tio Julius, adornavam as paredes.

Os homens foram entrando um a um: Otto, sombrio, determinado a resgatar sua obra-prima; o gentil Paul, que agora vivia em Berlim, em uma casa elegante à beira do lago, onde administrava as minas alemãs da família; Fritz, cuja insossa mansão construída por Spielmann era boa o bastante para ele; Hans, o mais novo e, depois de Otto, o mais perspicaz. Tio Julius também estava presente, menos vivaz que em seu retrato, com seu filho, o caçula da geração seguinte, Walter.

Eles nunca haviam entendido a obsessão de Otto por seu palácio, e cada um tinha ressentimentos acumulados contra ele. Otto havia considerado Julius um *"schlmiel"* e o afastara; frustrara a vida amorosa de Paul (ele o proibira de se casar com sua primeira namorada, uma mulher da classe trabalhadora que Otto acreditava não servir para seu irmão mais novo); brigava constantemente com Hans; e tratava Walter como se ainda fosse uma criança, e não um homem de trinta anos.

Mas Otto era sangue do sangue deles, e, apesar dos atritos, preocupavam-se com ele. Não estavam preparados para deixar que o nome e a honra de Otto — nem deles — fossem conspurcados. Otto não tivera o cuidado de separar suas obrigações, e, segundo a lei tcheca, seus sócios poderiam ser totalmente responsabilizados por algumas de suas dívidas. Os negócios da família já haviam sido divididos antes, quando o terceiro irmão de Isidor e Julius, Ignatz (apelidado de "tio nazista" em uma época anterior, quando esse termo tinha outras conotações), seguira o próprio caminho. Essa ruptura, bastante pública e complicada, ainda não estava curada, e mais uma seria um desastre.

Ainda assim, os outros Petschek não facilitaram as coisas para Otto, que ouvia os termos deles. Eles o socorreriam, mas determinariam uma verba. Seus dias de prodigalidade haviam acabado. Seria um empréstimo, não um presente. E seria concedido sob outra condição: não haveria mais decisões no estilo Ottolini. O banco passaria a ser dividido em partes iguais, uma para cada um dos sete membros da geração de Otto: os quatro filhos de Isidor e os três de Julius (Walter tinha duas irmãs).

Otto resistiu a essas condições. Ele havia construído a empresa, impulsionara seu crescimento mesmo contra as hesitações da geração anterior, recebera seus irmãos no negócio, abrira espaço para eles e os treinara. Ele fizera enormes sacrifícios, desistira de suas esperanças de uma carreira na música, sofrera em seu árduo período de aprendizado, trabalhara incessantemente durante décadas. A discussão foi acalorada. Mas os outros se mantiveram firmes, unidos contra Otto.

Mas Otto não estava pronto para abandonar o lar que estava construindo. Significava muito para ele. Então, por fim, concordou.

O rei do carvão havia abdicado do trono para salvar seu palácio.

3

O PALÁCIO SEM FIM

Naquela noite, Otto subiu os degraus de sua pequena casa e se sentou com Martha, tendo o fantasmagórico palácio inacabado ao longe. Contou a ela o resultado. Ela fez o possível para acalmá-lo. Mesmo com a tábua de salvação da família, ele estava preocupado. Como terminaria o palácio apenas com uma parte do orçamento inicial? Martha talvez estivesse particularmente aliviada por enfim ele ter alguns limites, mas tranquilizou o marido: ele daria um jeito.

Otto voltou para a grande mesa da biblioteca, cheia de livros e plantas. O exterior do palácio estava praticamente terminado. Se ele parasse por ali, poderia estar pronto em um ano, desde que não houvesse mais demolições nem acréscimos. Mas o interior era outra questão. O segundo e o terceiro andar estavam inacabados, assim como os banhos romanos e o resto do porão. O primeiro andar havia chegado mais longe — os painéis e lustres ornamentados; antiguidades e tapetes encomendados —, mas ainda havia muitas lacunas. Ele encomendara uma enorme mesa de jantar de trinta e quatro lugares, mas não tinha cadeiras.

Era uma amargura enfrentar a realidade depois de anos criando sem limites. Mas ele decidiu seguir adiante. Olhou de novo para os livros empilhados à sua frente. Eles estavam cheios de efeitos *trompe l'oeil*: paredes pintadas para ostentar jardins que não existiam; galerias de perspectiva forçada — nichos rasos que pareciam longos corredores graças à pintura artística. Portas, janelas, varandas e tapeçarias pintadas meticulosamente, que enganavam os olhos, dando uma impressão de luxo onde, na verdade, havia apenas uma fértil imaginação.

Mas ele tinha uma opção.

Poderia simular tudo aquilo.

No lugar da fileira de altas colunas de mármore do segundo andar, ele poderia usar cilindros de metal, modelados e pintados para parecerem a lisa pedra. As pinturas para os vãos ovais nos painéis de madeira do salão privado de Martha seriam forjadas no estilo Fragonard e depois envelhecidas artisticamente, usando calor, para criar a *craquelure* que as faria parecer veneráveis. As madeiras exóticas encomendadas para as paredes do quarto de Viky seriam substituídas por madeiras simples, e seus veios, cuidadosamente detalhados em tons de amarelo e marrom para dar a impressão de madeira rara. As lareiras que pontilhavam o palácio... seriam apenas para exibição, na verdade incapazes de acender uma chama.

E assim começou a próxima grande fase do edifício de Otto, mais desesperada que obcecada. Assim que começou a se envolver nela, ele descobriu que era tão extravagante para economizar dinheiro quanto para gastá-lo. Para preencher os trinta e quatro lugares que faltavam na sala de jantar, ele comprou duas cadeiras Luís XV autênticas em um leilão e mandou o entalhador praguense Emil Gerstel fazer trinta e duas réplicas. (Com a típica atenção de Otto aos detalhes, o ângulo do encosto das falsificações foi levemente suavizado para que os comensais pudessem se reclinar um pouco mais.) Cópias exatas de outras antiguidades de seu inventário foram fabricadas da mesma maneira, expandindo a coleção de mobiliário já existente para preencher as lacunas e os quartos. Até a porcelana recebeu o tratamento Otto;

outros jogos que eles já tinham, como o rosa e branco de Meissen, foram duplicados com precisão por um fabricante tcheco. A única diferença era a marca do fabricante embaixo. Que convidado seria indelicado a ponto de virar um prato para inspecionar uma inscrição?

A maior destreza de Otto, no entanto, foi reservada para a piscina do porão. Ele mandou buscar na Itália uma equipe de pedreiros com habilidades de bruxos, capazes de conjurar mármore e escaiola falsos de cores e padrões extraordinários. Como mágicos elaborando seus truques, os pedreiros trabalhavam em total sigilo. Sempre que eles saíam para almoçar ou tomar uma cerveja, um ficava de guarda à porta. À noite, eles escondiam seus materiais — e até suas ferramentas — antes de trancar a porta da piscina ao sair.

Quando os italianos fizeram as malas e partiram, deixaram uma maravilha. A enorme câmara da piscina, percorrendo quase toda a extensão do palácio, estava revestida de mármore falso. Dezenas de colunas corriam pelas paredes, em uma formação imponente. Eram centuriões de mármore, cada um com seu rico vermelho-sangue atravessado por veios brancos. Atrás dos pilares havia alcovas curvas e nichos com veios amarelos, pretos e cinza, estrias não naturais de cores que giravam ao redor. Os pilares, paredes e alcovas saturados contrastavam com os azulejos verde-claros do piso e da piscina. O esmalte dos azulejos ia desbotando gradualmente nas paredes profundas da piscina, tornando-se um piso branco, sete metros abaixo.

Otto examinou a obra. Embora estivesse escondida no porão, aquela explosão de cores refletia o *verdadeiro* Otto. Ele havia recorrido a esse artifício por necessidade, mas descobriu que isso podia trazer melhores resultados do que o encontrado na natureza. Poderia ter ficado brega, mas era lindo. Martha tinha razão: ele estava dando um jeito.

∽

Em outubro de 1929, mais de cinco anos após Otto ter começado, a parte externa estava quase pronta. Foram acrescentados um terceiro andar e um sótão, além de um telhado inclinado de ardósia cinza revestido por cobre já oxidado de verde. O design inicial e austero de Spielmann fora enriquecido por Otto com a ornamentação que ele desfrutara quando jovem, observando as fachadas de Praga. O segundo andar era pontilhado de varandas com grades ornamentadas de preto e dourado, o terceiro de janelas redondas projetadas por Otto — olhos de boi, como ele as chamava. Estátuas românicas de crianças brincando adornavam o parapeito —, talvez um símbolo de sua prole congelado para a posteridade.

Se Otto conseguisse manter esse ritmo, a família por fim se mudaria para a nova casa em 1930. Martha tinha motivos para ter esperança; a construção estava finalmente acabando. Talvez seu marido logo voltasse ao normal — como acontecera com a conclusão da pequena casinha, uma década antes. Mas chegou o dia 29 de outubro: a terça-feira negra. A Bolsa de Valores de Nova York entrou em colapso, atingindo o mundo inteiro com suas ondas de choque. Otto havia investido pesado nos Estados Unidos, tanto que tinha planos de abrir uma filial do banco naquele país. Pretendia despachar o irmão mais novo, Hans, aos EUA para dirigi-la (talvez para manter seus respectivos temperamentos ardentes o mais longe possível um do outro). Preparando-se para isso, Otto estava estudando; seu último lote de livros americanos incluía um volume rosado de 1929 chamado *New Levels in the Stock Market* (*Novos níveis no mercado de ações*). De modo que ele prestou bastante atenção quando as notícias do *crash* chegaram de Manhattan, naquela terça-feira. Eram fragmentadas e inacreditáveis, como gritos de um massacre distante. Logo o mercado americano caiu mais de vinte e cinco por cento em vinte e quatro horas.

Os eventos ocorridos em Wall Street fizeram a já instável economia europeia parecer um ioiô nos meses seguintes. Otto tentava manter o banco Petschek nos trilhos — dias difíceis, como os do final da guerra. O desastre na América foi inicialmente contornado em Praga — Otto e seus sócios conseguiram evitar as perdas que destruíram tantos outros. Mas, mesmo assim, a Depressão se estabeleceu. O milagre econômico da Tchecoslováquia, que levara o PIB do país à posição de décimo maior do mundo, dependia muito das exportações. De modo que a nação levou um forte golpe quando o resto do mundo parou de comprar.

Foi uma luta para Otto cuidar de suas minas e tratar com seus mineiros. Eles fizeram protestos, paralisações e greves. Um número crescente de homens era atraído pelo marxismo. E o fato de a União Soviética alegar estar prosperando — um paraíso dos trabalhadores — não ajudava. O Partido Comunista da Tchecoslováquia era liderado por Klement Gottwald, um jovem marceneiro membro do Parlamento que não se incomodava em receber ordens de Stalin. Ele ajudou a organizar as ações trabalhistas contra Otto e os demais proprietários de minas. O rosto quadrado e duro de Gottwald ficava vermelho e suado enquanto ele gritava com seus colegas parlamentares:

> Vocês dizem que estamos sob o comando de Moscou e que buscamos sabedoria lá. Bem, vocês estão sob o comando de [...] Petschek, Weimann, Preiss, vocês estão sob o comando da Liga das Nações, ou seja, a empresa dos predadores imperialistas, vocês vão atrás de Petschek, Weimann, Rothschild, Preiss em busca de sabedoria, para aprender a explorar os trabalhadores de maneira ainda mais eficiente. Nós somos o partido do proletariado da Tchecoslováquia e nosso quartel-general é realmente Moscou. E nós buscamos Moscou para aprender sabem o quê? Buscamos Moscou para aprender com os bolcheviques como torcer o pescoço de vocês. E vocês sabem que os bolcheviques russos são mestres nisso.

Quando os demais parlamentares por fim caíram na risada diante de seu ataque de fúria, ele os advertiu dizendo que, um dia, "vocês vão parar de rir!"

Otto fazia malabarismos com as faturas do palácio enquanto tentava sobreviver com seu reduzido fluxo de caixa e concluir o interior de seu futuro lar, unindo o real e o irreal em um esquema único e coerente. Mais uma vez, uma pilha de contas se formou. Isso era inédito: um Petschek atrasando um pagamento. Otto assegurou a seus fornecedores que pagaria as contas. Alguns credores, irritados, chegaram a abrir um processo para receber. Ele fez acordos, mas a divulgação ao público das limitações de Otto pouco ajudou a acelerar seus esforços de construção.

Enquanto Otto se empenhava para avançar a obra, o mundo além de seus muros caía em desespero econômico. Um calafrio percorreu a região quando a maior instituição financeira vienense, a Creditanstalt, entrou em colapso em 1931. Otto fazia parte do conselho desse banco, e embora não houvesse cometido nenhum erro, a crise pesou bastante sobre ele. Não foi questão de um mero processo devido a uma conta não paga; foi um escândalo internacional que exterminou depositantes, desencadeou suicídios e gerou anos de manchetes, processos judiciais e investigações. Embora houvesse sobrevivido à terça-feira negra, o portfólio americano de Otto também foi duramente atingido pelos tremores secundários do acidente global. Outro golpe ocorreu no fim daquele ano, quando os Estados Unidos pediram empréstimos a bancos tchecos. O setor financeiro da Tchecoslováquia ficou incrédulo — os Estados Unidos haviam feito seu país nascer. Eles contavam com a ajuda dos Estados Unidos, mas o que estes realmente ofereciam era um obstáculo.

Os comunistas seguiam descarregando sua raiva em Otto — inclusive pela audácia de continuar construindo o palácio durante uma profunda depressão:

O maior capitalista da Tchecoslováquia e ao mesmo tempo um dos maiores vampiros capitalistas de escala internacional, o barão do carvão Petschek [...] suga milhares e milhares de mineiros tchecos no norte da Boêmia e fez uma fortuna tão grande com o suor e o sangue de seus escravos assalariados tchecos e alemães que sua vida magnífica e o desperdício de dezenas de milhões de coroas na construção da mais luxuosa casa de Praga se tornou um ultrajante escárnio à miséria e à pobreza da maioria da população trabalhadora de Praga.

A raiva também teve como alvo os filhos de Otto. Um dia, as meninas chegaram da escola perturbadas. Na aula, haviam lido um poema sobre a órfã de um minerador de carvão, "Maryčka Magdónova". Os versos falavam de uma menina carente que tentava juntar galhos para incendiar as terras do proprietário da mina. "Hochfelder, o judeu" a pegara e a entregara às autoridades. Envergonhada, ela se jogara em um barranco, cometendo suicídio. Como se isso não bastasse, o professor chamara Ina para declamar em voz alta a longa balada.

Otto não estava preocupado só com a esquerda. Na vizinha Alemanha, onde a família também possuía grandes propriedades de carvão, Adolf Hitler e suas intenções de ultradireita estavam crescendo. Com as eleições de setembro de 1930, aumentou a representação nazista no Reichstag, que passou de meros doze membros a um total de cento e sete. *Herr* Hitler agora comandava o partido político que mais crescia na Alemanha, e sua maior economia para os social-democratas. O irmão de Otto, Paul, em Berlim, relatava as atrocidades dos nazistas; dos camisas-pardas, que agrediam judeus nas ruas; dos antissemitas nas salas de aula de seus filhos. Ele abandonou Berlim em 1931, voltando a Praga. A partir de então, ele, Otto e os demais Petschek administravam a distância as propriedades alemãs da família, entrando e saindo do país conforme necessário.

O vírus nazista logo migrou para as áreas étnicas alemãs da Tchecoslováquia, incluindo a chamada região dos Sudetos. Após o resultado das eleições, a popularidade de Hitler aumentou entre a população majoritariamente alemã. Simpatizantes nazistas formaram organizações tchecas, como o Volkssport, para promover sua visão. Otto sempre valorizara sua identidade de tchecoslovaco alemão; ele foi um dos principais patrocinadores do Novo Teatro Alemão e de uma infinidade de outros empreendimentos culturais alemães. Mas seus colegas tchecos alemães estavam se voltando contra ele; os gerentes dos Sudetos alemães e chefes de minas estavam tão mal-humorados quanto os mineiros de esquerda. Otto estava acostumado a ser atacado por tchecos étnicos por ser alemão demais; mas, agora, também estava sob ataque dos alemães do país por ser judeu demais.

Quanto piores as coisas ficavam, mais ele trabalhava. Como nos dias mais sombrios da guerra, ele buscava razões para ser otimista. Na longa mesa de sua biblioteca, os livros de arquitetura de Otto encontravam-se agora intercalados com estudos sobre o fascismo, tratados econômicos e dissecações da Depressão. Martha entrava na biblioteca à noite e pedia que ele apagasse a luz e fosse para a cama. Mas ele ficava até altas horas; espremia cada minuto do dia para encontrar um caminho a seguir.

Na primavera de 1931, Otto estava fisicamente muito diferente do vigoroso sonhador que havia sido em 1917. Parecia mais um homem de sessenta e cinco anos que de cinquenta. Ele estava corpulento, seus cabelos e bigode outrora pretos agora eram salpicados de cinza. Seu despertador interno ainda tocava todas as manhãs, mas ele já não saía da cama com a facilidade de antes. Martha — sua companheira em tudo — envelhecia com ele. O estresse a deixou tão magra quanto a Otto corpulento. Os cabelos dela eram grisalhos; quando dormia, sua respiração, antes tão regular, tornara-se inconstante.

Durante as horas de vigília, Martha ficava atenta aos gastos do marido, até nas menores coisas. Quando Otto precisou de uma capa de chuva nova, ele a advertiu, brincando: "Agora você vai ficar brava", antes de informar que havia comprado uma. Martha se opunha até a que ele gastasse com ela: "Minha querida *Dumme*! Não cancelei o pedido de seu vestido; já o encomendei. Não fique brava! Afora isso, eu não gastei nada".

Um lugar onde ele se recusou a economizar, no entanto, foi no banheiro de Martha no palácio: pisos de mármore rosa-pálido e paredes cheias de veios vermelhos (todos genuínos dessa vez), uma banheira elevada à qual se chegava por meio de degraus e emoldurada por colunas clássicas da mesma pedra polida; lustres pendendo do teto alto, torneiras e outros acessórios de uma liga de ouro especial que brilhavam de uma maneira sobrenatural. Mas, exceto pelo vaso sanitário e pelo bidê, parecia um templo romano. Era seu presente para Martha por tudo, e ela não foi tão indelicada (ou tão altruísta) a ponto de rejeitá-lo. O banheiro de Otto era uma área grande, porém mais utilitária, de ladrilhos verdes, desses que podiam ser vistos em qualquer construção da Bauhaus. Mas ele secretamente se permitiu um deleite: um *Tausend Strom Dusche* sob medida, um chuveiro de mil jatos, com várias cabeças de cada lado. Os mostradores e interruptores eram tão elaborados que pareciam controles de uma das máquinas do tempo dos romances de H. G. Wells de que Otto gostava, e os botões exigiam instruções escritas e detalhadas para o funcionamento adequado.

Naquela primavera de 1931, apesar de tudo, Otto por fim pôde contemplar a perspectiva iminente de se mudar para o palácio. Com o teto no lugar e as últimas esculturas e grades afixadas, o exterior estava, por fim, completo. O interior era quase habitável, mas só seria concluído depois de se mudarem. Eram visíveis os traços das variadas influências de Otto, desde os reis Bourbon que construíram Versalhes até Frank Lloyd Wright. Mas, em última análise, era a marca de Otto em cada um dos milhões de centímetros quadrados. Ele amava o palácio ainda mais do que amaria se a construção houvesse sido fácil, e devia esperar que seu progresso fosse um presságio favorável para seus muitos desafios no mundo além daqueles muros.

Em junho de 1931, o sol se infiltrava pelas árvores enquanto Otto saía da antiga casa, de braços dados com Martha. As crianças iam atrás deles, tristes quando a porta se fechou pela última vez. Otto os conduziu com muito orgulho pelos elaborados jardins e pelo amplo gramado em direção à estrutura imponente que pairava diante deles.

Para Otto, o edifício era de tirar o fôlego: a vasta fachada curva como braços estendidos, convidando a família para um abraço; a rítmica distribuição das janelas e portas com esquadrias de latão, revelando os enormes espaços cheios de luz do interior; os tesouros do milênio europeu que os enchiam, todos os países e todas as artes e todos os ofícios representados, as obras de tecelões de tapeçaria flamenga e fabricantes de tapetes franceses, pintores holandeses e livros de designers ingleses, fabricantes de porcelana alemães e sopradores de vidro boêmios (sem citar os falsificadores de Praga que haviam preenchido as lacunas da coleção quando o dinheiro diminuíra). Martha fez as pazes com o palácio e reconheceu sua beleza. Afinal, era uma expressão de seu Otto — cada pedacinho, até a forma do buraco das fechaduras.

As crianças viram algo bem diferente quando cruzaram o exuberante espaço oval. O palácio era totalmente estranho, nada parecido com a casa aconchegante onde haviam sido criados, ou as casas de seus amigos. O jeito como se curvava, como um monstro gigante estendendo a mão para pegá-los, era assustador. O medo que tinham do temperamental criador do palácio também coloriu a percepção delas. Lágrimas escorriam pelo rosto de Eva quando se aproximaram.

Mas quem mais detestou o palácio foi Viky. Ao entrar, sentiu-se como se estivesse marchando rumo à execução. O enorme edifício representava todas as obrigações que ele herdaria como filho mais velho. A pressão o esmagou.

Talvez pretendendo agradar os filhos, Otto havia baixado a parede retrátil entre o jardim e o salão de baile. Para aqueles olhos jovens, o fato de faltar uma parede, de a parte externa fluir diretamente para o palácio, de flores e pássaros de verdade se transformarem em esmaltes nos lustres, com bizarros animais de cerâmica alinhados nas paredes, candelabros se ramificando acima da cabeça, era mais assustador que atraente. Em silêncio, eles caminharam com os pais pelas salas gigantescas, onde se tornaram seres insignificantes devido aos altos tetos e painéis. Tinham medo de derrubar um dos inúmeros objetos preciosos ali expostos. Atravessaram o estranho corredor curvo que corria pelo centro do palácio, incomodados com a maneira como desaparecia em cada extremidade. Subindo para o segundo andar, ficaram impressionados com os quartos, com janelas de quase cinco metros de altura, lustres de cristal, assoalho parquete e luminárias douradas. Essas câmaras pareciam estrangeiras e eram pouco convidativas, como as da realeza. O que mais desejavam era poder voltar para sua casinha confortável do outro lado do gramado gigante.

Otto, alheio, estava tão claramente encantado com sua criação quanto seus filhos silenciosamente desanimados. Ele começou no mesmo instante a colocar o palácio em uso. Sentia orgulho de exibi-lo, mas também (banqueiro como era) queria amortizar seu investimento — mostrando ao mundo que não se intimidava com as adversidades. Ele e Martha realizavam jantares elegantes no salão de painéis de madeira, Otto de fraque e Martha com uma capa de arminho até o chão por cima do vestido, recebendo o ministro das Relações Exteriores, Beneš; visitas nobres, com suas dragonas, faixas e medalhas; ou outros dignitários. Eles conversavam com os irmãos de Otto e com outros membros da elite empresarial de Praga sob as pinturas ovais, colocadas nas lunetas que cercavam a sala, de trovadores franceses fazendo serenatas para donzelas usando *négligé*. Conforme o planejado, a mesa acomodava até trinta e quatro comensais animados, e em seus lugares a porcelana de Meissen (a verdadeira e a imitação), banhados na luz quente dos cinco lustres de cristal tcheco.

Depois do jantar, Martha levava as mulheres ao *Damenzimmer* ("salão das mulheres") para tomar um café e conversar, onde havia painéis de seda bege e uma vitrine iluminada na parede exibindo o mais raro de seus espécimes de porcelana, a prata e os jogos de taças. Os cavalheiros seguiam Otto até o *Herrenzimmer* ("salão dos homens"), que tinha paredes de seda escura e um umidor escondido, embutido, de quase dois metros, de onde ele tirava e distribuía charutos. O perfume do tabaco era permanente. Depois, os casais se reuniam no jardim de inverno, com sua enorme estrela multicolorida de seis pontas no chão e sua parede de vidro retrátil do chão ao teto, talvez abaixada para aproveitar a noite, se fosse agradável. Muitas vezes, os convidados se retiravam para a sala de música e assistiam a um concerto. Dois pianos de cauda, um de frente para o outro, entre os extravagantes painéis esverdeados como a espuma do mar, com suas bordas onduladas de folha de ouro — o preto profundo e brilhante de Steinways fazia as paredes de cores selvagens brilharem ainda mais. Músicos e cantores profissionais, ou os mais talentosos membros da família — às vezes, até mesmo o próprio anfitrião — se apresentavam. Em algum momento da noite, Otto encontraria uma desculpa para mostrar seus tesouros aos visitantes, desde a gigantesca — nove metros — tapeçaria flamenga de Jasão e os argonautas até o minúsculo jogo de chá antigo de Meissen, com suas paisagens urbanas chinesas grisalhas — uma das primeiras porcelanas cozidas na Europa.

Ao final, Otto e Martha observavam enquanto as pessoas iam embora, e depois se recolhiam à biblioteca para sentar diante do fogo entre os milhares de livros, fofocando sobre a noite e tranquilizando-se mutuamente, dizendo que tudo seria tão bem-sucedido como havia sido o evento daquela noite.

~

Otto enfim percebeu o desconforto de seus filhos. Martha lhe assegurou que as crianças se acostumariam à vida no novo lar, mas a adaptação estava demorando. Eles não se sentiam à vontade, e tinham vergonha de convidar os colegas de escola. Quando o faziam, os mordomos os serviam com suas luvas brancas. Eles não entendiam por que não podiam simplesmente pôr limonada e biscoitos na mesa, como na casa de seus amigos.

Para inaugurar a instalação do porão gigante, foi agendada uma festa na piscina para as crianças. Elas foram levadas para baixo. De início, ficaram intimidadas com o enorme salão, mas logo estavam alegremente jogando água umas nas outras, enquanto seus gritos e suas risadas ecoavam naquele espaço cavernoso. Mas tudo deu errado quando Rita, com muito frio por ficar horas na água, contraiu pneumonia. Ela se recuperou, mas Otto, abalado, drenou a piscina e a declarou proibida. Esse episódio aumentou a sensação de insegurança das crianças, que interpretaram o fato como uma confirmação de que o palácio não era seguro.

Viky arranjava desculpas para estar em outro lugar sempre que possível, fugindo para dançar nas boates de Praga ou assistindo ao show vanguardista de cabaré Voskovec & Werich, de inclinação socialista. Ele dizia que "[o pai] teria me matado se soubesse". As três meninas se refugiavam uma na outra. À noite tudo era mais assustador; o curvo corredor central desaparecia na escuridão, e seus pais dormiam a um quarteirão de distância, do outro lado da curva. As gêmeas, pelo menos, dividiam um quarto. Eva, de onze anos, ficava sozinha. Mas ela acabou abandonando por completo seus aposentos ornamentados e se mudou para uma câmara pequena e simples ao lado do quarto das gêmeas, originalmente projetada para uma babá.

Preocupado com os acontecimentos fora do palácio, Otto tentava conquistar as crianças na medida do possível. Ele conduzia suas competições musicais durante as refeições, tentando envolvê-las marcando a batida de várias partituras à mesa de jantar, enquanto as crianças tentavam adivinhar o compositor. Ele lhes contava as histórias das óperas, cheias de drama. Jogava *tiddlywinks* e baralho com elas e os primos — um dos quais um incrível observador, que, acostumado à aparência ameaçadora de Otto, ficara surpreso ao encontrar os jogos ali. "É relaxante", explicara Otto, um pouco encabulado — uma opinião não compartilhada por uma das priminhas tensas, Ruth, que, aos seis anos, tentava desesperadamente se comportar.

Otto até levou as três filhas para passar as férias na Holanda, sem Martha. Talvez tenha achado que seria mais fácil se conectar com elas longe do ambiente intimidador do palácio. Ele as acompanhou à praia, aos passeios de barco e aos cafés, onde as enchia de bolos e outras iguarias. Ele lhes contava histórias (inclusive a de como havia cortejado Martha) e brincava com elas. Mas choveu durante a viagem, e ele teve que a abreviar para resolver uma emergência. Afora essa, suas outras tentativas foram tímidas. Ele havia ficado absorto no palácio por muito tempo, e sua obsessão o deixara muito propenso a mudanças repentinas de humor e com uma aparência séria demais. Em vez de uma ponte para seus filhos, o palácio era uma barreira.

As pessoas de fora do palácio não gostavam dele mais que os filhos de Otto. A aristocracia e a direita consideravam-no ostensivo e vulgar. A esquerda se sentia ofendida com o custo do palácio, que diziam ser superior a trezentos milhões de coroas tchecas (hoje, passaria dos cem milhões de dólares). *Quem construiria uma coisa dessas durante a Depressão?*, perguntavam-se. Otto poderia ter respondido a essa pergunta retórica recordando-lhes que ele havia iniciado a obra muito antes, e que deixá-la inacabada não ajudaria ninguém. Mas qualquer resposta teria apenas alimentado as chamas do ressentimento. Até os antigos admiradores de Otto, os Vigilantes de Praga, faziam comentários contrários à sua obra. Estavam vivendo um momento de nacionalismo ressurgente, e achavam o palácio cosmopolita demais. Não havia uma única característica *tcheca* nele, reclamavam. Os críticos de arquitetura não se dignaram a prestar atenção no projeto favorito de um banqueiro, e o ignoraram por completo — isso, para um criador, talvez fosse até pior que críticas.

O golpe mais doloroso de todos, no entanto, foi quando Viky se recusou a morar ali por mais tempo. No outono de 1931, ele pediu para ir a um colégio interno na Inglaterra. A ansiedade materna de Martha aumentou. Ela não gostava nem que ele passasse a noite com amigos em Carlsbad (ou, como os tchecos chamavam, Karlovy Vary). Otto estava furioso; a rejeição e tudo o que isso representava magoaram-no profundamente. Mas ele refletiu sobre o assunto e conversou com Martha, e acabaram consentindo. Tentaram de tudo para ajudar o garoto a prosperar, mas nada funcionou. Talvez uma mudança de cenário melhorasse as coisas. Otto o acompanharia, faria a seleção final das escolas e o instalaria.

E, assim, o palácio deu o primeiro de muitos adeuses mudos a seus ocupantes originais. Viky descia com Otto pela entrada em direção à estação de trem para começar sua jornada, o pai ficaria chocado se soubesse o que o filho estava pensando. Para Viky, seria uma felicidade nunca mais pôr os pés naquela casa.

No início de setembro de 1931, Otto estava no escritório cuidando de seus estresses diários — a Depressão, a ascensão do fascismo, os comunistas nas minas, as contas não pagas e as preocupações com o filho. Às nove da manhã, no momento em que começavam as batalhas daquele dia, ele sentiu uma dor aguda no abdome; e depois outra, e outra, irradiando pelo torso. Otto gritou de agonia. A secretária e os irmãos dele correram para a sala de Otto, deitaram-no no sofá, afrouxaram seu colarinho e chamaram o médico mais próximo.

Durante toda a manhã, seus irmãos e seu médico entraram e saíram da sala de Otto, enquanto seus gemidos eram ouvidos por trás da porta fechada. Por fim, à uma hora da tarde, o médico retirou uma agulha hipodérmica de sua maleta e deu a Otto uma injeção de ópio. A dor enfim diminuiu. Ele foi levado de maca, internado no hospital e submetido a uma bateria de exames: raios X do coração, estômago e intestinos; cardiogramas; e exames de urina e sangue.

Não encontraram nada que representasse risco de morte. A temperatura de Otto estava levemente elevada, e assim ficou por duas semanas. Afora isso, ele parecia bem. Após a injeção de ópio, a dor desapareceu tão rápida e misteriosamente quanto havia surgido. Otto tentou voltar ao trabalho depois de alguns dias, sob os protestos de Martha, dos irmãos e dos médicos. Cedendo um pouco, ele montou um escritório em casa, no terceiro andar do palácio. Ali, ele replicava sua rotina bancária desde o início da manhã até tarde da noite, e sua secretária ia ao palácio para tomar notas do que ele lhe ditava. Havia muita coisa que exigia sua atenção. Assim que a febre passou, ele voltou à sua mesa no banco.

Naquele outono, Otto acordou com a mesma dor violenta nos dois lados do abdome. Ele gritou, fazendo Martha acordar assustada. Por sorte, as crianças estavam tão distantes, em seus quartos do outro lado da curva, que não ouviram nada. Mais uma vez, a dor durou até que lhe administraram uma injeção de ópio. Às quatro da tarde, Otto foi levado outra vez ao hospital, onde os mesmos exames foram repetidos, com os mesmos resultados: nenhuma explicação.

Otto mais uma vez voltou ao seu escritório em casa, no terceiro andar do palácio, enquanto se recuperava da crise de outubro, trabalhando o máximo possível. Ele apoiava o corpo pesado em seu novo mordomo, que havia sido um de seus cuidadores em Praga: Adolf Pokorný. Otto ficara impressionado com a ajuda de Pokorný, e decidira que queria tê-lo em casa para si mesmo — e seu palácio. O tcheco alto, calvo e silencioso, de libré preta, era forte o bastante para carregar um homem adulto de sala em sala, e discreto o suficiente para nunca falar sobre isso. As mesmas mãos hábeis de dedos longos que aplicavam as injeções em Otto espanavam delicadamente as coleções de taças raras e frágeis do banqueiro, poliam a prata até lhe dar alto brilho e operavam a parede retrátil do jardim de inverno para que Otto pudesse se recuperar na luz e no ar fresco.

Pokorný equipou uma sala do terceiro andar e a transformou em consultório para os médicos e enfermeiros de Otto — um hospital de uma sala só. Otto tinha seus dias ruins, quando mal podia andar ou tinha que descansar durante horas depois de escrever uma única carta — apenas a injeção de ópio era capaz de ajudá-lo. Mas ele se esforçava para suportar a dor, continuar se movimentando, e até queria andar pelo jardim oval com a ajuda de Pokorný. Em novembro, Otto estava de volta ao banco, até ser derrotado por outra crise em janeiro de 1932 — mais grave que a anterior. De novo, só o ópio aliviava a dor. Os sintomas estavam piorando, e novos e mais aterrorizantes apareciam. Cerca de dez dias depois da crise de janeiro, Otto perdeu toda a sensibilidade em uma das pernas. Ninguém sabia o que fazer em relação à paralisia; por sorte, a sensibilidade voltou quase totalmente mais tarde naquele mesmo dia.

E assim, Otto passou a ocupar seu palácio dia e noite, vivendo e trabalhando ali por meses seguidos. O palácio se tornou não só sua residência, mas também seu refúgio. No desenrolar de 1932 e 1933, Otto teve longos períodos de melhora gradual, de modo que pôde emergir e retomar sua vida normal no banco, mesmo que mais cedo ou mais tarde fosse abatido por outro ataque da dor misteriosa. As crianças se acostumaram a ver Otto trabalhando em casa por longos períodos, mas tomavam cuidado para não o incomodar durante o dia. Quando ele estava no terceiro andar, Martha as instruía a passar na ponta dos pés pela porta da sala dele a caminho das aulas na sala de ginástica ou para ver as visitas no quarto de hóspedes.

Os médicos fizeram todos os exames, mas nunca determinaram o que estava causando a dor. Os Vigilantes de Praga achavam que sabiam. Eles se lembraram da previsão da vidente. Praga tinha as próprias energias; o universo tinha os próprios equilíbrios, que desafiavam a razão. Otto os conjurara para criar seu palácio, e, agora, a dívida era cobrada.

Para Otto, isso era pura bobagem. Ele acreditava que a ciência o curaria. Um dia, uma equipe de carregadores levou para o palácio uma série de engenhocas estranhas. Rodas imensas, tambores de metal, longas polias e novelos de fios, tudo preso a altas estruturas de aço. Havia até uma sela em uma base de aço. Talvez os mais supersticiosos entre os carregadores e os empregados da casa tenham trocado olhares e cochichos. Seriam instrumentos mágicos para repelir a maldição da cigana? Mas a verdade era o oposto: Otto havia importado tecnologia pioneira de saúde — as primeiras máquinas de exercícios. Eram uma invenção do dr. Gustav Zander, um médico sueco. Foi de Otto o primeiro registro do uso privado dessas máquinas em Praga. Como convém a essas raridades, as máquinas receberam uma sala só delas, uma câmara de azulejos brancos no porão. Foi chamada de Sala Zander. Otto se dedicou às máquinas, esforçando-se e suando, decidido a melhorar.

A saúde de Otto estava em risco, assim como a economia tcheca. Enquanto outras nações mostravam sinais de recuperação em 1932 e 1933, a Tchecoslováquia ficava para trás. A produção industrial caíra para quase metade do nível pré-Depressão em 1932 e continuava assim em 1933. A agitação social se espalhava: já não eram só os mineiros que estavam nas ruas, mas todos os tipos de trabalhadores, marchando, protestando e até causando tumultos. Havia quase um milhão de desempregados em uma nação com pouco menos de sete milhões de pessoas em idade ativa. Como resultado, os comunistas estavam ganhando força; seu líder, Gottwald, continuava com seus comentários: "O governo tcheco [...] fica lado a lado com os [...] Petschek, Guttmann,

Rothschild, e os soldados tchecos protegem o barão do carvão alemão contra o mineiro tcheco — esse é o patriotismo do Estado!"

Pelo lado positivo — e Otto sempre tentava ver o lado positivo —, Gottwald tinha razão sobre uma coisa: o banqueiro *poderia* procurar apoio do Estado. Os catorze anos desde a fundação da Tchecoslováquia provavam isso. Até o momento, Masaryk e Beneš protegiam as liberdades centrais — pessoais, políticas e econômicas — que definiam a democracia liberal e tornavam possíveis as operações de Otto. Ele respeitava o velho filósofo-presidente. E Masaryk retribuíra a gentileza, visitando o prédio do banco Petschek em março de 1927.

Mas era no deputado de Masaryk, Edvard Beneš, que Otto realmente confiava. O ministro das Relações Exteriores fizera jus às grandes expectativas de Otto em 1918, provando ser um dos estadistas mais hábeis da Europa. Beneš havia projetado uma rede de tratados que incentivavam o comércio e garantiam a proteção ao país de uma série de aliados em todo o continente. Eles eram liderados pela França e reforçados pela "Pequena Entente" dos tchecos com a Iugoslávia e a Romênia. Beneš fizera questão de que esses arranjos tivessem o apoio de um poderoso exército tchecoslovaco — superando em número as tropas dos Estados Unidos no início dos anos 30, após a desmobilização destes no pós-guerra e a opção pelo isolacionismo.

Beneš também ajudara a liderar a luta contra os simpatizantes nazistas na Tchecoslováquia. Dr. Rudolf Jung, presidente dos nacional-socialistas tcheco-alemães, denunciara os judeus, acolhera Hitler e exigira uma união econômica e aduaneira com a Alemanha. O governo tcheco imediatamente proibira o partido, fazendo Jung correr fronteira afora.

Beneš utilizou todas as ferramentas à sua disposição para ajudar o Estado tcheco, e isso incluía seu relacionamento com Otto. O ministro das Relações Exteriores foi ao palácio pedir um empréstimo a Otto para seu país. Beneš incentivara o apoio dos Petschek ao Novo

Teatro Alemão em Praga — um símbolo de coesão naquele Estado multiétnico. E, como a situação do outro lado da fronteira, na Alemanha, continuava se deteriorando, Beneš pediu a Otto que representasse a Tchecoslováquia em uma comissão da Liga das Nações para tratar da situação dos refugiados alemães. Em 1932, o Partido Nazista se tornara o maior da Alemanha, conquistando duzentas e trinta cadeiras nas eleições parlamentares. Em janeiro de 1933, Hitler liderava um governo de coalizão. Como resultado, judeus e liberais passaram a fugir, criando uma crise humanitária na Tchecoslováquia e em toda a região. A Liga formou uma comissão para resolver o problema, e Beneš achou que Otto seria um representante adequado.

Otto ponderou a oferta de Beneš. Ele acreditava na Liga, e tinha seu já gasto estatuto de bolso para provar isso. E Otto sentia compaixão pelos refugiados; todo um departamento do banco era dedicado a *tsedacá* — caridade —, e ele estava ajudando a abrigar, alimentar e vestir pessoas que fugiam de Hitler. Porém, Otto tinha os seus problemas para se preocupar. Os nazistas haviam pedido um boicote às empresas judias em abril de 1933, e, logo depois, aprovaram uma legislação para expulsar os judeus dos negócios da imprensa. Acaso o carvão estaria muito atrás na fila? Paul ainda viajava dentro e fora da Alemanha, tomando cuidado para evitar as multidões nazistas, protegido por seu status de empresário — mas por quanto tempo?

Otto, com pesar, recusou.

As águas do nazismo se espalhavam do lado de fora do palácio e se infiltravam pelas paredes de muitas maneiras — e uma delas tocava a vida de Martha e das crianças. A governanta-chefe dos Petschek era alemã, a rigidamente eficiente *fräulein* Fürst. Ela subia e descia a escada dos fundos, com sua enorme argola de chaves balançando na cintura e suas tranças louras presas como uma coroa em volta da cabeça, imóveis. Nascida em Würzburg, ela trabalhava para os Petschek havia anos; tinha visto as crianças crescerem e até viajava com eles nas férias. Seu quarto fora um dos primeiros do porão a ser acabado quando os Petschek se mudaram para o palácio, em 1931, antes mesmo de alguns dos aposentos da família.

Ela nunca foi uma pessoa calorosa, mas todo mundo no palácio estava acostumado à frieza de Fürst. Enquanto Hitler ascendia, eles notavam a retração da governanta aumentar. Mas Fürst, em seu escritório no porão, ainda anotava as despesas domésticas nos livros gigantes e mantinha controle atento do conteúdo das salas de vinho e cigarros no fim do corredor. Ela também fazia a patrulha, mantendo a ordem.

Fürst era indispensável, principalmente para Martha, a quem a governanta servia como Pokorný a Otto. Mas descobriram que ela também era simpatizante nazista. Uma dentre os milhões de alemães que acreditavam que Hitler era seu salvador, contagiados pelo entusiasmo de seus discursos, pelos desfiles à luz de tochas e por seus assaltos ao Tratado de Versalhes. Embora ela tenha se sentido atraída pelas características alemãs dos Petschek, aparentemente passara a se sentir repelida devido ao judaísmo deles. Um dia, ela anunciou a uma atordoada Martha que não poderia mais trabalhar para eles. Deu a notícia em seu estilo frio habitual. E logo partiu — presumivelmente de volta a Würzburg, uma incubadora de atividades nazistas.

As crianças conviviam com Fürst desde que nasceram, e não entendiam por que ela tinha que ir embora. Martha explicou o melhor que pôde. Elas aceitaram bem. Pokorný assumiu mais responsabilidades, e logo as coisas voltaram ao normal — como se Fürst nunca houvesse trabalhado ali.

Sempre que Otto podia ir ao escritório do banco, em 1933 e 1934, ele ia. Quando surgiam problemas e ele estava deitado usufruindo dos raios de sol que o banhavam no terceiro andar do palácio, ele os resolvia. Manteve-se fundamentalmente otimista, apesar das correntes políticas ao redor da Tchecoslováquia e dentro do país — pelo menos, as pessoas ao seu redor não viam indicação de que ele levasse o perigo a sério. Parecia acreditar que sua família ficaria bem; como acontecia desde que trocaram Kolín por Praga, meio século antes.

Mas nem todos os Petschek compartilhavam da sua confiança. Alguns começaram a se preparar para uma possível revolta política: como dar aos filhos nomes que funcionassem em todos os idiomas, contrabandear dinheiro para fora do país e fazer planos de morar no exterior. Otto não achava isso necessário. Como havia investido muito em seu palácio, ele não tinha intenção de abandoná-lo.

Sua rotina diária abrangia a casa. Tomava o café da manhã em sua varanda particular com Martha, com vista para o amplo jardim. Parecia estar ali havia séculos: tão pacífico, com a luz da manhã sobre as flores fazendo as cores brilharem. Ele observava as crianças caminharem até a limusine da família, que as levaria à escola. Otto não permitia veículos dentro do complexo — tanta fumaça! Por isso as três garotas passavam pelo portão principal, cujo arco era uma enorme pérgola de rosas com flores imensas, e entravam no veículo, guiadas pela fragrância floral. (Otto nem imaginava como elas se sentiam envergonhadas com aquele estilo de locomoção, nem que instruíam o motorista a deixá-las a um quarteirão da escola.)

Depois do café da manhã, Otto andava até o outro extremo do corredor curvo, enquanto seus aposentos iam desaparecendo atrás da curva. Entrava na gaiola preta do elevador e ia para o terceiro andar. Uma secretária o esperava no escritório, e Otto disparava as instruções do dia enquanto se deleitava com a luz diurna. À tarde, eram as máquinas Zander, as consultas médicas, uma refeição com a família. Otto até criara um *golfzimmer*, instalando um pequeno gramado com um buraco em uma das inúmeras salas do porão para praticar seus movimentos de golfe. Otto vivia, trabalhava e convalescia no palácio;

o palácio era seu aliado na cura, retribuindo os cuidados que havia recebido.

A primavera sempre foi uma época de esperança para Otto e, na de 1934, ele se sentia muito melhor. Passou meses sem um episódio verdadeiramente debilitante. Os ataques, fossem eles quais fossem — coração, estômago, nervos ou todas essas alternativas — desapareceram. Otto estava bem o bastante para retomar o trabalho no banco e fazer suas viagens. Mais uma vez, as cartas para Martha começaram a fluir de todo o continente. Otto visitou Viky na Grã-Bretanha, relatando:

> Ele já parece um inglês. Suas roupas são calça de flanela cinza e suja com o blazer amarelo do terno esportivo, e, por baixo, um suéter, sem chapéu e sem casaco, como todos os outros garotos. Você adoraria. E acrescente mãos e unhas pretas como carvão, porque ontem ele consertou o silenciador do carro de um dos meninos. *Que faire?* [O que fazer?] A aula de equitação é muito boa mesmo, e o professor é excelente, mas não pude proibir o salto, porque todos os onze garotos que têm aulas com ele estão aprendendo a pular. *Que faire?* Com o tempo, você virá a me respeitar!

Viky estava se preparando para terminar a escola pública e entrar como aprendiz em um banco. Ele não havia feito os exames de admissão na universidade. Mas ainda teria bastante tempo para isso. As crianças mais novas também pareciam mais felizes. As três garotas nunca se sentiriam totalmente à vontade no palácio, mas, pelo menos, haviam criado um ambiente agradável para elas: a biblioteca, com seu sofá azul; uma pequena varanda coberta com vista para o segundo andar. Elas se sentiam felizes nesses ambientes, fazendo a lição de casa em seu cantinho na biblioteca ou shows na varanda, encenando *Romeu e Julieta* e dramas que elas mesmas inventavam. Elas haviam herdado o amor do pai por fantasias, e as três gostavam de se vestir de marinheiras ou nobres chinesas e brincar de encenar. O palácio havia criado um espaço para elas.

 Otto também aquecia a casa infundindo-a em parte da cultura judaica ancestral da família. Havia livros judaicos na biblioteca: uma Bíblia hebraico-alemão, *History of the Jews*, de Graetz, a monumental *Encyclopaedia Judaica*. Ele adquiriu uma rara cadeira de rabino da época medieval, que exibia entre seus tesouros. Otto arranjou aulas de hebraico para as meninas, ministradas por um rabino de Praga. O clérigo deve ter se assustado quando sentiu cheiro de comida *treyf* ("não *kosher*"); o único dia em que esse tipo de comida não era servido era no Yom Kippur. Mas, para as meninas, era normal que assassem um porco para o jantar da Páscoa ou na véspera de Rosh Hashaná. Eles eram judeus, mas não muito observadores; até comemoravam o Natal. Otto arranjava no centro do salão de inverno um imenso expositor de cobre com mais de cem folhagens vermelhas de poinsétias — naquela época, uma raridade em Praga. Uma árvore teria sido algo gentio demais para Otto, que tentava equilibrar cuidadosamente todas as suas identidades como modelo para os filhos.

 Pokorný e sua esposa também ajudavam as crianças a se sentir mais à vontade. O casal se mudara para a casa de dois dormitórios do porteiro, que ficava logo após a entrada do complexo, onde a sra. Pokorný operava a central telefônica do palácio. Ela era tão robusta e alegre quanto o marido era magro e austero; cumprimentava calorosamente as crianças quando elas passavam pelo portão, depois da escola, e lhes oferecia *koláč* ("bolo") ou outras guloseimas. Seu onipresente marido era menos expansivo, mas as crianças sentiam que ele gostava delas — sempre de olho para garantir que tudo corresse bem. Os Pokorný, que não tinham filhos, dedicavam seu carinho às meninas, e isso proporcionava a elas certa medida da segurança que Otto sentira, quando jovem, com as gerações de Petschek que o cercavam constantemente.

Os Pokorný conquistaram o coração das três garotas quando concordaram em hospedar um cachorro para elas — a única condição sob a qual Otto, depois de muitos pedidos, permitira. Elas pegaram um dachshund marrom-escuro chamado Asperin von Sternberg, ou Aspie, e sua presença garantia que as meninas fossem visitas regulares na casa dos Pokorný.

Em 1934, a saúde do banco, assim como a de Otto, já havia melhorado. Ele o conduzira durante o pior da crise, mesmo que às vezes tivesse que o fazer deitado. O fato de haver ocorrido uma melhora na economia da Tchecoslováquia também ajudou, com as importações e exportações aumentando em 1934.

Naquela primavera, Martha e sua irmã planejavam uma viagem aos Alpes, e Otto decidiu acompanhá-las para comemorar sua recuperação. Em junho, visitariam a Áustria e a Itália, de que tanto gostavam e onde haviam passado a lua de mel, vinte e um anos antes — uma geração inteira atrás. Martha estava um pouco ansiosa. Será que Otto estava bem o bastante? Claro que sim. Ele já andara viajando a trabalho, não? Ficaria bem. Faria as coisas com calma e se recuperaria enquanto ela explorava as cidades com a irmã.

Quando chegou o dia da viagem, as malas estavam prontas e o motorista os esperava na rua Winterova, no fim da longa trilha de cascalho. Otto e Martha se despediram das três garotas. Ele havia proibido Eva, a mais velha, de assistir à ópera por causa de suas notas baixas em latim. Ela derramara um pouco de tinta em sua lição de casa e recebera uma nota ruim. Eva amava música, e ficara triste por perder três apresentações que suas irmãs mais novas tinham licença para assistir. Otto viu que ela estava chateada com a punição e a cancelou — uma das últimas coisas que ele fez antes de partir em viagem.

Os Alpes italianos eram os mesmos de sempre. Havia poucos traços de Mussolini e dos fascistas ali. O amor da Itália pela vida tinha prioridade sobre os ventos políticos do momento. Otto observava o pico das montanhas. Eles não sabiam nada de Depressão, de Hitler, Stalin e Mussolini. Não sabiam de mineiros de carvão grevistas, de exportações anêmicas ou de ódio racial. Eles simplesmente resistiam.

Otto exagerou um pouco no jantar daquela noite. Martha o advertiu, mas ele não deu ouvidos à esposa. Nas primeiras horas da manhã, ele acordou com aquela dor aguda de sempre no peito. Martha chamou o médico do hotel. Ele consultou remotamente os médicos de Otto, administrou a solução de ópio e ficou ao lado da cama do paciente até a droga fazer efeito e o magnata adormecer.

No dia seguinte, o feitiço havia passado, deixando Otto extenuado, com a pele pegajosa e cinza e as mãos trêmulas. De todas as coisas que ele amava na Itália, a medicina não era uma delas. Decidiu voltar para casa.

Eles pegaram o trem, mas assim que chegaram a Viena a dor voltou mais violenta que antes. Otto foi tirado às pressas do trem e levado ao Hospital Geral, onde foi recebido pelo primo de Martha, *Privatdozent* dr. Popper. Otto olhava pela janela do carro para a cidade de Viena sob a lei marcial. Havia soldados e policiais por toda parte; a cidade estava tensa, em guarda. Inspirados por Hitler, os nazistas austríacos haviam tentado tomar o poder. O chanceler Engelbert Dollfuss os reprimira, prendendo milhares. Os hitleristas responderam com uma campanha de brigas de rua, tiroteios e atentados. Dezenas de inocentes foram feridos no mais recente ultraje nazista, no qual lançaram granadas em um evento esportivo austríaco. A bela Viena estava no limite. Aquilo ia além de tudo que Otto já havia visto, mesmo quando estivera ali, durante os piores momentos da Primeira Guerra Mundial.

No hospital, Otto tentou acalmar Martha. Acaso ele não tinha sempre superado? Pare de se preocupar, *Dumme*, disse. Ele ficaria bem, logo estaria em casa. O inabalável Pokorný partiu de Praga no primeiro trem disponível. Deve ter se assustado com a condição de seu patrão; mas Pokorný sempre mantinha a mesma expressão neutra. Otto lhe perguntou como estavam as coisas no palácio e deu ao mordomo instruções precisas para que estivesse tudo pronto para seu retorno.

Mas Otto nunca faria essa viagem. Na noite de 29 de junho de 1934, deitado em sua cama de hospital, teve outro ataque. Foi uma explosão de dor. Otto gritou. Seu rosto se contorceu. Ele agarrou a mão de Martha, tentando resistir. Mas ele não tinha mais reservas de força. Pouco antes das dez da noite, seu coração parou de bater. Em Praga, os criados fecharam as cortinas e apagaram as luzes. O palácio de Otto, de luto, escureceu.

Em agosto, chegou uma carta da prefeitura para Otto. Martha, desconsolada, toda de preto, desdobrou o pesado papel oficial e passou os olhos por ele. Praga desejava informar ao dr. Petschek que uma grave irregularidade nas aprovações do palácio havia sido descoberta. Uma inspeção, algum tempo antes, havia revelado um desvio não autorizado dos planos. "Não havia escadas para o porão do norte; as escadas estão do outro lado que as plantas mostram." Além disso, a documentação referente à inspeção havia sido perdida, tornando tudo mais complicado. Mas dr. Petschek não precisava se preocupar: Praga determinara que "os desvios foram realizados de maneira tecnicamente correta". A prefeitura os aprovou retroativamente.

A obra-prima de Otto por fim estava terminada.

4

A FILHA MAIS NOVA

Sobrance, Tchecoslováquia; maio de 1938

"Os Petschek partiram!"

Frieda Grünfeld, de catorze anos, levou um tempo para processar as notícias de seu pai. Por acaso estava brincando? Mas os olhos castanhos do rabino Zalman Leib Grünfeld eram sérios, não exibiam o brilho habitual, e a boca estava apertada, formando uma linha sobre a longa barba preta e cinza.

Frieda era miudinha, tinha pouco mais de um metro e meio de altura e um sorriso deslumbrante. Incapaz de arcar com os custos de vestidos comprados em lojas, ela usava roupas que suas irmãs faziam. Sendo a caçula de oito filhos, os irmãos e os pais a idolatravam, cobrindo-a de amor suficiente para que ela esquecesse como eram pobres. Na pequena cidade de Sobrance, na Tchecoslováquia, a maioria dos judeus possuía recursos modestos. (*Ver imagem 4.*)

Ela correu para casa depois da escola para receber o pai, que voltava de Praga, passando correndo pelos pequenos comerciantes da Hlavná ulica ("rua principal"): Jacubovic, o alfaiate, com seus óculos de meia-lua pousados na testa alta; Salomon, o sapateiro, com o avental de couro apertado ao redor da cintura estreita; Grundberger, o açougueiro, com seus grandes antebraços. Em uma pequena *shtetl* — comunidade judaica —, com poucas centenas de famílias, todos eram como parentes. Alguém gritou em iídiche: *"Friduska, vi zent ir flisendik?"* ("Fridinha, aonde você vai correndo?"). *"Mein tateh iz kumendik heim!"* ("Meu pai está voltando para casa hoje!"), gritou ela por cima do ombro.

Ela achava que seria a única a ter grandes novidades: Frieda era uma das melhores alunas de sua turma do ensino fundamental — ela, uma *garota*. Isso provava o que dizia seu ídolo, Tomáš Garrigue Masaryk: as meninas eram iguais aos meninos. (Ele chegara ao ponto de assumir o sobrenome de sua esposa, acrescentando-o antes do seu.) Agora, o professor de Frieda queria que ela fosse para o *gymnasium* — a primeira de sua família que o faria.

Frieda imaginou todo seu futuro se desenrolando claramente, como se estivesse saindo para uma varanda e vendo o palácio de seus sonhos se erguer diante dela. Ela se esforçaria muito e se destacaria na escola, e depois estudaria medicina na Universidade Carolina, em Praga. Quando se formasse, voltaria a Sobrance para trabalhar com o dr. Herskovic, um vizinho e o profissional mais respeitado da cidade. Ela se imaginava fazendo as rondas com ele em sua elegante carroça puxada a cavalo, cada um com a própria maleta preta de médico.

Embora empolgada, Frieda estava meio apreensiva por contar isso a seu pai. Sua família era ultraortodoxa, chassídica, e o pai era descendente de gerações de rabinos, escribas e místicos. Os ultraortodoxos não se entusiasmavam com a educação das meninas. Os líderes do movimento, os *rebbes* chassídicos, achavam que isso levava à assimilação.

Ainda assim, Frieda tinha certeza de que poderia convencer seu gentil *tateh*, seu pai. Como o bebê da família, ela sempre conseguia o que queria. Seu pai havia apoiado sua carreira escolar até então, e a ajudava a estudar de vez em quando. Ele lhe ensinava textos judaicos nas tardes de sábado. Ela sabia quanto ele a amava; Frieda havia sido uma surpresa tardia e muito querida. Ela achava — não, ela *sabia* — que poderia convencê-lo a deixá-la continuar estudando. *Pravda vítězí* ("a verdade prevalece") era o *slogan* de Masaryk, e a verdade era que ela *merecia* estudar.

Enquanto Frieda corria para ver o pai, ela ignorava os pensamentos sobre os recentes problemas que aconteciam na Europa e o deixavam ansioso. Durante toda sua curta vida, ela conhecera apenas a força e a paz da Tchecoslováquia. Ela acreditava em seu país, e essa crença perdia apenas para sua fé no divino.

Frieda viu seu pai no alpendre, ocupando a cadeira de balanço que ficara vazia a semana inteira. Ele já estava trabalhando de novo; várias mulheres da cidade faziam fila para falar com ele, carregando galinhas recém-abatidas. Elas precisavam saber se aquelas aves eram *kosher*. Zalman Leib não era só um rabino; era também um centro de serviços completo para todas as coisas judaicas: era *schochet* ("matador ritual"), *mohel* ("circuncisador"), *chazzan* ("cantor") e *sofer* ("escriba"). A inspeção das aves domésticas era um ritual familiar pré-Shabat.

Mal havia espaço no alpendre para o pai e mais uma pessoa. Frieda esperou sua vez de subir as escadas, trocando impacientemente o peso do corpo de um pé para o outro, esperando que ele a notasse. A casa de Grünfeld era uma estrutura modesta, longa e estreita. A família havia aumentado a casa nos fundos, espremendo todo o espaço do terreno conforme as crianças continuavam chegando — de modo que a construção já estava encostada no riacho. Ficava muito longe das casas judias de Praga, e da mais grandiosa de todas, a mansão Petschek.

Mas, para o povo de Sobrance, a pequena morada do rabino Zalman Leib na rua Komárovská era magnífica. *Hamevin yavin*, como diziam em hebraico: "Quem sabe, sabe". Não por causa de sua presença física, mas por causa de seu *ruchneus*, seu conteúdo espiritual. Esse incluía a talvez maior biblioteca judaica do *shtetl*. Era forrada de livros, com prateleiras que revestiam cada centímetro de espaço livre na parede:

volumes gigantescos do Talmude e outras grandes obras da *halacha* ("lei judaica"); Bíblias minúsculas e livros de oração que cabiam no bolso, para viajar; além de todos os tamanhos entre um e outro. Zalman Leib tinha mundos inteiros em sua biblioteca, páginas escritas por rabinos antigos, com seus mantos orientais e turbantes debatendo sobre metafísica e ética, lendas fantásticas de demônios e santos, julgamentos sobre todas as disputas humanas imagináveis (e muitas não), canções, poemas, fórmulas astronômicas e astrológicas — todas aquelas páginas o informavam e fortaleciam enquanto ele se balançava no alpendre. As mulheres que o aguardavam o usavam como um portal para os milênios de aprendizagem — uma vasta civilização inteira destilada na inspeção que ele fazia nas entranhas de uma galinha.

O pai de Frieda fizera a viagem de doze horas de trem e ônibus para casa, saindo de Praga, que era o mais longe possível de Sobrance sem sair da Tchecoslováquia. Ele parecia cansado, afagava distraidamente a longa barba enquanto inspecionava as aves em uma mesa baixa. Por fim, a última cliente se foi e ele olhou para baixo. Viu Frieda e sorriu para sua caçula, cujo nome em iídiche era Frimud ("a religiosa"). O nascimento dela parecera um milagre para seus pais, por isso eles haviam dedicado a chegada de Frieda à sua fé.

Frieda se jogou na cadeira dos visitantes antes que mais alguém aparecesse.

— *Tateh*, tenho boas notícias!

Ele a fitou, avaliando seu rosto, como se estivesse analisando uma decisão. A seguir, ele se inclinou e sussurrou:

— Eu também.

Que notícias ele poderia ter? Tendo esquecido a própria novidade em um flash de curiosidade, ela sussurrou, ansiosa:

— Conte.

Zalman Leib abriu sua túnica preta, que lhe chegava à altura dos joelhos, e levou a mão a um bolso interno. Pegou alguns papéis dobrados e os mostrou a ela: embaixada americana — pedido de visto para os Estados Unidos.

— O quê? Estados Unidos?

O pai ergueu um dos longos dedos, calejados devido aos rituais de matar, circuncidar e escrever, e o pousou sobre os lábios dela, calando-a.

— Mas, por quê, *tateh*? — sussurrou ela.

Esquecendo o que tinha para contar, ela ouviu o que ele lhe disse. Em todos os lugares aonde ele ia, as pessoas diziam que os nazistas podiam invadi-los a qualquer momento. Isso seria perigoso para os judeus. Para sair de Sobrance e voltar, Zalman Leib havia passado pela maioria das áreas alemãs da Tchecoslováquia. Sentira uma franca hostilidade dos alemães tchecos contra ele, com suas roupas judaicas e sua barba comprida: comentários sussurrados na rua; caras feias no trem.

Mas fora durante sua parada em Praga que Zalman Leib soubera da notícia mais chocante de todas. E agora ele a transmitia a Frieda: os Petschek haviam juntado suas coisas e ido embora.

Aparentemente, toda a família Petschek havia fugido, dezenas deles, deixando suas casas vazias, abandonando o país. Eles talvez fossem a Primeira Família de Judeus da Tchecoslováquia, um objeto de fascínio na casinha da Komárovská. Frieda e suas irmãs, em particular, eram fascinadas por eles. Ficaram observando uma fotografia de jornal do belo herdeiro, Viktor, quando a mídia cobrira seu casamento. E ficaram chocadas com o fato de ele ter se casado com uma mulher não judia — uma herdeira britânica. Porém, pelo jornal, ela parecia ser linda. As crianças haviam ouvido com os olhos arregalados as histórias que o pai trouxera das visitas a Praga: que os Petschek tinham um departamento inteiro de seu banco só para *tsedacá*, caridade, e que o governo da Tchecoslováquia os procurava para pedir conselhos e empréstimos. Frieda admirava o modo como eles combinavam sua identidade judaica com o sucesso secular.

Mas os Petschek haviam deixado o restante dos judeus para trás, assim, do nada?

— Eles foram embora? Como? — perguntou Frieda.

— Pergunta errada, Friduska. — Seu pai sempre dizia que as perguntas certas eram mais importantes que as respostas. — A questão é: devemos ir também? Deus está tentando nos dizer algo? Talvez *nós* devêssemos pensar em nos mudar — disse ele.

Frieda se inclinou para falar, mas parou quando ouviu passos se aproximando. Outra cliente trazendo uma ave para o rabino.

— Frieda — disse seu pai, levantando-se —, *Shabbos* está chegando. — O Shabat. — Entre e ajude sua mãe.

Atordoada, ela se levantou e seguiu em direção à porta da frente. Sua cabeça girava. Deixar Sobrance? Partir da Tchecoslováquia? Ir para os Estados Unidos? Quando ela se deu conta, a porta já havia se fechado atrás dela. *Espere*, quis gritar, *eu também tenho uma surpresa!* Mas ela havia perdido a oportunidade; ele já estava ocupado de novo.

Uma grande agitação tomava conta da pequena casa — a correria semanal pré-Shabat. A mãe de Frieda, Chaya, estava no meio da casa supervisionando os preparativos para o dia sagrado. Ela era ainda mais baixa que Frieda, com apenas um metro e meio de altura. Usava um lenço na cabeça cobrindo todos os fios de seu cabelo, e era *tichtig* e *richtig*: prática e justa. Embora Zalman Leib fosse um rabino ultraortodoxo, Chaya era ainda mais devota; mantinha um livro de salmos e orações no bolso de seu avental enquanto cozinhava. Sempre que tinha um momento livre, pegava o pequeno volume e recitava seu conteúdo, enunciando cada palavra com um sussurro preciso. Ela era famosa por seu coração generoso; quando as pessoas do *shtetl* tinham problemas, procuravam-na para pedir conselhos, e levavam uma panela de comida, ou uma nota de dinheiro dobrada, azul ou rosa. De fato, duas mulheres saíram diretamente da sua consulta com Zalman

Leib para fazer uma reclamação rápida com ela sobre seus maridos, e ficaram ali, falando em voz baixa, arrancando penas de suas galinhas. O que o marido tinha de eloquente ela tinha de calada, de modo que Chaya escutava, ocasionalmente assentindo ou dizendo uma palavra enquanto cortava cebolas e, com uma longa concha de madeira, mexia um grande caldeirão de sopa fumegante. Frieda era mais parecida com o pai, mas amava ternamente a calada mãe. Passou em disparada entre as mulheres e deu um beijo rápido na face de Chaya, que sorriu distraída para a filha e voltou a ouvir e cozinhar. Se Frieda quisesse ter uma oportunidade de compartilhar suas grandes notícias com a mãe — com alguém —, teria que esperar.

Frieda suspirou e deixou seus livros. O restante da tarde foi uma correria louca para preparar tudo. Ela amarrou um avental e foi descascar um monte de batatas que seriam usadas para os alimentos tradicionais do sábado, incluindo a entrada, *tcholent*, um ensopado de carne. Frieda encheu uma panela grande de ferro com carne, batatas, cevada e água. Sua mãe a mandou fazer várias tarefas fora de casa — entregar pacotes de alimentos para famílias com recém-nascidos ou doentes. Chaya doava a escassa renda de Zalman Leib mais rápido que ele a ganhava. O fato de a família mal ter o suficiente para si não importava para Chaya. Outros precisavam ainda mais.

Depois das últimas tarefas, Frieda correu de volta para casa, bem a tempo de pegar a panela de *tcholent* e ir depressa até a padaria da rua principal. Gutmann Basci (tio Gutmann) a enfiou em seu grande forno, ao lado das panelas de outras famílias judias. O *tcholent* tinha que ficar cozinhando a noite inteira, e Frieda o pegaria de volta ao meio-dia, depois da sinagoga, para o almoço da família. Ela voltou para casa quando o sol mergulhava no horizonte e vestiu depressa seu vestido de Shabat, outro produto dos cestos de costura de suas irmãs, meio puído, mas lavado, de um branco brilhante. Chegou em cima da hora à sala comunal — onde comiam, cozinhavam e viviam — para acender as velas do Shabat.

Frieda sempre se surpreendia com o contraste entre os frenéticos preparativos e a sensação de calma que caía no momento em que as velas do Shabat eram acesas. Milagrosamente, tudo era feito, toda semana. Sua mãe estava diante do *lachter* (um candelabro de prata); acendeu as velas e, cobrindo os olhos, entoou a bênção que dava início ao Shabat. Três gerações de mulheres iluminadas: Chaya, depois Frieda e duas irmãs — Faigie e Berta —, e, por fim, a filha de Faigie, Yehudis, de apenas quatro anos, que mal conseguia alcançar as velas. O rosto de cada uma brilhava à luz das chamas.

Enquanto esperavam o pai e os irmãos voltarem da sinagoga, Frieda pôs a mesa com Faigie, a primogênita da família. Inteligente e forte, ela tinha o próprio ateliê de costura. Havia escandalizado a cidade ao se divorciar do marido porque eram infelizes — algo inédito para uma mulher ortodoxa da época. Apesar (ou por causa) disso, sua lojinha era um comércio próspero. Faigie havia voltado a morar com os pais por causa de Yehudis, para que a criança crescesse em um lar adequado.

Frieda por fim poderia contar suas novidades a alguém.

— Faigie, eu vou para o *gymnasium*! Meu professor quer vir aqui conversar com nossos pais. Ele disse que a Tchecoslováquia precisa de estudantes como eu; pelo país, eu devo ir. Graças a Masaryk, as mulheres podem fazer qualquer coisa agora! Ele deu o voto a elas. Ele acredita que as mulheres são iguais — os judeus também. Eu vou provar isso e ser médica.

Sua irmã a deixou continuar. Faigie era, talvez, a judia mais independente de Sobrance, e não precisava de um sermão sobre os direitos das mulheres. Ela sabia muito bem o que significava se afirmar para uma mulher, e o preço que isso exigia. Mas deixou Frieda falar. Quando ela por fim parou para respirar, Faigie lhe disse que estava muito orgulhosa. E *estava mesmo* — sendo dez anos mais velha, ela havia ensinado Frieda a escrever, ajudara-a a ler suas primeiras palavras, criara-a como agora criava Yehudis.

Mas Faigie também apontou delicadamente um problema em relação aos grandes planos de Frieda:

— Nossos pais farão um arranjo para você se casar aos dezoito anos; eles não vão querer que você vá para a universidade e estude medicina. Não é o modo de vida chassídico.

Faigie também havia sido uma das melhores alunas, e queria ir para o *gymnasium*. Zalman Leib e Chaya a haviam proibido, fazendo-a se casar. Faigie fez uma pausa; sua irmã mais nova sabia o que ela estava pensando. Se eles houvessem deixado Faigie estudar, ela teria evitado o casamento — e o divórcio.

— Mas, se você não se casasse com Aryeh, não teria Yehudis — disse Frieda.

Faigie riu.

— É verdade, tudo valeu a pena.

— Faigie, você vai me ajudar a convencê-los, não é? Isso foi há muito tempo; as coisas mudaram; eles vão encarar tudo de um jeito diferente agora.

— Vou tentar — assegurou Faigie.

Logo os homens estavam entrando pela porta. A família foi direto para a mesa e iniciou os rituais que precediam o jantar de Shabat. Zalman abençoou cada um de seus filhos — Frieda por último, pousando as mãos sobre a cabeça dela e recitando a oração:

— Que Deus faça você como Sara, Rebeca, Raquel e Lia — sussurrou bem perto de seus cabelos —, que ele possa abençoá-la e protegê-la.

Ele guiou a família inteira na interpretação da canção "*Shalom aleichem*" ("A paz esteja convosco"). Então, ele se voltou para Chaya e fez uma serenata para ela, em seu melhor tenor, com "*Êshet cháyil*", Provérbios 31 — "A mulher virtuosa". As crianças se juntaram à melodia; a voz poderosa de Zalman Leib liderava o coro. Chaya ficou vermelha, como toda semana, ao ouvir o extravagante elogio:

Uma mulher virtuosa, quem pode encontrar?
Ela vale muito mais que rubis...

Ela escolhe lã e linho
e de bom grado trabalha com as mãos ávidas...

Ela avalia um campo e o compra;
com seus ganhos, ela planta uma vinha...

Ela abre os braços para os pobres
e estende as mãos para os necessitados.

No total, eram vinte e um versos dando a descrição oficial do trabalho da esposa judia — só de cantar já era exaustivo. Mas Chaya merecia a serenata semanal. Certa vez, inspirada nos romances seculares que lia, Frieda perguntou à sua mãe se ela e Zalman Leib se amavam. Amor? Sua mãe parecia confusa. Amor não tinha nada a ver com isso — ambos amavam o Senhor; esse era o único amor que importava. Mas Frieda pretendia ter um tipo diferente de casamento, amar o marido e amar Deus. Ela fantasiava se casar com um médico bonito. Religioso, é claro, mas moderno e sem barba.

As canções e bênçãos eram apenas o começo dos rituais que acompanhavam a refeição da noite de Shabat. Normalmente Frieda gostava: a voz etérea do pai enquanto ele cantava o *kiddush*, a longa bênção sobre o vinho; a lavagem das mãos usando belos vasos de prata; a bênção sobre o pão; a família cantando canção após canção enquanto a comida era servida. Mas aquela noite era diferente, pois ela esperava, impaciente, para contar suas novidades.

Mas ela não podia só ficar sentada na beira da cadeira. Sendo a mais nova, tinha que ajudar a servir a refeição. Ela estava ao fogão, colocando a sopa em tigelas, quando ouviu uma pausa na canção. Correu de volta para a mesa, entornando o caldo sobre os pratos. Mas era tarde demais; quando chegou, alguém estava perguntando ao pai como havia sido sua viagem.

Ele contou o que vira: o medo da iminência de uma invasão alemã, a feia aparência dos tchecos alemães. E contou tudo que sabia sobre a partida dos Petschek.

— *Nu* — perguntou Zalman Leib —, será que deveríamos partir também? Será que a nuvem de glória está se dissipando? — Isso era uma referência à coluna de fumaça de Deus que precedia os hebreus que vagavam no deserto. — Talvez *nós* devêssemos pensar em nos mudar? Friedeleh — disse ele, piscando para ela —, aonde acha que devemos ir? Estados Unidos, talvez?

Ele tirou do bolso interno do comprido casaco o pedido de visto que havia mostrado a ela antes.

Todos os filhos tentavam ver os documentos ao mesmo tempo. Ele os entregou a Faigie, que os foi passando pela mesa. Ele lhes havia ensinado a fazer perguntas, a desafiar, e foi o que fizeram: *Ele estava falando sério? A situação tcheca era tão ruim assim? Por que Estados Unidos? Como chegaríamos lá? Quando partiríamos?* Chaya, calada como sempre, escutava, e a preocupação vincava seu rosto normalmente plácido.

Zalman Leib, orgulhoso das perguntas de sua prole, explicou.

— Algo *nisht gut* [nada bom] está chegando.

Ele não gostava da sensação que tinha, como uma nuvem negra se aproximando depressa. Aplicou aos eventos atuais seu conhecimento sobre os judeus do Egito, da Babilônia, da Pérsia, de Roma, da Palestina durante as Cruzadas. Em todas essas regiões os judeus estiveram seguros, e, então, *mabul* ("dilúvio"). Aconteceria de novo? Outra convulsão de ódio contra os judeus? Tinham que partir. Nos Estados Unidos, estariam seguros — era, supostamente, para onde os Petschek haviam ido, embora ninguém tivesse certeza.

Enquanto todos conversavam, subitamente ocorreu a Frieda que ela não queria ir. Ela era tchecoslovaca. Havia se imbuído de um forte nacionalismo durante seus estudos, época que coincidira com a idade de ouro do novo país. Como resultado, ela era uma entusiasta defensora do idealismo de Masaryk, de sua visão para a nação, das possibilidades ilimitadas da Tchecoslováquia. Ela não fugiria logo *agora*, quando seu país precisava dela. Hitler estava em outro país. Os tchecos eram fortes e podiam se defender. Além disso, ela tinha seu futuro todo planejado ali, não em uma terra distante onde seria uma estranha.

Ela não aguentou mais. Aproveitou uma pausa fragmentada na conversa e proclamou em voz alta:

— Eu não quero ir para os Estados Unidos. — Faigie lhe lançou um olhar de alerta, mas Frieda prosseguiu. — Eu quero ficar aqui e ir para o *gymnasium*.

Todos pararam e olharam para ela. *Gymnasium? Do que você está falando? O que isso tem a ver com os Estados Unidos?* Sua irmã tentou calá-la, mas Frieda não podia mais recuar.

— Meu professor me recomendou ir para a escola preparatória; ele vem aqui. A Tchecoslováquia precisa de estudantes como eu. Eu devo isso ao país — disse.

Metade da mesa começou a discutir sobre a proposta de Frieda. A outra metade simplesmente a desprezou (seus irmãos Berta e Boruch reviraram os olhos). Mas Chaya havia chegado a seu limite. Por fim, ela disse.

— *Iz nisht Shabbos gereden. Tateh, iz de zman fir bentschn.* ("Isso não é conversa para o Shabat. Pai, é hora de fazer a oração posterior às refeições.")

Zalman Leib, aliviado de não ter que lidar com a explosão inesperada de Frieda, concordou prontamente. Com esforço — ninguém mais que Frieda —, seus filhos se controlaram. Era o exigido pelo mandamento "*Kibud av va'em*" ("Honrai teu pai e tua mãe"). A última rodada de orações foi entoada e o jantar acabou.

Frieda foi para a cama, em seu minúsculo quarto nos fundos da casa, ao lado do dos pais. Através das paredes finas, ela ouviu seu pai e sua mãe conversando. A voz de Chaya era totalmente inaudível. Frieda sabia que ela estava falando só por causa das longas pausas no discurso do pai. O tom de voz dele foi ficando mais alto e intenso entre as pausas, salpicado com as palavras *Estados Unidos*. Ela fez força para ficar acordada e captar qualquer fragmento de informação. Mas adormeceu, embalada pelos murmúrios do outro lado da parede.

Quando Frieda foi acordada por Faigie, na manhã seguinte, raios de sol já clareavam o ambiente. Todos estavam na sinagoga para o culto matutino do Shabat, e Faigie urgia Frieda e Yehudis para irem também. Frieda tentou conversar sobre seus planos a respeito da escola de novo, para pedir a opinião de Faigie, mas não havia tempo.

— Eu disse para você não falar disso — advertiu Faigie. — Por que você não escuta? Eu disse que ia ajudar, e vou ajudar.

— Mas o professor vai chegar *logo*!

— Esqueça o assunto agora — respondeu Faigie. — Conversamos mais tarde. Mas, faça o que fizer, não comente sobre isso de novo com mamãe e *tateh* enquanto eu não tiver a oportunidade de amolecê-los.

Frieda correu para a casa de culto, já atrasada às dez da manhã. Ela começou a longa e complexa série de orações, mal terminando quando o restante da congregação já chegara ao fim. Enquanto sua família voltava para casa com os convidados do almoço, ela correu até o padeiro para pegar a panela de *tcholent*. Esperou sua vez, junto dos outros filhos mais novos das famílias judias, até que ele pescasse o recipiente dos Grünfeld com sua pá de padeiro. Ela foi caminhando para casa segurando firme a panela com suas luvas de forno, andando o mais rápido que podia com aquele objeto pesado, enquanto o rico aroma dispersava. Quando chegou, a família já estava à mesa, acompanhada por convidados da vila para o Shabat.

A família falou de outros assuntos com os convidados, evitando cuidadosamente qualquer menção aos Estados Unidos ou ao *gymnasium*. Houve canções, discussões sobre a leitura da Torá e conversas amenas. A família estava tensa, mas os convidados não pareciam notar. Frieda não se lembrava de ver a casa tão cheia de tensão desde que Faigie havia anunciado que pretendia se separar do marido. Frieda estava ansiosa para sair de casa e *spatzier* ("dar uma volta") com seus colegas de escola. Mas o almoço não acabava, os convidados estavam distraídos, relaxando, elogiando o delicioso *tcholent*. Quando por fim seu pai guiou todos na oração posterior às refeições, a tarde já estava bem avançada. Ela tentou escapar, mas o pai a chamou. Exigiu que todos os filhos estudassem algumas páginas do tratado talmúdico depois do almoço de Shabat. Quando ela por fim conseguiu se liberar, seus amigos já haviam ficado horas andando por aí e estavam voltando à sinagoga para as orações da tarde e da noite.

Frieda se sentiu livre até o anoitecer, quando voltou para casa para a cerimônia de bênção que encerrava o Shabat. Todas as luzes foram apagadas e a família formou um círculo. A única iluminação provinha da vela especial, *havdalá*, que Frieda ajudava Yehudis a segurar enquanto Zalman entoava o último ciclo de bênçãos que encerrava o dia sagrado. Quando o Shabat acabou, voltaram para a mesa, o centro de seu universo. Não só as refeições eram preparadas e comidas ali, mas também era onde a lição de casa era concluída e o enxoval, costurado. Chaya, inclusive, parira seus oito filhos nela, com a ajuda da parteira do *shtetl*.

Os meninos se sentaram e abriram as grandes páginas do Talmude; o pai os ajudava a se preparar para as aulas no *yeshiva* na semana seguinte. As mulheres costuravam, tricotavam ou bordavam, lideradas por Chaya e Faigie. Eles conversavam enquanto trabalhavam, e não demorou muito para que o debate sobre os Estados Unidos estourasse de novo. Já haviam tido a oportunidade de pensar a respeito, e os irmãos se dividiram em dois campos. Berta e Boruch estavam abertos ao plano. Berta era a irmã de idade mais próxima à de Frieda, de quem ela vivia atrás, sempre querendo ser incluída. Cheinha e bonita, Berta curtia a vida. Era inteligente, mas não tão estudiosa quanto sua irmã mais nova, a quem vivia enxotando. Berta menosprezou a relutância de Frieda; ela também poderia ir à escola nos Estados Unidos. O gentil Boruch, com seus óculos redondos e sorriso fácil, concordava. Eles ainda não haviam plantado raízes tchecas, portanto eram receptivos aos Estados Unidos.

Os irmãos mais velhos, Faigie e Beinish, se opunham. Sendo sionista, Faigie achava que, se fosse para ir a algum lugar, deveria ser para a Palestina. Isso era um anátema para Zalman Leib — não haveria retorno à Terra Santa até a chegada do Messias, e, enquanto isso, a sociedade secular e socialista de um *kibutz* era um horror para ele. Faigie também não queria deixar para trás as duas irmãs casadas, Ella e Gittel (que moravam em outras cidades), coisa que teriam que fazer, pelo menos a princípio. Beinish, o mais velho dos meninos, concordava, e também pedia que levassem em conta os sentimentos de Frieda. Ele era doce e gentil, tinha um xodó pela irmãzinha caçula.

A conversa seguia de um lado para o outro. Discutiram sobre a força ou fraqueza da Tchecoslováquia, cercada ao norte, sul e oeste pela Alemanha. Discutiram sobre a logística, mencionaram pessoas de Sobrance que já haviam partido. Quanto ao custo, eles já estavam poupando recursos em um banco suíço, para uma emergência; Zalman Leib contrabandeava o dinheiro em suas viagens. O que fariam quando estivessem na nova terra? O rabino respondeu que faria exatamente o que fazia no *shtetl*. Nos Estados Unidos também precisavam de rabinos e escribas. Havia duas mil vagas para imigrantes da Tchecoslováquia nos Estados Unidos. Por que não deveriam estar entre eles?

— Não — disse uma voz baixa, interrompendo a discussão. Chaya, sem tirar os olhos do tricô, enquanto movia as mãos e fazia as agulhas clicarem, prosseguiu. — Não, nós não vamos para os Estados Unidos.

Zalman Leib ficou paralisado, e as crianças, boquiabertas. Eles nunca haviam visto a mãe desafiar o pai.

— Chayaleh — gaguejou ele —, por que não?

— Nos Estados Unidos, até os paralelepípedos são *treyf* — respondeu ela.

Ela havia visto o que acontecia com os que iam para os Estados Unidos. Aquele não era um país religioso; os judeus eram totalmente despudorados. Ela havia observado como as pessoas que partiram para os Estados Unidos se comportavam quando voltavam a Sobrance para ver a família. Haviam partido adequadamente, usando barbas, cachos e casacos compridos. Mas voltavam barbeados, ou, no caso das mulheres, usando roupas modernas, totalmente indistinguíveis das gentias. Ela não correria esse risco com seus filhos e netos. *Chas v'sholom* ("Deus não permita") que suas próximas gerações fossem *goyim*. Ela estava inflexível: absolutamente não.

Zalman Leib disse, espantado:

— Muitas pessoas continuam religiosas nos Estados Unidos.

Eles dariam o exemplo. A família deles sempre permaneceria no caminho da religião. Eles não se perderiam, independentemente de onde morassem. Chaya não tinha a eloquência do marido; o domínio de Zalman sobre a argumentação fora aprimorado durante décadas de estudo do Talmude. Mas ela não precisava disso. Tinha a convicção de que eles perderiam o judaísmo nos Estados Unidos e de que não valia a pena viver sem isso. Os judeus sempre sobreviveram. O Senhor sempre os protegera. Eles sobreviveriam.

Quando afastaram as cadeiras da mesa, passada a meia-noite, exaustos, uma coisa estava clara. Eles não iam a lugar nenhum. Zalman Leib fora impedido pela esposa. Ele deixou a mesa com o cenho franzido, mas Frieda foi para a cama feliz. Seu sonho de ir ao *gymnasium* havia revivido. Enquanto se aconchegava na cama, ouvia vozes do outro lado da parede, mas não captava nada.

~

Na manhã seguinte, Frieda acordou com o barulho de panelas e frigideiras na cozinha: os sons da limpeza do Shabat e da preparação para a semana. Encontrou o habitual turbilhão de atividades na casa lotada. As irmãs e a mãe estavam agitadas, e o pai e os irmãos estavam voltando do serviço matinal na sinagoga. Era o primeiro dos três cultos diários que moldavam o dia deles; um tempo para orar, mas também para fofocar um pouco com seus amigos, e um *l'chaim*, um brinde rápido com o conhaque de ameixa local. Frieda ficou aliviada ao encontrar o bom ânimo habitual do pai restaurado. Sua mãe estava ocupada preparando o café da manhã, plácida de novo.

— Nós ainda não vamos para os Estados Unidos? — sussurrou Frieda para seu irmão Beinish quando se sentaram à mesa.

— Não — disse ele, sorrindo e pegando um pãozinho.

Agora que iam ficar, Frieda tinha grandes esperanças acerca de seu pedido de ir para a escola preparatória. Era um dia bonito, o sol estava nascendo, e, afinal, se seu pai estava disposto a se mudar para os Estados Unidos, por que não a deixaria viajar uma curta distância até um *gymnasium*? Apesar das vestes chassídicas antigas e do amor à tradição, ele tinha um lado moderno. Lia os jornais e se orgulhava das boas notas que a filha tirava. Seu olhar era curioso e vivo para o mundo em geral.

Mas quem tomaria a decisão sobre a escola de Frieda? Zalman ou Chaya? Depois da noite passada, Frieda não tinha mais certeza de quem realmente decidia as coisas. Aquelas conversas abafadas que ela ouvia todas as noites através das paredes, como canções de ninar murmuradas que a ajudavam a dormir... era Chaya dando instruções a Zalman Leib o tempo inteiro? Ela observou os pais. Tudo parecia normal.

Fiel à sua palavra, Faigie, assim como Beinish, foi persuadir seus pais. Ela se aproximou do pai para conversar enquanto ele puxava os livros das prateleiras para começar a trabalhar. Vigorosamente, ela argumentou que ele permitisse o *gymnasium*. Frieda era uma boa aluna; por que desperdiçar isso? Ela era religiosa, e não havia razão para pensar que isso mudaria. Ela teria uma boa renda com um diploma universitário. Zalman a ouvia, assentindo aqui, erguendo uma sobrancelha ali. Frieda tentava ler o rosto dele, olhando de soslaio. Para a adolescente sempre esperançosa, ele parecia aberto. Zalman disse a Faigie que pensaria no assunto, e voltou aos livros.

Beinish se juntou a Chaya enquanto ela descascava cenouras e batatas na pia. Ao contrário da defesa severa de Faigie, Beinish adotou uma abordagem mais suave. Ele ficou ao lado de Chaya, sussurrando todas as razões pelas quais Frieda deveria ter permissão para continuar os estudos. Frieda só podia notar que os dois estavam conversando pela inclinação da cabeça de Beinish. Quando a pilha de vegetais acabou e a conversa também, Chaya limpou as mãos no avental e se afastou.

Frieda esperou.

Chegou o dia da visita do professor. O educador prometera ir à tarde. Durante a manhã, Frieda ficou observando os ponteiros pretos do relógio rastejarem lentamente por sua superfície branca. O almoço foi uma agonia. Ela estava inquieta, ficava empurrando a comida no prato, e depois correu para o alpendre com um livro para esperar a chegada do professor. Duas da tarde; depois três. No fim da tarde, ela viu o professor subindo a rua a passos largos: alto e digno, com uma gravata-borboleta e um chapéu cinza. Frieda correu para dentro e gritou:

— Meu professor está aqui. — E correu de volta para recebê-lo.

O pai se juntou a ela no momento em que o professor subia os degraus do alpendre. Zalman Leib o recebeu e lhe ofereceu a cadeira das visitas. Frieda voltou para dentro e ficou ao lado de sua mãe, Faigie e Beinish.

O educador falou, impulsionado pela urgência. Em épocas como aquela, o Estado da Tchecoslováquia precisava que seus melhores jovens dessem um passo à frente, estudassem e um dia assumissem papéis de liderança. Homens e mulheres teriam que trabalhar para manter o sonho de Masaryk. Quem melhor que sua brilhante e jovem aluna Frieda para liderar o caminho? Ela tinha um talento incomum e deveria frequentar o *gymnasium* e depois a universidade. Qualquer outra coisa seria um terrível desperdício para ela e para o país que eles estavam tentando construir.

Quando o professor terminou, Zalman Leib ficou ponderando sua resposta. Frieda orou em silêncio: *Por favor, Deus: permita que a resposta seja sim.* O pai sabia o que era ter estudos avançados. Ele próprio os havia recebido, embora no mundo judaico, participando não de um, mas de dois *yeshivas*. Ele entendia a vida da mente, assim como qualquer pessoa.

Mas, com um suspiro, disse ao professor que lamentava, mas não podia concordar. Ninguém da família jamais havia frequentado o *gymnasium*. Ele havia mandado a filha à escola para assegurar-lhe o conhecimento básico; mas planejava arranjar um casamento para ela, como já havia feito para as três filhas mais velhas. Enquanto isso ela ajudaria a mãe em casa, trabalharia com a irmã em seu ateliê e cuidaria da pequena Yehudis.

— Minha esposa e eu conversamos sobre isso e decidimos. Frieda teve muitos anos com você. Nós respeitamos sua tradição; peço que respeite a nossa.

O professor tentou argumentar.

— Tudo é possível para ela, rabino. Não deixe que seu talento seja desperdiçado. Se está preocupado com o judaísmo, deixe que ela pegue o ônibus para Munkács e curse o *gymnasium* judaico lá.

Foi uma atitude errada. O rosto de Zalman Leib ficou sombrio. Aquele *gymnasium* ensinava hebraico, a língua sagrada, para uso em conversas diárias. Celebrava o judaísmo secular. Era sionista! Ele era contra tudo isso.

— Impossível — disse Zalman Leib.

Se antes ele havia hesitado, agora estava decidido. O rabino se levantou e agradeceu ao visitante por ter ido e por tudo que fizera pela filha. O professor ficou desalentado. Saiu de cabeça baixa.

Frieda correu para a varanda.

— *Tateh*, por quê? — perguntou, com lágrimas nos olhos.

— Frieda, deixe-me perguntar: se você for ao *gymnasium*, o que fará depois?

— Universidade.

— E depois?

— Serei médica.

— E com quem você vai se casar, Frieda?

— Com outro médico. Um médico judeu — acrescentou às pressas.

— E você acha que vocês dois, médicos, vão manter o *yiddishkeit*, permanecerão judeus? Não. Vocês dois vão viver como *goyim*. E, se não, seus filhos vão, ou seus netos. Isso, sua mãe e eu jamais permitiremos. Jamais — disse ele firme, mas com um toque de tristeza.

Furiosa e magoada, Frieda revidou:

— Você estava disposto a ir aos Estados Unidos, a *trefeneh medina* [terra não *kosher*], mas nem me deixa ir para a escola? Eu sou a Tchecoslováquia e quero fazer parte deste país.

A confusão atravessou o rosto de Zalman Leib.

— Do que você está falando? Nós não somos tchecos, eslovacos ou tchecoslovacos. *Mir zenen Yiden, nur Yiden* ["Nós somos judeus, só judeus"].

Ele tentou se aproximar, mas ela se afastou e desceu correndo os degraus, enquanto o pai se levantava da cadeira e a chamava. Chaya, Beinish e Faigie estavam à porta e a viram sair.

Frieda correu pelo quarteirão soluçando. Já longe da vista do alpendre, ela diminuiu o passo. Olhou para baixo e viu que ainda estava segurando o livro na mão. Foi até o fim da rua, onde o *shtetl* também terminava, e então seguiu o rio. Deveria se jogar, pensou; *assim*, eles aprenderiam. Mas só o drama, não a autodestruição, estava em sua natureza.

Quando a tarde desapareceu, ela deu meia-volta e retornou lentamente pela margem do rio, mas por trás da fileira de casas. Ficou observando a água correr, viu alguns peixes passando depressa. Ela invejava a liberdade deles. Seus pais iam ver; ela *nunca* se casaria e ia, sim, encontrar uma maneira de estudar. Frieda parou atrás de sua casa e subiu o barranco até o muro dos fundos. Foi deslizando até sentar na grama; depois, abriu o livro, perturbada, e começou a ler, mergulhando profundamente no texto para entorpecer sua dor. Uma vez imersa, ouviu ao longe a família chamando por ela enquanto o sol se punha no céu. As vozes mal penetravam a pesada cortina de sua tristeza.

Os chamados de Faigie foram se aproximando. Ela virou a esquina, viu a irmã e gritou para a família:

— Eu a encontrei! Ela já voltou.

Sentou-se na grama fresca ao lado de Frieda, acariciou os cabelos da irmã e disse que entendia.

— Frieda, ouça. Você pode continuar lendo e aprendendo sozinha. Eu farei isso com você no ateliê. E não precisa se casar, se não quiser. Você pode dizer não aos escolhidos. Espere pelo marido certo, o tempo que for necessário. *Keynmol farlozn* ["Nunca desista"] — acrescentou.

Ela pegou a mão de Frieda, levantou-se e puxou a irmã para que se levantasse também.

Parte II

5

Um artista da guerra

Praga; sábado, 21 de maio de 1938; 18 horas

A Mercedes diplomática preta se afastou da legação alemã no bairro montanhoso de Malá Strana, em Praga. Atrás do motorista, no banco de trás do carro, havia um oficial alemão: quarenta e sete anos e queixo protuberante. Cabelos loiro-escuros, firmemente penteados para trás, ele usava o uniforme cinza-pombo de coronel da Wehrmacht, forças armadas alemãs. Ele era habitualmente calmo e mantinha uma postura ereta ao se sentar.

O motorista conduzia o passageiro colina abaixo pelas ruas estreitas daquele bairro medieval, atravessando ruas onde antes havia trilhas de vacas no lugar dos paralelepípedos, ladeadas por fileiras de mansões renascentistas. Saindo de Malá Strana, subiram de novo pela estrada sinuosa ao lado da colina do Castelo de Praga, sob a luz minguante do dia. No topo, o veículo passou pelas ruas planas e arborizadas de Bubeneč, com suas casas elegantes e grandes mansões, de propriedade do famoso clã Petschek.

Naquele momento, o bairro estava passando por uma enxurrada de atividades incomuns. Havia limusines esperando e pessoas correndo nas residências pertencentes a cerca de cinquenta membros da família estendida Petschek. Havia um carro parado do lado de fora de um complexo, do outro lado do qual se via uma mansão curva: o palácio de Otto. Martha havia voltado correndo de uma reunião de família e dissera a suas três filhas assustadas que fizessem uma mala para cada uma imediatamente. Iam fugir do país naquela noite, primeiro para a Hungria e depois seguiriam sem destino certo, até encontrarem um lugar seguro.

Um observador atencioso que passasse por Bubeneč não poderia deixar de notar a tensão — e o homem que estava no banco de trás da Mercedes era um observador *muito* atencioso. Ele havia sido artista — fazia séculos —, e aprendera a realmente olhar as coisas. Essa maneira de observar evoluíra para uma cautela que ele usava no serviço a um líder e a um regime de que não gostava.

O coronel Rudolf Toussaint era o adido militar alemão em Praga. (*Ver imagem 5*.)

Sua Wehrmacht e as forças armadas da Tchecoslováquia estavam em conflito. Qualquer um dos lados poderia desencadear outra guerra, que poderia engolir o continente inteiro. Do outro lado da fronteira, a Wehrmacht estava pronta para atacar os tchecos. Ou as forças tchecas — que estavam dando todos os sinais de uma completa mobilização — estavam prontas a ir para cima deles? Era a Crise de Maio.

Para tentar evitar isso, Toussaint ia correndo para o quartel-general militar tcheco, a meio caminho entre o palácio de Otto e o Castelo de Praga. Toussaint odiava guerra, com aquele ódio particular de alguém que havia muito tempo mantinha relações íntimas com ela. Ele havia sobrevivido a alguns dos confrontos mais feios da história durante a Grande Guerra, destacando-se na Batalha do Somme e em muitas outras na sangrenta linha franco-alemã. Ele vira uma geração de amigos e colegas mutilados e massacrados no fogo, na fumaça e no caos do combate.

Toussaint temia que a Crise de Maio se transformasse em outra guerra. E, depois de décadas observando soldados de perto, ele sabia que os tchecos não deveriam ser subestimados se isso acontecesse. Eles foram uns dos combatentes mais difíceis da última guerra, lutando para sair de trás das linhas inimigas na Rússia, cortando o exército bolchevique. Os militares tchecos atuais tinham tropas bem treinadas — mais de um milhão de combatentes regulares e da reserva, altamente preparados —, frotas de tanques e aviões, um serviço de inteligência de primeira classe e um líder formidável — o sucessor de Masaryc: Beneš, experiente e astuto, com aliados no Ocidente e uma habilmente tecida rede de proteção de tratados de defesa mútua. Ele e seus compatriotas estavam bastante motivados para defender sua nação. E, se os tchecos tivessem o apoio da França e da Grã-Bretanha — suas aliadas —, os alemães poderiam muito bem ser esmagados.

Toussaint esperava poupar a si e a outra geração de alemães dessa experiência amarga. De modo que planejou apelar diretamente ao alto-comando tcheco, dando a eles sua palavra de honra, como oficial, de que a Alemanha não estava prestes a atacar. Ele conhecia o desafio que o esperava. Entre outras coisas, seu comandante-chefe, Hitler, que o contatava com frequência para obter informações atualizadas, passava por um sério problema de credibilidade depois de invadir a Áustria, alguns meses antes.

O carro de Toussaint parou diante do imenso edifício do quartel-general da República Tcheca. Assim como a residência dos Petschek, ele também se curvava, nesse caso, ao redor da grande rotatória à sua frente. Mas aquele arco era a única semelhança entre os cinco andares de concreto cinza e a obra-prima de Otto, a alguns quarteirões de distância.

Toussaint saiu da sua Mercedes, bateu continência para os guardas tchecoslovacos postados em frente ao prédio e entrou. Tanto quanto qualquer homem na Europa naquele exato momento, ele tinha o poder de impedir a guerra. E estava decidido a tentar.

~

Toussaint nasceu em 2 de maio de 1891, em Egglkofen, Alemanha, no seio de uma família que havia muito tempo imigrara da França. Quando jovem, ele se mostrou promissor como pintor e, depois do ensino médio, queria cursar a escola de arte. Mas seu pai, que havia servido no exército alemão, tinha planos diferentes. Ele queria que o jovem Rudolf fosse militar. Isso o deixou na posição de oficial subalterno nos quatro sangrentos anos da Primeira Guerra Mundial.

Toussaint tentou transferência para a divisão cartográfica do exército depois que as hostilidades acabaram. Fazer mapas era preferível a matar, e também o deixaria perseguir seu primeiro amor: o desenho. Mas seu pedido de transferência foi negado — aparentemente, suas amostras eram artísticas demais para os topógrafos.

Então, ele serviu em uma série de cargos no Ministério da Guerra, onde esperou passar os anos turbulentos do pós-guerra, quando a inflação era galopante e a sucessão dos governos de Weimar, instável. Pelo menos, ele tinha um salário para sustentar a esposa, Lilly. Ela era uma ex-atriz com olhos de corça e corpo esguio. Ela e Toussaint formavam um belo casal, dançando nas boates de Berlim ou tomando sol às margens do Lago de Constança. Em 1921, tornaram-se um trio quando seu único filho, Rolf, nasceu.

Em 1936, Toussaint estava servindo como oficial de inteligência quando lhe foi oferecido o cargo de adido em Praga, como conselheiro da legação e das autoridades alemãs em casa. Ele aproveitou a oportunidade. Poderia manter sua patente e utilizar seus conhecimentos, além de se envolver com diplomacia e construir pontes, em vez de explodi-las. Certamente Toussaint sabia que haveria desafios; os tchecos viam a Alemanha com desconfiança, e haviam ancorado a segurança de sua jovem nação em tratados e outras relações com os adversários germanos: França, Grã-Bretanha e até os soviéticos. Mas, aparentemente, concluiu que poderia lidar com qualquer coisa que surgisse.

Havia outra vantagem no cargo em Praga: Toussaint ficaria longe dos nazistas. Durante anos, ele vira com cautela a ascensão dessa ideologia e rejeitava inequivocamente suas propostas. Como muitos que haviam subido na hierarquia da conservadora Wehrmacht, a lealdade de Toussaint estava com o exército alemão, não com o novo partido que impunha ideias radicais e empregava unidades paramilitares. Os nazistas também tentaram se aproximar de Lilly, aparentemente esperando que ela adotasse o nacional-socialismo e convencesse o marido a fazer o mesmo. Mas ela era avessa à política, e mais ainda aos nazistas. O irmão dela havia se envolvido com o Partido Nazista e morrera misteriosamente — se havia sido por sua própria mão ou pela deles, não sabia; de toda forma, ela não queria se envolver com eles.

Os nazistas obtiveram certo sucesso em seduzir o filho dos Toussaint, Rolf. Com quinze anos em 1936, ele fora doutrinado com a ideologia hitleriana, onipresente nas escolas, nos programas para jovens e nos acampamentos de verão. Anunciou aos pais assustados que, quando tivesse idade suficiente, pretendia lutar pela Waffen-SS — o braço militar da força paramilitar de Hitler (*Schutzstaffel*). Toussaint se recusou a permitir isso; disse ao mal-humorado Rolf que ele poderia entrar para a Wehrmacht, se quisesse, quando tivesse dezoito anos. Mas as SS? Nunca.

Os tchecos não faziam ideia de que Toussaint tinha as próprias reservas em relação aos nazistas, e sua vida em Praga teve um começo difícil. O primeiro sinal da estrada esburacada que tinha pela frente apareceu quando a legação alemã notificou seus anfitriões sobre a chegada do novo adido militar, no final de 1936. Em vez das habituais boas-vindas, Toussaint foi recebido com um frio silêncio. As autoridades tchecas viam com cautela seu vizinho muito maior e sua própria minoria alemã.

Apesar da recusa inicial de reconhecê-lo, Toussaint decidiu convencer os tchecos de sua boa vontade. Nos primeiros meses de trabalho, ele participou de recepções e construiu relacionamentos pessoais. Contou às pessoas como se encontrara pessoalmente com o pai do país, Masaryk, em uma visita anterior. A comunidade de adidos também advogava em seu nome. Quando o governo organizou uma viagem de caça e convidou todos os adidos, com exceção de Toussaint, por exemplo, seus companheiros reclamaram, até que os tchecos cederam.

Toussaint também teve problemas com a imprensa tcheca. Em fevereiro de 1937, um jornal de Praga publicou uma matéria ofensiva, reunindo uma série de meias verdades e mentiras deslavadas sobre sua carreira. No outubro seguinte, Toussaint ficou surpreso ao ler uma matéria que o envolvia na tentativa de sequestro de um dissidente de direita alemão que morava em Praga. O jornal relatou uma conspiração contra Otto Strasser, um ex-nazista que se tornara oponente de Hitler. Strasser supostamente seria sequestrado pelo motorista de Toussaint, e com seu carro.

Toussaint insistiu, perante o chefe de sua legação, que era inocente, mas que seu motorista (que supostamente havia recrutado alemães dos Sudetos dispostos a realizar o trabalho) era totalmente capaz de tal crime. Toussaint suspeitava que um nazista fervoroso que deixara a equipe da legação estava por trás do esquema. Ele e seu chefe foram imediatamente à polícia tcheca, expressaram vontade de cooperar e concordaram com uma solução rápida e eficaz. A polícia entrevistou os conspiradores e a história verdadeira acabou surgindo. Mas uma mancha permaneceu na reputação de Toussaint.

Em novembro de 1937, Toussaint teve oportunidade de escapar dessas coisas irritantes. Recebeu uma oferta para ir a Bucareste, na Romênia, outra cidade bonita, onde as tensões com a Alemanha eram menos pronunciadas. Mas hesitou. Apesar das suspeitas dos tchecos, ele se apaixonara por Praga. Então, fez um acordo com Berlim: manteria Praga como sua base e cobriria Bucareste remotamente, convencendo seus superiores de que "a situação era complexa demais para um novo adido" — de fato, uma observação presciente.

Em 1938, ficou claro que havia um abismo entre as declarações privadas e públicas da Alemanha aos tchecos. Em particular, Berlim instruiu Toussaint e todos os demais da legação a comunicar que a Alemanha não tinha más intenções. Toussaint concordou, esperando que fosse verdade, enquanto tentava melhorar um pouco mais as relações com seus desconfiados (com razão) interlocutores tchecos. No entanto, publicamente, Hitler era cada vez mais agressivo. Em 20 de fevereiro, em uma transmissão internacional, ele reclamou veementemente que dez milhões de alemães na Tchecoslováquia e na Áustria eram atormentados por seus anfitriões. Ele fez ameaças, dizendo que, assim como a Inglaterra e outras grandes potências, a Alemanha protegeria seu povo no exterior.

Mas esse discurso foi mero prólogo do choque que sofreriam os tchecos às cinco e meia da manhã de 12 de março, quando a Alemanha, depois de alternadamente intimidar e negociar com o governo austríaco, entrou na Áustria, a suposto convite de seus líderes. Era a *Anschluss* — a anexação. Hitler conseguiu o que buscava desde que a revolta nazista austríaca de 1934 — aquela que se desenrolava do lado de fora da janela do hospital de Otto — fracassara. Com isso, os tchecos estavam espremidos, com o poder alemão nas fronteiras norte e sul. Em Praga, o ministro Ernst Eisenlohr (chefe da legação alemã) assegurou a Beneš que Hitler respeitaria a Tchecoslováquia como um Estado soberano. Em Berlim, Hermann Göring, chefe da força aérea, deu ao enviado tcheco sua *Ehrenwort* ("palavra de honra"), com o mesmo objetivo.

Ainda assim, a Tchecoslováquia estava nervosa — dando a Toussaint a oportunidade de ser um pacificador. Em 16 de março de 1938, ele recebeu uma mensagem urgente: "Venha imediatamente para a sede do Estado-Maior tcheco". Lá, um grupo visivelmente alarmado de oficiais graduados lhe disse que "segundo as informações disponíveis para o Estado-Maior tcheco, os preparativos militares [alemães] estavam ocorrendo na Baviera e na Saxônia, causando ansiedade à Tchecoslováquia". Toussaint sabia que esses relatórios eram falsos. Ele teria tomado conhecimento de qualquer invasão iminente por meio de seu relacionamento íntimo com a Wehrmacht. Olhou diretamente para seus colegas e respondeu, com sinceridade: "Não sei nada sobre esses preparativos, e não há motivo para ansiedade na Tchecoslováquia". Eles o interrogaram, disseram que investigariam mais suas afirmações, e o dispensaram.

Toussaint ganhou mais um pouquinho de credibilidade quando sua afirmação se provou correta. Era para isso que ele trabalhava: para impedir o conflito, e não para provocá-lo. Essa foi uma pequena vitória, mas a confiança acumulada seria útil — e antes do que ele imaginava.

O foco da ansiedade tcheca logo mudou do lado alemão da fronteira para o seu próprio. A partir de 23 de abril de 1938, o Sudetendeutsche Partei (Partido Alemão dos Sudetos, SdP) realizou seu congresso anual em Carlsbad, a famosa cidade termal no noroeste da Tchecoslováquia. Sua demanda: poder para a minoria étnica alemã da Tchecoslováquia e autonomia para a área desse Estado em que seus membros eram majoritários, a região dos Sudetos, adjacente à Alemanha.

O partido era liderado por Konrad Henlein e Karl Hermann Frank. Henlein, um robusto professor de ginástica e veterano da Primeira Guerra Mundial, recentemente se convertera ao nazismo e demonstrava todo o zelo de um acólito. O vice de Henlein, Frank, seria uma preocupação na carreira de Toussaint. Esguio, em seu rosto magro via-se uma expressão eternamente acre. Como muitos nazistas, ele fracassara nas forças armadas tradicionais. Embora fosse o número dois de Henlein, Frank era mais hábil na organização e mais cruel na disciplina do partido. Com Frank e Henlein à frente, os alemães tchecos sudetos lotavam as ruas das cidades do norte gritando: *"Ein Volk, ein Reich, ein Führer!"* ("Um só povo, um só império, um só líder!"). Esse nacionalismo étnico alemão fervoroso foi fortemente aromatizado pelo antissemitismo que Hitler defendia.

Depois, chegou a Crise de Maio. Em 19 de maio, começaram a circular por Praga relatos de que o exército alemão estava reunido perto da fronteira norte. Os tchecos já estavam tensos. Com base em informes da inteligência, eles acreditavam que o movimento das tropas alemãs sinalizavam uma invasão iminente. No dia 20, Beneš, o ministro da Defesa František Machník e o general-comandante Ludvík Krejčí ordenaram medidas de emergência. Praga foi coberta de cartazes da noite para o dia, anunciando a mobilização militar. Centenas de milhares de reservistas e especialistas começaram a chegar à região dos Sudetos com infantaria mecanizada, morteiros e outras armas.

Talvez Toussaint, que continuava sendo um pintor amador muito dedicado, estivesse diante de uma tela, pincel na mão, quando a notícia das agitações militares tchecas chegaram a ele, na manhã de sábado. Por que a atividade repentina? Sua rede de adidos e seus colegas tchecos o teriam avisado se houvesse manobras regulares programadas. Por volta das nove e meia da manhã, ele ligou para o Estado-Maior tcheco e lhe asseguraram que era só um exercício. Mas, quando Toussaint foi para a legação, trocou informações com seus colegas e conversou com os outros adidos, foi se tornando cada vez mais evidente que não era; parecia algo mais sério.

Toussaint entrou em contato com o Estado-Maior de novo por volta do meio-dia e lhe contaram uma história diferente: os tchecos estavam tomando medidas "para restaurar a lei e a ordem na região fronteiriça". Toussaint telegrafou para Berlim dizendo que as tropas estavam "provisoriamente preocupadas com a política interna". Mas, pensando no tamanho e na escala das medidas militares que os tchecos estavam tomando, algo parecia não estar certo. As tropas pareciam estar se mobilizando para a batalha, e em grande número. Setenta mil dos melhores reservistas estavam marchando para a região dos Sudetos, bem como outros cento e catorze mil especialistas. No total, foram convocados quase duzentos mil soldados, e o exército tcheco cresceu, somando uma força de quase quatrocentos mil. Por acaso os tchecos estariam preparando um golpe contra Hitler?

Toussaint decidiu descobrir isso por meio da mais alta autoridade à sua disposição: o chefe do Estado-Maior tcheco, Krejčí. Às seis da tarde, ele foi levado ao quartel-general militar em Vítězné Náměstí (Praça da Vitória), adjacente a Bubeneč, para se encontrar com o general.

Toussaint logo se viu diante de Krejčí. Esse nome significa "alfaiate" em tcheco, e o homem bem que poderia se passar por um: baixo, careca, de nariz arrebitado, cabelos pretos e finos penteados sobre a testa alta, e uma barriga considerável. Na verdade, ele era perspicaz e profissional — um soldado escolhido pessoalmente por Masaryk para robustecer as forças tchecas, e que, posteriormente, construiu um exército formidável. Ele também era conhecido por sua brutal honestidade.

Toussaint descreveu tudo que sabia sobre as medidas técnicas militares que os tchecos estavam tomando. Disse a Krejčí que não via isso como exercícios de treinamento; que eram medidas de mobilização. Em seu informe para Berlim, ele havia dado aos tchecos o benefício da dúvida, atribuindo toda essa atividade à pacificação dos alemães sudetos. Mas ele não acreditava mais nisso, e foi o que disse ao general tcheco.

Fiel à sua maneira de ser, Krejčí foi direto. Não era um mero exercício, nem um movimento político interno; era uma mobilização para proteger as fronteiras do ataque alemão, e se justificava por relatos do movimento das tropas alemãs em direção às fronteiras. Krejčí olhou Toussaint nos olhos e declarou que tinha "provas irrefutáveis de que havia ocorrido na Saxônia uma concentração de oito a dez divisões [alemãs]". Toussaint negou veementemente qualquer movimento desse tipo, dando sua palavra de oficial. Continuaram discutindo. Por fim, Krejčí concordou em reverter a mobilização, pelo menos em parte, se isso que Toussaint jurava fosse verdade.

Quando Toussaint voltou à legação para conversar com seus colegas e telegrafar para Berlim, intervenções semelhantes estavam acontecendo por toda a Europa: em Berlim, Paris e Londres. Alemães e tchecos declaravam não ter nenhuma intenção hostil, ao passo que franceses e britânicos estavam contando com o pior e tentando fazer que ambos os lados recuassem. Ninguém sabia ao certo o que estava acontecendo. Toussaint e o ministro Eisenlohr mandaram suas informações por telégrafo para Berlim e trabalharam até altas horas. Às 22h50, mandaram um cabo pedindo permissão para começar a queimar seus arquivos, caso o conflito fosse iminente. Durante aquela noite e o dia seguinte, Toussaint e seus colegas esperaram ansiosamente. Enquanto isso, chegaram relatos de episódios de violência, tchecos atiraram em dois alemães sudetos — Nicolas Boehm e Georg Hoffman — que se recusaram a parar em uma passagem de fronteira. Mas não chegou nenhuma ordem de queima. No final do domingo, parecia que a tensão estava diminuindo.

Mas, se Toussaint soltou um suspiro de alívio, foi hesitante. Embora os dois lados houvessem recuado, a situação na região dos Sudetos ainda era extremamente intensa. O exército e a polícia tchecos estavam em alerta máximo, e parecia que Praga estava sob lei marcial. Os alemães dos Sudetos continuavam atentos à retórica de Hitler e Henlein e à presença do exército e da polícia tchecos. A Defesa Vermelha também era uma ameaça. Esses milicianos comunistas, cujo desprezo pelo governo "burguês" da Tchecoslováquia só era superado pelo ódio a Hitler, também estavam prontos para entrar em conflito — esperavam que isso fosse o começo da revolução. As forças da democracia tcheca, os comunistas armados e a minoria alemã de tendência fascista formavam uma mistura inflamável. Então, Hitler jogou pessoalmente um fósforo aceso no meio das coisas: seu adido militar em Praga.

Toussaint e Hitler se conheceram em 1938. Talvez tenham se encontrado pela primeira vez na reunião anual de adidos militares do mundo todo, em Berlim, à qual o Führer comparecia periodicamente. Para Hitler, a Wehrmacht era o *establishment*, e Toussaint certamente se encaixava nele. Hitler observara a aparência de Toussaint de perto, referindo-se a ele como o "oficial de olhos castanhos". Em 1938, à medida que as tensões aumentavam, Hitler procurou diretamente Toussaint em Praga, solicitando observações. Podemos supor com segurança que, quando o Führer ligou, Toussaint guardou para si suas reservas acerca do Partido Nazista.

Na segunda-feira, 23 de maio, no meio da Crise de Maio, Toussaint recebeu uma ordem desconcertante dos burocratas de Berlim. Ele representaria o Führer no funeral dos dois simpatizantes alemães que haviam acabado de ser mortos. A cerimônia seria realizada na região dos Sudetos. E, pior ainda, seria em Cheb, um dos mais ardentes pontos de conflito da região. A cidade, adjacente à fronteira norte com a Alemanha, era de maioria etnicamente alemã. Em Cheb (ou Eger, como sua maioria germanófona a chamava), separatismo, militarismo e antissemitismo haviam penetrado a cidade como o alcatrão escuro de um derramamento de óleo.

Era uma loucura enviar o mais alto oficial militar alemão no país ao ponto mais instável de toda a Europa — de todo o mundo — naquela semana. A maioria das pessoas na região de fronteira estava muito tensa, e muitos andavam armados. Bastava uma cabeça quente de cada lado para desencadear uma conflagração. O menor erro de cálculo de um soldado ou policial tcheco, e mais ainda de um nazista sudeto, poderia desencadear isso.

Toussaint e seus colegas protestaram contra sua participação no funeral. A legação instou Berlim a reconsiderar. Mas foram informados de que as objeções haviam sido ignoradas pela mais alta autoridade da Alemanha: o próprio Führer. Hitler sentia os olhos da região dos Sudetos, e do mundo, sobre si. Ele queria alguém a quem conhecesse pessoalmente para representá-lo — alguém que se encaixasse. Toussaint seria o emissário de Hitler no funeral: ele recebeu ordens de levar duas guirlandas, em nome do Führer, e colocá-las nas sepulturas dos homens tombados.

Não haveria mais discussão e nenhuma possibilidade de desobediência. De modo que Toussaint fez a viagem de três horas de Praga até a fronteira para a cerimônia na quarta-feira de manhã.

Toussaint logo chegou ao cemitério de Cheb, imaculado em seu uniforme cinza da Wehrmacht. Diante dele estavam os túmulos de Nikolas Boehm e Georg Hoffman, os dois alemães sudetos que foram baleados enquanto andavam de motocicleta durante o confronto com as tropas tchecoslovacas na fronteira próxima. O que exatamente havia acontecido e quem era o culpado não estava claro — mas não para as dezenas de milhares de residentes alemães da região que estavam atrás de Toussaint. A multidão tinha certeza de que os dois homens eram inocentes; eles haviam sido mártires da causa de Hitler. A popularidade do ditador era muito maior ali que em seu próprio país.

A multidão silente formada por milhares de pessoas ergueu os braços e os travou na diagonal, formando a rígida saudação nazista. À esquerda de Toussaint estava Henlein, e ao lado deste, Frank — os líderes dos Sudetos. Ambos mantinham os braços rígidos e retos, espelhando a multidão. Toussaint fez uma saudação militar normal, com a lateral da mão na têmpora.

A atmosfera estava tensa. Hitler não se incomodaria de usar provocadores para incitar a violência. Toussaint seria o alvo principal de um comunista, ou de outro cabeça quente. A mira do rifle de um atirador de elite poderia estar apontada para suas costas. O ar estava carregado quando ele deu um passo à frente. Colocou primeiro uma coroa de flores, e depois a outra, nas sepulturas, ajeitando as fitas que exibiam claramente o nome de Hitler. Deu um passo para trás e bateu continência.

Voltou ao seu lugar, ao lado de Frank e Henlein. Nenhum tiro foi disparado. A polícia e os soldados tchecos haviam se afastado durante a cerimônia. Quanto ao Führer, parecia que ele guardaria suas provocações para outro dia. Logo a multidão se dissipou, e Toussaint foi levado dali em seu carro oficial com motorista. O auge da Crise de Maio havia passado.

Toussaint deve ter ficado aliviado pelos problemas terem sido evitados. Enquanto o verde dos campos ondulava suavemente do lado de fora da janela do carro no retorno a Praga, ele afrouxou sua túnica e se regozijou com uma espécie particular de glória. Ele havia impedido a guerra com habilidade diplomática. E os tchecos também ficaram sombriamente satisfeitos por terem mantido distância de Hitler.

Nem Toussaint nem os tchecos tinham ideia das perigosas consequências de desativar a Crise de Maio. Hitler se sentia humilhado. Não lhe importava se os alemães estavam em menor número, se os aliados apoiariam os tchecos, se a Wehrmacht estava ou não pronta. Em 30 de maio, três chefes de serviço alemães receberam o Plano Verde de Hitler para a invasão da Tchecoslováquia. A versão anterior à Crise de Maio dizia: "Não é minha intenção esmagar a Tchecoslováquia em um futuro próximo". Mas a nova declarava, em termos inequívocos: "É minha decisão inalterável esmagar a Tchecoslováquia por ação militar no país no futuro próximo [...] 1º de outubro de 1938, o mais tardar".

~

O verão de 1938 era fogo puro, como um cobertor de calor tão sufocante que parecia abafar as hostilidades declaradas. Em um relatório de junho a Berlim, Toussaint escreveu: "A situação aqui é tranquila, porque os alemães dos Sudetos estão mais cautelosos sob a pressão dos militares; e, por outro lado, o governo está ansioso para evitar um incidente". Mas, embora as condições não houvessem piorado, para decepção de Toussaint, também não melhoraram. Toussaint acreditava que a solução seria negociar um acordo. Ele era um alemão leal, e simpatizava com as queixas dos sudetos; mas não queria uma guerra que poderia ser um desastre para seus compatriotas e todos os envolvidos.

Em agosto, a situação começou a se deteriorar mais uma vez. Toussaint telegrafou para seus superiores: "As negociações entre o governo e os sudetos estão irremediavelmente paradas". Mas não foi por acaso; Henlein e Frank receberam instruções de Hitler para apenas fingir que estavam negociando. Henlein descreveu secretamente a essência de suas ordens: "Devemos sempre exigir muito para que jamais sejamos atendidos". Quanto mais os tchecos se esforçavam para encontrar uma solução, mais os alemães da região dos Sudetos resistiam.

No final do verão, Toussaint temia que, sem um acordo, houvesse conflito. Os tchecos haviam demonstrado vontade de lutar. Quem venceria a inevitável e iminente crise dependeria de quem atacasse primeiro, e de que os britânicos, franceses e soviéticos realmente ajudassem os tchecos. A obrigação britânica era exclusivamente moral, mas os franceses estavam vinculados por um tratado antigo, e os soviéticos por um mais recente, que o presidente Beneš havia assegurado (uma manobra que fizera seu amigo Otto estremecer, mas que era desesperadamente necessária). Em agosto, Toussaint escreveu a seu superior, o general Alfred Jodl, dizendo que aquelas três embaixadas haviam dito que ajudariam os tchecos a qualquer custo. Mas "como esses Estados realmente se comportarão no momento crucial, não posso prever".

Mas, no início de setembro, enviados de cada um desses três países discretamente sugeriram ao presidente Beneš que não estavam preparados para lutar. Com horror, Beneš e os tchecos viram seu apoio evaporar. Os franceses, cujo compromisso com o tratado era a pedra angular do elaborado projeto de vinte anos de Beneš para garantir a democracia, hesitaram. Indicaram suas tépidas intenções, mas, escrupulosamente, não as divulgaram ao público, em especial à Alemanha. A obrigação da Grã-Bretanha era exclusivamente para com a França, se fosse atacada; os britânicos não tinham um tratado direto com a Tchecoslováquia, e eram altamente refratários a ir à guerra em benefício dessa pequena nação distante. E a obrigação soviética também parecia contingente. Toda a estrutura estava desmoronando, deixando os tchecos sem esperança de impedir a entrada da Alemanha. Em uma tentativa desesperada de agradar seus aliados, Beneš fez ofertas cada vez mais generosas aos alemães dos Sudetos, culminando, em 5 de setembro, em uma reunião no Castelo de Praga, quando deu aos líderes papel e caneta e lhes disse que pedissem o que quisessem; ele assinaria, quaisquer que fossem suas demandas.

Confusos, os negociadores dos Sudetos tentaram ganhar tempo. Era difícil recusar um cheque em branco. Mas Henlein tinha ordens de Hitler de não ceder a negociações. O ego do Führer fora ferido pela Crise de Maio, e ele queria destruir os tchecos. Henlein forjou um confronto com a polícia tcheca, usando-o como desculpa para interromper as negociações.

No meio da deterioração, o general Jodl chamou Toussaint de volta a Berlim. O que ele tinha para falar era delicado demais para uma conversa que não fosse cara a cara. Jodl lhe confidenciou que Hitler pretendia guerrear contra os tchecos. Ele queria uma avaliação sincera de Toussaint. *Os tchecos reagiriam? Os aliados se juntariam a eles?* Toussaint disse a Jodl que julgava "a situação tcheca favorável". Ou seja, que poderiam derrotar os tchecos sozinhos. Mas tentou convencer Jodl a não tentar. A "situação geral", advertiu, era "séria". Se os aliados interviessem, a Alemanha correria o risco de se envolver em uma guerra maior, e poderia muito bem perder. E a Wehrmacht não parecia pronta para isso; ele estava "chocado com a descontração e a aversão dos oficiais a lutar (com algumas exceções louváveis)". Talvez por temer ter revelado a própria ambivalência, Toussaint acrescentou que, claro, *ele* estava determinado a lutar.

De volta à legação, Toussaint confidenciou seus verdadeiros sentimentos a um colega, o primeiro-conselheiro Andor Hencke. Hencke, um idoso de cabelos brancos, era muito apreciado na legação, aparentemente até pelos tchecos. Toussaint o considerava um amigo, e vice-versa. Mas, a indiscrição de Toussaint seria imprudente; Hencke também era membro do Partido Nacional Socialista dos Trabalhadores Alemães (NSDAP). No entanto, Toussaint confiava nele. Informou-lhe que haveria guerra no final de setembro ou no início de outubro. Toussaint criticou com amargura o próprio Führer: "Hitler estabeleceu uma grande e agradável Wehrmacht, e agora quer brincar com seus soldados pela primeira vez".

Para Toussaint, aquilo não era um jogo. Ele e seus colegas de legação correriam risco por todos os lados. A Luftwaffe certamente bombardearia o Castelo de Praga. A legação ficava bem ao lado e logo abaixo dele; não escaparia aos danos colaterais. Mesmo que o pessoal da legação sobrevivesse ao bombardeio, seriam cidadãos inimigos em território hostil. Hencke e Toussaint discretamente supervisionaram a construção de um abrigo antiaéreo embaixo da legação. Também contaram ao adido da força aérea alemã, Friedrich Möricke, sobre o ataque iminente. A vida de todos eles estava em risco.

O desânimo de Toussaint aumentou com o discurso de Hitler no comício nazista anual, em Nuremberg, em setembro daquele ano. Aos gritos delirantes, como base para o envolvimento militar, Hitler citou abertamente sua humilhação durante a mobilização parcial da Crise de Maio na Tchecoslováquia. Ele argumentou que o governo de Praga tentara deliberadamente acabar com os alemães dos Sudetos, que são caçados "como aves selvagens indefesas, devido à expressão de seus sentimentos nacionais". Toussaint ficou "totalmente arrasado" depois do discurso. Agora, a Alemanha enfrentava um risco real de derrota e mais devastação — a Primeira Guerra Mundial e suas consequências de novo.

O discurso de Hitler teve um efeito muito diferente sobre os alemães dos Sudetos. Os protestos do Führer foram tomados por Henlein, Frank e seus seguidores como um convite à rebelião aberta. Motins violentos eclodiram imediatamente. No dia seguinte, Toussaint informou a Berlim que os tchecos estavam transportando tropas para a região de fronteira em resposta às crescentes demandas das lideranças dos Sudetos. Em 15 de setembro, Henlein aumentou ainda mais as apostas, proclamando: "Queremos voltar ao Reich". Ele propôs que a Tchecoslováquia cedesse todo o território com população majoritariamente alemã a Hitler dentro de quarenta e oito horas. Em resposta, os tchecos dissolveram o Sudetendeutsche Partei (SdP) e declararam estado de emergência.

A legação foi inundada por telefonemas furiosos e mensagens de ódio, promessas de retaliação contra os diplomatas pelo comportamento de Hitler e Henlein. Protestos anti-Hitler e anti-Sudetos se espalharam por Praga, milhares de manifestantes se reuniram em frente à legação, espalhados pelas ruas estreitas. A polícia e os militares tchecos se postaram diante da legação, mas foram superados em número pela multidão. Toussaint, o alto oficial militar ali, foi encarregado de proteger a legação. Ele traçou um plano de defesa. Se a multidão invadisse, ele, Möricke e alguns outros a repeliriam com gás lacrimogêneo, enquanto o restante do pessoal escaparia subindo as escadas e pulando os muros dos jardins adjacentes, das legações sueca e britânica. O enviado sueco disse que os receberia. O enviado britânico ficou menos entusiasmado, mas prometeu que não barraria os fugitivos.

Enquanto Toussaint e seus colegas contemplavam maneiras de defender a legação, descobriram que Henlein e Frank também haviam respondido à crise: atravessando a fronteira com a Alemanha. O desprezo a essa decisão ficou evidente no telegrama que Toussaint enviou (com Hencke) a Berlim: "A divulgação da notícia de que os líderes do Partido Alemão dos Sudetos haviam fugido teve um efeito esmagador na região alemã. Neste momento, o governo da Tchecoslováquia é realmente o mestre da situação".

Enquanto Toussaint cuidava da defesa da legação e via pela janela os milhares de manifestantes, sentia-se mais determinado que nunca a assegurar algum tipo de negociação para resolver tudo. Ele só precisava de uma abertura. E eventos distantes estavam prestes a lhe fornecer uma.

O primeiro-ministro britânico Neville Chamberlain era um homem de negócios alto, de bigode e adepto do Partido Conservador. Ele havia subido na hierarquia política desde que fora prefeito de Birmingham. Como Toussaint, ele era um dos sobreviventes da Grande Guerra, uma geração que faria qualquer coisa para impedir o retorno à violência naquela escala. A reação dos dois ao discurso de Hitler em Nuremberg havia sido a mesma: horror. Mas, ao contrário de Toussaint, Chamberlain não estava confinado em um edifício. Em 14 de setembro, Chamberlain fez uma proposta a Hitler: ele iria à Alemanha para negociar uma solução. O ditador aceitou; ele ainda não estava pronto para mostrar abertamente sua insistência na guerra.

Toussaint e seus colegas diplomatas alemães em Praga não obtiveram detalhes antecipados sobre a preparação da primeira reunião entre Chamberlain e Hitler, que ocorreu em 15 de setembro em Berghof, perto de Berchtesgaden. Eles também não receberam despachos de suas sedes informando o que havia acontecido durante a reunião. Como outros cidadãos do mundo todo, Toussaint teve que usar sua inteligência para examinar as reportagens da mídia: ouvindo atentamente o rádio e analisando a cobertura dos jornais. Após o término da conferência de Berchtesgaden, Toussaint e seus colegas em Praga deixaram de vigiar as janelas e cavar o abrigo antiaéreo para ler o parco comunicado oficial. A seguir, foram à legação britânica ao lado e, tomando cuidado para não revelar o quão pouco sabiam, colheram os detalhes adicionais que conseguiram. Parecia que Chamberlain tentaria intermediar algum tipo de acordo entre Hitler e Beneš.

Toussaint e seus colegas tinham dúvidas, ainda mais quando descobriram que a Alemanha se recusara a fornecer anotações da reunião aos britânicos. Por isso, Toussaint ficou surpreso quando, em 21 de setembro, os tchecos aceitaram uma proposta franco-britânica de ceder porções significativas da região dos Sudetos à Alemanha para evitar a guerra. Beneš aceitara sob coação, depois de inicialmente rejeitar a proposta. Chamberlain lhe avisara que se não aceitasse, os aliados não o defenderiam. O projeto de autodefesa de Beneš contava com seus aliados, mas também lhes dava uma enorme influência sobre ele.

No dia seguinte, as manifestações de Praga foram retomadas, mas com força renovada, alimentadas pela indignação diante da pressão britânica e francesa sobre os tchecos. Os Vigilantes de Praga sentiam sua cidade ameaçada, e foram às ruas não para admirá-la, e sim para protegê-la. Quando subiram as estreitas ruas medievais de Malá Strana, a legação alemã não era mais seu único alvo. Também levaram os piquetes e o coro de contestações às embaixadas britânica e francesa. Chamberlain e o primeiro-ministro francês, Édouard Daladier, voltariam à Alemanha para uma segunda reunião, para tentar fechar o acordo, e os praguenses ficaram furiosos. Marcharam no castelo e protestaram contra Beneš e o governo da Tchecoslováquia por aceitarem o acordo.

Em 22 de setembro, Chamberlain chegou a Bad Godesberg para retomar as discussões com Hitler. Às 10h35 da manhã, Toussaint estava em guarda, com gás lacrimogêneo e arma de fogo na mão, lançando olhares pelas janelas da legação. Uma secretária se aproximou; o general Jodl estava ao telefone, queria falar com ele. Era a primeira ligação que a legação recebia da Alemanha em dias, a comunicação secara exatamente quando eles mais precisavam.

Toussaint atendeu.

Jodl, parecendo preocupado, perguntou-lhe como estava se saindo. Estava bem?

Toussaint, enfrentando a diária ameaça de ataque dos tchecos do solo e de suas próprias forças do ar, não pôde resistir a usar um pouco de sarcasmo. "Excelentemente, obrigado", respondeu.

Jodl não pareceu notar seu humor ácido. Mais que depressa, explicou o motivo de sua ligação. Enquanto Hitler e Chamberlain se preparavam para a reunião, a inteligência alemã havia interceptado uma mensagem de Praga dizendo que uma multidão estava prestes a invadir a legação e matar o ministro Eisenlohr. Göring, chefe da força aérea, estava se preparando para bombardear Praga sob o comando do Führer.

Embora Jodl não tenha dito isso com tantas palavras, Hitler teria adorado. Ele se arrependia das garantias que havia dado na reunião anterior com Chamberlain e surpreendeu o primeiro-ministro ao dizer que o acordo anterior estava fora de cogitação — era preciso muito mais. A região dos Sudetos não o satisfaria mais; agora, ele demandava mais territórios. E a garantia de um cronograma razoável para a evacuação dos habitantes tchecos estava fora de cogitação. Hitler estava claramente procurando alguma desculpa para abandonar as negociações de paz. Ele estava ansioso para "brincar com seus soldados pela primeira vez", como Toussaint intuíra depois de se encontrar com Jodl no início daquele mês.

Toussaint neutralizou a situação. Respondeu que o ministro Eisenlohr nem estava *em* Praga. Hencke, operando como encarregado de negócios na ausência do enviado, gozava de boa saúde, graças à polícia que protegia os portões da legação. Os manifestantes haviam subido a rua até o castelo e agora estavam focados em Beneš. Jodl ficou claramente desapontado com essa notícia, e não fez nenhum esforço para disfarçar. Desligou e foi informar a Göring que o boato era falso.

Depois da ligação, Toussaint procurou Hencke para lhe contar o que havia acontecido. Os dois ficaram incrédulos com o fato de reportes falsos terem sido passados para o quartel-general do Führer — mas o pior fora o evidente pesar de Jodl por ninguém da legação ter sido morto.

Naquele dia e no dia seguinte, Toussaint e seus colegas mantiveram um fluxo constante de cabos para a Alemanha. Assim como em sua ligação com Jodl, os relatos sinceros de Toussaint eram importantes para manter vivas as negociações de paz. O aviso de Toussaint e Hencke de que os tchecos estavam se mobilizando para a guerra chegou no vigésimo terceiro dia, quando Hitler, recalcitrante, parecia pronto para interromper suas discussões com Chamberlain. Quando chegaram as notícias da prontidão dos tchecos para lutar, a sala ficou "totalmente em silêncio". Hitler ficou surpreso. Toussaint e Hencke tinham a clara intenção de que essa informação servisse como um alerta do perigo representado pelos militares tchecos, e teve um efeito preocupante no Führer. Ele recuou, assumindo uma postura mais apaziguadora para com Chamberlain. O alemão repetiu sua promessa de não atacar enquanto as conversas continuassem, e suavizou vários pontos das negociações.

Em duas ocasiões, Toussaint havia ajudado a evitar a guerra. Quando Chamberlain partiu de Bad Godesberg na manhã seguinte, os negociadores já haviam chegado a um possível acordo. Hitler garantira ao primeiro-ministro britânico que a região dos Sudetos era sua última demanda e concordara em permitir mais dois dias para a evacuação do território, estendendo seu prazo final para 1º de outubro. Chamberlain, que caíra em descrédito com os tchecos pela mudança de ideia anterior de Hitler, anunciou que comunicaria os termos a eles, mas não podia dar garantias de que aceitariam.

Toussaint esperava a paz, mas se preparava para a guerra. Na noite de 23 de setembro, quando as negociações entre Hitler e Chamberlain chegaram ao fim, a equipe da legação alemã se reuniu. Com a mobilização tcheca, a polícia e o exército haviam fechado o edifício. Os exércitos alemão e tcheco estavam prontos para a batalha, e chegou a notícia de que franceses e britânicos estavam se preparando também. Às onze e meia da noite, Toussaint e Hencke deram ordens de queimar todos os arquivos. Uma fogueira foi acesa no jardim dos fundos da legação e alimentada com resmas de cabogramas, memorandos e cartas. Fragmentos de papel voavam pelo ar. Grossos volumes de documentos foram cortados em pedaços com machadinhas, antes de serem jogados nas chamas.

Era quase madrugada quando todos os documentos desapareceram. Toussaint destruiu pessoalmente os arquivos militares — estariam entre os mais valiosos se a legação fosse confiscada pelos tchecos, fossem eles do governo ou da multidão. Quando o sol se levantou sobre uma Praga tensa, Toussaint, suado e coberto de fuligem, disse a Hencke, igualmente exausto: "Se houver paz, eu e meus homens estaremos perdidos. Nós queimamos tudo, até o último arquivo administrativo. Só sobraram lápis e borrachas".

Nos dias seguintes, Toussaint fez uso desses lápis para evitar uma guerra acidental. Alertou contra as provocações alemãs escrevendo a Berlim que "todos os adidos disseram que os incidentes na fronteira, como os ataques às alfândegas e a propaganda, prejudicam o prestígio da Alemanha", e os britânicos estavam se tornando "extraordinariamente hostis aos alemães".

Então, chegou a espera. Toussaint a conhecia desde os primeiros anos da Primeira Guerra Mundial, quando aguardava sentado nas trincheiras. Por meio de sua rede de contatos na Wehrmacht, ele soube a data e a hora do ataque alemão, e disse a Hencke: 28 de setembro às duas horas da tarde. A equipe da legação esteve livre para ir e vir durante aquela semana tensa, mas, por motivos de segurança, ficavam confinados durante o dia e na maioria das noites, com poucas exceções. Se houvesse uma surpresa, o abrigo antiaéreo escavado às pressas seria melhor que nada. Sentavam-se juntos, sem levar em conta a hierarquia; Toussaint roçava seus ombros com os oficiais jovens. Berlim não havia dado nenhuma orientação, de modo que tiveram que confiar de novo no rádio e nos jornais e visitar seus colegas diplomatas estrangeiros para trocar informações. Tentaram espremer o chefe da missão britânica — seu vizinho — para obter informações sobre o status da oferta de Chamberlain. O chefe da missão, embora conhecido por não gostar dos tchecos e do presidente deles, não escondeu sua repulsa pela falta de vontade dos alemães de selar um acordo.

No vigésimo quinto dia, Beneš rejeitou, furioso, os novos termos de Hitler. Os tchecos não estavam blefando ao dizer que preferiam a guerra à humilhação. Tchecos e alemães assumiram posições dos dois lados da fronteira. Britânicos e franceses também se mobilizaram. No dia 26, Hitler fez um discurso histórico atacando Beneš:

> A questão não é a Tchecoslováquia; o problema é o sr. Beneš! [...] Em 1918, sob o lema da "autonomia dos povos", a Europa Central foi dividida em pedaços e reorganizada por uns loucos ditos "estadistas" [...] A Tchecoslováquia deve sua existência a esse procedimento! [...] O Estado tcheco nasceu de uma mentira, e o pai dessa mentira foi Beneš [...] *Ele* convenceu os conspiradores em Versalhes [...] Todo o desenvolvimento do país desde 1918 é prova de uma única coisa: Beneš estava

determinado a exterminar a identidade alemã [...] Apresentei uma proposta a Beneš [...] A decisão é dele agora: paz ou guerra!

Hitler ficou tão empolgado com seu revisionismo que até caluniou o falecido presidente norte-americano Woodrow Wilson, o "professor itinerante" que vendera o "veneno da tagarelice democrática". E seus novos níveis de decibéis fizeram alguns observadores antes neutros, e até mesmo admiradores, acreditarem que ele estava perdendo a sanidade.

Àquela altura, toda a legação sabia extraoficialmente que as hostilidades começariam no vigésimo oitavo dia do mês, e até mesmo que a hora exata seria duas da tarde; era difícil manter um segredo estando todos ali tão próximos. Os funcionários da legação aproveitaram ao máximo o dia 27 de setembro, acreditando que seria o último dia de paz por algum tempo. Foi um dia extraordinariamente bonito para um fim de setembro, e a equipe se revezou para sair da legação e saborear a dourada Praga banhada de sol. Hencke cortou o cabelo e pagou sua conta ali e no alfaiate, que apertou sua mão em despedida.

Naquela noite, Toussaint e Hencke enviaram seu último aviso de que os tchecos não seriam derrotados facilmente: "Calma em Praga. Últimas medidas de mobilização realizadas [...] A imprensa e o rádio fortalecem o povo tcheco, acreditando que a França, a Grã-Bretanha e a Rússia já fizeram uma promessa vinculativa de ajuda militar [...] o total de recrutados é de um milhão; exército de campo, 800 mil [...]". Nesse cálculo, só os tchecos e franceses superavam os alemães em mais de dois para um.

A apreensão evidente no comunicado não se limitou, de modo algum, a Toussaint e Hencke. Os militares de carreira da Wehrmacht, dos quais Toussaint provinha, havia muito tempo se opunham ao conflito com a Tchecoslováquia em favor de uma resolução negociada; eles temiam, e até previam, a derrota nas mãos das substanciais e motivadas forças tchecas apoiadas pela França, pela Grã-Bretanha e talvez por outras nações. Alguns estavam preparados para fazer algo a respeito. Os altos oficiais da Wehrmacht, incluindo muitos com quem Toussaint havia servido, estavam discutindo um golpe. Se os britânicos e franceses enfrentassem Hitler, eles encontrariam parceiros dispostos dentro do próprio corpo de oficiais, dos quais pelo menos alguns estariam prontos para depor o Führer se o Ocidente liderasse o caminho.

Os possíveis desertores não eram motivados por nenhum amor à democracia da Tchecoslováquia; eram contra o caráter militar "aventureiro" de Hitler. Era a vida deles que estava em jogo, e a vida de seus soldados e filhos. E a guerra, se acontecesse, poderia até servir como uma oportunidade para extirpar o controle do Partido Nazista e restaurar a sanidade da política alemã.

Em Berlim, Hitler estava tendo uma noite inquieta. Ele temia estar em menor número; tinha receio de perder. Ele sabia que até mesmo fascistas como Göring e Mussolini estavam hesitantes. O que mais preocupava era que o povo alemão parecia pouco entusiasmado — no dia seguinte ao seu grande discurso atacando Beneš, ele aparecera em sua varanda, na chancelaria, para assistir ao desfile das tropas da Wehrmacht em direção à fronteira com a República Tcheca. Pouco público comparecera, e as pessoas presentes não demonstraram entusiasmo. Mais tarde, ouviram-no murmurar: "Não há como eu fazer guerra com esse povo".

A manhã seguinte foi clara e ensolarada; outro lindo dia de outono em Praga. A cidade estava estranhamente tranquila, mas aquela paz era um sintoma de guerra: a população da cidade em idade militar se encontrava, em grande parte, na fronteira, aguardando o ataque alemão. Parecia um domingo ou feriado, só que mais calmo. Havia pouca coisa a fazer com o prazo de Hitler se aproximando. De modo que Toussaint e Hencke decidiram sair para almoçar cedo. Foram até um famoso restaurante antigo de Praga, que ficava a uma curta caminhada da legação. Enquanto comiam e bebiam, Toussaint estava tranquilo, ao passo que Hencke estava tenso.

Depois do almoço, os dois amigos passaram pelos palácios e pelas igrejas que ladeavam as estreitas ruas medievais. Às duas em ponto, estavam diante da legação britânica. Pararam e olharam para o céu, azul e sem nuvens. Esperavam ver aviões alemães fazendo reconhecimento, ou talvez o temido bombardeio, mas apenas pássaros canoros voavam acima deles. Os dois homens voltaram à sua legação. Uma hora se passou, depois outra e mais outra. Mas nada aconteceu.

Às cinco da tarde, Hencke, precisando fazer algo, foi ao Ministério das Relações Exteriores para providenciar os termos para o controle tcheco da equipe da legação e de seu edifício abandonado, em caso de guerra. Os tchecos ficaram confusos e perguntaram o que ele estava fazendo ali. Acaso não sabia que Chamberlain estava indo à Alemanha para uma terceira visita? Na legação, Toussaint recebeu uma mensagem de rádio de Berlim. Hitler havia convidado Chamberlain, o italiano Mussolini e o francês Daladier para conferenciar: seria a Conferência de Munique. A mensagem era concisa e direta, sem espaço para interpretações ou previsões. No entanto, depois que Hencke voltou e comparou informações com Toussaint, os dois chefes de negócios ficaram aliviados. Se Hitler havia convidado os outros líderes para conferenciar, e eles aceitaram, era difícil acreditar que o conflito estouraria naquela noite.

De repente, os canais oficiais ficaram mudos. Não havia mais comunicações de Berlim. Todas as informações que tinham provinham da mídia, além de umas poucas que surgiam de vez em quando da rede de contatos de Toussaint. Mas eram escassas; se havia negociações em andamento, não estavam sendo divulgadas. Eles esperaram, assim como o mundo inteiro, enquanto as quatro potências debatiam o destino dos tchecos.

É difícil saber o que Toussaint estava pensando na época. Mas talvez ele tenha se permitido ter esperanças. Talvez todos os seus esforços ao longo do ano, evitando crises e moderando conflitos em março, maio e setembro, houvessem *sim* feito a diferença.

No meio da noite de 30 de setembro, Hencke acordou com uma ligação urgente. Era de Berlim. O Ministério das Relações Exteriores ditou o texto do Acordo de Munique. O trabalho de Hencke era transmitir o acordo por escrito, formalmente, aos tchecos, que foram excluídos das negociações. Foi marcada uma reunião para as seis da manhã no Ministério das Relações Exteriores, que depois passou para as seis e meia para dar tempo de preparar o documento que informaria a Beneš e seus colegas que seu país estava sendo desmembrado. A legação voltou à vida na noite ainda escura; vários secretários datilografaram as anotações de Hencke e Toussaint, e sua equipe de adidos organizou o transporte.

Toussaint tinha esperanças de paz. Havia se esforçado para isso. Mas os detalhes do Acordo de Munique devem tê-lo surpreendido. Ia além do que tchecos, britânicos e franceses haviam inicialmente acordado menos de duas semanas antes. Notoriamente, Hitler ficaria com todas as cidades fronteiriças de maioria alemã, além de muitos municípios de maioria tcheca: cerca de vinte e oito mil quilômetros quadrados ao todo, com quase um milhão de tchecos sob seu domínio. Os tchecos perderiam a maior parte de suas indústrias: de produtos químicos, vidro, tecidos, ferro e aço, sem falar dos vastos veios de linhito que Otto Petschek havia controlado um dia.

Jodl dissera a Toussaint que o Führer pretendia incapacitar os tchecos. E assim fez, com a ativa assistência dos aliados mais próximos da Tchecoslováquia. Até os Estados Unidos entraram em ação; Franklin Roosevelt escrevera uma carta idêntica para Beneš e para Hitler urgindo-os a fechar um acordo, como se ambos fossem moralmente equivalentes. Para Beneš, isso fora "o golpe final" antes da chegada do Acordo de Munique.

O Ocidente não sabia, mas havia abandonado outro potencial aliado: o grupo de oficiais da Wehrmacht que havia planejado um golpe contra Hitler. Desanimados, eles deixaram seus planos de lado. A mão do Führer fora reforçada. A guerra se aproximava.

Em 15 de março de 1939, Hitler se aproximou de Toussaint na sala de recepção do Castelo de Praga. Haviam se passado cinco meses e duas semanas desde o Acordo de Munique. Apesar das promessas de que, se a questão dos Sudetos fosse resolvida, ele não quereria mais terras, Hitler havia engolido o que restara da Tchecoslováquia, em seu estado enfraquecido pós-Munique. Beneš havia abdicado e fugido para o exílio em Londres, e Hitler havia intimidado seu sucessor, Emil Hácha, um juiz idoso e frágil, até subjugá-lo. No dia anterior ao encontro com Toussaint, ele chamara Hácha para Berlim, e, sob ameaça de invasão, forçara-o a assinar um acordo desmembrando o país que fora criado apenas vinte anos antes. Foi concedida a independência eslovaca sob o domínio fascista local, e as demais terras tchecas se tornariam o protetorado de Boêmia e Morávia — "Protektorat Böhmen und Mähren". Grã-Bretanha e França, percebendo o que estavam enfrentando, retiraram seus embaixadores. Como Toussaint temia, em 1938, a contagem regressiva para a guerra europeia havia começado.

Hitler havia seguido seu exército para as terras tchecas e estava recebendo membros da legação alemã em um magnífico salão do castelo. Ele percorria sem entusiasmo a fileira de recepção. Quando chegou a Toussaint, o Führer se demorou diante dele. Hitler teve que esticar o pescoço para encarar Toussaint, mais alto, que usava a túnica cinza da Wehrmacht, assim como quando assistira a um perigoso funeral em Cheb como enviado daquele homem. Hitler também estava de uniforme militar, um marrom, simples, que ele mesmo havia desenhado para si. Os dois homens usavam a medalha da Alemanha por bravura extraordinária: a Cruz de Ferro, Primeira Classe, conquistada por ambos nas batalhas da Primeira Guerra Mundial.

O Führer havia acabado de ocupar o Castelo de Praga sem que um tiro fosse disparado. Hitler sorria enquanto conversava com Toussaint. Fora um momento de triunfo para o Führer, e Toussaint o ajudara. Se Hitler soubesse o que Toussaint pensara, sentira e dissera ao longo de tudo, como Toussaint havia combatido os esforços do Führer para desencadear uma guerra, ou seus sentimentos sobre os nazistas, talvez não houvesse sido tão cordial. Se Toussaint sentiu algum desconforto, não demonstrou. Por fim, Hitler seguiu em frente, e foi muito mais brusco com os demais.

Toussaint logo recebeu outro sinal de confiança do Führer: o Oberkommando der Wehrmacht (alto-Comando da Wehrmacht, conhecido como OKW) em Berlim informou que ele se mudaria para o Leste, estabelecendo-se como adido em Belgrado em tempo integral. Toussaint deve ter se perguntado, depois de sua experiência em Praga, quanto tempo levaria para Hitler tomar posse da Iugoslávia.

Quando Toussaint encerrou seu serviço em Praga e partiu, entrou a permanente burocracia da ocupação alemã. Chegaram aos milhares, militares e civis. Os Vigilantes de Praga desviavam o olhar ou choravam abertamente por sua cidade — seus edifícios estavam fisicamente intactos, mas haviam perdido a qualidade fantástica, o espírito excêntrico. Os representantes do Reich também vigiavam Praga, mas com olhos de lobo. Precisavam de edifícios para trabalhar e morar, e fizeram listas do que desejavam, comprando-os do estoque do que fora deixado para trás pelas famílias judias que haviam fugido do país. O edifício de quatro andares do banco Petschek, no centro, com sua rica ornamentação ao estilo Medici, foi escolhido pela Geheime Staatspolizei ("Polícia Secreta"): a Gestapo. Aquela estrutura semelhante a uma fortaleza seria sua nova sede em Praga. Suas abóbadas subterrâneas — pequenas salas sem janelas com portas de ferro trancadas por fora — seriam usadas como celas, e se tornariam o lugar mais temido da cidade.

E o palácio de Otto, sua expressão de trezentos anos de Iluminismo e progresso? Foi escolhido para servir de quartel-general do novo comandante da Wehrmacht, o general Erich Friderici. Ele ficaria com os jardins, a casa e seu conteúdo: as taças vermelhas da Boêmia e os relógios franceses de ouropel, as cômodas genovesas e o par de tronos dourados da Renascença. Os alemães eram bons em avaliação. Ao inventariar as muitas residências da família Petschek, atribuíram o valor mais alto — de longe — ao microcosmo europeu que Otto havia criado em seu complexo em Bubeneč. O novo comandante da Wehrmacht herdaria até uma equipe treinada de empregados, liderada por um mordomo que morava na pequena portaria e sabia tudo sobre como manter a propriedade funcionando.

Na noite anterior à ocupação do palácio pelos alemães, Pokorný entrou na mansão. Deslizou pelos corredores curvos como um fantasma. Na mão, ele carregava um grosso saco de lona. Era como os que Otto usara para embrulhar a raiz das árvores que importara, agora profundamente ancoradas em seu jardim.

Pokorný percorreu a espinha curva do palácio, entrando e saindo dos aposentos, e foi enchendo a sacola com a prata de Otto e outros itens valiosos. Pegou apenas peças de primeira, deixando o suficiente para trás para que não ficasse óbvio que faltava algo.

Quando a sacola estava cheia, ele a fechou e foi para o pátio. Encontrou um canto escuro da propriedade, onde cavou um poço fundo o bastante para conter o grande embrulho, e o enterrou no solo, recolocando a terra sobre ele. A seguir, voltou para sua portaria, na escuridão, pronto para proteger da melhor forma possível a obra-prima de Otto.

6
O HOMEM MAIS PERIGOSO DO REICH

O COMPORTAMENTO DE TOUSSAINT DEPOIS DE deixar Praga poderia facilmente tê-lo levado a um campo de concentração — ou a um túmulo não identificado. Mas, em vez disso, ele acabou como mestre do palácio Petschek.

Ele havia assumido sua nova missão em Belgrado em 1939, e assistira de camarote a Hitler voltar sua mira para a Polônia, usando as mesmas estratégias com que havia conquistado a Tchecoslováquia: crescente demanda por território; promessas de negociar se seus termos fossem cumpridos antecipadamente; e declarações de paz acompanhadas de provocações encenadas na fronteira. Os alemães por fim a invadiram em 1º de setembro. Mais sábios depois de Munique, os aliados da Polônia, da Grã-Bretanha e da França declararam guerra em 3 de setembro.

Toussaint havia conseguido falar francamente com Hencke em Praga, apesar das associações nazistas deste. Em Belgrado, ele procurou outro confidente para dividir suas opiniões sobre a rapacidade de Hitler e a loucura da guerra. E achou ter encontrado um em seu vice, Arthur Laumann, o adido da força aérea.

Laumann devia parecer confiável. Ele era, assim como Toussaint, um veterano da Primeira Guerra Mundial demasiadamente condecorado e portador da Cruz de Ferro.

Mas Laumann não era Hencke. Embora houvesse sido expulso da força aérea depois da Primeira Guerra Mundial, conseguira voltar por meio de uma das brigadas paramilitares voluntárias do Partido Nazista. Fora nomeado SA-Standartenführer, e acabara sendo transferido para a nova força aérea alemã supervisionada pelo corpulento camarada de Hitler, Hermann Göring. Laumann evidentemente se ressentia de Toussaint por seu cargo de chefe, e cobiçava seu lugar.

Laumann começou a registrar em segredo relatórios sobre seu chefe, metodicamente documentando as heresias de Toussaint. Enviou tudo a Berlim durante o outono, talvez esperando que autoridades superiores tirassem Toussaint e pusessem a ele mesmo no comando. Mas meses se passaram e, para frustração de Laumann, nada aconteceu. Distraída com a campanha polonesa e as crescentes hostilidades com a Grã-Bretanha e a França, Berlim estava aparentemente ocupada demais para dar atenção à crescente pilha de relatórios sobre as visões "reacionárias" de um adido de Belgrado.

Até que as coisas complicaram. Em 8 de novembro de 1939, uma bomba-relógio explodiu em Munique, sob o palanque, durante um comício nazista. Hitler e seus principais assessores escaparam por poucos minutos, pois haviam inesperadamente ido embora mais cedo. Oito pessoas morreram e sessenta e duas ficaram feridas pela poderosa explosão. No dia seguinte, com o culpado ainda solto, Toussaint, Laumann e outros oficiais da legação de Belgrado se reuniram.

O representante da imprensa nazista, dr. Gruber, afirmou que o atentado havia sido uma conspiração judaico-britânica, imitando a linha seguida pelo partido de Berlim. Toussaint rebateu na frente dos superiores da legação. "Não posso concordar com a opinião do dr. Gruber de que a trama poderia ser atribuída a uma iniciativa judaico-britânica", afirmou. "É bastante claro que a trama vem de nossos próprios círculos. Goebbels e Himmler precisam provar que são realmente capazes de manter a ordem interna. Propaganda não é suficiente. Não há dúvida de que a oposição do partido está por trás disso."

A sala toda caiu em silêncio, chocada. Toussaint havia realmente dito que os próprios nazistas eram responsáveis por aquela bomba? Estava questionando a competência de Goebbels e Himmler? Havia exonerado os britânicos e, pior de tudo, os judeus?

Laumann mal podia acreditar em sua sorte. Dessa vez, certamente Berlim agiria. Enviou um relatório.

Em poucos dias, Toussaint recebeu ordens de voltar a Berlim imediatamente e se apresentar diante do chefe da inteligência do exército para responder a acusações de que era antinazista. Ele deve ter sentido pavor enquanto fazia as malas. O desaparecimento de dissidentes estava se tornando mais comum, inclusive no corpo diplomático alemão. Os nazistas já haviam assassinado pelo menos um adido da embaixada por se opor a eles. Toussaint deixou Belgrado sem saber se voltaria.

Em Berlim, o general Kurt von Tippelskirch interrogou Toussaint. O chefe de inteligência do exército, de trinta e nove anos e cabelos prematuramente grisalhos, havia avançado depressa para as fileiras superiores da Wehrmacht graças a seu intelecto aguçado. Sua astuta leitura de dados — e de pessoas — havia sido uma parte importante dos sucessos militares do Reich.

Toussaint não podia negar o que havia acontecido. Havia muitas testemunhas. De modo que alegou estar bêbado na ocasião, que suas palavras foram tiradas de contexto e que ele não quisera dizer aquilo. Toussaint não costumava beber no trabalho, e Von Tippelskirch certamente sabia disso.

Von Tippelskirch transmitiu suas descobertas ao chefe de gabinete do exército, Franz Halder. Ostentando cabelos raspados e óculos pincenê, o general Halder era, como Toussaint, do Velho Exército, um antigo tradicionalista da Wehrmacht. Ele havia sido o líder do golpe secreto que teria sido aplicado se o Ocidente enfrentasse Hitler em Munique, e que o abortara, em lágrimas, quando a Grã-Bretanha e a França cederam. Não tinha a intenção de perder um bom oficial por causa de boatos. A transgressão de Toussaint era menor em comparação com o que o próprio Halder estava secretamente pensando em fazer: assassinar o Führer. Na época, ele carregava uma arma pequena no bolso, caso de repente decidisse ele mesmo agir.

Halder determinou que o caso contra Toussaint não iria além no sistema disciplinar da Wehrmacht. Toussaint teve a sorte de que ainda era 1939, e que era investigado pela burocracia militar à qual pertencia — e não pelo aparato paralelo da SS. Mas, ainda assim, as alegações eram de um informante da Luftwaffe. O chefe dessa ala — o vice de Hitler, Hermann Göring — aparentemente precisava ser satisfeito também.

Halder marcou uma reunião entre Toussaint e Göring no quartel-general da força aérea. Göring havia sido aviador na Primeira Guerra Mundial, mas agora estava gordo demais para se espremer dentro de uma cabine de comando. Sua sala também era grande demais. Era extensa como um hangar de avião e tinha todo o encanto de um — o palco de um grande drama global, no qual ele considerava seu papel inferior apenas ao de seu amado Führer. A corpulência de Göring, suas roupas elaboradas e seu entusiasmo juvenil pelos brinquedos de guerra haviam levado algumas pessoas a subestimar sua crueldade. Mas, de um instante a outro, ele podia passar de um gentil extravagante a um frio assassino.

Göring deu uma bronca em Toussaint: "Não diga tanta bobagem quando estiver bêbado!" Göring tremia enquanto gritava. Por sorte,

Himmler e Goebbels — a quem Toussaint havia criticado — eram rivais de Göring. De fato, sabia-se que o próprio Göring os atacava ferozmente. De modo que decidiu não se vingar de Toussaint por fazer o mesmo.

Com isso, Toussaint estava livre. Halder concluiu que ele havia sido vítima de meros "rumores em Belgrado". Disse ao chefe do exército, Von Brauchitsch, que "o assunto não terá prosseguimento". Laumann deve ter ficado chocado ao ver Toussaint voltar ileso a Belgrado. Toussaint retomou seus deveres de adido, mas não aprendeu a lição.

No verão de 1940, mais uma vez contra as objeções de muitos militares de carreira alemães, Hitler atacou a França. Ele violou a Linha Maginot, derrotou as forças combinadas de franceses e britânicos e ocupou Paris. Von Tippelskirch, encontrando-se em uma companhia muito mais distinta que Toussaint, acompanhou os líderes franceses a Compiègne para assinar sua rendição, sob o olhar orgulhoso de Hitler. O Führer logo acrescentou a Bélgica, a Holanda, Luxemburgo e muitos outros à sua lista de territórios conquistados.

Ele não havia acabado com suas conquistas — nem com o papel de Toussaint nelas. Na aurora de 1941, o olhar voraz de Hitler se voltou para o leste, seu objetivo final. Contemplava a Operação Barbarossa, a tomada da União Soviética. Ele tinha um acordo com Stalin, um pacto de não agressão assinado pelos respectivos ministros das Relações Exteriores em Moscou em 1939, com a ajuda de um diplomata alemão designado para a tarefa: o amigo de Toussaint, Hencke. Mas Hitler não tinha intenção de honrar por muito mais tempo aquele pedaço de papel.

Antes do prato principal, Hitler decidiu tomar um aperitivo: a Iugoslávia.

Toussaint, mais uma vez, viu-se servindo ao Führer como um possível sacrifício humano. Mandaram-no permanecer em Belgrado no período que antecedera o atentado na Alemanha, depois de quase toda a legação ter sido evacuada. Dessa vez, isso não lhe agradou mais que em Praga, e ele escreveu imprudentemente para um colega do Velho Exército: "Eu luto internamente contra a ideia de que também neste caso a possibilidade de uma solução diplomática não seja considerada, e que recaia de novo sobre os soldados a tarefa de forçar uma resolução". Se essa carta caísse em mãos erradas, poderia causar problemas a Toussaint. A Alemanha não tolerava mais nem mesmo as mais leves críticas a Hitler. Por sorte, o destinatário da carta de Toussaint parece não a ter vazado.

Mas logo ele teve outros problemas. O bombardeio, que chovia ao redor de toda a legação, devastou Belgrado. Toussaint poderia facilmente ter sido morto por um único projétil errante de um bombardeiro nazista e ficado soterrado nas profundezas dos escombros. Mas sua sorte de batalha da última Grande Guerra ainda estava intacta, e ele sobreviveu incólume. Isso fez dele o alemão de mais alta patente do lado iugoslavo da linha. Ele ajudou a aceitar a rendição da cidade em 10 de abril.

Hitler o usou para suavizar seu caminho em direção a Moscou naquele verão. Toussaint observava o avanço de Hitler com ansiedade: Rolf estava entre os jovens oficiais que ajudavam a levar as tropas para o leste. O filho de Toussaint realizara seu desejo de lutar, entrando para a Wehrmacht em 1939, aos dezoito anos. Como pai, Toussaint sentiu medo quando os alemães avançaram para o leste, mas, como soldado profissional, deve ter ficado impressionado. Hitler conquistou o Báltico, a Bielorrússia e a Ucrânia na maior operação militar da história da humanidade: cerca de quatro milhões de soldados, seiscentos mil veículos motorizados e um número semelhante de cavalos penetraram uma frente de mais de três mil quilômetros de extensão.

Em outubro de 1941, os alemães estavam a poucos quilômetros de Moscou. Hitler, entusiasmado, fez uma rodada de promoções, incluindo a elevação da patente de Toussaint. A partir de então, ele chamaria Toussaint de o "general de olhos castanhos". Com essa nova patente, surgia uma nova designação — a partir de 1º de outubro, Toussaint seria Wehrmachtbevollmächtigter (o plenipotenciário da Wehrmacht) em Praga — e um novo lar: o palácio de Otto Petschek.

Naquele outono, Toussaint voltou à Cidade Dourada em seu novo cargo. Viu de novo o Castelo de Praga, o telhado vermelho deslizando ladeira abaixo daquela sede de reis tchecos, como um exército se espalhando pela bacia municipal. Sua progressão era pontuada por torres, campanários e torretas, e pelo rio Vltava, que corria pelo meio da cidade, atravessado por pontes antigas que ligavam Malá Strana à Cidade Velha. As ruínas podiam estar em chamas por toda a Europa, mas a Cidade das Cem Torres não havia perdido nenhuma delas no bombardeio.

Um dos edifícios de Praga, motivo de inveja em toda a Europa, seria usufruído por Toussaint. No salão de baile do jardim de inverno do palácio, ele podia observar o amplo terreno. As árvores estavam perdendo as folhas; seus longos braços nus arranhavam o céu. A paisagem era como uma pintura, o ideal platônico do outono emoldurado pelas vidraças douradas da sala. Mas as cores vivas do salão de baile ofuscavam o cenário: o rico medalhão vermelho e amarelo no piso de mármore, o verde e o rosa dos cães de porcelana dispostos nas paredes curvas. O tom mais brilhante provinha dos três lustres da sala: o brilho dourado de elaborados buquês de ouropel e porcelana, cada um contendo a plumagem de um grande pássaro feita de cerâmica de Meissen.

O palácio e a cidade que o abrigava eram um oásis em um continente em chamas. A leste, as forças alemãs estavam entrando na União Soviética. A oeste, a guerra aérea era implacável: a Alemanha ainda sobrevoava a Grã-Bretanha em combate aéreo, e os obstinados britânicos bombardeavam a Alemanha de volta. Mas, no complexo Petschek, os únicos incendiários eram os pedaços de lenha que queimavam na lareira da biblioteca. Sua luz brilhava sobre Goethe, Schiller e Wagner, que forravam as prateleiras em fileiras organizadas.

Lilly chegou de Munique; Toussaint estava feliz por dividir uma casa com sua linda esposa de novo. (*Ver imagem 6.*) Os dois foram tomar sol no pátio, enquanto o filhote de terrier escocês ficava no colo dela ou arrancando folhas do vasto gramado. Para Toussaint, qualquer lugar com Lilly era maravilhoso, mas estar com ela ali, em meio àquele esplendor, era glorioso. O filho dos dois, Rolf, saiu de licença da frente russa e foi visitá-los, reunindo a família de novo. Rolf havia visto uma grande carnificina quando lutara no leste, no verão de 1941, ele próprio sofrera dois ferimentos graves. Uma baioneta atravessara seu braço e ele levara um tiro na perna. Os ferimentos não diminuíram o entusiasmo de Rolf pela luta. Seus superiores notavam seu "grande zelo e energia" e sua "atitude positiva em relação ao socialismo nacional", considerando-o "muito, muito promissor". Toussaint ficou alarmado com a simpatia duradoura do filho pelo hitlerismo e o proibiu de se associar ao Partido Nazista, assim como o impedira de entrar na Waffen-SS na adolescência. Mesmo assim, Toussaint sentia orgulho do serviço do único filho e aproveitou o tempo que passaram juntos. Eles duelaram no xadrez, sob o brilho caloroso dos lustres de Otto, que lançavam sombras sobre o tabuleiro.

Pokorný e a equipe acabaram aceitando os novos patrões, e até gostando deles — tanto quanto poderiam gostar de um ocupante. Ele tinha maneiras elegantes e tratava seus funcionários com muita polidez. Toussaint notou que o palácio estava funcionando sem problemas sob os cuidados de Pokorný, e permitiu que o alto e sério tcheco tivesse total liberdade para administrar as coisas. Toussaint parecia gostar do espírito do palácio. O mordomo e seus colegas devem ter ficado surpresos na primeira vez que viram o general se entregando a seu hobby, a pintura, e até chocados ao notar que ele era muito bom nisso. O esteticismo dava a Toussaint uma sensibilidade em relação ao palácio e aos objetos preciosos que o preenchiam.

Toussaint certamente se comparava favoravelmente aos dois generais que haviam vivido ali antes dele. Eles haviam tratado o palácio com crueldade. Prata, porcelana e vidro haviam sido retirados. Os armários de Martha foram despojados para presentear esposas ou namoradas: "Saíam visons e castores, a maravilhosa zibelina e o arminho, os grandes casacos e capas de Paris, dezenas de luvas brancas, montes de vestidos de seda, lingeries e penhoares, roupas de cama do enxoval bordado em mosteiros". Duas décadas de luxuosos presentes de Otto foram levadas em uma única manhã, enquanto Pokorný e sua equipe espiavam do segundo andar, tomando cuidado para não serem vistos.

Os alemães haviam inventariado meticulosamente o que fora deixado para trás após seus ataques. Os móveis e outros artigos foram numerados, rotulados e carimbados com o *Reichsadler*, o símbolo do regime nazista: uma águia estilizada com a cabeça virada para a esquerda, as asas abertas, segurando nas garras uma coroa de flores ao redor de uma suástica. O símbolo foi afixado na parte inferior tanto de antiguidades raras quanto de bancos de cozinha. Entre os objetos que tinham essa marca, havia uma antiga mesa francesa, com um tampo de cerejeira ornamentado, bordas arredondadas e pernas finas e curvas adornadas com latão. Ela acabaria ficando na rotunda oval que servia de salão de recepção do palácio, com a suástica e o número de série residindo permanentemente embaixo dela, esperando ser descoberta pelas gerações futuras.

Parece que Toussaint não roubou nem inventariou nada. Ele confiava em Pokorný, permitindo-lhe que, em sua dedicação, preservasse a casa exatamente como Otto a deixara. O mordomo fazia a manutenção no sistema de roldanas da parede retrátil e em outros mecanismos internos, cujos mistérios só ele entendia. Ele mesmo lavava as janelas, lustrava as luminárias de liga de ouro de Otto e lixava e encerava de novo o piso de madeira. Assegurava-se de que os livros nas prateleiras da biblioteca fossem espanados, e os móveis, polidos e bem cuidados — e era discretamente fanático por manter cada item onde Otto o havia colocado. Evitava qualquer mudança, acreditando que o gosto de Otto era o padrão.

Toussaint, um observador perspicaz, deve ter notado que os livros judaicos de Otto continuavam na biblioteca: uma Bíblia do Antigo Testamento, em hebraico e alemão; *History of the Jews*, de Graetz; os dez grandes volumes alinhados da *Encyclopaedia Judaica*, publicada em Berlim; todas as obras de Heine e muitos mais. Toussaint não jogou fora os livros judaicos, nem descartou outros artefatos judeus do palácio, como a cadeira do rabino medieval. Ele poderia ter se metido em confusão se o convidado errado os houvesse notado, mas os manteve assim mesmo.

Pokorný poderia ter feito pior que Toussaint — muito pior, como demonstra uma matéria que saiu na imprensa tcheca pouco tempo depois da chegada do general. Era uma abordagem consideravelmente diferente de Otto e sua criação:

> O judeu Petschek se considerava um príncipe [...] Seu palácio foi reconstruído três vezes antes de por fim atender aos desejos e às demandas do judeu. Tem enormes salões de mármore, portas altas, escadarias também de mármore, azulejos de pedras coloridas cujos desenhos são principalmente estrelas sionistas. Tudo para impressionar visitantes e convidados. Mas o arranjo desses corredores e salas é tão tolo que é necessário um mapa para andar pelo palácio [...] E quais eram as circunstâncias dos trabalhadores das minas de linhito, de onde saiu o dinheiro desses judeus e que eles desperdiçaram? [...] a

família Petschek abandonou a orgulhosa casa [...] As pernas de Petschek jamais entrarão no belo Protetorado da Boêmia e Morávia, nem [no] palácio.

Pokorný torcia para que os Petschek estivessem seguros, onde quer que fosse, e protegia o palácio e tudo dentro dele como se eles fossem voltar a qualquer momento. E ficaria ainda mais ansioso se soubesse de todas as intenções do regime nazista para a família. Como parte do planejamento de contingência para a guerra com a Grã-Bretanha, a SS, na primavera de 1940, fez uma lista de civis visados e a datilografou, imprimiu e encadernou em uma conveniente edição de bolso. A "Lista de Prisões da Gestapo para a Inglaterra" consistia em duas mil oitocentas e vinte almas a serem imediatamente caçadas e detidas caso os alemães ocupassem essa nação insular. Entre os nomes listados estavam Viktor, Eva, Rita e Ina Petschek, todos indicados como "*Jude*".

A promoção de Toussaint implicava uma obrigação social que ele não podia recusar. Naquele mês de outubro, Hitler convidou Toussaint para jantar no Wolfsschanze — a Toca do Lobo —, o *bunker* "secreto, fortemente defendido" de Hitler nas florestas do leste da Prússia, perto da fronteira com a Polônia. Toussaint foi para o norte em um avião da Luftwaffe para encontrar o homem que estava confundindo as expectativas dos próprios generais e ceifando a Europa. Hitler chegava ao auge do poder, e o ataque final a Moscou havia começado: a Operação Tufão.

Hitler recebeu Toussaint, às duas da tarde do dia 6 de outubro, em sua sala de jantar privada. Havia uma janela panorâmica com vista para a floresta atrás do Führer, e um mapa da Operação Tufão na parede ao lado. Toussaint foi guiado até o lugar de honra, em frente a Hitler. Os dois — ambos pintores — falaram um pouco sobre arte. Logo Hitler estabeleceu um monólogo extenso, seu comportamento típico nesses almoços — ficava claro que o esperado era que seus convidados apenas servissem de público. Toussaint, embora novo ali, rapidamente entendeu a dinâmica e ficou ouvindo atentamente, enquanto os pratos iam e vinham. Hitler permitia que eles comessem enquanto falava, mas Toussaint, que adorava carne, deve ter achado o cardápio duvidoso: todos receberam o mesmo prato de vegetais que Hitler, que era um vegetariano dedicado.

Hitler começou com uma visão geral da situação política tcheca, especialmente para Toussaint. O odiado oponente de Hitler, o presidente Beneš, estava em Londres, causando problemas de longe. O velho que substituíra Beneš, Emil Hácha, era bastante flexível; Hitler quase tinha pena dele, tão fácil de manipular. Mas outros haviam sido pegos recebendo ordens de Beneš, incluindo o primeiro-ministro tcheco, agora preso. Hitler achava que Beneš ainda estava dirigindo o país mesmo ausente, os tchecos não estavam cedendo e a economia estava infestada de sabotagens.

Hitler descreveu a Toussaint o que tinha em mente para o novo governo: "O sistema de resgate/reféns". Proclamou que "se o responsável por um ato de sabotagem não for imediatamente determinado, dez reféns predeterminados da mesma fábrica serão mortos. Nas fábricas em que atingem um bom desempenho no trabalho e não praticam atos de sabotagem, os trabalhadores receberão rações alimentares maiores". Então, Hitler disparou em uma longa tangente, dando vazão à sua obsessão com comida e declarando que "a mulher tcheca é famosa por suas habilidades culinárias". Ele explicou sua teoria de que, "quando um trabalhador recebe uma ração alimentar maior, sua esposa se certificará de que o trabalho nessa fábrica seja satisfatório".

Toussaint olhava para os legumes em seu prato e não dizia nada. Mas a coisa piorou quando Hitler se voltou para as únicas pessoas que odiava ainda mais que a Beneš e aos tchecos: os judeus. "Todos os judeus do protetorado devem ser removidos, e não para qualquer lugar no governo geral, mas diretamente para o Leste. Isso, momentaneamente, não é viável, porque as forças armadas precisam de meios de transporte para a campanha oriental. Todos os judeus de Berlim e da Áustria devem desaparecer simultaneamente aos do protetorado. Em todos os lugares, os judeus são o canal através do qual as notícias do inimigo se espalham à velocidade da luz". Ele se voltou para os tchecos. "Depois da guerra, pretendo transferir os elementos racialmente indesejáveis da região da Boêmia para o Oriente e instalá-los lá [...] se alguém os espalhasse pelos territórios orientais, eles poderiam ser supervisores muito bons".

Quaisquer que fossem seus pensamentos, Toussaint os guardou para si. Uma coisa era refutar as teorias de conspiração sobre os judeus em uma sala de conferências em Belgrado, e outra totalmente diferente era dizer qualquer coisa ali. Depois do almoço, ele pegou o avião de volta a Praga. Não havia como escapar da natureza do cargo que estava assumindo.

A difícil situação de Toussaint só piorou com seu novo chefe, anunciado no final de setembro: Reinhard Heydrich, o Reichsprotektor em exercício. (*Ver figura 7.*) Com apenas trinta e sete anos, ele era o principal oficial alemão nas terras tchecas e um modelo ariano: louro, atlético e bonito, mas com um nariz muito comprido e olhos vazios. Era um dos favoritos de Hitler, e alguns até comentavam que ele seria o eventual sucessor do Führer. Heydrich fora expulso da marinha por causa de mau comportamento com uma mulher, mas encontrara sua segunda chance no Partido Nazista. Ele a aproveitara ao máximo, distinguindo-se por planejar e executar o expurgo dos concorrentes nazistas de Hitler em 30 de junho de 1934 (na mesma noite em que Otto havia morrido): a Noite das Facas Longas. Heydrich também havia sido um dos principais organizadores da SS e ajudara a transformá-la, das humildes origens de menos de mil membros a uma força de mais de duzentas mil pessoas em 1941. Era um aparato paramilitar forte que rivalizava com as forças militares tradicionais de Toussaint como um centro de poder. No processo, Heydrich havia se tornado o substituto de Himmler, papel que ele representava com seus demais deveres em Praga. O fato de Heydrich ter sido despachado para lá era uma prova de como o protetorado era importante. (*Ver imagem 7.*)

Como muitos outros do Velho Exército, Toussaint certamente tinha pouca simpatia por Heydrich. A desconfiança era mútua, principalmente porque Toussaint estava associado aos velhos antagonistas de Heydrich nas forças armadas. Mas essa antipatia não impediu que Toussaint fosse arrastado para a teia de Heydrich quando os dois assumiram novos cargos.

Em outubro de 1941, Heydrich se reuniu secretamente com seus companheiros em Praga. O grupo decidiu criar um gueto judeu no protetorado, alegando que seria um "campo de trânsito temporário" para a "evacuação" dos judeus a "regiões orientais" — a mesma retórica que Toussaint ouvira Hitler usar em seu *bunker* secreto. Alguém sugeriu Terezín, onde havia tropas permanentes. Mas a Wehrmacht estava alojada em parte da cidade; acaso o novo chefe da Wehrmacht abriria mão do lugar? Heydrich disse que discutiria isso pessoalmente com Toussaint. Mas ele deve ter pensado melhor, talvez com medo de uma negativa embaraçosa. Heydrich era muito sensível em relação à própria honra, e um pouco da reputação de Toussaint devia ter chegado até ele. De modo que ordenou que seus subordinados da SS falassem com o Wehrmachtbevollmächtigter.

Toussaint pensou na solicitação. Não estavam lhe pedindo para fazer nada desfavorável, só para afastar seus homens de Terezín. Qualquer tcheco que fosse forçado a se mudar por causa disso seria reembolsado. Mas, mesmo assim, àquela altura, ele não tinha dúvidas a respeito do que estaria permitindo. Em 15 de outubro de 1941, ele disse ao assessor de Heydrich, Horst Böhme, que se fosse politicamente necessário, retiraria a guarnição. Talvez houvesse um leve aroma de relutância nessa condição, mas foi descartado. Toussaint teria sido um homem melhor se justificasse o medo de Heydrich de receber um não, mas o general recém-promovido ainda estava sondando o terreno de seu novo cargo, de modo que concordou.

Heydrich parece ter se sentido encorajado pelo consentimento de Toussaint. O corolário de expulsar os judeus das terras tchecas e para o leste era fazer os alemães entrarem — os primeiros passos para realizar os planos de Hitler de criar o *Lebensraum* alemão. Em novembro, o vice de Heydrich convidou Toussaint para conversar sobre a criação de zonas de amortecimento em torno dos sítios militares germanos, a serem preenchidas exclusivamente por alemães. O número dois de Heydrich não era outro senão Karl Hermann Frank — o mesmo líder alemão dos Sudetos com quem Toussaint trabalhara em 1938. Magro, pele esticada sobre o rosto achatado, orelhas salientes como asas de morcego. Os planos que discutiam haviam se originado no OKW, em Berlim. Toussaint teria certa influência para determinar quais propriedades poderiam ser tomadas, e todas as demais ações exigiriam agendas coordenadas. A minuta do memorando equilibrava delicadamente as responsabilidades entre o Reichsprotektor, a Wehrmacht e uma empresa de reassentamento de terras com sede em Berlim. No entanto, também afirmava com certeza que o objetivo era "estabelecer famílias alemãs politicamente confiáveis e racial e biologicamente valiosas nas áreas vizinhas às propriedades militares". Heydrich e Berlim esperavam que Toussaint assinasse o projeto. Mais uma vez, como em Terezín, o novo Wehrmachtbevollmächtigter acabou aceitando.

Quando o outono deu lugar ao inverno de 1941, o cenário visto através da parede retrátil do jardim de inverno havia mudado de novo. Toussaint e Lilly olhavam para o parque coberto de neve, com as árvores nuas subindo no dossel cinza do céu. A luz do dia, mais suave nessa estação, entrava no salão de baile — era mais sutil, mas suficiente para que Toussaint pudesse pintar ali sem se expor à intempérie. Isso era um benefício do design de Otto. O jardim de inverno sempre era mais surreal quando o ano velho acabava e o novo começava. Ali dentro, os lustres, com suas flores de ouropel permanentemente abertas, tinham o calor da memória do verão; do lado de fora, os jardins reais estavam cobertos de branco, como uma escultura envolta por um lençol.

Naquele inverno, a vida de Toussaint no palácio foi cada vez mais ofuscada por eventos além dos muros. Em meados de dezembro de 1941, os Estados Unidos haviam entrado na guerra — Toussaint se lembrava muito bem do papel deles na inclinação da balança na Primeira Guerra Mundial. E se preocupava com Rolf na frente oriental. O inverno trouxera consigo privação para os alemães, assim como acontecera com as tropas de Napoleão um século antes. As perdas alemãs haviam aumentado, e Toussaint ouvia crescentes relatos de amigos ou filhos deles — ou ambos — perecendo ali ou na frente ocidental. Seu antigo colega de Praga, Friedrich Möricke, estava entre os mortos. A cada novo informe, o cabelo de Toussaint ficava um pouco mais grisalho.

Ao se estabelecer no cargo, Toussaint se irritou com a brutalidade da SS, a ponto de ser indiscreto mais uma vez. Mandaram-no "escrever um memorando explicando por que a produção de armas em Praga caíra 11%". Ele respondeu que "o principal motivo do declínio da produção dos tchecos [...] reside na limitação de qualquer razão saudável para a indústria e a vida da população [...] Suas duas principais queixas são: 1) Não há reparação contra os atos despóticos da SS; e 2) A população só tem permissão para manter uma pequena quantidade de dinheiro em casa. Portanto, um homem não sente que está trabalhando para si e sua família".

O povo tcheco estava ficando inquieto com os abusos da SS, fazendo Toussaint enfrentar uma nova preocupação: a possível atividade de guerrilha. Chegavam vários relatórios de paraquedistas que haviam pulado no Protetorado de Boêmia e Morávia. Toussaint negociou um protocolo com Heydrich e o vice, Frank, para apreender os comandos. Heydrich realizou uma grande varredura de segurança e prendeu centenas de tchecos. Mas não encontrou paraquedistas. Com sua arrogância característica, concluiu que, se não os encontrara, não deveriam existir. Toussaint, por sua vez, não tinha tanta certeza. Ordenou que seus homens continuassem a busca.

Heydrich constantemente ia e voltava de Praga. Toussaint provavelmente não pensou nada quando o Reichsprotektor partiu de novo, em 19 de janeiro de 1942; se é que notou sua partida. Heydrich mal anunciou o motivo de sua viagem. Foi a Berlim para presidir a conferência secreta de Wannsee no dia seguinte, lançando uma nova fase no esforço contínuo de eliminar todos os judeus do território alemão. Heydrich havia convidado representantes mais antigos das dezenas de agências governamentais cujas responsabilidades se referiam ao "problema judaico". Eles entraram, um por um. Nem mesmo seus colegas sabiam de seu destino. Adolf Eichmann, colega de Heydrich na SS, ajudou-o a dirigir a reunião.

Heydrich foi sincero com o público atento. Os judeus seriam aniquilados. Trabalhariam até a morte e seriam deixados em fábricas de assassinatos — campos da morte, a serem montados em todo o território que a Alemanha controlava. Heydrich alinhava o intrincado e extenso Estado nazista com a visão de Hitler. Os homens de cinza e óculos ao redor da mesa de reunião pareciam burocratas. Na verdade, eram assassinos em massa em treinamento, que discretamente fariam parte de um dos crimes mais horrendos da história da humanidade. Ficaram satisfeitos com a eficiência do plano, e houve uma discussão animada sobre como implementá-lo e melhorá-lo. A Solução Final foi acionada.

No final da primavera, Toussaint e Lilly foram convidados por Heydrich para assistir a um concerto que ele havia organizado em homenagem a seu falecido pai. Richard Bruno Heydrich fora um notável cantor de ópera, um compositor um pouco menos célebre e diretor de um conservatório de música. O nome de seu filho, Reinhard, devia-se ao herói da ópera merecidamente esquecida de Bruno, *Amen*. Como Reichsprotektor, Heydrich poderia remediar o fato de o mundo ter fracassado em reconhecer a obra do pai. Em 26 de maio de 1942, ele receberia tratamento de estrela no Palácio Wallenstein. Era um convite que os Toussaint não podiam declinar. Eles entraram e se sentaram na primeira fila, ao lado dos Heydrich. Socializar com os nazistas não deve ter sido fácil para Lilly, devido à morte do irmão.

Quatro músicos da escola de música de Bruno tocaram partes de *Amen*. Houve, no entanto, um número que eles evitaram: uma ária intitulada *Reinhard's Crime*. Quando a apresentação acabou, houve aplausos fortes, com uma exceção. Toussaint manteve uma mão na lateral do corpo, e na outra segurava o programa enquanto o inspecionava atentamente, de cabeça baixa.

Heydrich não se deu conta disso. A música do pai estava sendo tocada em salas normalmente reservadas a Mozart e Beethoven. E, melhor que isso, Heydrich tinha um segredo delicioso: no dia seguinte, viajaria para falar com Hitler, possivelmente sobre a expansão de seu novo papel de planejador-mestre da Solução Final. Ele estava ansioso pela reunião.

Na manhã seguinte, o motorista de Heydrich ligou para a casa do Reichsprotektor às dez da manhã. Heydrich partiu no banco de trás da Mercedes conversível verde. Ele pretendia passar no Castelo de Praga e depois seguir para o aeroporto.

Dois dos paraquedistas sobre os quais Toussaint havia alertado Heydrich estavam esperando por ele em uma curva fechada, ao pé da colina. Jozef Gabčík e Jan Kubiš estavam vestidos à paisana. Beneš, como presidente do governo no exílio, havia enviado os dois da Inglaterra para revidar a ocupação. Gabčík, eslovaco, de baixa estatura mas robusto. Ele fingia estar esperando um ônibus no ponto onde Heydrich entraria para pegar a estrada principal. Embora o dia estivesse agradável, ensolarado e quente, ele estava com uma capa de chuva que escondia uma metralhadora. Kubiš, tcheco, esbelto e bonito, de mandíbula forte e covinha no queixo, estava do outro lado da rua, escondido no umbral de uma porta recuada, com duas granadas antitanque na maleta. Um pouco acima da colina havia um terceiro paraquedista, Josef Valčík. Sua arma era um espelho de barbear. Ele o usaria para refletir um clarão da luz do sol, indicando aos outros quando Heydrich se aproximasse.

Para a tentativa de assassinato mais bem-sucedida da Segunda Guerra Mundial, essa operação foi um fracasso quase completo. Quando o conversível de Heydrich desceu a colina, Valčík sinalizou, como planejado. Mas, aí, deu tudo errado. Quando o veículo se aproximou da curva, Gabčík foi o primeiro a agir. Ele puxou a metralhadora do casaco e tentou atirar no carro que passava pelo ponto de ônibus. Mas a arma emperrou. No banco de trás, Heydrich o fitou, incrédulo. Alguém estava tentando matá-lo; ali, na terra que ele pensava ter pacificado. Gabčík não tirava os olhos do Reichsprotektor enquanto tentava furiosamente fazer a arma funcionar.

Mas a arrogância de Heydrich salvou a operação. Se houvesse fugido, teria passado intocado. Mas ele ordenou ao motorista que parasse o carro para poder matar Gabčík, que ainda estava no lugar, puxando o gatilho em vão. O carro freou na esquina, guinchando, dando a Kubiš a oportunidade de sair do umbral da porta e jogar uma granada no veículo parado. Mas a granada só atingiu a roda traseira, explodindo e lançando estilhaços por todo lado, inclusive no rosto de Kubiš.

Heydrich, com seu uniforme pontilhado de estilhaços, saiu cambaleando em meio à fumaça da explosão, com a pistola na mão. Foi em direção a Gabčík, que por fim correu. O aparentemente indestrutível Heydrich o perseguiu, e, de repente, caiu em agonia. Os estilhaços haviam penetrado seu corpo e perfurado os órgãos. Enquanto isso, Kubiš, com o rosto coberto de sangue, era perseguido pelo motorista de Heydrich, que sacara a arma. Kubiš conseguiu montar em sua bicicleta e sair pedalando antes que o motorista, desorientado pela explosão, pudesse detê-lo. A arma do motorista também foi vítima do espírito do mau funcionamento que baixou sobre aquele campo de batalha improvisado. Valčík, o menos visível do trio, com o espelho enfiado no bolso, afastou-se dali.

As notícias logo chegaram a Toussaint, que ordenou que seus homens fossem de porta em porta procurando os assassinos e qualquer pista sobre a identidade ou sobre o paradeiro deles. Uma bicicleta e uma capa de chuva foram deixadas para trás no local. A arma emperrada foi descartada ali onde não funcionara. Pedaços de granada estavam espalhados pela rua. Todo o tráfego de e para Praga cessou; cada alemão uniformizado foi urgido a agir.

Ao saber do ataque, Hitler bradou que iria matar dez mil tchecos. Toussaint ficou aliviado quando seu superior direto, o general Friedrich Fromm, instruiu-o a não permitir que seus homens participassem de represálias contra civis. Toussaint acreditava que a Wehrmacht era diferente dos nazistas, independente e honrada. Por mais moralmente insustentável que fosse, essa era a linha que ele traçara, e acreditava que isso o distinguia das piores maldades do regime ao qual servia.

∼

Em 4 de junho, Heydrich morreu de uma infecção resultante dos ferimentos. Beneš havia revidado contra Hitler, e o povo das terras tchecas estava tenso.

No dia seguinte, Toussaint estava cuidando da busca aos comandos quando uma ligação o interrompeu. Era o general Wilhelm Keitel, ministro da Guerra, ao telefone. Keitel, graças à cabeça angular, ao bigode fino, ao monóculo e à barriga, parecia um vovô sádico. Ele era detestado na Wehrmacht por bajular Hitler; os outros generais até o chamavam de "Lackeitel" (uma mistura de *lackey*, lacaio, com seu nome).

O que o ministro da Guerra do Reich dizia refletia sua reputação. As represálias pela morte de Heydrich ocorreriam em nome de Hitler. Toussaint e suas unidades da Wehrmacht receberam ordens de participação em massa. Keitel afirmou que "a intervenção ativa das forças armadas é necessária por uma questão de prestígio alemão".

As conversas de Toussaint com Fromm o levaram a acreditar que a questão de não mirar em civis fora deixada de lado. Seus homens eram soldados profissionais, não criminosos de guerra. Keitel o fez recordar que a tensão entre a Wehrmacht e a SS estaria no auge com a morte do último vice. Keitel argumentou com fúria que a passividade exacerbaria essas tensões em um momento em que eles não poderiam lidar com elas. Toussaint foi instruído a preparar um batalhão misto Wehrmacht-SS imediatamente.

Toussaint ligou para o general Fromm para relatar a conversa. Isso era insubordinação, de um tipo perigoso. Toussaint não tinha como saber se a SS havia grampeado a linha ou se Fromm o entregaria por desafiar uma ordem direta do superior de ambos. Mas Fromm recebeu bem a ligação. Ficou furioso. A independência do exército tinha que ser preservada. Fromm instruiu Toussaint a não fazer nada por ora e esperar novas ordens. Desligaram rapidamente, pois temiam que um dos telefones, ou os dois, estivesse grampeado, e a penalidade por insubordinação em época de guerra era a execução.

Naquela noite, no palácio, Toussaint esperava a resposta de Fromm. No começo da noite, o tempo parecia andar mais devagar ali: os longos corredores, as paredes de pedra fria e os cômodos banhados em sombras conferiam uma tranquilidade que fazia os minutos flutuarem em um ritmo diferente. Essa quietude era um presente de Otto para todos os residentes do palácio. Um silêncio que amplificava os pensamentos, e os de Toussaint não deviam ser agradáveis. O que ele faria se recebesse ordens de participar de atrocidades? Teria coragem de negar? O que seria de Lilly se ele desafiasse Hitler? E de Rolf? De fato, o que seria do próprio Toussaint?

Passaram-se vinte e quatro horas até que as notícias chegassem a ele: a ordem de Keitel fora cancelada. Keitel discutira, mas Fromm ficara firme. Não haveria batalhão misto. As tropas da Wehrmacht continuariam separadas, pelo menos por enquanto.

Toussaint foi a Berlim para o funeral de Heydrich em 9 de junho, e passou a maior parte do dia com seu amigo, o general Friedrich Olbricht. Olbricht também repudiava o Partido Nazista e era um daqueles raros oficiais militares alemães que apoiavam a República de Weimar. Era conhecido por sua coragem, inclusive por seguir a própria consciência, o que o levara a deixar escapar alguns dos alvos da Noite das Facas Longas e a defender um oficial de alto escalão acusado de homossexualidade. Ele até pulara na frente de sua divisão durante a invasão polonesa, transportando soldados em seu carro oficial e indo na vanguarda para proteger as pontes.

Enquanto cumprimentava Toussaint entre a multidão de militares reunidos para o funeral, Olbricht parecia mais um quitandeiro que um herói de guerra. Era de estatura mediana e aparência mansa, óculos redondos, queixo curto e sorriso fácil. Mas era o superior de Toussaint e de quase todos os demais presentes; fora promovido por sua bravura. O funeral atraiu os homens mais poderosos do Reich, até o mais alto escalão. Hitler e Himmler estavam entre as pessoas que falaram em homenagem ao falecido, e a cerimônia durou muitas horas.

Olbricht não tinha mais sentimentos que Toussaint em relação a Heydrich, e os dois saíram de fininho do enterro e ficaram do lado de fora do cemitério fumando e conversando com outros veteranos do Velho Exército. Mais tarde, reuniram-se para discutir assuntos do exército, incluindo o planejamento de exercícios militares. Com a saída de Heydrich, com pessoas do tipo de Halder (que em 1941 impedira que Toussaint fosse punido), com Fromm e Olbricht em Berlim, talvez as coisas melhorassem nas terras tchecas. Claro, os comandos tinham que ser capturados primeiro, mas isso certamente aconteceria em breve.

Toussaint foi acordado em Berlim, no início da manhã do dia 10, por um telefonema de um Oberstleutnant (chefe de gabinete) perturbado, Oskar Vorbrugg, que estava em Praga. Oskar disse que havia coisas sérias acontecendo por lá; rumores de atrocidades. Não se atrevia a falar mais por telefone. Ambos entendiam por quê. Vorbrugg implorou a Toussaint que não ficasse mais em Berlim; ele precisava voltar para Praga imediatamente.

Toussaint requisitou um voo e chegou a Praga às dez da manhã. Vorbrugg o recebeu com uma continência sombria. "Senhor, há terríveis boatos circulando na equipe sobre as atrocidades perpetradas pela Gestapo, e os oficiais estão bastante ansiosos. Um vilarejo foi destruído, e há uma agitação significativa entre os homens, pois eles não têm notícias detalhadas. Eu mesmo não pude saber mais detalhes."

Toussaint queria saber a fonte dessas estranhas alegações. Os oficiais receberam essas mensagens da imprensa, insistiu Vorbrugg. Toussaint ainda não conseguia acreditar. Quando voltou ao palácio para tomar banho e trocar de uniforme, as notícias do rádio já eram globais. Uma estação de Praga transmitiu a notícia:

> Como os habitantes da aldeia Lídice, perto de Kladno, cometeram as mais severas ofensas ao apoiar os assassinos do SS Obergruppenführer Heydrich, os homens adultos foram baleados; as mulheres foram levadas para um campo de concentração e as crianças receberão uma reeducação adequada. Os edifícios da aldeia foram demolidos e o nome da comunidade apagado.

Era inacreditável; os nazistas estavam, na verdade, promovendo o que haviam feito. Toussaint passou o dia em choque, cada vez mais incrédulo conforme surgiam mais detalhes. A demolição de Lídice havia sido um alerta contra qualquer resistência, mas os assassinatos inspiraram repulsa internacional — e também deixaram Toussaint louco. Isso desafiava não só os princípios do Velho Exército, como também a decência.

Ligaram para o palácio perguntando a Toussaint se seus homens estavam envolvidos. Não, não, não, gritava Toussaint ao telefone, agitado. A Wehrmacht não tivera nada a ver com aquilo. Ele mandou Vorbrugg convocar a equipe inteira, todos os oficiais sob seu comando. E os questionou. Eles garantiram que ninguém ali havia participado de Lídice. Toussaint condenou os ataques em uma linguagem que até alguns dos seus homens consideraram indiscreta. Disse a eles que ele procuraria Frank e exigiria uma explicação. Enquanto isso, eles teriam que acabar com os rumores de que haviam participado daquele show de horror.

Ele encontrou Frank, que estava ainda mais pálido que o habitual. O vice de Heydrich confirmou que as notícias do rádio eram precisas: Frank e seus oficiais haviam matado os homens, mandado as mulheres para os campos, levado as crianças e arrasado o local. Tinham informações de que Lídice estava ligada aos comandos, e a retaliação havia sido uma ordem direta de Hitler.

Toussaint perguntou a Frank se ele sabia como a Alemanha era vista pelo mundo graças a suas ações. Foi uma pergunta incisiva; o massacre era uma propaganda negativa aos olhos dos Aliados. Se Toussaint, um general alemão, estava revoltado, como o mundo deveria estar se sentindo? Frank sabia disso muito bem, mas confidenciou: "Se você soubesse o que o Führer exigiu de mim. Ele queria que eu praticasse ações violentas contra dez mil a quinze mil pessoas".

E Frank prosseguiu: "Você deveria julgar diferente meu comportamento, porque eu fui contra o Führer. Não existem muitas pessoas que fizeram isso". Toussaint recordou a Frank que havia limites, mesmo em tempos de guerra. Mas Frank já estava farto; respondeu bruscamente que nenhuma ordem do Führer podia ser criticada, e a discussão acabou.

As piores notícias ainda estavam por chegar. Apesar das ordens de Toussaint e de Fromm, a Wehrmacht estivera, *sim*, envolvida em Lídice. A SS havia requisitado tropas da reserva do exército que estavam de licença em uma remota aldeia tcheca. Essas tropas vigiaram o perímetro de Lídice durante o massacre, e um soldado até se oferecera para o esquadrão de execução. Além disso, a SS havia importado especialistas em explosivos da Wehrmacht, de uma guarnição do outro lado da fronteira, em Plauen, Alemanha. Eles haviam ajudado a demolir Lídice após o término do massacre, assegurando-se de que não restasse nada.

Nenhuma dessas tropas estava sob comando de Toussaint, mas isso não importava. Não havia mais limites morais entre a Wehrmacht e a SS, entre Hitler e a Alemanha. Eram a mesma coisa.

7
Praga está em chamas?

Praga; sexta-feira, 4 de maio de 1945

Rudolf e Rolf Toussaint estavam jogando xadrez no palácio. Pai e filho mantinham a cabeça inclinada sobre o tabuleiro, concentrados, e faziam seus movimentos. Tinham o mesmo perfil de nariz aquilino. Rolf era uma versão mais magra e morena do pai. O estilo de jogo de Rolf era mordaz e arrojado, refletindo sua propensão ao risco. O jovem havia sobrevivido a mais de cinquenta batalhas, superando a contagem do pai na guerra anterior. Ele parecia ter a sorte da família; escapara por pouco da morte várias vezes. Mais recentemente, enquanto lutava em uma trincheira, Rolf fora atropelado por um tanque. Esmagado sob a terra, foi escavando até sair, ofegante. Aquela fora a gota d'água para Toussaint, que convocara Rolf para ir a Praga como ajudante nos dias finais da guerra, sem dúvida esperando vigiar o filho único e imprudente e lhe poupar de mais ferimentos. (Toussaint havia escondido em segurança o terceiro membro da família, Lilly, na zona rural da Alemanha, longe do front.)

Toussaint era então um general de três estrelas e comandante das forças militares em Praga; dirigia a última posição da Alemanha, enquanto seu poder desmoronava em qualquer outro lugar. Os piores temores de Toussaint por seu país haviam passado. A Europa Ocidental fora retomada pelos britânicos e norte-americanos, e Berlim caíra nas mãos dos soviéticos dois dias antes; embora a luta continuasse sob controle, a capital estava perdida. Hitler estava morto, assim como as dezenas de milhões de pessoas de cujo assassinato ele fora responsável. Grandes faixas do continente eram só ruínas em chamas.

Mas o palácio resistira. Os pássaros de porcelana do jardim de inverno, com seu canto para sempre congelado, brilhavam dentro das gaiolas do candelabro. A biblioteca ainda protegia os livros hebreus dos Petschek. Pokorný estava por ali, como sempre, mantendo o brilho de todas as superfícies. A casa era um dos últimos lugares onde se podia, mesmo que por um tenso momento, imaginar que a Europa de antes da guerra ainda vivia.

Mas qualquer ilusão de tranquilidade estava prestes a terminar. Dois grandes exércitos estavam se aproximando de Praga. A leste, a Quarta Frente Ucraniana do Exército Vermelho vinha estrondosamente em direção à cidade, enquanto a Primeira e a Terceira frentes marchavam para se juntar a ela. A oeste estava o Terceiro Exército do general George Patton. Com quase meio milhão de homens fortes, esse batalhão estava entre as maiores unidades de combate que qualquer nação já havia mobilizado e havia atravessado repetidamente o Reno em ataques bem-sucedidos, capturando mais de vinte importantes centros urbanos e quase trezentos mil alemães. O alto e imperioso general americano, usando capacete de aço e revólveres com cabo de pérola, era famoso por sua velocidade; sua força gigantesca se movia como um pelotão de comando, voando rente à terra.

Toussaint analisou as fileiras de peças de xadrez humanas, pensando em fazer que Patton tomasse Praga antes dos soviéticos. A alternativa a isso — uma invasão comunista — era horrível demais para ser contemplada. Toussaint conhecia muito bem a brutalidade da vingança soviética. Se o general soviético Ivan Konev derrotasse Patton na capital tcheca, Toussaint não teria escolha a não ser lutar. Toussaint, suas tropas, Rolf, a própria cidade — tudo corria risco de destruição.

Mas nem tudo estava perdido ainda. Havia uma audaciosa sequência de jogadas disponível se o tabuleiro se desenrolasse da maneira certa, e Toussaint concordava com Frank. Primeiro, os alemães poderiam dissolver o protetorado. Depois, poderiam transferir o poder para o governo colaboracionista tcheco em Praga. Por fim, os tchecos — com a ajuda de Toussaint — poderiam enviar um emissário para convidar o Terceiro Exército do general Patton a tomar a metrópole. Não havia necessidade de derramamento de sangue. A cidade poderia ser salva, e Toussaint e os alemães poderiam se render aos americanos com dignidade.

Enquanto Toussaint jogava xadrez com o filho, esperava para saber se a jogada maior havia sido autorizada. Frank havia ido à Alemanha para obter permissão do sucessor de Hitler, o almirante Karl Dönitz. Por mais graduado que fosse, Toussaint ainda vivia segundo o código do soldado: respeitar a cadeia de comando. Mas ele estava cautelosamente otimista, acreditava que conseguiria o que necessitava quando ele e Rolf por fim empurraram as cadeiras para trás e foram dormir.

No sábado, 5 de maio, Toussaint foi notificado de que Frank estava de volta. O escritório de Frank no Palácio Czernin ficava a uma curta distância de carro, e Toussaint logo estava à sua porta. Frank, especialmente magro e abatido, tinha boas notícias, para variar: Dönitz aprovara o plano.

Às dez da manhã, os dois homens se reuniram com o primeiro-ministro colaboracionista tcheco, Richard Bienert. Ele era robusto e usava bigode, além de ser obcecado por detalhes. Frank manteve uma fachada de autonomia diante do governo colaboracionista tcheco — e Bienert usou cada centímetro da curta corda que possuía.

Toussaint falou pouco enquanto os outros dois homens negociavam. Aquilo era política, e ele era apenas um soldado. Ele havia confrontado Frank naquele mesmo escritório depois de Lídice. Agora, Frank estava recuando do poder de maneira tão furiosa quanto o havia buscado, tentando agradar os americanos. Se o Exército Vermelho chegasse a Praga, Toussaint, como representante da Wehrmacht e general, poderia esperar um mínimo de cortesia dos soviéticos — pelo menos não ser executado imediatamente. Mas era improvável que Frank, um importante nazista, recebesse qualquer tipo de misericórdia.

Depois de uma hora, enquanto Bienert e Frank acertavam os detalhes, a reunião foi interrompida pelo som de tiros ao longe. Um assessor entrou correndo e anunciou que os tchecos haviam tomado a estação de rádio; estavam trocando tiros com tropas alemãs que invadiram o edifício. Civis, polícia tcheca e membros tchecos das forças armadas do protetorado recusavam-se a obedecer aos comandantes alemães. Os partidários haviam assumido o controle da antiga prefeitura e prendido o prefeito pró-alemão.

A reunião foi abruptamente concluída. O Levante de Praga havia começado.

No sábado à noite, Toussaint estava com uma revolta completa nas mãos. Milhares de tchecos haviam se armado com mosquetes da Primeira Guerra Mundial, rolos de macarrão, tacos de críquete e qualquer outra coisa que pudessem usar como arma. Estavam inundando as ruas, esmagando as guarnições da Wehrmacht e da SS. A maioria das tropas alemãs estava estacionada fora da cidade para combater os soviéticos que se aproximavam, e jamais previra uma revolta civil.

Mas os Vigilantes de Praga estavam cansados de ser vigiados. Estavam revoltados com o que os nazistas haviam feito com sua cidade, transformando-a em um posto avançado teutônico com placas de rua com nomes alemães e bandeiras com suásticas por todo lado. Estavam cansados de ser tratados como cidadãos de segunda classe: de que gritassem com eles, que os revistassem e prendessem sem justificativa ou explicação. Estavam furiosos pelos pais e filhos que haviam desaparecido para sempre dentro do antigo banco Petschek, ou que foram mandados para a guarnição de Terezín, de onde Toussaint havia retirado seus homens e que se tornara um campo de concentração.

A raiva reprimida dos praguenses explodiu, surpreendendo seus senhores. Os rebeldes ergueram mais de mil barricadas pela cidade. Os guerrilheiros armados haviam reprimido todas as tentativas alemãs de recuperar a estação de rádio e a prefeitura. Também tomaram a estação de trem, a central telefônica, os correios e uma série de outros edifícios oficiais. Bienert fora capturado e, sob coação, renunciara aos alemães. Uma nova autoridade se proclamou pelas ondas aéreas apreendidas: o Conselho Nacional da Tchecoslováquia (ČNR).

O instinto de Toussaint era combater a rebelião, mas também "impedir a destruição de Praga e de seus habitantes". Ele havia emitido demasiadas ordens severas no decorrer da guerra, e havia muito perdera as ilusões acerca da natureza do regime a que servia. Mas sua relutância em cometer atrocidades nos anos que se seguiram a Lídice provocara queixas de alguns colegas seus do corpo de oficiais alemães. Diziam a boca pequena que ele era um *"schlapper Kerl"* ("fracote").

Era o que pensava seu comandante perante a resposta de Toussaint aos rebeldes. Por mais alta que fosse sua patente, ele ainda tinha que responder ao marechal de campo Ferdinand Schörner, comandante-chefe do exército. Schörner, de óculos, cujas pequenas feições no meio de um rosto grande lhe davam a aparência de um bebê grande, era um assassino implacável e um dos favoritos de Hitler. Como demonstração definitiva dessa preferência, Hitler havia deixado Schörner responsável pelos militares em sua última vontade e em seu testamento. O apelido dele era Bloody Ferdinand ("Ferdinand sangrento"). Ele ganhara o apelido devido à sua disposição de sacrificar um grande número dos próprios homens em busca da vitória — e atirar no ato em soldados insubordinados ou que se fingiam de doentes.

Começando no sábado e seguindo pelo fim de semana, Schörner pressionou Toussaint para revidar com mais força contra os rebeldes e "liquidar a revolta sem hesitar". Toussaint passara a vida inteira seguindo ordens, inclusive quando sabia o que era melhor a fazer. Na época de Lídice, ele usara a cadeia de comando para evitá-las. Agora, esse recurso não existia, de modo que ele capitulou, acrescentando mais uma falha moral a seu livro-razão. Ele transmitiu a ordem de Bloody Ferdinand a seus oficiais: "Por ordem de SS Feldmarschall Schörner, os distúrbios incipientes no protetorado devem ser sufocados imediatamente, com a mais brutal violência. As medidas tomadas até agora e a energia mostrada não foram de forma alguma suficientes".

Mas uma coisa é transmitir uma ordem e outra é aplicá-la. Parece que Toussaint não implementou totalmente as demandas de Schörner. Ele enrolou o fim de semana inteiro. O maldito Ferdinand era cruel, mas não idiota; estava profundamente insatisfeito com a falta de ação de Toussaint. A disputa entre os dois aumentou, a ponto de Schörner por fim ameaçar levar Toussaint à corte marcial se ele não acabasse com a revolta segundo as cruéis instruções do marechal de campo.

No domingo à noite, com a rebelião ainda em fúria, Schörner despachou cinco divisões para Praga. Elas deveriam chegar ao anoitecer da segunda-feira. Se o levante não acabasse até então, ele esperava que Toussaint as usasse para arrasar a cidade e todos que nela estivessem.

Se Patton avançasse com sua vivacidade habitual, o dilema de Toussaint teria sido resolvido. As ordens de Dönitz autorizaram a rendição ao general americano. E, no domingo, Patton tomou Plzeň, levando todos a concluir que ele chegaria a Praga antes de Konev. Mas, inexplicavelmente, a maior parte do exército de Patton não se moveu mais desde então. Sem o conhecimento de Toussaint, Patton queria continuar avançando, mas o general Dwight D. Eisenhower havia prometido aos soviéticos que os americanos não atravessariam a linha de demarcação mutuamente acordada; e Praga estava do lado errado.

Ike (Dwight D. Eisenhower) estava focado exclusivamente em vencer a guerra e não viu nenhuma vantagem militar em especial no fato de tomar Praga. Nem havia uma. A vantagem era inteiramente política. A nação que libertasse Praga teria vantagem na postura do pós-guerra por influência sobre o Estado restaurado da Tchecoslováquia. O primeiro-ministro britânico, Winston Churchill, sentiu tanto interesse em aproveitar a oportunidade que apelou diretamente ao presidente Harry Truman. Mas o presidente, recém-nomeado para substituir Franklin Delano Roosevelt e ainda cauteloso, havia até agora se recusado a anular seu principal general no teatro. Toussaint estava desesperado. Ele enviou um de seus assessores mais confiáveis, o coronel Max Ziervogel, em uma missão perigosa através das linhas inimigas para encontrar Patton e descobrir qual era o empecilho. Enquanto Toussaint esperava pelas informações de Ziervogel, o Exército Vermelho de Konev continuava se movendo, lenta mas firmemente. Nesse ritmo, eles chegariam a Praga em um dia ou dois.

O assessor de Toussaint o interrompeu para informar que o ČNR estava ao telefone. Toussaint e Frank haviam passado o fim de semana inteiro conversando com os tchecos; mas a ligação não era uma continuação das negociações. Era algo totalmente diferente.

Os tchecos capturaram Rolf.

Toussaint pegou o telefone com o coração acelerado. Havia uma voz desconhecida do outro lado da linha.

— É o general Toussaint?

— Sim.

— Aqui está seu filho.

Rolf, com voz tensa, relatou que fora capturado. Ele havia se disfarçado de parlamentar tcheco e saíra "com uma bandeira branca e um paramédico" para recolher os feridos e mortos. "Então, civis vieram para cima de mim, e eu não teria conseguido sair vivo se um oficial tcheco de uniforme antigo não houvesse me pegado e me colocado dentro de um carro, e me levado para o quartel-general tcheco." Rolf fora levemente ferido no caos.

O telefone foi arrancado de Rolf e a outra voz voltou à linha.

— Sr. General, entregue a cidade ou seu filho será morto a tiros.

Toussaint havia visto muita morte e sofrimento, mas a ameaça a um filho é diferente de qualquer outra coisa. Seu filho! O que ele diria para Lilly?

Mas, se Toussaint abandonasse suas obrigações, o que isso representaria para sua guerra? Para sua vida? Se ele entregasse Praga incondicionalmente, sem garantia de passagem segura dos alemães para as linhas americanas, estaria colocando em risco a vida de todos os seus homens.

Toussaint pediu para falar com o filho de novo.

— Rolf, você precisa entender que o destino pessoal não é uma questão decisiva aqui. Eu tenho que agir segundo minhas responsabilidades com meus soldados.

A resposta foi não. Toussaint não entregaria a cidade.

O telefone foi arrancado das mãos do filho; então, a linha caiu.

Toussaint afastou Frank e assumiu pessoalmente as negociações com o ČNR. Desde março, Toussaint estava conversando com os tchecos, e agora ele mesmo assumiria o lado alemão da negociação. Sua esperança era de que um acordo pudesse salvar todos, inclusive Rolf.

Mas não adiantou: os tchecos não aceitariam nada menos que a rendição incondicional. Eles queriam uma última chance de recuperar a dignidade conquistando a própria liberdade antes da chegada dos soviéticos. Toussaint procurava desesperadamente uma saída, mas não estava preparado para aceitar esses termos, pois eram contrários a suas ordens, e, além disso, deixavam seus homens e ele também à mercê do Exército Vermelho, que se aproximava mais da cidade a cada hora que passava.

As negociações da segunda-feira fracassaram. O caos assassino do dia pintava uma imagem sinistra do que a terça-feira reservava para Praga. A principal ameaça à cidade era a Waffen-SS, que estava, teoricamente, sob a jurisdição de Toussaint, mas era de fato controlada por seu líder, o general e barão Carl Friedrich von Pückler-Burghauss. Pückler era um verdadeiro crente nazista, entusiasta do controle da revolta e da destruição de Praga. *"Das ganze Nest muss brennen"*, ele dizia — "o ninho inteiro deve ser queimado". Para cada tiro que saíra das barricadas, o Waffen-SS de Pückler retaliara brutal e desproporcionalmente. Pückler achava pretextos para atacar, como um cão raivoso que puxa a própria guia. A SS havia bombardeado as barricadas com artilharia, depois as invadira, matando centenas de tchecos mal armados. Massacraram civis capturados por toda a cidade de Praga. Agora, os reforços da SS estavam chegando. Entre eles e as cinco divisões de Schörner, a terça-feira prometia um banho de sangue.

À meia-noite, Toussaint, exausto, estava sentado no palácio tentando descobrir qual seria seu próximo passo. O levante era violento; os negociadores da rendição não entravam em acordo. Schörner e a SS estavam enlouquecendo. O exército de Patton continuava estacionado a oitenta quilômetros, do outro lado do rio. O *juggernaut* soviético estava chegando cada vez mais perto, ameaçando destruir totalmente uma grande cidade. E Rolf ainda estava desaparecido. Toussaint tinha o rosto pálido e vincado, havia círculos escuros embaixo de seus olhos.

O complexo de Otto Petschek, pelo menos até o momento, não fora atingido pela devastação que imperava do lado de fora dos muros. Mas a quietude da noite quente de primavera era marcada por algumas explosões de projéteis de Panzer, quando a SS mirava nas barricadas tchecas. O barulho de tiros de metralhadoras ecoava pelos corredores curvos do palácio; o *rat-ta-ta* destoava do solitário som dos ornamentados relógios franceses dourados quando soava a meia-noite.

Assim que os relógios silenciaram, o devaneio de Toussaint foi interrompido. Um de seus homens chegou com notícias peculiares: havia um coronel americano do lado de fora do palácio, acompanhado por um oficial alemão.

Podemos imaginar a reação de Toussaint: um americano? E um oficial alemão? *Agora*, logo depois da meia-noite? Dentro das linhas alemãs, em frente ao palácio? Como passaram? Talvez Ziervogel houvesse por fim chegado a Patton!

Mas não. Era o coronel Wilhelm Meyer-Detring, chefe de planejamento militar do exército, proveniente de Berlim, com uma escolta americana.

Toussaint ordenou que fossem levados a ele imediatamente.

Momentos depois, cercados pelos homens de Toussaint, o americano e o alemão subiam a longa entrada, fazendo o cascalho ranger. A casa onde eles entregariam a mensagem se aproximava, com seus cupidos e cúpulas quase invisíveis contra o céu noturno à luz da lua minguante. Formavam uma dupla incomum: o coronel Meyer-Detring era chefe de planejamento da equipe do OKW. O alemão usava o uniforme completo da Wehrmacht, o longo casaco militar e o quepe de sua patente. Ele era um soldado de carreira: racional, profissional, e, assim como Toussaint, não nazista. Toussaint o conhecia e gostava dele.

Caminhando ao lado dele, com o capacete de aço em forma de tigela do exército dos EUA, estava o tenente-coronel Robert H. Pratt, de Milwaukee. De profissão, ele era engenheiro elétrico, um dos cidadãos-soldados que haviam ajudado os Aliados a vencer a guerra. Entre outras realizações, ele ajudara a planejar o momento decisivo da guerra na Europa Ocidental: o Dia D, a Batalha da Normandia.

Dos milhões de homens de ambos os lados do conflito, os dois foram escolhidos por Eisenhower e Patton para aquela missão. Eles foram levados de avião para Plzeň e receberam uma guarda armada de quarenta homens, correram por estradas cheias de crateras e minas explosivas, escaparam de patrulhas soviéticas e partidários tchecos e conseguiram passar pelas barreiras alemãs que protegiam o palácio. Foram acompanhados ao palácio por alguns de seus companheiros, incluindo o tradutor.

Uma vez ali dentro, os americanos ficaram impressionados com o contraste entre o palácio e os campos de batalha e as barricadas pelas quais haviam passado. O mestre do palácio que recebia os oficiais era quase tão imponente quanto o edifício. O rosto de Toussaint estava vincado e seu uniforme amassado, mas seu porte não havia perdido a dignidade.

Ele cumprimentou seus convidados de maneira formal, mas educada. Todos eram soldados e compartilhavam o código de cortesia militar. O fato de um oficial alemão e um americano terem ido até ali juntos só enfatizava as antigas regras de sua irmandade marcial. Os soldados ficaram impressionados com a beleza do palácio, mas também se sentiram em casa — música americana saía de um rádio. Toussaint lhes ofereceu bebidas: conhaque, vinho ou champanhe. Sem dúvida Pokorný os deve ter servido, como fazia com os visitantes do palácio. Não era natural para ele estar ausente quando o dono da casa recebia convidados. Pokorný deve tê-los servido, feito uma reverência e saído da sala, perguntando-se qual seria a conversa daquela noite.

Os visitantes tinham pressa. Disseram a Toussaint que o Terceiro Reich estava prestes a acabar. O ex-superior de Toussaint, Jodl, havia assinado documentos de rendição naquele dia em nome de Dönitz. A rendição entraria em vigor em menos de vinte e quatro horas, à meia-noite do dia seguinte.

O alemão solicitou que Toussaint negociasse o fim dos combates com os tchecos. Mas como ele poderia fazer isso? Toussaint tinha ordens estritas de Schörner de combater o levante, e os rebeldes não se contentariam com nada menos que a capitulação total. Era impossível conciliar os dois imperativos. Pratt e Meyer-Detring disseram que a missão deles era se reunir com Schörner também e convencê-lo. Enquanto isso, Toussaint deveria agir com base em sua própria autoridade.

Patton não estava indo para Praga, disseram. Os soviéticos tomariam a cidade.

Toussaint poderia obedecer às ordens que tinha, ficar e lutar, ou fazer um acordo com os tchecos e sair dali. Durante anos, ele buscara abrigo moral sob o pífio subterfúgio de estar apenas cumprindo ordens. Mas Toussaint já estava farto de morte: Möricke, morto a tiros na Grã-Bretanha; general Olbricht, fuzilado por tentar matar Hitler; Halder, despojado de seu comando e enviado para Dachau; tantos amigos e colegas expurgados pelos nazistas ou em batalha. E Rolf poderia em breve estar entre eles.

Também havia o risco para Praga. Talvez ela fosse a última grande cidade da Europa intocada pelos combates. Abandoná-la seria como arrasar a história; significaria a destruição dos mosteiros medievais construídos com pedra branca bruta — cada bloco maciço era uma declaração de fé na eternidade; da Ponte Carlos, com seus santos suplicando a Deus por milagres, e seus mártires, que nunca receberam intervenção divina; do imenso Castelo de Praga, que reunia catedrais, igrejas e criptas, com joias da coroa e os ossos reais daqueles que as usaram no decorrer dos séculos.

E havia perigo para o palácio também. A residência de que ele tanto gostava estaria entre os primeiros alvos dos rebeldes se Toussaint seguisse as ordens de Schörner. Os tchecos estavam a poucos quarteirões de distância, do outro lado das barricadas. Se eles não o cercassem, os soviéticos certamente o fariam.

De modo que Toussaint concordou. Ele tentaria mais uma vez negociar com os tchecos. Ordenou que seus homens procurassem o ČNR e agendassem outra reunião. E disse aos visitantes onde achava que poderiam encontrar Schörner: perto da fronteira com a Silésia, a horas de distância da cidade. Armados com essa informação, a dupla ímpar se despediu.

Por volta das duas horas da manhã, Toussaint por fim subiu a longa escada para o segundo andar para sua última noite de sono no palácio. Ele não sabia quando ou onde seria capaz de deitar a cabeça de novo. A essa hora do dia seguinte, ele já estaria levando seus homens para longe de Praga, em direção a Patton, ou agachando-se para lutar contra os soviéticos. Chegou ao tapete Savonnerie no topo dos degraus — uma peça do tamanho de um quarteirão que continuava por todo o segundo andar, de fundo azul e borda florida, confeccionado para Otto Petschek na França. Toussaint tentaria salvar o palácio e tudo o mais. Mas nada era garantido: nem a liberdade, nem sua vida, nem a vida do filho. Tudo dependeria das negociações do dia seguinte.

Às dez da manhã seguinte, terça-feira, 8 de maio, Toussaint e seu assessor Arthur von Briesen se apresentaram, conforme o combinado com o ČNR, no gabinete da Cruz Vermelha em Malá Strana. Ficava bem ao lado da legação alemã, onde Toussaint havia trabalhado em 1938. Era outro dia claro em Praga, como aquele de sete anos antes quando ele estava naquele mesmo quarteirão com Hencke observando o céu em busca dos bombardeiros que nunca chegaram.

Um funcionário da Cruz Vermelha saiu do escritório. Ele acompanharia os dois alemães e atuaria como intermediário, garantindo a segurança deles. Logo três *barikádníci* (barricadistas, um neologismo inventado para os heterogêneos mas ferozes combatentes civis) chegaram em um sedã. Tinham feito faixas com uma bandeira nazista rasgada ao meio, dobrando cada parte repetidamente. Os rebeldes amarraram a faixa nos olhos dos dois alemães com força e os levaram para dentro do carro. O veículo rodou, sacudindo, por quinze minutos, parando e voltando a andar ao passar por uma série de barricadas, até parar.

Toussaint, com os olhos ainda vendados, foi conduzido para dentro de um edifício e por um corredor. Ele tropeçou no limiar de uma porta. Um dos *barikádníci* o amparou, segurando-o pelo braço. Ele entrou na sala e ficou imóvel, até que o *barikádníci* arrancou sua venda. Toussaint ficou momentaneamente atordoado devido à luz brilhante da manhã que entrava pela janela. Cambaleou de novo, dessa vez se equilibrando sozinho. A venda nos olhos de Von Briesen era resistente; seu *barikádníci* a puxou do oficial alemão, que fez uma careta. Por fim, o guarda conseguiu desamarrar o tecido e desenrolou a bandeira nazista rasgada.

Sentado ao redor de uma mesa grande estava o ČNR: seu presidente, dr. Albert Pražák; seu vice-militar, capitão Jaromír Nechanský; e dois vice-presidentes — Josef Kotrlý, advogado e socialdemocrata, e Josef Smrkovský, o comunista. Com eles estavam os chefes de duas células militares de Praga, o general Karel Kutlvašr e o coronel František Bürger. Um dos membros do ČNR recordou mais tarde que Toussaint "estava com seu ajudante geral Briesen, os dois com uniformes impecáveis, recém-barbeados. Isso contrastava bastante com nossa aparência desalinhada. Estávamos com roupas amassadas e a barba por fazer". Eles formavam um microcosmo do Estado que Masaryk havia criado, que Otto havia apoiado e Beneš preservado: a Tchecoslováquia — tenaz, que agora confrontava seus opressores.

Quem mais falou foram Toussaint e Kutlvašr, sentados um em frente ao outro. O uniforme cáqui da Primeira República de Kutlvašr, amarrotado, caía frouxamente sobre seu corpo magro. Ele havia envelhecido desde a última vez que Toussaint o vira: seus cabelos estavam mais ralos, seu bigode branco, e a guerra lhe custara um pouco de peso. Mas sua postura ainda era a do herói que desabilitara sozinho ninhos de metralhadora — duas vezes — durante a Primeira Guerra Mundial. Ele havia esperado pacientemente nos últimos seis anos, trabalhando disfarçado no Ministério das Finanças, sendo parte de uma célula militar. Ostentava fileiras de medalhas douradas no peito e as insígnias de general nas cores vermelha, azul e branca no colarinho. As cores do país se destacavam contra o marrom suave de seu uniforme.

Apesar de toda a amargura de Kutlvašr pelos anos de ocupação, ele foi cordial com Toussaint, que retribuiu. O fato de Toussaint ser considerado o homem mais decente dentre os poucos alemães que governavam Praga ajudava. Mas, sob seu cavalheirismo, saudações e "sr. General", Kutlvašr e Toussaint foram duros negociadores.

Kutlvašr pressionou Toussaint devido aos eventos das últimas vinte e quatro horas: a crescente ferocidade da resposta dos alemães, seu fracasso em exercer restrições. Kutlvašr estava claramente cético em relação a Toussaint conseguir dominar os próprios homens. Depois de certo rodeio, ele perguntou: "O senhor tem autoridade suficiente para deter essa luta?"

Toussaint escolheu suas palavras com cuidado: "Não tenho a autorização do comandante, o marechal de campo Feldmarschall Schörner, que ameaçou me levar à corte marcial se eu impedisse as tropas de combater [...] As tropas da SS estão sob o comando de Pückler [...] É possível que uma ordem dada por mim não seja ouvida por algumas unidades, ou que algumas, como a SS, também não a aceitem. Embora eu seja o comandante territorial, a SS reservou certos parâmetros para a liberdade de ação".

Os distantes estrondos de artilharia e fogo de tanques se intensificaram. Um mensageiro deu uma explicação perturbadora: os SS estavam avançando pela praça da Cidade Velha, a poucos quarteirões de distância. As negociações continuaram, porém novas más notícias se seguiram: bombas incendiárias atingiram a prefeitura. Estava pegando fogo. O resto do edifício, incluindo a torre do relógio, símbolo da cidade, estava ameaçado. Kutlvašr, exasperado, por fim interrompeu Toussaint. "Chega de conversa! Pelo bem da Cidade Velha de Praga, é necessário que o cessar-fogo seja declarado."

Toussaint ficou em silêncio. Estavam lhe pedindo que violasse uma ordem de seu superior direto. Em mais de três décadas nas forças armadas, de seus dias como cadete antes da Grande Guerra até aquele momento, e como um dos generais alemães de mais alta posição no comando, Toussaint nunca havia feito isso. Mesmo quando Keitel o instruíra a cometer atrocidades, ele apelara para Fromm em vez de simplesmente desobedecer. Seguir ordens era o princípio mais fundamental de seu código, seu primeiro mandamento, a base sobre a qual repousava todo o sistema.

Mas aonde isso o levara? A obediência vinculara Toussaint a Hitler e aos nazistas. E o implicara em seus terríveis crimes. Manchara sua honra. Mas talvez ele pudesse limpar um pouco dessa mácula.

"Estou disposto, se essa ordem for baseada na reciprocidade." Toussaint insistiu que os tchecos deveriam permitir "a retirada das tropas alemãs que estão em Praga", enviando-as para Patton. Acerca de inocentes que não pudessem partir, Toussaint ordenou: "Ficarão sob os cuidados da Cruz Vermelha Internacional [...] Mulheres e crianças que puderem ser levadas com as tropas que partirem, serão levadas. Tudo isso sou eu que faço por minha própria decisão. É possível que eu seja chamado a prestar contas, no entanto, farei isso porque tenho certeza de que a luta como é conduzida aqui em Praga não está alinhada com o objetivo da guerra, e que isso é um derramamento de sangue desnecessário, que destrói meus valores e não traz nenhum benefício. A implementação de minha ordem, porém, só é possível se eu receber total assistência das autoridades estatais da Tchecoslováquia".

Smrkovský se manifestou. Todos estavam desconfiados, mas o comunista mais ainda:

— Que tipo de assistência? — perguntou.

Toussaint respondeu:

— Quero dizer que a ofensiva será interrompida por vocês também, e a partida dos alemães, civis e militares, não será impedida.

Kutlvašr, ainda cético, perguntou:

— Como o senhor imagina que isso vai acontecer?

A tropa de assalto da SS estava cada vez mais próxima e o questionamento de Kutlvašr era inconfundível: poderia Toussaint realmente controlar Pückler?

Toussaint respondeu:

— Usarei todos os meios para interromper o ataque imediatamente, assim que chegarmos a um acordo mútuo aqui. Se unidades individuais da SS desobedecerem a essa ordem, estou disposto a tomar medidas, sob minha responsabilidade, para forçá-las a obedecer, usando tropas sob meu comando.

Eles haviam levado Toussaint ao limite. O que mais queriam dele? Ele já tinha oferecido combater a SS, se necessário. Durante três dias havia dito ao ČNR que não podia se render imediatamente. Isso era o melhor que ele poderia oferecer. E alertou que, se não aceitassem, assumiriam a responsabilidade pela destruição de Praga e seu povo: "Caso um acordo não seja alcançado, não terei nenhum controle sobre a situação. É totalmente contra meu conceito de guerra que, nesse período, a vida e os monumentos culturais antigos sejam destruídos". Sua insinuação pairava no ar: acaso os tchecos estavam dispostos a dizer o mesmo?

Kutlvašr reagiu com fúria à sugestão de Toussaint de que os rebeldes seriam, de alguma forma, responsáveis por colocar Praga em risco. "Nós não atacamos, só revidamos", insistiu o tcheco.

Isso era mais do que Toussaint podia suportar, como general e como pai. "Não. A violência começou do lado tcheco. Meu filho, que havia entrado na cidade [...] desapareceu sem deixar rasto. Ele não foi ferido pelos alemães, e sim no massacre de civis."

Um silêncio tomou conta da sala. Todos os olhos se voltaram para Smrkovský. O comunista que quisera executar Rolf quando Toussaint não entregara a cidade por telefone. Ele respondeu, na defensiva: "Seu filho foi encontrado ferido na rua, e, no dia seguinte, quando já estava melhor, disse que havia sido ferido por um tiro de um tanque alemão". E concluiu, sem muita convicção, admitindo: "É verdade que a situação não ficou clara quando isso aconteceu".

Kutlvašr e Toussaint se entreolharam. Toussaint queria que a libertação do filho fizesse parte do pacote. Era uma troca justa, e ambos sabiam disso. Os tchecos concordavam ou não? Kutlvašr assentiu — sim, concordavam. A um sinal dele, um dos rebeldes saiu e voltou com Rolf, abatido, com a barba por fazer. Havia um curativo enrolado em sua cabeça, manchado de sangue. Mas ele estava vivo.

Rolf foi conduzido de novo para fora; seria libertado se chegassem a um acordo final. Toussaint e Kutlvašr concordaram em interromper a negociação para fazer duas coisas: primeiro, ir à estação de rádio, onde transmitiriam juntos as notícias de um cessar-fogo temporário. Mas a segunda proposição era muito mais difícil: Toussaint precisava se reunir com Pückler e fazê-lo honrar o cessar-fogo.

Toussaint e Von Briesen escalaram as barricadas e se encontraram com o general da SS ao meio-dia. Cara de porco, careca, mandíbula pequena, Pückler tinha orgulho da cicatriz de duelo de esgrima que desfigurara seu rosto — essa marca era uma distinção entre certa classe de alemães. Ele havia representado os nazistas no Reichstag e como oficial da SA (*Sturmabteilung*, "Destacamento Tempestade"), antes de se transferir para a SS (*Schutzstaffel*, "Tropa de Proteção"), em 1939. Ele também havia publicado três livros sobre caça e guerra; seu relato dos terríveis anos de 1939-1941 intitulava-se *Gesehen, gedacht und gelacht* ("Visto, pensado e rido").

Mas agora Pückler não estava rindo. Estava frustrado com a restrição de Toussaint, com o lento progresso dos reforços da SS a caminho de Praga e com as dificuldades de comunicação. Pückler passara três dias bombardeando Toussaint com planos agressivos para a defesa de Praga. E ali, com o comandante pessoalmente diante dele, ofereceu sua mais recente ideia: explodir a represa nos arredores de Praga, inundar a cidade e afogar os rebeldes. E, para completar, explodir a histórica Ponte Carlos.

Toussaint o interrompeu. Disse que havia alcançado um acordo para salvar todos, militares e civis alemães, dos soviéticos. O rosto de Pückler ficou sombrio. Seu cérebro, mergulhado durante décadas na ideologia nazista, foi picado pelo ódio. Toussaint estaria seguro com os americanos, mas Pückler era nazista. E o *schlapper Kerl* o faria se render?

Pückler não concordava. E as ordens de Schörner? Se Toussaint fizesse isso, Pückler o prenderia por traição.

Toussaint sacou a arma e a apontou para Pückler. Os nazistas o atormentavam havia anos; foram responsáveis pela morte de seu cunhado; haviam feito sua esposa infeliz; quase haviam seduzido seu único filho; haviam atraído a Wehrmacht para o massacre de Lídice; levaram a Alemanha à ruína e desonraram os militares alemães; mataram Olbricht, levaram Halder para um campo de concentração e fizeram mal a inúmeros outros. Toussaint mirou Pückler com seus olhos escuros como o buraco do cano de sua pistola.

Pückler o encarou. Von Briesen estava com a mão na própria arma. Mas Pückler não estava pronto para morrer, pelo menos não pela arma de Toussaint. Relutante, disse a Toussaint que honraria o cessar-fogo.

Toussaint e Von Briesen escalaram de volta a barricada. Von Briesen fez a ronda pelas outras tropas para relatar as notícias do anúncio na rádio. De olhos vendados mais uma vez, Toussaint foi levado de volta pelos *barikádníci* para concluir as negociações.

Quando as negociações com o ČNR foram retomadas, naquela tarde, um guarda escoltou Rolf de volta à sala. Kutlvašr, talvez pensando que a presença do filho influenciaria Toussaint, fez uma última demanda: a rendição incondicional. "Faltam dez horas, e você terá que capitular. Entendo que é um destino difícil, mas são fatos concretos. Pedimos que assine uma rendição incondicional [...] A situação dos alemães é muito difícil e eles cometeriam grandes ofensas [continuando a lutar]. Obviamente, concordamos com a proposta de colocar mulheres e crianças sob a proteção da Cruz Vermelha."

Estavam de volta à estaca zero. Com filho ou sem filho, Toussaint recusou. Isso colocaria todos eles nas mãos dos soviéticos, provavelmente em cerca de doze horas. Ele olhou para Rolf e para o guarda armado ao lado dele. Sabia que, se sua resposta não fosse aceita, talvez nunca mais se vissem. A resposta ainda era não.

Mas Toussaint fez uma contraproposta. Kutlvašr poderia chamá-la de rendição, se quisesse, mas "a partida de todas as forças alemãs de Praga deve fazer parte das condições". O astuto Kutlvašr aproveitou a concessão de Toussaint.

— E quanto às armas? — perguntou. — Onde ficam as armas?

A partir daí, as coisas andaram depressa. Um pouco antes das quatro da tarde Toussaint conseguiu oferecer os termos finais.

— Armas pesadas ficarão no lugar; as tropas alemãs deixarão Praga com armas leves, rumo ao noroeste. — Ele insistiu em proteger seus homens até o fim e em enfrentar os soviéticos na medida do possível. — As armas serão entregues na Tchecoslováquia para que cheguem às mãos dos tchecos, e não de outro exército; o ČNR tomará medidas para garantir que a partida das tropas alemãs não seja perturbada.

E fiel a suas preocupações de evitar atrocidades, concluiu sua oferta prometendo que "o lado alemão receberá vigorosas ordens de não colocar civis em perigo".

Kutlvašr concordou; o acordo foi selado. Enquanto era datilografado para ser assinado, Rolf foi autorizado a se juntar ao pai. Toussaint abraçou o filho e chorou. Os dois ficaram juntos à janela, conversando baixinho.

Para Toussaint, o conflito havia acabado. Ele estava do lado perdedor de novo, uma guerra e um fim mais horrível que da última vez. Mas, pelo menos, Rolf estava vivo e seguro.

O documento de rendição foi entregue. Toussaint o inspecionou, fez algumas alterações e assinou com um rabisco enorme.

— Quem sou eu agora? — perguntou Toussaint, melancólico. — Um general sem exército! Tudo que posso fazer é ir para casa, sentar no meio-fio e olhar para o céu azul.

E, então, ofereceu a última de suas sinceras avaliações do conflito — a última de uma longa série que o pusera em risco nos últimos sete anos.

Os alemães haviam perdido a guerra, disse Toussaint a seus espantados ouvintes tchecos, "mas nós merecemos".

8
"SE ESTIVER ATRAVESSANDO O INFERNO, SIGA EM FRENTE"

Fora de Bockholt, Alemanha, 2 de maio de 1945

O TREM DE MUNIÇÃO NAZISTA ATRAVESSAVA a paisagem exuberante do norte da Alemanha, dividindo as sombras das árvores e cortando de novo o sol da tarde. Uma grossa espiral de fumaça preta perfurava o ar limpo. A locomotiva puxava mais ou menos seis vagões, que não carregavam a carga habitual. Em vez de balas, torpedos e projéteis, eles carregavam as pessoas que os haviam fabricado: cerca de trezentas mulheres judias da Tchecoslováquia, escravas de uma fábrica de armamentos em Lübberstedt, Alemanha.

Frieda estava sentada no fim do trem, encostada na parede de metal quente do vagão. A luz entrava pelas fendas e aberturas, iluminando vagamente as dezenas de mulheres amontoadas ali. O ar denso de suor misturava-se com o odor persistente de pólvora. A maioria das mulheres estava apoiada nas laterais do vagão, e o restante esparramado sobre as ásperas tábuas do assoalho de madeira. Havia algumas mulheres mais velhas a bordo, mas a maioria tinha, como Frieda, vinte e poucos anos. Todas chacoalhavam ao ritmo do trem, que corria em direção ao norte. (*Ver imagem 8*.)

Doze dias antes, seus captores da SS as haviam mandado entrar no trem dizendo que iriam à Dinamarca para serem trocadas por prisioneiros de guerra alemães. Elas estavam tontas de fome e sede, pois haviam recebido pequenas porções de comida durante toda a viagem. Antes, Frieda adorava viajar de trem; passava dias em trens durante as viagens de verão que fazia com a família. O pai e os irmãos se sentavam juntos, estudando baixinho o Talmude ou fazendo orações. Ela ficava com a mãe e as irmãs, costurando, lendo ou comendo ovos cozidos e pão caseiro que levavam em uma cesta de vime.

Frieda não sabia mais onde eles estavam; se estavam vivos ou não. Eles foram arrancados dela em Auschwitz em maio de 1944, com uma exceção: sua irmã Berta. Ela agora cochilava ao lado de Frieda no compartimento de munições, com a cabeça apoiada no ombro da irmã. Por sorte, as duas acabaram no mesmo barracão no amplo complexo de Auschwitz e, três meses depois, foram transferidas juntas para as fábricas de munição na Alemanha. Berta sempre fora gordinha, adorava comer e socializar — era uma *bonne vivante*, comparada à estudiosa irmã mais nova. Mas, depois de um ano em cativeiro, estava emaciada, pesando menos de quarenta quilos. Também se tornara calada, desgastada pelas doenças.

Frieda olhava para a frente do vagão de munição; ela ainda acreditava que os outros membros da família estavam vivos. Isso a ajudava a resistir: a ideia de voltar a Sobrance, de subir os degraus, entrar em sua casa; de encontrar os pais, os irmãos, as irmãs e a sobrinha favorita, Yehudis, esperando por ela. Certamente ela e Berta não eram as únicas da família que conseguiram resistir. Ela estava determinada a perseverar, a voltar para casa, onde os outros sobreviventes a estariam esperando.

Estava quase lá. Um guarda simpático — não da SS, mas um homem mais velho e deficiente da Wehrmacht — havia lhe contado em segredo que os britânicos estavam se aproximando, que a guerra logo terminaria. Quando espiou por entre as ripas do vagão que rodava a alta velocidade, viu uma maré de alemães — soldados e civis; homens, mulheres e crianças — carregando malas e trouxas, fugindo das forças aliadas que avançavam. Ela também podia ver a derrota no rosto dos guardas da SS. A postura deles era um pouco menos ereta, seus uniformes levemente descuidados. Até as armas não pareciam tão bem polidas.

Ela recordou as palavras de Faigie: *Keynmol farlozn* ("nunca desista"). E, assim, ela resistia.

Frieda foi uma das primeiras a notar o som. Não sabia bem o que era. Começou como uma vibração, quase inaudível por conta do barulho do trem em movimento. Cutucou a irmã para que acordasse e lhe perguntou se estava ouvindo. Berta deu de ombros e fechou os olhos de novo.

Mas Frieda continuou escutando. Fora assim que ela sobrevivera tanto tempo (graças a isso, à *hashgaha pratis* — "proteção divina" — e a um pouco de sorte). Era o zumbido de aviões, distante, mas audível o suficiente para que ela o captasse. Então o barulho, o baixo rugido dos motores das aeronaves, aumentou. Foi ficando mais alto, até acordar as outras mulheres. De repente, o barulho foi pontuado pelo rugido dos tiros, uma onda atrás da outra de trovões em *staccato* diretamente acima delas.

As mulheres começaram a gritar e a levar as mãos aos ouvidos. Elas se agarravam umas às outras, algumas se encolhiam contra a parede ou o chão. Frieda abraçou a irmã. O trem parou, estremecendo, os freios guinchando, e as mulheres cambalearam para a frente. Os guardas gritavam enquanto abriam as portas do trem e mandavam que as garotas saíssem. *Raus, schnell, schnell!* — "Andem, depressa, depressa!", rosnavam. As mulheres pularam; centenas saíram de uma cadeia de vagões para os campos.

"SE ESTIVER ATRAVESSANDO O INFERNO, SIGA EM FRENTE"

Quando Frieda desceu e foi ajudar Berta, cambaleante ao sair do trem, viu cinco ou seis aeronaves voando para o norte em formação em V, como um bando de gansos. *Os Aliados*, pensou.

Não havia tempo para observar os aviões enquanto os guardas as urgiam a ir para os campos, na expectativa de que a aeronave desse meia-volta e voltasse. Frieda se afastou cerca de seis metros do trem e se deitou de bruços ao lado da irmã. Acaso havia sido ferida pelos tiros? Atenta ao menor sinal do possível retorno dos aviões, ela apoiou o rosto na grama, sentindo seu doce aroma. Isso a fez pensar em sua casa.

Depois de alguns minutos, nada indicava que os aviões voltariam. Frieda levantou a cabeça. Os SS estavam conversando, avaliando os danos. Frieda e as outras mulheres se levantaram e caminharam sem rumo pelo campo; isso refletia quanto a disciplina havia afrouxado nas últimas semanas. Mas ninguém se afastou.

Os guardas da SS estavam distraídos avaliando os danos ao trem e vasculhando o céu, esperando o retorno dos aviões. Frieda viu um bosque não muito longe. Estimou a distância entre o campo e as árvores, medindo cada passo sobre a grama. Não teria mais de seis metros. Ela poderia se arrastar de quatro, ou até rastejar. Apenas alguns metros para a liberdade.

Mas estava exausta, sem comida nem água, em uma parte desconhecida do mundo — ainda sob controle nazista. E havia Berta, que estava em situação pior. Frieda sempre cuidara da irmã mais velha. Quando um arranhão na perna de Berta infeccionara em Auschwitz, ela pedira a Frieda que a deixasse ir à enfermaria do campo. Mas Frieda fora inflexível — nunca mais ninguém voltara dali, dissera. Então, Frieda dividira com ela sua porção escassa de pão e assumira o trabalho de Berta. Seria inconcebível abandonar a irmã naquele momento.

Ela olhou para o trem. Notavelmente, os vagões e as pessoas que carregavam estavam desgastados. Limpou os pedacinhos de grama do vestido e ajeitou as roupas da melhor maneira possível. Mesmo em cativeiro, ela tentava se orgulhar de sua aparência — isso ninguém podia lhe tirar. Ela se lavava na água fria sempre que possível, e beliscava suas bochechas para ganhar cor. Berta havia encontrado um tecido velho e fizera lenços para que cobrissem os cabelos, que estavam voltando a crescer depois de terem sido raspados em Auschwitz. Frieda ajeitou o dela.

Enquanto os guardas da SS conversavam, alguns alemães se aproximaram para vigiar as mulheres. O amigo de Frieda estava entre eles, o homem da Wehrmacht. Ele lhe disse que foram os britânicos que os atacaram. Os Aliados estavam se aproximando. Não demoraria muito até que fossem libertadas. Frieda esperava que conseguissem sobreviver ao esforço de seus salvadores.

Mas, dessa vez, parecia que os aviões não voltariam, e os alemães mandaram que todas retornassem aos vagões. Como autômatos, as mulheres obedeceram, ajudando-se entre si a subir de novo.

Uma vez dentro, Frieda e Berta se sentaram no meio para dar às outras oportunidade de se apoiarem nas laterais do vagão.

Elas revezavam posições durante toda a viagem. Depois de tantos meses sobrevivendo lado a lado na fábrica de munição (algumas estavam juntas desde Auschwitz), elas haviam aprendido a compartilhar. As portas foram fechadas e a viagem foi retomada. Gradualmente, o trem foi ganhando velocidade pelos campos.

Haviam percorrido poucos quilômetros quando Frieda ouviu o zumbido distante de novo. Dessa vez, reconheceu-o no mesmo instante: o zumbido baixo dos motores de outra onda de aviões de combate britânicos se aproximando.

"Eles estão voltando!", gritou Frieda. Gritos dominaram o vagão, e as mulheres começaram a bater nas laterais, pedindo aos alemães que parassem o trem. O som dos motores foi ficando mais alto, até se transformar em um rugido que abafava as batidas e os gritos das mulheres. Frieda sabia o que as esperava. Ela abraçou a irmã para que se encolhessem o mais que pudessem, na esperança de serem o menor alvo possível.

O fogo começou. Frieda ouvia as balas atingindo o trem em movimento, mas não teve tempo de processar o que estava acontecendo. O caos total entrou em erupção. Estavam cercadas por explosões. As mulheres gritavam de terror e dor enquanto as balas perfuravam o teto e ricocheteavam dentro do vagão, lascando a madeira. Faíscas voavam e a fumaça e a poeira faziam os olhos arder. A locomotiva parou, e os nazistas pularam para fora, gritando e atirando contra os aviões.

De repente, houve uma explosão ensurdecedora. O trem chacoalhou com tanta violência que Frieda pensou que ele tombaria. As portas de seu vagão se abriram e todo mundo pulou e saiu correndo. Algumas mulheres estavam cobertas de sangue; outras acenavam com panos brancos — xales, trapos, lenços —, qualquer coisa para mostrar aos pilotos que eram civis. Frieda e Berta desceram de mãos dadas e se jogaram de bruços em um pasto, cobrindo a cabeça enquanto os aviões zuniam acima delas.

E, então, acabou. O ataque durou alguns minutos, mas, no estado atordoado de Frieda, o tempo parecia ter parado. Ela ergueu a cabeça, seus ouvidos zumbiam, e se levantou para observar a linha de aviões desaparecer. Apalpou seu corpo e o da irmã. Não haviam se ferido; estavam entre as sortudas. Havia mulheres machucadas ao seu redor, sangrando profusamente. Algumas tinham feridas abertas por estilhaços, ou membros arrancados. Outras estavam mortas. Um dos vagões ardia em chamas, e a fumaça preta inundava o ar puro do pasto.

Frieda pensou, fugazmente, na liberdade, em usar o caos como disfarce, mas descartou a ideia. As feridas e mortas eram suas amigas. Ela e Berta fizeram o possível para ajudar, confortando as mulheres machucadas e rasgando roupas para fazer bandagens. Havia pouco a fazer nos casos mais graves, de modo que Frieda tinha que se contentar em segurar uma mão ou acariciar uma face. Havia um pouco de morfina no trem. Depois de tratarem de si mesmos, os alemães deram o sedativo às mulheres que mais sofriam — para surpresa de Frieda; outro sinal de que o fim da guerra estava próximo. Ela procurou o simpático guarda da Wehrmacht e o viu ajudando a administrar os primeiros socorros.

Frieda podia ver a linha de balas onde o vagão fora atingido. Não acertaram Frieda e Berta por pouco. O espaço vazio onde elas haviam se sentado no vagão estava cercado de mulheres mortas. Se ela houvesse se movido apenas alguns centímetros, estaria entre elas. Observou o céu com cautela, com medo de que os bombardeiros reaparecessem, atenta ao primeiro zumbido de morte que se aproximasse pelo ar. Ao menor sinal dos aviões, amigos ou não, ela pegaria Berta pela mão e correria para a floresta.

A SS deve ter pedido ajuda por rádio, porque uma equipe de emergência chegou e fez várias viagens. Levaram dezenas de sobreviventes gravemente feridas, bem como as mortas. Das centenas retiradas dali, Frieda imaginou que uma em cada cinco estivesse morta ou seriamente ferida. Muitas outras tiveram ferimentos mais leves. Todas elas haviam sobrevivido à máquina da morte nazista para serem feridas ou mortas pelos aliados.

Quando as mulheres mortas foram levadas, os guardas da SS começaram a discutir *sotto voce*. Frieda ficou observando, sentada ao lado da irmã na clareira, enquanto vários oficiais se aproximavam da multidão de mulheres espalhada diante deles. Gritaram ordens. "Levantem-se. Voltem ao trem. Vamos prosseguir. Voltem ao trem. *Raus!*" Os SS iam completar a missão. Mas Frieda e as centenas de mulheres não se mexeram. As que estavam sentadas não se levantaram. As que estavam em pé não deram um passo à frente. Elas haviam sobrevivido sete anos nas mãos dos nazistas e de seus colaboradores, foram obrigadas a abandonar seus empregos e depois suas casas; sobreviveram ao horror dos guetos, depois aos campos de concentração. Foram arrancadas de sua família e de seus amigos; viram as pessoas que mais amavam serem mortas. Apenas poucos minutos antes, haviam perdido mais cinquenta por morte ou ferimentos graves. Já haviam tido o suficiente.

Os nazistas repetiram a ordem; suas palavras pairavam no ar do fim de tarde, que cheirava a guerra: pólvora, madeira queimada, diesel, sangue. As mulheres, imóveis, com o rosto voltado para cima, eram macilentas, emaciadas; suas roupas eram uma mistura heterogênea de descartes, manchadas de fuligem, como o rosto e as mãos, por causa dos ataques. Mas eram desafiadoras, tinham olhos de aço.

Um murmúrio passou como uma onda, suavemente, pela multidão. "Não." Então, alguém repetiu, mais alto. "*Não*." A palavra floresceu, tornando-se um coro de desafio, e Frieda se juntou à música. As mulheres estavam unidas. Elas não se levantariam. Não voltariam para o trem. Não queriam morrer; não ainda, com o fim da guerra tão próximo.

Um dos oficiais mais velhos da SS se aproximou da multidão. Ele ainda estava perfeitamente arrumado, apesar de tudo que havia acontecido naquele dia. Nem um fio de cabelo fora do lugar sob o quepe com o *Parteiadler*, a águia nazista que carregava a suástica, centrado logo abaixo da parte superior da boina, erguendo-se como a ponta de uma lança. Sua túnica cinza-esverdeada estava cuidadosamente abotoada; os botões prateados nos bolsos e no peito brilhavam. Ele não era tão ruim quanto a SS de Auschwitz, refletiu Frieda. Os SS de Lübberstedt tinham a missão de mantê-las vivas, mesmo que por pouco. Mas, quando se tratava dos nazistas, o mal era apenas relativo: eram todos homens hediondos.

Em Auschwitz, pensou Frieda, elas teriam sido mortas imediatamente se pegassem uma casca de batata perdida. Mas, naquele momento, os SS estavam se comportando com mais cautela. Os aliados controlavam os céus — quanto tempo até que estivessem no solo também? O nazista sabia que teria que prestar contas, e em breve. Frieda podia ver isso em seu olhar calculista.

— Vamos levar vocês para a Dinamarca — ele disse. — Faltam apenas algumas horas; nós as entregaremos à Cruz Vermelha lá.

Elas já tinham ouvido isso; seus captores haviam alegado que as mulheres seriam trocadas por prisioneiros de guerra alemães. Elas ouviram, emburradas, assustadas, mas não se mexeram. Mesmo que fosse verdade, de que adiantava a hipotética liberdade se a morte certa a precedia?

Os demais guardas da SS cercaram as mulheres, aproximando-se. De repente, começaram a espancar as prisioneiras com suas espingardas, agitando as armas descontroladamente, tentando forçá-las a voltar para o trem. Outros agarraram as mulheres pelos braços, tentando arrastá-las para os vagões. Foi um tumulto. Os SS berravam, e as cativas gritavam e resistiam, esquivando-se dos soldados. Algumas fingiram desmaiar; outras realmente desmaiaram. As prisioneiras que os SS conseguiam colocar no trem desciam de novo quando eles se voltavam para reunir mais mulheres. Outras caíam no chão e ali ficaram.

Frieda estava várias fileiras distante da frente, no meio da multidão, protegida do pior. Ela se curvou, temendo um golpe, e se preparou para o pior ao ouvir o som de tiros. Levantou a cabeça e viu os homens da SS lutando com as prisioneiras. Não havia guardas suficientes para controlá-las; os alemães estavam em menor número. Os soldados da Wehrmacht juntaram-se à SS, fazendo desanimados esforços para levar as mulheres ao trem. O amigo de Frieda da Wehrmacht passou e a agarrou pelos braços, fingindo tentar levantá-la. Sussurrou para ela que a guerra havia terminado, que Frieda não precisava obedecer. Então, fingiu desistir e seguiu em frente. Ela percebeu que ele tinha tanto medo de entrar no trem quanto ela. Naquele momento, ao resistir, ela estava ajudando a salvar a vida de um alemão; todas aquelas mulheres estavam.

Então, o oficial superior da SS, observando a balbúrdia com as mãos enluvadas nos quadris, cedeu. "Tudo bem", gritou, "vamos prosseguir a pé." Ele deu meia-volta e voltou para o trem. Os alemães deram um passo atrás, confusos. As mulheres venceram.

Frieda se levantou, alisou o vestido, ajeitou os cabelos, deu um beliscão nas bochechas e se preparou para marchar com as demais prisioneiras. Elas estavam exaustas demais para se orgulhar do que haviam acabado de realizar.

No dia seguinte, os guardas alemães começaram a debandar, até que não restou nenhum. E, no seguinte, Frieda e suas amigas foram recebidas pelos sorrisos alegres de um pelotão de soldados britânicos. Baixinho, ela murmurou a oração *gomel*, feita quando se escapa de um grande perigo: "Bendito és tu, Senhor nosso Deus, Rei do universo, que concede coisas boas aos indignos e me concedeu toda a bondade".

Ela estava livre.

Os britânicos estavam bem equipados para combater os nazistas, mas não sabiam o que fazer com duzentas e cinquenta refugiadas judias tchecoslovacas e húngaras. Os soldados requisitaram uma base de treinamento de submarinos nas proximidades da baía de Lübeck e instalaram Frieda e suas amigas ali. Era apenas outro campo, e as condições eram espartanas. Mas as mulheres começaram a se recuperar. Depois de certa escassez inicial de alimentos, receberam o suficiente para comer. Não era exatamente comida caseira, mas era o bastante, e elas logo ganharam peso. Havia camas e cobertores, mas não o toque de despertar às cinco da manhã. Havia chuveiros também, às vezes até com água quente. Frieda recebeu uma barra de sabão, que ela guardava como se fosse um lingote de ouro.

A base estava localizada em uma linda parte da Alemanha, e a paisagem verdejante também as ajudou a se recuperar. Lübeck já havia sido destino de férias, e estava pontilhada de lagos e trilhas para caminhadas, flores desabrochando, como se a guerra nunca houvesse existido. Frieda também começou a florescer de novo. Conseguiu colocar suas *goldene hent*, suas mãos de ouro da costura, para trabalhar. Ela encontrou um rolo de guingão, provavelmente destinado a cortinas ou toalhas de mesa. Usando as habilidades de costura que aprendera com a irmã mais velha, Faigie, ela fez roupas para si, para Berta e suas amigas.

Algumas mulheres ficaram contentes só de se recuperar, de reunir forças antes de se aventurar no mundo; outras estavam bastante doentes e não tinham muita escolha. Mas não Frieda. Ela ansiava ardentemente voltar à Tchecoslováquia, a Sobrance, à casinha da rua Komárovská. Se alguém de sua família estivesse vivo, seria para lá que iria. Ela atormentou os britânicos, os assistentes humanitários e todo mundo para tentar passar uma mensagem ao prefeito da cidade, ou a seus vizinhos não judeus, avisando que ela e Berta estavam vivas, que em breve estariam em casa.

Mas ninguém podia garantir que as mensagens seriam recebidas, e não houve nenhuma resposta. A ideia de que seus pais, irmãos, sobrinhas e sobrinhos estavam lá, esperando por ela, atormentava Frieda. Como ela desejara sair daquela casa, ir ao *gymnasium*, ser médica! Agora, tudo que ela queria era voltar para lá, com todos os Grünfeld sentados à mesa da cozinha, onde preparavam e faziam as refeições, onde liam e estudavam, onde ela nascera; as lâmpadas brilhando, o pai estudando o Talmude e a mãe ouvindo enquanto costurava.

Frieda e a irmã não queriam mais ficar na Alemanha. Até a brisa quente daquele país era cúmplice de tudo que havia acontecido. Com os nazistas derrotados, havia forças menos sinistras em seu caminho: a falta de documentos, passagens de trem, comida ou dinheiro para a viagem. Mas o que eram essas insignificâncias para uma mulher que havia sobrevivido

"SE ESTIVER ATRAVESSANDO O INFERNO, SIGA EM FRENTE"

ao gueto, a Auschwitz, a Lübberstedt e ao trem da morte? Ela agitou toda a administração do campo de refugiados para ajudá-la a voltar.

No início de agosto, Frieda estava indo para a estação de trem. Berta já havia partido; surgira uma oportunidade para ir por Budapeste, e ela aproveitara a chance. Elas combinaram de se encontrar em Sobrance. Berta chegaria o mais rápido que pudesse.

Na plataforma, Frieda hesitou antes de embarcar. Outro trem. Ela engoliu em seco, forçou o pé a deixar a plataforma de concreto e subir o primeiro degrau. O restante do corpo a seguiu, e, em pouco tempo, a locomotiva estava partindo. A Alemanha, ou o que sobrara dela, foi desaparecendo quilômetro por quilômetro através da janela. As cicatrizes da guerra estavam por toda parte, e a visão de Frieda era um quadro interminável de cidades bombardeadas, campos abandonados, tanques e outros veículos queimados, refugiados alemães em marcha, campos de prisioneiros cheios de soldados alemães. Frieda não sabia como os alemães poderiam se reconstruir — e depois do que haviam feito com ela, isso lhe dava mais prazer do que ela gostaria de admitir.

Como foi delicioso ver a bandeira tcheca tremulando na passagem da fronteira e ser recebida em casa pelos guardas da Tchecoslováquia! Ouvir sua língua materna impossivelmente complicada mais uma vez! A Tchecoslováquia ocidental fora poupada do pior da guerra; o país parecia o mesmo para ela. Onde houvera danos, seus compatriotas, homens e mulheres, o estavam reconstruindo. Em cada estação, os tchecos acolhiam os refugiados que voltavam, oferecendo-lhes comida e bebida, às vezes vestindo trajes tchecos tradicionais. Ofereceram a Frieda *slivovitz*, o tradicional conhaque de ameixa, que ela recusou, e *čaj a koláč*, chá e doces, que ela aceitou com gratidão. Mais a leste, enquanto o trem seguia, ela recebeu um *mun*, bolo recheado com sementes de papoula. Centenas de pequenas bolinhas pretas — o caviar dos pobres — cobriram sua língua; Frieda fechou os olhos, saboreando as doces lembranças da comida de sua mãe.

Em todos os lugares, Frieda via fotos de seu herói, Tomáš Masaryk, e seu discípulo, Edvard Beneš. Achava o aluno igual ao mestre. Ela gastou seus recursos limitados em jornais e revistas, para ler e saborear o triunfo de Beneš. Ele mantivera a Tchecoslováquia viva — mesmo que só como uma ideia — de seu exílio em Londres. Como em Versalhes no fim da Primeira Guerra Mundial, Beneš novamente fizera manobras hábeis, acabando com a guerra com honra. Agora, os tchecoslovacos comuns, como Frieda, tinham seu país de volta. E Beneš estava de volta ao Castelo de Praga.

Mas, conforme ela adentrava mais fundo sua terra natal, sua ansiedade aumentava. Havia soldados soviéticos por toda parte. Cartazes de Stalin e do líder comunista tcheco Gottwald adornavam janelas e paredes. Muitos tchecos pareciam simpatizantes, usando fitas vermelhas ou outros emblemas comunistas, conversando animadamente sobre sua política. Ela ficou alarmada, tanto como acólita de Masaryk quanto como filha de seu pai. O ultraortodoxo Zalman Leib era um inimigo jurado dos bolcheviques antirreligiosos. Ele ficara indignado quando um parente jovem renunciara ao judaísmo e entrara para o Partido Comunista. Frieda rira com Faigie da reação exagerada do pai. Mas, agora, ela se sentia desconfortável com o tom inconfundivelmente vermelho que a recepcionava.

Havia algo mais. Frieda viu alemães esperando nas plataformas de trem e andando a pé, marchando para o oeste. Viu os idosos carregando trouxas e malas ou empurrando seus pertences em carrinhos de mão. Mães embalavam bebês nos braços ou seguravam crianças tristes e sujas pela mão. Apesar de todo seu ódio da Alemanha, a visão dos deportados deixou seu estômago embrulhado. O que os bebês haviam feito? Ela também pensou no homem da Wehrmacht que havia sido tão gentil com ela e em sua própria deportação, não tanto tempo antes. Preocupou-se com o fato de que alguns exilados pareciam judeus. Não, decidiu, *isso* seria demais. A Tchecoslováquia nunca faria isso.

Conforme avançava para o interior, ela foi ficando ainda mais desconfortável. A recepção calorosa foi esfriando. Nem todo mundo foi grosseiro, mas era impossível ignorar os olhares de soslaio e o dar de ombros. Algumas pessoas murmuravam: "Estão voltando mais judeus do que os que partiram". Ela recordou que alguns eslovacos ficaram felizes de ir embora da Tchecoslováquia em 1939, eles haviam apoiado o regime fascista do monsenhor Jozef Tiso (então preso por colaborar com Hitler).

Ela ouvira dizer que os judeus eram os únicos verdadeiros tchecoslovacos. Considerara isso um elogio — que os judeus haviam acolhido o novo Estado que combinava as terras tchecas e a Eslováquia. Mas, agora, ela percebia que não era necessariamente um elogio — que algumas pessoas da Eslováquia se ressentiam de serem forçadas a se unir aos tchecos, tanto como do entusiasmo judeu com a união. Ainda assim, ela se mantivera otimista nos campos de concentração, e não estava disposta a deixar que alguns rostos sombrios a desanimassem. Ajudando a reconstruir seu país, tornando-o melhor que nunca, Frieda provaria que eles estavam errados.

Três dias depois de deixar o campo de refugiados, Frieda por fim embarcou na última etapa de sua jornada — uma viagem de ônibus de três horas da estação ferroviária mais próxima até sua cidade natal. Ela cochilou, e acordou assustada quando o ônibus parou. "Sobrance", gritou o motorista. Grogue, espiou pela janela suja. Pôde distinguir a Hlavná ulica. Ela estava em casa! Ainda meio adormecida, tirou a mala do compartimento superior e desceu do ônibus.

Mas aquela pequena rua principal estava devastada. Havia buracos nas paredes de algumas lojas. Em outras, as janelas haviam sido arrancadas. A agência do correio fora incendiada, e a fuligem preta cobria seu exterior. Ela procurou algum vestígio de seu amigo Grundberger, o açougueiro, que costumava chamá-la enquanto ela corria para casa. Mas o açougue estava fechado com tábuas e a placa desaparecera. Também não havia sinal de Salomon, o sapateiro, nem de Jacubovic, o alfaiate. Não havia ninguém que ela conhecesse. Ela parou um soldado tchecoslovaco, um estranho. O que aconteceu?, perguntou. Ele disse que a frente de batalha havia chegado até ali em um embate entre os soviéticos e o Eixo.

"Boom", disse ele, com ironia, mas também com compaixão, antes de seguir seu caminho.

Frieda queria que Berta estivesse ali esperando por ela. Mas livrou-se da pontada de tristeza dando de ombros. Elas não haviam combinado um dia ou horário exato; como poderiam? Talvez Berta estivesse em casa, pensou, e seu pulso se acelerou. Talvez alguns dos outros já tivessem voltado, aguardando com ela: seus irmãos e irmãs, sobrinhas e sobrinhos; até seus pais! Ela sabia que isso era esperar demais. Mas Frieda era sonhadora: seu mantra era que o amanhã seria melhor que o hoje. Além disso, se *ela* estava viva, qualquer outro poderia estar.

Fortalecida, Frieda pegou sua mala e saiu correndo pela rua, tentando ignorar os danos ao seu redor. Ao se aproximar da Komárovská, lembrou-se de como havia corrido por aquela mesma calçada para ver o pai em 1938. *Tateh, você estava certo* — queria lhe dizer. *Deveríamos ter fugido para os Estados Unidos enquanto podíamos.*

Ela virou a esquina e continuou descendo a Komárovská, esperando sua casa aparecer. À medida que se aproximava, começou a ver algo onde deveria estar a casa. Algo parecia estar errado: era pequena demais, disforme. Dava para ver muito rio e muito céu. Não fazia sentido. Ela deu mais alguns passos na rua vazia e estreitou os olhos, tentando ver melhor. De repente, parou. Sentiu um aperto no coração. A mala caiu de sua mão. Onde antes estava sua casa só havia ruínas: paredes quebradas e queimadas; vãos onde antes havia janelas; teto que não existia. Ela fechou os olhos, balançou a cabeça e tentou se reorientar. Talvez ela houvesse errado o caminho. Mas, quando abriu os olhos de novo, viu o rio, a estrada e a escola. Sua visão ficou turva, os olhos ardiam e Frieda percebeu que estava chorando.

Parte III

9

"Ele, o mestre da Boêmia e da Europa"

O palácio; julho de 1945

O PALÁCIO DE OTTO PETSCHEK ESTAVA em perigo, e Laurence Steinhardt estava decidido a resgatá-lo. (*Ver imagem 9*.)

O recém-chegado embaixador dos EUA na Tchecoslováquia tinha décadas de prática em salvar o dia. Suas habilidades de resolução de crises fizeram dele um disputado advogado de Manhattan que representava todos, desde Vaslav Nijinsky até a arquiduquesa Maria Theresa. Essas habilidades o fizeram se adaptar bem às exigências de uma campanha presidencial quando ele ajudara Roosevelt a conquistar a Casa Branca, em 1932. E o levaram a prosperar como um diplomático solucionador de problemas que o presidente costumava despachar para pontos sensíveis mundo afora, de Moscou a Ancara. E, naquele momento, fora enviado a Praga para ajudar a recuperar a democracia e rechaçar a influência soviética. Era seu quinto cargo de chefe de missão, com apenas cinquenta e dois anos.

O palácio não *parecia* estar em perigo quando Laurence o viu pela primeira vez. Estava sob o controle das forças armadas tchecas, e ele foi visitar seus ocupantes como o novo enviado dos Estados Unidos. Sua limusine rodava pela entrada do antigo lar de Petschek, chacoalhando levemente sobre o áspero cascalho. Ele ficou encantado com o que viu. Torres e cúpulas, querubins flutuando nas esquinas como beija-flores — uma forma requintada atrás da outra —, e toda a força do design: alas, baías e telhados de mansarda estendendo-se indefinidamente.

O carro parou diante da entrada principal. As colunas clássicas gigantes que a ladeavam evocavam as antigas fontes da democracia da Tchecoslováquia, que seu país havia acabado de ajudar a restaurar à custa de tanto sangue. Laurence foi conduzido à sala de recepção oval, com a intrincada geometria preta, verde e vermelha do piso de mármore embaixo da cúpula branca. De ambos os lados havia pátios internos com fontes borbulhantes, querubins de bronze brincando com cisnes, mitos gregos congelados em estátuas. Do outro lado dessa sala havia outras, terminando em uma série de janelas de caixilhos dourados e um enorme parque no coração do complexo. Como diplomata veterano, Laurence já estivera em muitos palácios, de Estocolmo a Lima, de Istambul a São Petersburgo. Mas raramente via algo assim.

Laurence queria saber mais sobre aquele edifício extraordinário, e suas perguntas foram respondidas pelo zelador do palácio: Adolf Pokorný. Ele e a esposa ainda ocupavam a portaria, vigiando o palácio e agora servindo aos oficiais tchecos e outros VIPs, como o novo embaixador americano, que tinha liberdade de acesso. (Alguns chegavam a passar a noite ali, devido à escassez de hotéis em Praga.) Alto, careca e austero, com seu uniforme impecável como sempre, Pokorný descreveu a Laurence seu empregador original e a história da casa.

Ele também contou a Laurence a história do último capítulo do palácio: os soviéticos haviam tomado o edifício quando libertaram Praga. Causaram mais danos em poucos dias que os longos seis anos de guerra. Haviam jogado um piano pela grande escadaria, deixando cicatrizes na pedra onde o instrumento explodira, embaixo. O gramado que se estendia do outro lado da parede retrátil brilhava como se estivesse coberto de diamantes. O brilho era de milhares de cacos de vidro, de garrafas que os soviéticos quebravam em competições de tiro.

Os militares tchecos por fim conseguiram expulsar os soviéticos do palácio. Os homens de Stalin agora ocupavam as instalações maiores, mas muito menos preciosas, construídas pelo irmão de Otto, Fritz, a alguns quarteirões de distância. (Os soviéticos também se serviram de uma segunda casa dos Petschek na vizinhança, erigida por outro parente.) Os soldados tchecos retomaram o complexo de Otto, mas as depredações das forças de Stalin prosseguiram. Poucos dias antes, explicou Pokorný, "alguns oficiais russos haviam ido até o palácio com caminhões e levado toda a prataria, todas as roupas de cama e algumas porcelanas". Seus demais tesouros continuavam ali, mas por quanto tempo?

Enquanto o embaixador observava as pedras quebradas e os cacos de vidro no gramado, devia sentir uma onda de indignação. Durante sua carreira jurídica ele lutara para proteger os vulneráveis, representando vítimas de crimes e trabalhando por uma terra na Palestina para os judeus. Ele havia feito o mesmo que um embaixador em tempos de guerra: lutara contra Stalin, ajudara refugiados e resgatara pilotos aliados que caíram. Inclusive formara uma coleção de velhos ícones russos enquanto servia em Moscou, oferecendo um lar, apesar de suas origens hebreias, para as pequenas pinturas religiosas jogadas fora durante o regime comunista. Como judeu (e orgulhoso disso, apesar de altamente assimilado), ele se identificava com as pessoas em perigo.

Agora, o palácio clamava por proteção. Ele teve uma ideia: por que não tentar morar ali, tomando-o sob a custódia dos EUA, fazendo ondular a bandeira americana sobre o complexo? Com isso, ele faria um favor aos Petschek, seus proprietários ausentes. E mudar-se para o palácio resolveria outro problema: a própria situação de vida de Laurence. Seu atual apartamento, no centro da cidade, ficava em um edifício renascentista em ruínas, uma bagunça de residências e escritórios com um layout labiríntico e sem sentido. Mas o palácio... ele pegara as melhores ideias de milênios da arquitetura europeia e as tornara habitáveis. Laurence poderia realizar muita coisa tendo como ponto de partida aquele lugar deslumbrante para a batalha dos Estados Unidos pela conquista da simpatia dos tchecoslovacos.

Ele só precisava de um plano para garantir isso. Suas engrenagens mentais começaram a girar.

Laurence voltou à embaixada dos EUA; ficava aninhada nas estreitas ruas do bairro Malá Strana, em Praga, que desciam a colina do castelo até a margem esquerda do rio Vltava. Conhecida como Schönborn por seus antigos proprietários (antes de os Estados Unidos a comprarem na década de 1920), a embaixada datava do século XVII. A aparência externa da base do governo dos EUA em Praga era boa. Duas enormes portas de entrada de madeira abriam-se para revelar um grande pátio de paralelepípedos guardado por duas estátuas de guerreiros mitológicos de dois metros e meio de altura, envoltas em peles de leão feitas de pedra e empunhando bastões de mármore. Três alas cercavam o pátio. Diretamente à frente de quem entrava, um jardim em camadas subia uma colina, encimada por um pavilhão de verão branco de dois andares — uma *glorietta*.

Mas o interior do edifício fora costurado juntando cinco casas medievais e uma maltaria, e aposentos foram acrescentados ao longo de séculos de remodelagens incoerentes. O projeto fazia com que aqueles que visitassem a casa ou ali vivessem acabassem inevitavelmente se perdendo; pequenos trajetos se transformavam em longas viagens, indo de volta aonde haviam começado ou ao porão, de cara com as antigas fundações em ruínas. O edifício poderia ser descrito como kafkiano, e com mérito: Kafka, ex-colega de classe de Otto na faculdade de direito, havia alugado um quarto ali quando era uma pensão, antes de ser uma embaixada. O aquecimento insuficiente provavelmente afetara a saúde de Kafka — a tuberculose que o mataria se manifestara pela primeira vez ali —, e o espírito surreal de Schönborn impregnava seus escritos.

Os Estados Unidos fecharam a propriedade e partiram em 1939, e, após seis anos vazia, o interior estava imundo e decrépito. Banheiros, parte elétrica e aquecimento foram reformados, mas estavam regularmente sujeitos a avarias. Laurence brincava com um amigo dizendo que estava "acampando nesse estádio coberto, que, com exceção de algumas salas, não possui aquecimento central, o encanamento é do século XVII e todas as vezes que as luzes se apagam parece que foram instaladas durante as experiências de Thomas Edison". O Schönborn, apesar de grandioso, estava em ruínas e precisava muito de reparos — talvez fosse uma boa metáfora para a Europa do pós-guerra, pois não era muito habitável. Mas o palácio de Otto, racional, simétrico e bem construído, oferecia uma visão muito mais atraente do liberalismo ocidental que Laurence deveria alavancar em Praga.

Os defeitos de Schönborn se amplificavam porque os dias de Laurence no edifício eram longos demais. Normalmente ele era o primeiro americano a chegar e o último a sair. Os funcionários da embaixada ainda não haviam conseguido pegar o ritmo do trabalho administrativo do pós-guerra, que incluía lidar com um grande fluxo de pedidos de cidadãos americanos para localizar parentes judeus desaparecidos.

A outra principal preocupação de Laurence era como ajudar a salvar a Tchecoslováquia dos soviéticos. O país fora dividido em duas zonas. No norte, região que Patton havia libertado, havia várias divisões do exército dos EUA estacionadas. Cerca de trinta mil soldados norte-americanos patrulhavam a fronteira alemã e distribuíam alimentos e outros suprimentos a civis, de olho nas relações tensas entre os tchecos étnicos e seus vizinhos germanófonos que haviam apoiado os invasores nazistas. A outra grande extensão do país, fora da zona americana, tinha duzentos e cinquenta mil soldados soviéticos.

Não foi só com as forças de ocupação que Stalin e os comunistas maximizaram seu domínio. Os líderes comunistas, dirigidos por Moscou, estavam desproporcionalmente representados no governo provisório que Beneš havia reunido. E outros espaços foram ocupados por ostensivos democratas que Stalin havia atraído para seu rebanho.

Mas, talvez, a maior dificuldade para Laurence tenha sido o próprio povo tcheco. Como Stalin (e Patton) havia previsto, eles acolheram seus libertadores, e em Praga, como na maior parte do país, esses libertadores eram soviéticos. Isso foi um obstáculo assustador para Laurence. Ao conter Patton, Eisenhower havia prejudicado a restauração da liberdade na Tchecoslováquia. Laurence estava entre aqueles que queriam o contrário. Ele "tinha esperança de que o Terceiro Exército fosse instruído a entrar em Praga — o que poderia ter acontecido com facilidade". De fato, seus colegas de Estado "haviam se arrastado de quatro até a Casa Branca" para garantir esse resultado, mas sem sucesso. Roosevelt falecera no cargo em abril, e, aparentemente, era pedir demais que o recém-eleito presidente Truman contraordenasse Ike — e Stalin. Laurence se preocupava com o fato de os americanos talvez não reconhecerem totalmente a ameaça soviética e pensarem na União Soviética como uma aliada — os corajosos parceiros de combate que fecharam a metade oriental do torno sobre Hitler, liderados pelo rústico "Tio Joe" (Stalin).

Laurence conhecia Stalin pessoalmente e não nutria tais ilusões. Ele vira de perto o poder assassino dos soviéticos, que matavam humanos tão casualmente quanto despedaçaram o piano de Petschek e vandalizaram seus jardins. Franklin Roosevelt havia enviado Laurence a Moscou como embaixador nos primeiros dias da aliança nazista-soviética de 1939. Ele queria que seu "vendedor de cavalos", como se referia a Laurence, ficasse de olho no improvável companheiro comunista de Hitler. Laurence advertira Roosevelt e o Departamento de Estado de que Stalin e seu círculo não eram confiáveis, que o tirano de bigode só entendia de força. Os soviéticos ficaram sabendo, e tinham ódio de Laurence. Atribuíram isso, em parte, à sua etnia e religião, desprezando-o como "um judeu rico e burguês permeado pelo fedor do sionismo". Por sua vez, Stalin detestava tanto Laurence que ignorara as advertências do embaixador de que Hitler o estava isolando de outras nações. Reunindo um mosaico de pistas, Laurence deduzira que a Alemanha planejava invadir a União Soviética; a última peça do quebra-cabeça se encaixara quando ele vira um diplomata alemão mandando seu amado boxer de volta para casa de trem. Somente uma guerra iminente poderia ter separado aquele aristocrata prussiano do cachorro.

Quando os nazistas invadiram e Stalin, chocado, fora forçado a se opor a Hitler, não queria que lhe recordassem seus erros. Uma de suas exigências ao novo aliado, Roosevelt, fora que Laurence fosse substituído — demanda prontamente atendida pelo presidente americano. Laurence dissera às pessoas que Roosevelt precisava dele em Ancara para impedir que os turcos passassem para o lado alemão (como haviam feito na Primeira Guerra Mundial). Também dissera que o trabalho em Moscou se tornara principalmente logístico, transferindo material de guerra para o Estado soviético. Havia certa verdade nisso, mas foi um rebaixamento doloroso. Embora Laurence tenha prosperado em Ancara, guardara rancor contra Stalin.

Agora, em Praga, Laurence tinha a chance de se vingar — e por uma boa causa. Em uma carta, ele expôs seus planos ao Departamento de Estado, no final do verão; disse que Praga era a única capital da Europa Oriental "onde temos uma chance de recuperar o terreno perdido e deter a maré ocidental do comunismo". Além do avanço soviético, pensou Laurence, em um ou dois anos os americanos também poderiam melhorar as coisas em Varsóvia, Viena, Budapeste e Bucareste. "Agora, tenho mais certeza que nunca de que a Tchecoslováquia será o primeiro país da Europa a se recuperar de verdade, e que pode desempenhar um papel importante na ajuda aos países vizinhos", escreveu.

O velho adversário de Laurence, Stalin, estava igualmente determinado a promover a influência soviética na Tchecoslováquia, e apelou ao nacionalismo eslavo para isso. No início de 1945, ele havia dito a Beneš e a uma delegação tcheca: "Na Primeira Guerra Mundial, bem como na Segunda, os povos eslavos sofreram mais [...] É por isso que nós, os novos eslavófilos-leninistas, insistimos tanto na união dos povos eslavos". E proclamara a inocência de suas intenções pan-eslávicas. "Há rumores de que queremos impor o sistema soviético aos povos eslavos", disse à plateia. "Isso é bobagem. Em amizade com os países eslavos, queremos governos democráticos genuínos."

Laurence estava pronto para lutar contra Stalin e "recuperar o terreno perdido". Ele só precisava de uma boa desculpa. Enquanto procurava uma, seu foco seria garantir o palácio de Otto.

Laurence não era homem de rodeios. Ele foi direto ao topo para discutir sobre o palácio: o próprio Beneš. O embaixador fez a curta viagem de carro pelos caminhos sinuosos rumo ao Castelo de Praga. Depois de percorrer por dez minutos as ruas de paralelepípedos em sua limusine Packard marrom, emergiu de uma pista estreita na Hradčanské náměstí, a Praça do Castelo. Três lados eram cercados por casas, lojas e prédios de contos de fadas cobertos de *sgraffito* — uma camada de gesso branco sobre um fundo preto, que é estrategicamente raspado, deixando à vista desenhos elaborados, como remoinhos e arabescos —, blocos de pedra trabalhados em *trompe l'oeil* e sábios barbudos.

No lado leste da praça pairava o castelo, considerado o maior do mundo. Era formado por edifícios díspares erguidos ao longo de muitos séculos, conectados por trechos de paredes encimadas por estátuas — tudo unido em um único e enorme perímetro retangular que dominava o topo da colina e a cidade.

Laurence subiu até o portão principal, cercado de ambos os lados por guaritas listradas de preto e branco. Havia membros da Guarda do Castelo em frente a cada guarita, rígidos mas alertas, segurando rifles com baionetas. Pareciam durões, mas perdiam em ferocidade e tamanho se comparados ao que havia acima deles. Na muralha do castelo havia duas estátuas de guerreiros de mais de cinco metros de altura, cada uma pairando sobre um inimigo derrotado. Conhecidos como os Lutadores Gigantes, foram esculpidos por Ignác Platzer para os monarcas de Habsburgo para impressionar e intimidar os visitantes do castelo ao longo das eras.

À primeira vista, o presidente Beneš era menos imponente. Miúdo, com um bigode fino e grandes entradas nos cabelos, o cortês Beneš parecia meigo. Mas as aparências enganam. Ele vinha equilibrando as grandes potências umas contra as outras desde a Primeira Guerra Mundial. Beneš ajudara a criar seu país e, quando os nazistas o tomaram dele, ele jogara suas cartas com astúcia no quartel-general da guerra em Londres. Como chefe do governo da Tchecoslováquia no exílio, ele convencera os constrangidos Aliados a revogar o Acordo de Munique, planejara remotamente o assassinato de Heydrich e fizera parte da coalizão que derrotara Hitler. As estátuas de Platzer eram um símbolo adequado de sua situação atual ante aquele inimigo de outrora.

Beneš recebeu Laurence calorosamente. O líder tcheco jamais esquecera que Woodrow Wilson havia apoiado a fundação da Tchecoslováquia em 1918. E, se Roosevelt falhara com ele em 1938, mais que compensara a partir de então, ajudando a vencer a guerra e a restaurar Beneš e o Estado da Tchecoslováquia. Beneš esperava apenas que Truman fosse um líder igualmente forte.

Depois de discutir outros assuntos, Laurence levantou a questão do complexo de Otto. Queria alugá-lo. O Schönborn precisava muito de reparos, era essencialmente inabitável. Havia apenas uma casa em Praga inteira que ele considerava boa o suficiente. Os soviéticos tinham duas outras grandes casas dos Petschek, certamente era justo que os Estados Unidos pudessem alugar a terceira.

O presidente avaliou o pedido de Laurence. Beneš conhecia a propriedade, sem dúvida. Ele já atravessara a sala de recepção, já andara pelos corredores silenciosos e curvos, passara pelos heróis e pelos meandros sinuosos bordados nas tapeçarias. Jantara ali com Otto, aquele arquétipo da Primeira República, o Rei do Carvão. O banqueiro otimista ajudara a transformar a economia tchecoslovaca na inveja da Europa. Acaso Beneš permitiria que um símbolo daquele apogeu passasse novamente a mãos estrangeiras?

Mas Beneš já havia aprendido a suprimir o sentimentalismo. Ele gostava dos Estados Unidos, mas também precisava deles, e isso significava que precisava de Laurence. O embaixador americano prometera ser um amigo importante para os tchecos, e aquela era uma chance de fazer um depósito no banco de favores americano. Beneš achava que era "uma questão de sabedoria política" recompensar Laurence e cultivar seus favores futuros. E Beneš valorizava a sabedoria política. Afinal, ela permitira a ele mesmo voltar para um castelo.

Então Beneš disse a Laurence que faria o melhor que pudesse. Laurence ficou satisfeito com a boa vontade de Beneš. Ele acreditava que o presidente poderia ajudá-lo a proteger o palácio, se assim quisesse, e parecia querer isso. Laurence não havia desperdiçado as lições de seus muitos cargos diplomáticos. Pôde se sentir justificadamente satisfeito quando voltou a seu Packard, saiu por entre os Lutadores Gigantes, voltados para o portão do castelo, e regressou ao Schönborn.

Ainda assim, como antigo funcionário do Departamento de Estado, Laurence sabia que sua intervenção junto a Beneš era apenas o primeiro passo. Também precisaria do consentimento de Foggy Bottom e do legítimo proprietário da casa. Laurence sabia que havia um herdeiro, Viktor Petschek, que agora residia nos Estados Unidos. Decidiu entrar em contato com ele.

"ELE, O MESTRE DA BOÊMIA E DA EUROPA"

Laurence escreveu para seu amigo Francis Williamson, chefe assistente da Divisão de Assuntos da Europa Central do Estado, pedindo-lhe que encontrasse e convencesse o filho de Otto:

> Eu não gostaria de ocupar uma de suas casas sem seu pleno conhecimento e consentimento [...] Espero, portanto [...] que possa contar com suas qualidades persuasivas no esforço de convencer o sr. Petschek de que ele não deve se opor a que eu alugue do governo tcheco uma de suas casas. Qualquer chance de ele recuperar o castelo em boas condições, com a mobília intacta, ou de obter uma compensação adequada por parte do governo tcheco, seria, em minha opinião, maior com minha permanência lá.

Laurence também pediu a Williamson que descobrisse com quem falar para conseguir a permissão do Estado. Williamson concordou em ajudar. Laurence aguardou ansiosamente uma resposta.

Laurence estava ávido por uma luta para "recuperar o terreno perdido" dos soviéticos, e logo escolheu uma. Ele não podia reescrever a história para que Patton libertasse Praga; não podia expulsar os comunistas do gabinete tcheco, nem banir os criptocomunistas. Mas *poderia* ajudar a expulsar os soldados soviéticos que vagavam pela Tchecoslováquia parando pedestres e exigindo carteiras e relógios, ameaçando mulheres e meninas, invadindo lojas e casas, como haviam feito com a de Otto, e pilhando a terra.

Os piores episódios não eram diferentes da conduta da SS de que Toussaint se queixara. Os soviéticos chegaram a prender o vice de Laurence, Alfred Klieforth, quando este dera de cara com um grupo deles ocupando um edifício; eles o mantiveram sob a mira de uma arma por horas, e Klieforth ainda não havia se recuperado do susto.

Os soldados soviéticos haviam roubado um carro de outro membro da equipe de Laurence, também sob a mira de uma arma. E essas vítimas eram diplomatas americanos; mas o regime de terror sobre os tchecos comuns era muito pior.

Então Laurence bolou uma estratégia para acabar com isso: ele mediaria a retirada das tropas americanas em troca da remoção das tropas soviéticas. Laurence sabia, graças a suas conversas com líderes militares dos EUA — inclusive seu amigo general Ernest Harmon, chefe das divisões americanas no país —, que as tropas americanas teriam que sair mais cedo do que o público tcheco imaginava. Os rapazes queriam ir para casa, e suas famílias estavam ainda mais ansiosas por isso. Laurence entendeu que era crucial expulsar as forças soviéticas ao mesmo tempo. A enorme concentração de soldados soviéticos indomáveis assustava os tchecos. Com as primeiras eleições pós-guerra se aproximando — início de 1946 —, os eleitores, influenciados pelo medo, seriam incapazes de fazer uma escolha livre sob a mira de armas soviéticas.

Mas Laurence imediatamente teve que enfrentar uma complicação: o clamor público para os Estados Unidos partirem. Ouviam-se gritos antiamericanos em Praga, de oficiais de esquerda do governo, de alguns meios de comunicação e até de cidadãos comuns. Laurence suspeitava de que isso estivesse acontecendo por ordens de Moscou. Não era possível que a maioria dos tchecos realmente quisesse que os americanos fossem embora. Mas havia muito em jogo para seguir só seu instinto. Para confirmar suas suspeitas, ele agendou um jantar com o ministro das Relações Exteriores, Masaryk, para 24 de agosto.

Os nomes Masaryk e Beneš ainda se encontravam emparelhados no governo da Tchecoslováquia, como acontecera por toda a história desse jovem país. Mas, agora, era o filho de Masaryk, Jan, que ocupava o antigo gabinete de Beneš no Palácio Czernin, enquanto Beneš ocupava a cadeira do pai de Jan no Castelo de Praga. Careca, barbeado e corpulento, Jan tinha a inteligência e a decência fundamental do pai, mas as semelhanças acabavam aí. O mais sincero lema do velho Masaryk era *Pravda vítězí* ("a verdade prevalece"), e ele pautara sua vida nisso — desde a refutação do libelo de sangue judeu até o feminismo diligente, muito à frente de seu tempo. Jan, por outro lado, era sarcástico. Seu lema era *Pravda vítězí, ale dá to fušku* ("a verdade prevalece, mas é uma chatice"). Mas, quando se tratava dos Estados Unidos, os laços de Jan eram ainda mais profundos que os de seu pai: sua mãe era americana, bem como sua noiva, e ele servira como embaixador da Tchecoslováquia em Washington.

Johnny, como os amigos americanos de Masaryk o chamavam, tendia a não levar as coisas muito a sério, e isso incluía as demandas públicas de que as tropas americanas partissem. Ele disse a Laurence durante os dois jantares que tiveram que ele e Beneš — e, de fato, a maioria dos outros membros do governo interino — queriam que os Estados Unidos mantivessem suas tropas no local até que os soviéticos também estivessem prontos para se retirar. Laurence aceitou a palavra de Masaryk. Eles provavelmente selaram o acordo pegando seus cachimbos (ambos eram devotos do tabaco) e fumando juntos. Mais tarde, Laurence mandou um telegrama a Washington dizendo que sua conversa com Masaryk o deixara satisfeito, pois o governo tcheco não queria que as forças americanas partissem, a menos — e até — que as forças soviéticas fossem embora também.

Laurence estava otimista, achava que sua estratégia de bolar uma retirada simultânea de tropas poderia funcionar, ajudando a garantir eleições livres. Ele não imaginava que estava prestes a ser surpreendido por sua própria equipe.

A solicitação de Laurence a Viky para ocupar o palácio passou por uma série de telegramas e telefonemas de Praga a Washington e Nova York. Em agosto de 1945, por fim chegou ao filho de Otto nos Estados Unidos. Ele era já um homem de trinta e um anos que havia passado a Segunda Guerra Mundial no exército dos EUA. Recém-chegado depois de passar dezoito meses na Europa, ele dera bom uso a seu alemão na inteligência do exército, inclusive interrogando soldados nazistas capturados. Era o mais velho de sua família imediata ainda vivo. O exílio de Praga fora demais para sua mãe, Martha. Ela morrera menos de um ano depois de emigrar, caindo aos pés das filhas em uma pensão de Toronto enquanto aguardava a admissão nos Estados Unidos. Viky conseguira ajudar a levar suas irmãs do Canadá para os Estados Unidos, e as três estavam em segurança ali.

As dificuldades da família, a guerra e a passagem do tempo haviam derrotado a frivolidade de Viky. Ele tentara entrar nos negócios em terras tchecas e depois nos Estados Unidos antes de se alistar. No entanto, Viky não possuía as habilidades do pai, e os tios não lhe haviam confiado um papel de liderança. (O irmão mais novo e igualmente decidido de Otto, Hans, ficara encarregado dos negócios da família.) Portanto, Viky começara por conta própria, tentando de tudo, desde publicação de revistas até importação de peças de bicicleta — novamente sem sucesso notável.

Viky também ficara encarregado da recuperação da fortuna de Otto. Sua mãe e seus tios haviam sido mais espertos que a maioria. Sob pressão dos nazistas (incluindo o próprio Göring) para vender suas propriedades a compradores preferenciais, eles negociaram as melhores ofertas possíveis sob coação. Embora houvessem recebido um baixo valor por suas propriedades, mesmo aquela pequena fração de sua fortuna permitia a Viky e a suas irmãs viverem com relativo conforto. Agora, Viky estava descobrindo como recuperar ou ser pago integralmente pelo que era dele por direito: as minas de carvão, as fábricas, o banco e, é claro, o palácio do pai.

O que Viky soube por meio de Laurence era de arrepiar. Williamson havia lhe transmitido o conteúdo da mensagem original do embaixador:

"O que os soviéticos fizeram às duas casas dos Petschek que eles ocupam foi uma indescritível balbúrdia. Eu estive em ambas em visitas oficiais, e estão uma bagunça; há soldados vagando por todo lado, removendo e danificando tudo". Eram as casas de seus tios! E, quanto à terceira casa que os soviéticos tomaram após a guerra — a casa de sua infância —, Viky descobriu que eles a invadiram, retiraram toda a prataria, o enxoval e as porcelanas. Porém muito mais ainda restava, inclusive os móveis, e o palácio em si ainda não estava irreparavelmente danificado.

A situação teria deixado Otto horrorizado: bolcheviques soviéticos armados roubando suas coisas e ocupando duas das outras casas que pertenciam à família? A ameaça de mais comissários voltando e se sentando na sala de jantar de Otto, em uma das cadeiras Luís XV, comendo na porcelana Meissen, subindo as escadas para passar um tempo no banheiro de azulejos verdes, seguido de uma longa soneca na cama embutida da suíte máster, roncando tão alto que as pequenas flores esculpidas na madeira tremeriam? O relacionamento de Viky com o pai havia sido complexo e ele não amava o palácio, mas esse cenário era um pesadelo.

Por isso, ele aceitou a oferta de Laurence, e, em 28 de agosto, enviou uma autorização formal por meio de um funcionário do escritório da família em Nova York:

> Em nome do sr. Viktor Petschek, declaro que as instalações do sr. Petschek podem ser ocupadas pelo embaixador [...] e que nem o sr. Viktor Petschek, nem eu, nem ninguém em seu nome fará qualquer reivindicação, de qualquer natureza ou descrição, de aluguel ou pagamento por uso e ocupação das referidas instalações contra o referido embaixador dos Estados Unidos, o governo dos Estados Unidos ou o governo da Tchecoslováquia

Mas o Departamento de Estado de Laurence estava menos entusiasmado. Williamson lhe escreveu dizendo que havia se reunido com um dos velhos burocratas do Gabinete de Edificações para pedir que os Estados Unidos alugassem o palácio a Laurence. O homem o ouvira com expressão acre. Por fim, dissera: "A resposta é 100% não". A embaixada era habitável, dissera, de modo que Laurence deveria morar ali. O oficial dissera a Williamson que ele havia visitado Praga, e recebera o relatório de um custódio da embaixada — datado de 1939, antes da guerra.

Williamson "explodira". Era óbvio que a embaixada estava deteriorada, e Laurence precisava alugar outro local enquanto fosse restaurada. Mas o homem fora inflexível.

— Vou dizer ao embaixador para escrever diretamente ao secretário de Estado — respondera Williamson.

— Meu escritório está cheio de cartas de reclamações dos embaixadores escritas ao secretário de Estado — replicara o oficial.

Williamson era um amigo leal, de modo que pressionara de novo. No fim, "a conversa prosseguiu em uma atmosfera mais razoável", informou a Laurence.

Ainda assim, ficou claro para o embaixador que a autorização do Departamento de Estado para assinar o contrato não chegaria tão cedo. Esse não era o primeiro confronto de Laurence com Foggy Bottom, eles seriam capazes de arrastar as coisas para sempre. Mas não importava: Laurence pretendia ocupar o palácio com ou sem a permissão de Washington, D.C.

Em 31 de agosto, Laurence recebeu notícias muito piores. O comandante das tropas americanas, seu amigo general Ernest Harmon, disse ao embaixador, com absoluta confiança, que duas de suas três divisões americanas que guardavam a Tchecoslováquia seriam mandadas para casa em 10 de setembro, e não seriam substituídas. A terceira divisão deveria se retirar no dia 1º de novembro, por ordem do Supremo QG, liderado por ninguém menos que Eisenhower. Provavelmente, Ike estava apenas atendendo a todas as famílias americanas e a seus congressistas, que andavam dizendo que a guerra havia terminado e queriam que seus filhos voltassem para casa. Mas ele demonstrava a mesma negligência acerca das consequências políticas que o haviam levado a permitir que os soviéticos libertassem Praga, e assim fazendo os tchecos inclinarem-se para o lado soviético. Essa última decisão ameaçava tornar o dano permanente.

Mas, dessa vez, Laurence estava *in loco* para contestar. Ele lançou um ataque total, começando por dizer sem rodeios ao secretário de Estado: "A repentina desocupação de todas as forças americanas da Tchecoslováquia neste momento, enquanto os russos continuam mantendo grandes forças no país, violando sua promessa de retirada, constituiria uma reversão abrupta de nossa política", e seria vista por Beneš e pelos tchecos como "um abandono da Tchecoslováquia à influência russa cometido pelos EUA".

Para pressionar, Laurence consultou o talvez mais sábio homem do Departamento de Estado, o número dois no comando, Dean Acheson. Laurence e Acheson eram *Ivy Leaguers* e *New Dealers* que se tornaram diplomatas. Diferente de outros, Acheson, formado em direito pela Universidade Harvard, não se incomodava por advogados judeus se tornarem enviados americanos. Os dois tiveram uma ideia: como seu próprio governo parecia indiferente às virtudes da retirada simultânea dos EUA e da União Soviética, por que não pedir a Beneš para tomar a iniciativa? O presidente da Tchecoslováquia estava bem situado para levar aos soviéticos a ideia de que eles e os americanos se retirassem ao mesmo tempo. Se Stalin concordasse, o exército dos EUA poderia ser persuadido a esperar um pouco mais. Acheson pediu a Laurence que visse se haveria o consentimento dos tchecos para essa manobra.

Em 14 de setembro, Laurence tornou a subir a Colina do Castelo para se reunir com o líder tcheco. Dessa vez, os dois Lutadores Gigantes de Platzer que pairavam sobre seus oponentes rendidos representaram as ameaças finais que os tchecos enfrentariam se seu plano falhasse. Laurence sabia o que significava a proposta de "união dos povos eslavos" de Stalin: a polícia secreta batendo nas portas à meia-noite; confissões sob tortura em celas subterrâneas; julgamentos performáticos e, depois, os Gulags. No escritório de Beneš, Laurence explicou sua proposta de retirada simultânea de tropas e fez a pergunta: Ele solicitaria isso a Stalin?

Uma coisa era ajudar Laurence a encontrar um novo lar, mas apresentar um ultimato velado ao homem mais temido da Europa? Não fora assim que Beneš sobrevivera todas aquelas décadas na política internacional. Ele respondeu perguntando se poderia falar livremente com Laurence, com a maior confidencialidade. Beneš explicou que ele já estava fazendo o que podia para reprimir a ocupação soviética. Havia acabado de enviar seu general superior a um colega soviético para reclamar dos soldados e de suas depredações. Ele descreveu a Laurence uma série de confrontos entre os soldados tchecos e soviéticos, inclusive "muitos assassinatos" de civis tchecos por tropas soviéticas. Beneš achava que seu general havia feito progresso, de modo que estava mandando o homem a Moscou "para pedir o cumprimento imediato da promessa de Stalin de reduzir as forças soviéticas na Tchecoslováquia".

No entanto, Beneš disse que não estava preparado para ir tão longe quanto Laurence lhe pedia. O tcheco explicou que qualquer "tentativa de obter aprovação do Gabinete para uma solicitação dos governos dos EUA e da União Soviética para efetuar a retirada simultânea [...] pode precipitar dissensões dentro de meu governo". O governo estava cheio de comunistas, e eles queriam que as tropas soviéticas ficassem. Mas Beneš teve uma ideia. E se os *Estados Unidos* propusessem a retirada de Stalin, oferecendo partir simultaneamente com os soviéticos?

É verdade que seria um blefe, porque os Estados Unidos não tinham intenção de ficar, de qualquer maneira. Mas Beneš certamente poderia promover isso junto ao seu governo e até apoiá-lo em conversas com Stalin.

Beneš, astuto como sempre, adotou uma abordagem que poderia funcionar: um dos intrincados minuetos diplomáticos nos quais ele tinha tanta prática. Laurence agradeceu ao presidente e voltou à embaixada para se reportar a Washington. Em seu telegrama, ele urgiu pela adoção do plano de Beneš porque era "a melhor perspectiva de conseguir uma retirada simultânea". Laurence também enfatizava que os Estados Unidos deveriam manter duas divisões na Tchecoslováquia, pelo menos "até que a possibilidade de retirada simultânea tenha sido completamente explorada". Como já havia uma ordem de redução de tropas — que entraria em vigor em menos de uma semana —, Laurence pediu que fosse revertida.

Ele aguardou notícias de Washington não menos ansioso que um prisioneiro no corredor da morte esperando pelo perdão. No final de setembro, chegou uma resposta: a alta hierarquia militar adiaria a retirada enquanto decidiam se deveriam ou não fazer parte da estratégia proposta por Laurence. Irritava-os ver seus homens sendo usados como peões em um jogo de xadrez entre Laurence e Stalin, mas, pelo menos, pensariam a respeito.

Laurence achava que sabia como fechar o acordo. Eisenhower havia ajudado a criar seus problemas em Praga; então, Laurence atrairia o general para a Cidade Dourada para resolvê-los.

Quanto ao palácio, Laurence decidiu cuidar ele mesmo do assunto. Se o Departamento de Estado se recusasse a alugar o palácio, ele mesmo o faria. A burocracia de Washington não poderia detê-lo se ele quisesse alugar um imóvel; nessas questões, diferentemente da retirada de tropas, um embaixador tinha autoridade quase que ilimitada.

O Ministério da Defesa tcheco era o guardião da propriedade, e, em setembro, Laurence negociou um contrato com os oficiais de lá encarregados de executar os desejos de Beneš. Os comunistas torceram o nariz por terem que entregar o palácio a um arquicapitalista. (Talvez tenham ficado surpresos ao saber que o próprio governo de Laurence também tinha apreensões.) Mas os desejos do presidente conduziram o dia, e em setembro o ministério assinou um contrato de aluguel de um ano do palácio e complexo de Otto. O aluguel foi fixado em cento e cinquenta mil coroas tchecas por ano.

Então, a propriedade estava sob a proteção de Laurence — mas, como ele logo descobriu, não pronto para ocupação. Laurence teve que recorrer à ajuda do governo da Tchecoslováquia para despejar os invasores das duas casas que havia do outro lado dos jardins; um dos ocupantes ilícitos era o representante local da Cruz Vermelha Internacional. A seguir, Laurence se dedicou a restaurar o palácio, correndo para acabar antes do inverno, como Otto havia feito ano após ano durante a construção. Havia quase vinte vazamentos no telhado e inúmeros outros reparos urgentes.

Laurence replantou o terreno, preferindo um novo anel de flores e vegetação ao redor do palácio. Ele escreveu à Holanda e Nova York para encomendar milhares de mudas para o jardim: crocus, jacintos, narcisos, tulipas. Queria usar a enorme piscina coberta, que estava vazia desde que Otto a fechara, mais de uma década antes, mas o encanamento estava irremediavelmente entupido. Laurence pôs encanadores para trabalhar, e logo eles estavam escavando o gramado para localizar o entupimento. Essa era uma cena familiar para os Vigilantes de Praga, *flâneurs* que mais uma vez passeavam pelo perímetro recordando as muitas complicações da obra de Otto.

Em outubro, após semanas de trabalho, Laurence por fim se mudou. Apesar de todas as perdas e do desgaste, a opulência da casa e seu conteúdo ainda eram de tirar o fôlego. Muita coisa havia sobrevivido, inclusive a coleção de pinturas em miniatura espalhadas pelo palácio, apoiadas em pequenos cavaletes em cima de mesas ornamentadas: são Jerônimo ajoelhado ao lado de um leão, uma confiante infanta real, uma criança com boné holandês rezando.

Pokorný, notavelmente, também resistiu. Ele havia preservado e confiado tudo a um novo e compreensivo proprietário. O que ele pedira a Laurence em julho — se é que fora um pedido — dera certo.

O impassível mordomo raramente deixava transparecer seus sentimentos. Mas ficaram refletidos em uma história que ainda é contada entre os Vigilantes de Praga. Segundo a lenda, quando Laurence assumiu a ocupação, Pokorný desenterrou os objetos de valor que ele havia escondido no quintal antes que os alemães ocupassem as instalações, e os entregara ao embaixador para que os exibisse no palácio. A história pode ou não ser verdadeira — diferentemente do enterro da sacola, os relatos que sobrevivem sobre sua exumação são incertos —, mas a existência de gratidão e confiança que ela transmite certamente é.

Laurence colocou a bandeira dos EUA bem acima do complexo, em um poste muito alto, para anunciar que havia se mudado. Os soviéticos que tentassem invadir o palácio...

Em 11 de outubro, Laurence deu as boas-vindas ao general Eisenhower em Praga. O embaixador encontrou o comandante supremo dos Aliados no aeroporto, conduziu-o até seu carro e aproveitou o tempo para defender sua solução para a retirada de tropas. Eisenhower, o garoto de fazenda do Kansas que agora era um general de cinco estrelas, era um analista astuto, apesar de gostar de esconder isso por trás de suas maneiras simples. Enquanto Laurence o atormentava (diplomaticamente), Ike ouvia. Ele foi educado, mas não se comprometeu, enquanto Laurence o escoltava de um oficial tcheco ao seguinte.

Multidões de admiradores se formaram nas ruas para vislumbrar o soldado que havia liderado o esforço de libertar a Europa dos nazistas. (Mal imaginavam que ele compartilhava a responsabilidade de permitir que os soviéticos ocupassem a maior parte do país.) Laurence fez questão de incluir uma parada para Eisenhower no palácio de Petschek. O general estava acostumado à elegância, mas certamente ficou impressionado com a obra-prima de Otto. Laurence não estava só exibindo sua casa nova; o palácio, com sua recapitulação de séculos de cultura europeia, também era um lembrete da razão pela qual valia a pena salvar Praga.

A manhã culminou em um almoço com Beneš no Castelo de Praga. O presidente tcheco recebeu calorosamente os americanos e colocou medalhas em Eisenhower e na sua comitiva. Essa lisonja e todas as atenções do dia pareceram ter funcionado: Eisenhower ordenou que sua equipe reexaminasse a retirada das tropas americanas.

Com apenas uma visita, o palácio já se pagara.

Mais tarde, Laurence enviou o contrato que assinara para Viky, "para que ele saiba exatamente o que aprovou". O embaixador, sem dúvida, pensou que o herdeiro de Otto ficaria satisfeito com a organização com que a transação fora feita. Mas, quando a carta de Laurence e o contrato chegaram a Viky em Nova York, em outubro, ele ficou lívido. Ele podia ter odiado o palácio, não ter tido intenção de morar ali e suportar um relacionamento difícil com seu criador, mas ainda era seu legítimo proprietário e filho de seu pai. Por que o contrato era com o governo da Tchecoslováquia, e não com ele? Ele havia estendido direitos temporários apenas a Laurence, não havia dado tal autoridade aos tchecos.

Com que autoridade legal a Tchecoslováquia reivindicava domínio sobre sua propriedade?

E por que o embaixador pagava aos tchecos cento e cinquenta mil coroas por ano? Viky queria que a ocupação fosse isenta de aluguel, e não que engordasse os cofres do Estado. Se alguém deveria receber aluguel, era ele.

Viky fora voluntário no exército dos EUA. Servira quase dois anos no exterior, colocando sua vida em risco pela América. Recebera quatro estrelas de campanha e fora dispensado com honra. Era agora um cidadão americano. E não seria tratado daquela maneira.

Ele pegou sua caneta e começou a escrever.

A iniciativa de Laurence em relação a Eisenhower teve um começo promissor quando a equipe do general foi visitar o embaixador para se atualizar. Eles entenderam a necessidade de retirada simultânea e pareceram receptivos. Seguiu-se o fluxo habitual de papelada entre Laurence e Washington. A capital parecia não temer a mão de Stalin movendo as peças do outro lado do tabuleiro como Laurence temia. Mas a necessidade de evitar a retirada das tropas americanas enquanto os soviéticos permanecessem era tão óbvia que Laurence se permitiu ter esperanças.

Mas, no final, o pé-frio de Eisenhower se mostrou poderoso demais para ser superado. Durante as deliberações no quartel-general do exército dos EUA em Frankfurt, a bem-intencionada equipe de Ike fez um comentário sobre talvez deixar tropas no local durante o inverno. Isso causou uma convulsão entre os altos escalões de Washington. Eles temiam a perspectiva de ter que explicar essa decisão aos pais e cônjuges — ou, mais precisamente, aos representantes dessas famílias no congresso — que não teriam o filho ou o marido em casa no Natal.

A visita dera a Laurence um pouco mais de tempo para manobrar, mas não muito. Após uma série de duelos via telegramas, ficou estabelecido um prazo final absoluto para a retirada americana, com acordo ou sem: 1º de dezembro. No final de outubro, o secretário de Estado enviou um memorando ao presidente Truman (talvez o único oficial americano ainda mais sincero que Ike). O memorando pedia a Truman que escrevesse para Stalin e propusesse a retirada simultânea até o final de novembro.

Essa aposta não era isenta de riscos para Truman: se Stalin recusasse e as tropas americanas fossem embora, os EUA pareceriam fracos. Poucos meses antes, em maio, recém-chegado ao Salão Oval, Truman se recusara a intervir no destino de Praga. Agora o presidente estava mais confiante, e sua decência inata não lhe permitiria cometer esse erro uma segunda vez. Em 2 de novembro, ele escreveu uma nota diretamente para Stalin:

> Como sabe, desde o momento em que o falecido presidente Wilson se envolveu intimamente com a libertação da [Tchecoslováquia] do domínio dos Habsburgo, meu país acompanhou com profundo e solidário interesse a luta do povo [tcheco] pela independência e segurança econômica nacional [...] A presença contínua de tropas aliadas [...] está se mostrando uma grande drenagem dos recursos econômicos [tchecos], e atrasando a recuperação e a reabilitação normais desse Estado aliado, que permaneceu mais tempo sob o domínio nazista do que qualquer outro membro das Nações Unidas. Portanto, desejo retirar as forças americanas do território [tcheco] até 1º de dezembro de 1945 [...] Assim, gostaria de lhe propor que o Exército Vermelho e as nossas forças se retirassem simultaneamente.
> Espero que leve em conta minha proposta e que, ao retirar nossas forças simultaneamente, possamos anunciar ao mundo nossa intenção de remover qualquer obstáculo que atrase a recuperação do Estado [tcheco].

Agora, o assunto estava nas mãos do inimigo de Laurence. Tudo que o embaixador podia fazer era esperar ansiosamente, no conforto do palácio, uma resposta de Stalin. Pelo menos, acreditava, ele havia garantido aquela propriedade.

10

VIDA EXUBERANTE

E M 8 DE NOVEMBRO, CHEGOU a resposta de Stalin.
Era um dia frio, de céu cinza-pálido. Os altos galhos das oito grandes árvores que cercavam o gramado dos jardins do palácio estavam nus. Dentro da casa, Laurence desceu a escada baronial. Estava elegante; um perfeito nó de gravata, seus sapatos escoceses pretos brilhavam ao passar por baixo da enorme tapeçaria flamenga de Jasão ajoelhado diante de Netuno. Laurence planejava ir ao castelo falar com Beneš mais tarde.

Na embaixada, Laurence verificou os cabogramas da noite; folheou os papéis azuis decodificados para ver se havia alguma informação sobre a oferta de Truman a Stalin. Ele estava esperando havia dias, e ainda não tinha notícias. Por que demorava tanto? Que jogo Stalin estava tramando? A estratégia de Laurence teria sucesso ou Stalin blefaria?

Logo ele estava no carro, fazendo o familiar e acidentado trajeto pelas estreitas passagens de paralelepípedos de Malá Strana, subindo a ladeira sinuosa até o pináculo: o Castelo de Praga. Em apenas quatro meses, o enviado americano se tornara um visitante tão frequente que quase conseguia ficar ao portão, entre os Lutadores Gigantes de

Platzer, fechar os olhos e encontrar o caminho às cegas pelos amplos pátios e alamedas estreitas da fortaleza.

Laurence entrou no gabinete do presidente Beneš preparado para se justificar pela falta de informações acerca de sua estratégia de retirada de tropas. Mas, naquele dia, Beneš tinha uma surpresa para seu amigo americano. Ludvik Svoboda, o pró-soviético ministro da Defesa tcheco, havia acabado de sair do castelo, depois de dar notícias importantes a Beneš. Moscou ordenara aos comandantes soviéticos "iniciar a retirada de [...] forças da Tchecoslováquia imediatamente e concluí-la em três semanas".

Deve ter levado um instante para o inocente Laurence registrar a notícia. A estratégia havia funcionado. As tropas soviéticas estavam indo embora. Foi um momento agradável para o embaixador — seu primeiro grande sucesso político em Praga.

Mas, na verdade, ele soube das coisas de um jeito estranho. Stalin provavelmente atuara para que os soviéticos pudessem ser os primeiros a notificar os tchecos, recebendo crédito e espremendo cada gota de vantagem da situação. Mas e daí? As eleições ocorreriam no ano seguinte sem a presença das tropas soviéticas.

Isso não foi somente um triunfo diplomático. Foi uma vitória para a democracia — e das grandes. Pelo menos Beneš sabia quem era o responsável por aquilo. Ele sorriu para o embaixador americano, "expressou sua profunda satisfação com a mensagem enviada pelo presidente Truman a Stalin e solicitou [...] [a Laurence] que transmitisse seus agradecimentos ao presidente".

A confirmação formal chegou no dia seguinte. Washington mandou por telegrama a resposta que o presidente Truman por fim havia obtido de Stalin:

> Recebi sua mensagem sobre a retirada dos exércitos americano e soviético da Tchecoslováquia. Infelizmente, demorei a saber

devido à irregularidade do correio aéreo de Moscou a Sochi, além do clima inconstante. Sua proposta relativa à retirada dos exércitos durante o mês de novembro só pode ser bem recebida, especialmente porque está totalmente de acordo com os planos soviéticos de desmobilização e remoção de exércitos. Consequentemente, podemos considerar que a retirada dos exércitos soviético e americano da Tchecoslováquia será concluída em 1º de dezembro.

A suposta base para o atraso era duvidosa. Laurence sabia muito bem, pelas próprias experiências, que ninguém na União Soviética ousava retardar qualquer coisa dirigida ao ditador, por temer pela sua vida. Mas não importava; os soviéticos partiam, e Laurence estava feliz demais para se importar com esse subterfúgio.

Seu bom humor foi afetado quando a carta de Viky chegou, no fim daquele mês. O herdeiro de Otto aplicara apenas a mais sutil camada de educação sobre sua raiva, usando um tom que seria familiar aos destinatários da correspondência de seu pai:

> Obviamente, fiquei muito surpreso ao ver que o aluguel não foi concluído por alguém que me representasse, e sim pelo Estado da Tchecoslováquia [...] Também fiquei surpreso por o contrato prever um aluguel anual de cento e cinquenta mil coroas tchecas [...] [pois eu tinha] a intenção de não cobrar aluguel anual do governo [...] Eu agradeceria muito se você pudesse [...] ter a gentileza de me informar como o Estado da Tchecoslováquia, representado pelo Ministério da Defesa Nacional, pretendia adquirir o título de minha propriedade.

A insinuação era inconfundível: a ocupação do palácio por Laurence estava corrompida, era ilegítima até.

Talvez Laurence devesse ter pensado em tudo que Viky havia perdido, ou se perguntado como ele reagiria naquelas circunstâncias, ou mesmo reaberto as negociações com os tchecos.

Mas, em vez disso, Laurence ficou furioso. Ele havia salvado a propriedade, estava gastando o próprio dinheiro para isso e esperava um pouco de gratidão. Além do mais, ele já havia se mudado, abrira mão de seu apartamento na embaixada. Moradia em Praga era coisa escassa, e ele não tinha outro lugar onde ficar.

A carta de Viky colocou Laurence em um apuro moral — e legal. Seu objetivo fora proteger o palácio; agora, ele corria o risco de ser acusado de colaborar com o governo tcheco, cheio de comunistas, para desapropriar a propriedade de um refugiado do Holocausto.

Laurence não estava pronto para responder aos difíceis problemas que a carta de Viky apresentava. Portanto não respondeu imediatamente. Ele não fez nada — por um dia, depois por dois e três.

No frenesi do trabalho de Laurence — cuidando da logística da retirada das tropas, tentando descobrir como a embaixada se viraria sem os soldados designados para cumprir tarefas ali, falando com os tchecos sobre cerca de mil outros detalhes subsequentes —, era muito fácil para ele adiar as questões difíceis da carta de Viky. Sempre havia algo urgente que precisava de sua atenção imediata.

Entre essas distrações, estava uma nova amiga: a condessa Cecilia Sternberg. Embora tivesse trinta e sete anos, ela tinha jeito de menina, um sorriso atrevido e cabelos loiros ondulados. Do pai, ela herdara a antiga linhagem e dívidas alemãs; do lado materno, novos títulos e dinheiro. Sua mãe, Lilly Whitehead Hoyos, era de uma beleza deslumbrante, descendente do empresário inglês que inventara o torpedo moderno. A jovem Cecilia tinha a aparência da mãe e o poder de explosão das munições do bisavô. A adorável garota selvagem fora mandada para morar com a avó em Viena aos vinte anos. Ela tentara domar Cecilia e arranjar um marido adequado para a jovem de espírito livre. Mas Cecilia logo se tornara aficionada por festas e as frequentava por toda a cidade, dançando o Charleston com a elevação de pernas mais alta da capital austríaca.

Seu marido, Leopold, conde de Sternberg, era doze anos mais velho que Cecilia e um conhecido playboy quando começara a admirar os movimentos de dança dela, aquele pé esbelto subindo no ar acima da cabeça de Cecilia. Ele era um dos *Gloriosen* ("gloriosos") de Viena, igualmente à vontade entre a *erste Gesellschaft* ("elite da corte do imperador") e nas boates da cidade. O livre-pensador Leopold valorizava a natureza indomável de Cecilia. Divertia-se ao pensar em fornecer a ela uma gaiola de ouro — mas com a porta entreaberta. O casamento deles era feliz e aberto. Ambos tinham amantes, mas nunca deixaram que isso interferisse na harmonia doméstica.

O relacionamento de Laurence com a condessa não teve um começo favorável. Ela e o conde o convidaram para uma caçada em sua casa de campo, Častolovice. Mas, na noite anterior, Laurence ficou acordado até tarde trabalhando (provavelmente na questão de retirada de tropas) e dormiu demais na manhã seguinte. Assim que acordou, ele se vestiu e percorreu os quase cento e cinquenta quilômetros de Praga até a propriedade dos Sternberg. Estava mais de duas horas atrasado. Ao meio-dia, Laurence chegou a Častolovice em um carro esportivo americano, "comprido, baixo e brilhante", estacionou e atravessou correndo o portão principal. Častolovice era uma fortaleza do século XIII com um grande pátio interior, onde o anfitrião, a anfitriã e a turma de caça aguardavam sua chegada.

O conde Leopold parecia contido quando Laurence se aproximou, mas a condessa Cecilia estava furiosa, com o cenho franzido. Convidados deveriam ser estritamente pontuais. "A guarda florestal, os carregadores e os cem batedores estavam todos esperando", escreveu ela mais tarde. Havia uma dúzia de aristocratas circulando por ali também, visivelmente irritados. Todos estavam com roupa de caça marrom ou verde-floresta, feita de tecido grosso e à prova d'água e chapéu de feltro combinando, adornado com insígnias e medalhas de prata.

Eram os principais membros do que restara da aristocracia austro--húngara na Tchecoslováquia. Os Sternberg e seus amigos evitaram colaborar com a ocupação nazista. Cecilia e Leopold foram punidos com o confisco de suas propriedades, e outras pessoas de seu círculo haviam sofrido coisa muito pior, incluindo deportação para campos de concentração, tortura e execução. Os que sobreviveram tiveram suas propriedades devolvidas. Eles eram aliados naturais de Laurence em sua campanha de combate ao comunismo — e teriam ficado felizes em vê-lo se ele não estivesse duas horas atrasado. A herança judaica do embaixador também não era uma boa recomendação para todos os presentes.

Para piorar as coisas, quando o enviado americano se aproximou, Cecilia viu que ele estava "estranhamente vestido". Ele usava "um cinto de cartuchos largo, brilhante, aparentemente muito novo, preso na cintura, e um chapéu de feltro na cabeça".

"Aí vem o Oeste Selvagem", sussurrou um amigo para a condessa quando Laurence por fim os alcançou e lhes ofereceu um alegre bom-dia, aparentemente inconsciente da seriedade de seu atraso. O conde, distraído como sempre e acostumado (ao contrário de alguns do grupo) a socializar com os judeus devido a seus anos de café society, apresentou Laurence a todos. Talvez ele tenha achado engraçado o contraste entre os aristocratas irados e o distraído embaixador.

Mas, quando Laurence perguntou à condessa se podia tomar um banho, Cecilia não aguentou mais. "Estamos esperando o senhor há duas horas, Excelência", disse ela em um tom não muito gentil. Por fim ele entendeu a ofensa que cometera. Laurence pediu desculpas, explicando: "Sinto muito, fiquei acordado até muito tarde e dormi demais". Mas, ao tentar consertar as coisas, ele cavou um buraco ainda mais fundo. Tirou um pacotinho da bolsa, dizendo: "Isto é para você", e, sorrindo, entregou-o a Cecilia. Esperando um presente tradicional de uma festa de inauguração, a condessa o desembrulhou e encontrou uma dúzia de meias finas e um frasco de Chanel nº 5. Era "o típico presente de um soldado para sua namorada", pensou — pouco adequado para a nobre anfitriã de uma caçada.

Como não podia tomar banho, Laurence decidiu fazer uma rápida incursão ao banheiro; mas não foi rápido o suficiente para impedir que o grupo discutisse acidamente suas gafes. Enquanto ele estava fora, eles o retalharam. "Os costumes diplomáticos parecem ter mudado", disse um aristocrata. "Em minha época, os embaixadores eram sempre pontuais", murmurou outro.

A condessa, tendo aplacado um pouco de sua raiva depois de expressar-se, e com sua mania de sempre contrariar, viu-se defendendo-o. "Como ele poderia conhecer nossos costumes?", perguntou. "Ou saber como atirar?", redarguiu alguém. A cunhada de Cecilia tentou deixar a situação mais amena, comentando: "Ele é muito bonito […] Aparência espanhola".

Mas até isso foi atacado pelos nobres irritados. "Espanhol? Você quis dizer judeu", sussurrou uma das outras convidadas, a princesa Marika. O tio de Cecilia, Franzi, respondeu com naturalidade: "Sefardi". Franzi era o decano do grupo e tentava ser pacificador.

Quando Laurence reapareceu, por fim foram para os campos de tiro em um parque de veados próximo dali. Uma vez estabelecidos, tio Franzi ficou apreensivo. Os caçadores receberam lugares ao redor de um lago. Franzi e Cecilia foram posicionados ao lado de Laurence, de modo que Franzi sussurrou para a condessa: "Podemos correr perigo por causa do embaixador" se ele não for bom de mira. "Eu já levei um tiro, e você não vai querer levar um no meio de seu lindo rosto. Fique bem atrás de mim."

Cecilia descobriu que estava mais preocupada com Laurence passar vergonha que com o fato de ser ferida. Acaso aquele diplomata judeu seria capaz de disparar sua arma? "O guarda-florestal tocou uma única nota em sua corneta, um grande número de patos emergiu da água e começou uma saraivada de tiros. Para minha surpresa, vi Steinhardt [...] derrubar com precisão uma ave após a outra". Se ela ficou surpresa, tio Franzi e os demais ficaram completamente atônitos. "Impressionante", exclamou tio Franzi. "Belo tiro!", gritou para Laurence. Cecilia expirou, aliviada. Ela captou o olhar do marido e viu que ele também estava feliz de o convidado ter sido poupado da vergonha. Mais que isso, Laurence havia se transformado aos olhos do grupo. Ela considerava aquilo "arrogância estúpida", mas "Steinhardt, tendo se mostrado igual no esporte de cavalheiros, impressionou-os muito mais por isso que pelo fato de ser o representante da nação mais poderosa do mundo".

Ela sorriu calorosamente para Laurence e ele retribuiu o sorriso. Cecilia sentiu uma faísca entre eles.

— O embaixador não se saiu mal, não é? — perguntou a seu tio.

— Notavelmente bem para um judeuzinho — respondeu Franzi.

A ofensa a fez estremecer, principalmente porque vinha de Franzi. Normalmente ele tinha a mente aberta, havia apoiado a resistência aos nazistas e sobrevivera a um período no campo de concentração graças aos seus esforços. Ela se voltou para ele:

— Por que — perguntou ela, furiosa — um judeu não deveria atirar tão bem quanto um cristão?

— Por sua ascendência. Eles nunca foram assassinos; mas nós, sim — respondeu seu tio suavemente.

No almoço, Cecilia colocou Laurence no lugar de honra, à sua direita. O americano havia ficado em terceiro lugar em número de patos derrubados; seu atraso, seu cinto de munição *à la* Buffalo Bill, suas origens judias — tudo foi esquecido à luz de seu sucesso na caça. Até

Cecilia, sabendo que não devia julgar uma pessoa por tais irrelevâncias, sentiu sua atração por Laurence se aprofundar graças às proezas dele com o rifle.

A princesa antissemita Marika, no entanto, continuou a encará-lo de forma desagradável, como se tivesse diante de si uma porção de comida estragada. Quando Laurence encheu seu prato de carne de porco, Marika empurrou uma travessa de faisão frio em sua direção, dizendo em voz alta:

— Sua Excelência não prefere isto?

— Obrigado, talvez mais tarde. Este presunto é delicioso, tão bom quanto nosso presunto da Virgínia.

— Mas é carne de porco. Pensei que talvez, devido à sua religião...

Um silêncio caiu sobre o grupo. A princesa pretendera colocá-lo em seu lugar, mas Laurence havia lidado com o antissemitismo a vida inteira: desde o *establishment* jurídico WASP de Nova York (grupo social de protestantes brancos nos Estados Unidos), passando por elementos da notória burocracia do Departamento de Estado, até a hostilidade declarada do Kremlin. Tirou de letra sua adversária.

— Ah! Eu não sou muito ortodoxo. Nossos ancestrais bíblicos tinham boas razões para proibir o consumo de carne de porco, devido ao perigo da triquinose, mas, agora, ela é testada em todos os países e é bastante segura — disse com voz clara e firme.

— Bom argumento — sussurrou a prima de Cecilia para ela. — Que víbora!

Mais tarde, quando os patos abatidos foram exibidos e uma corneta ritual tocou enquanto o grupo de caça tirava o chapéu, Cecilia puxou Laurence de lado:

— Cerimônias... absurdas assim não são bastante difíceis de um americano entender, hoje em dia?

— De modo algum; nossos índios e os da América do Sul têm os mesmos costumes. Os espíritos dos animais mortos precisam ser apaziguados para que nunca retornem ao campo de caça. Venha, vou levá-la para casa. Eles me mandaram um carro novo, vamos ver que velocidade alcança.

Cecilia entrou no carro ao lado dele. "Quão leve e quase casualmente suas mãos descansavam no volante, mas quão certo era seu controle do poderoso carro", recordaria ela mais tarde.

— Eu acho que você e eu seremos grandes amigos — disse Laurence.

— Não a cento e sessenta quilômetros por hora — rebateu ela, com os olhos no velocímetro.

Ele diminuiu a velocidade.

— Eu não quis assustá-la — disse ele. — É que sou meio impaciente por natureza. Depois de saber o caminho e aonde quero ir, gosto de chegar rápido, entende?

Ela sentia o mesmo, e deixou isso claro. E o caso deles começou.

Em 20 de novembro, Laurence esteve em Plzeň, sede do quartel-general militar americano, para a cerimônia de despedida das tropas americanas. Ele ficou sentado na plataforma, ao lado de Masaryk. Os dois colegas — Masaryk, com seus antecedentes americanos, e Laurence, com os seus europeus — eram o retrato da diplomacia, ambos elegantes de chapéu e luvas, enquanto sua respiração formava uma nuvem diante deles. Eles observaram as tropas americanas desfilarem aos milhares, acompanhadas por seu comandante, o general Harmon, cuja dica para seu amigo Laurence tornara possível aquele momento de triunfo.

As ondas de soldados que passavam eram ordenadas, mas bem americanas: descontraídas, com os membros soltos. A cadência era entoada pelas tropas alegres, a batida em *swing time*, lembrando Glenn Miller, Benny Goodman e Frank Sinatra. Que contraste com a rigidez e a severidade dos nazistas que eles derrotaram e desalojaram!

Milhares de tchecos apareceram para ver seus heróis, para agradecer aos soldados que partiam. As ruas estavam lotadas; eles enchiam janelas e terraços e ficavam empoleirados em beirais e pendurados em postes de luz.

Laurence assistia com orgulho, mas não podia ignorar o espectro do que poderia ter sido. Se Eisenhower houvesse lhe dado ouvidos e deixado Patton libertar Praga, esse afeto extático pelos americanos não se veria só em Plzeň; mas também na capital. No entanto foram os soviéticos que conseguiram essa vantagem política.

Mas a diplomacia tinha seus limites, e Laurence havia feito o que podia: ele elaborou um plano para conter o dano, lutou por ele em seu governo e, por fim, mexeu os pauzinhos para que Stalin concordasse. Como seria diferente aquele desfile se os soviéticos ficassem! Mas, naquele momento pelo menos, Laurence estava visivelmente satisfeito. E seu orgulho só aumentou quando o ministro das Relações Exteriores, Masaryk, fez seu discurso:

> General Harmon, sr. Embaixador, oficiais e soldados do exército americano! Vou dizer algumas palavras em inglês. Serei breve, está frio demais para discursos longos. Durante a última guerra, Woodrow Wilson, o grande presidente de vocês, assumiu uma posição bem clara acerca da guerra e da paz [...] Woodrow Wilson ajudou a descobrir a Tchecoslováquia [...] Vocês, jovens americanos, redescobriram a Tchecoslováquia há alguns meses. Vocês vieram no momento da maior emergência que esta adorável terra da Boêmia já experimentou. Vocês ajudaram a nos libertar, e permaneceram enquanto recuperávamos o fôlego, após sete anos de inferno [...]
>
> Agora, vocês estão prestes a nos deixar, e estou aqui para dizer obrigado e que Deus os abençoe! [...] Em breve, vocês estarão passando por aquela dama simbólica, a Estátua da Liberdade.

Por favor, diga-lhe que nós também acreditamos na liberdade, que nos recusamos a viver sem liberdade [...] Não vamos desistir. Deus abençoe a América e vocês, seus filhos, que lutaram tão bem para salvar o mundo. Vocês fizeram um bom trabalho.

O inverno, dolorosamente frio, se estabeleceu, e Laurence continuava adiando a resposta à carta de Viky. Ele tinha outra distração, e bem-vinda: sua família. A esposa de Laurence, Dulcie, e a filha de vinte anos, Dulcie Ann, haviam se juntado a ele. Ele as instalara com bastante conforto no palácio, aparentemente uma das poucas estruturas aquecidas de modo adequado na cidade inteira, graças ao faro de Otto para engenharia moderna. Laurence deve ter sentido repulsa pela ideia de tomar qualquer atitude que pudesse desalojar sua família.

Os três desfrutavam o café da manhã juntos na íntima sala de jantar da família, no extremo sul do segundo andar. Fora ali que no passado Otto batucara óperas na mesa oval, desafiando as crianças a adivinhar a ária. Ele projetara a sala para acomodar as seis pessoas da sua família. O amor de Otto por cores e padrões ricos ainda era evidente na lareira de mármore com veios, nos escritórios de madeira listrada contra paredes de painéis e em um tapete persa do século XIX, cor de garança, sobre o piso de parquete. Ele se sentiria em casa se houvesse passado pela porta e visto a sala inalterada, exceto pelas fotos da família Steinhardt e algumas quinquilharias sobre a lareira.

A esposa de Laurence, Dulcie, era miudinha e bonita, com traços simétricos e tez perfeitamente lisa. Ela usava casaco de pele o tempo todo; sofria de um problema neurológico que a deixava gelada, mesmo nos dias mais quentes do verão. Eles estavam casados desde 1923 e um dia se amaram, quando o calor e o humor de Laurence equilibravam a reserva e a sofisticação de Dulcie. Mas aos poucos foram se afastando. Agora, ambos procuravam companhia em outro

1. Otto (em pé) com seus irmãos e primos nos jardins do palácio.

2. Otto e Martha, cerca de 1913.

3. Otto e Viky, cerca de 1917.

4. Sobrance, rua principal, década de 1930.

5. Rudolf Toussaint, 1941.

6. Rudolf e Lilly Toussaint no gramado do palácio, cerca de 1941.

7. Rudolf Toussaint (direita) olha para Reinhard Heydrich (esquerda).

8. Frieda, em pé (levemente curvada, no centro), com outras sobreviventes, Alemanha, 1945.

9. Embaixador Laurence Steinhardt na Ponte Carlos, Praga.

10. Laurence, Dulcie (centro) e Dulcie Ann (esquerda) no palácio.

11. Sr. e sra. Pokorný com Aspie em frente ao palácio.

12. Frieda Grünfeld em Karlovy Vary, 1948.

13. Shirley Temple no palácio em 1989.

14. Shirley e Charlie observando de cima a manifestação na Praça Wenceslas, 28 de outubro de 1989.

15. Frieda no escritório de sua casa, Los Angeles, Califórnia.

lugar. Laurence (ao contrário dos homens de sua geração) fazia vista grossa para os casos dela mais facilmente que Dulcie para os dele; ela sentia ciúme. A situação não colaborava para a harmonia conjugal, e as brigas entre os dois foram se tornando mais altas e mais frequentes ao longo dos anos, inclusive com ocasionais conversas sobre divórcio.

No entanto, continuavam casados, acima de tudo para evitar magoar a terceira pessoa sentada à mesa, tomando um gole de café e comendo torrada com manteiga: a filha deles, Dulcie Ann. Ela era adorável e mais tímida que a mãe, e também tinha a pele clara e o rosto redondo. Era possível ver sua semelhança com o pai nos curiosos olhos amendoados. Dulcie Ann adorava os dois, e não tomava partido em suas queixas. Ela era a principal confidente da mãe; dissecavam os eventos mundiais e trocavam fofocas da embaixada na sala de estar do segundo andar do palácio, antes o salão privado de Martha, debaixo das pinturas embutidas das quatro Graças. E Dulcie Ann era parceira do pai nas aventuras diplomáticas mais clandestinas. Em Moscou e Ancara, ela discretamente transferira documentos confidenciais do pai para famílias judias ou para outros diplomatas (incluindo o compassivo núncio papal na Turquia, Angelo Roncalli, que mais tarde se tornaria o papa João XXIII). Quando uma missão extracurricular não podia ser confiada a ninguém de fora da família, Dulcie Ann acompanhava o pai ao campo depois do anoitecer para pegar um envelope, um pacote ou até uma pessoa, com o revólver de Laurence pronto no colo, por via das dúvidas. Ela era boa de mira. Nem o pai nem a mãe pareciam se preocupar com o risco que Dulcie Ann corria. Inclusive a própria Dulcie não se importava de, às vezes, participar daquelas excursões, apesar de sua saúde.

Depois do café da manhã, Laurence foi para a embaixada. Muitas vezes Dulcie Ann saía com ele, descendo a colina do castelo no Packard, famoso pela direção meio instável. Como a missão diplomática ainda estava com falta de pessoal e pilhas de documentos — que incluíam listas cada vez mais dolorosas de parentes desaparecidos de judeus americanos —, Dulcie Ann se oferecera para ajudar. E com a mãe sempre doente, ela passava uma parte substancial do dia administrando a vida social oficial do pai e acompanhando-o aos eventos à noite.

Em uma dessas ocasiões, Dulcie Ann demonstrou como era destemida. Ela estava participando de um jantar diplomático com o pai em outra casa dos Petschek: a do irmão de Otto, Fritz. Os soviéticos que a haviam ocupado depois de sair do palácio de Otto a entregaram ao embaixador de seu país, Valerian Zorin. Era ainda maior que a casa de Otto, mas quadrada e fria, ostensiva, sem personalidade.

Dulcie Ann entrou no salão de banquetes e se sentou à longa mesa, e se surpreendeu ao ver, emoldurando seu prato de jantar, os talheres de prata de Otto Petschek. A mesa inteira estava posta com eles: facas, garfos e colheres brilhantes dispostos sobre a toalha de mesa branca, como soldados guardando a porcelana. Os utensílios tinham estampado um P estilizado, em letra barroca. Era a prataria do palácio que os soldados soviéticos haviam confiscado em sua incursão.

Dulcie Ann era tão ousada quanto o pai, e decidiu confrontar Zorin. Ele era uma figura intimidadora, durão e astuto o suficiente para resistir às periódicas purgas de oficiais veteranos de Stalin. Depois de servir como ligação com os tchecos durante a guerra, Zorin fora designado a Praga para manter a influência de Moscou ali. Ele era oponente de Laurence na batalha pelo país — portanto, segundo o princípio de lealdade filial, de Dulcie Ann também.

Ela esperou o momento certo. Quando houve uma trégua na conversa, ela se voltou para o embaixador soviético e educadamente lhe informou que ele estava usando a prataria de Otto Petschek. Que fora roubada de sua casa por tropas soviéticas. Sua fala era mansa, mas firme como o aço.

O embaixador negou. Mas Dulcie Ann sabia, por conta dos monogramas. Eles observaram o P estilizado — era a marca inconfundível de Otto. Dulcie Ann estava certa, e os dois sabiam disso.

Alguns dias depois, um grande e pesado caixote, mandado pelos soviéticos, foi entregue no palácio. Ao retirarem a tampa, revelou-se a prataria da família Petschek. Os pesados utensílios estavam aninhados em sua embalagem, cada um deles adornado com uma única e minúscula letra P ornamentada e retorcida. Laurence ficou encantado. Sua filha havia conseguido outra pequena vitória contra os soviéticos e uma significativa restauração dos bens do palácio que ele passara a apreciar como se fosse seu.

A presença da família de Laurence não interferiu em seu relacionamento com Cecilia. Ela retribuía sua paixão. "Ele ainda estava no auge da vida quando nos conhecemos; era um homem bonito e vivaz, irradiava energia e otimismo", recordaria ela mais tarde. Ela era bastante ousada em relação ao sexo, e atenuava essa franqueza com seu senso de humor. Com um brilho travesso, ela chamava Laurence de "Excelência". Os dois riam com as tolices dela, embora ele nunca tenha se oposto a ser relembrado de sua posição.

Eles falavam sobre tudo: política, artes, sociedade e outras pessoas — especialmente os aristocratas. Ela se tornou uma fonte importante para ele em seu trabalho diplomático, uma confidente que conhecera Praga não apenas antes e depois da guerra, mas também durante. O apartamento dela e de Leopold servira como local de encontro clandestino para a resistência, e ela sabia dizer a Laurence quem era quem. Mas ela havia sido corajosa de outras maneiras também. Quando as perseguições nazistas começaram, ela ia ao gueto judeu perto da Velha Nova Sinagoga. Ali, ela via judeus fazendo fila para entrar em trens, "reunidos como gado, marcados com a estrela amarela". Apesar do perigo que representavam as sentinelas alemãs, ela fez o que pôde para ajudar aquelas pessoas aterrorizadas, entregando a elas "furtivamente um pouco de dinheiro" e orando por elas no velho cemitério judeu, entre as lápides antigas.

Com o tempo, até os cônjuges de Laurence e Cecilia se aproximaram. Os dois casais estavam à frente de suas respectivas ordens sociais em Praga — os aristocratas e os diplomatas. Consequentemente, os quatro se encontravam com frequência em coquetéis, bailes e até mesmo em festas em casa nos fins de semana. Dulcie e Leopold logo estavam flertando às claras. A rica e socialmente proeminente Dulcie estava acostumada a ver pessoas se desmanchando para agradá-la, mas Cecilia comentou que Leopold "não ligaria para isso nem que ela fosse a imperatriz da China". Dulcie sabia que Leopold gostava dela por quem ela era, e isso significava muito. "Ele a provocava, ria de seus ares e graças, chocava-a com piadas obscenas, abraçava-a e a beijava com menos respeito cada vez que se encontravam."

Dulcie correspondia às atenções de Leopold, mas, pelo que Cecilia sabia, o relacionamento nunca foi além do flerte (não que a condessa, de mente aberta, houvesse se oposto). Cecilia também gostava de Dulcie — até certo ponto. Dulcie esperava "falar de mulher para mulher" com ela, mas aquele era o tipo de confidência que Cecilia não compartilhava com ninguém. A guerra, com todas aquelas conversas secretas e desesperadas em sua casa, ensinara Cecilia a tomar cuidado com as revelações, especialmente sobre si mesma.

O mais desconfortável para a condessa foi que Dulcie tentou sondar a relação entre Laurence e Cecilia. Ela fazia perguntas espinhosas e embaraçosas: "Diga-me, houve um pouco de romance entre você e Laurence antes de eu vir para Praga? Eu não a culparia nem um pouco. Afinal, você não me conhecia na época, e ele é muito atraente para as mulheres". Os pensamentos de Cecilia disparavam naqueles momentos. Ela não queria mentir, mas também não conseguia dizer a verdade. Então, ela assumiu uma conduta mais direta. "Romance? Como assim, Dulcie? Você quer dizer sexo?" A manobra de Cecilia funcionou; Dulcie inverteu o rumo da conversa: "Eu não quis dizer nada tão cru como isso".

Havia outras pessoas curiosas também. Os comunistas tinham aberto caminho para importantes posições na segurança tcheca, inclusive no Státní bezpečnost (StB), a polícia de segurança do Estado. O StB e seus informantes estavam por toda parte em Praga, coletando informações tanto aos pedaços como a rodo — um desagradável novo corpo auxiliar entre os Vigilantes de Praga. Essa vigilância era frequentemente reforçada por um segundo grupo de olhos: os espiões de Stalin — os oficiais da KGB, cuja presença aumentava as fileiras da embaixada soviética, infiltrando-se por todas as partes da capital.

Se o caso de Laurence e Cecilia houvesse sido exposto, eles poderiam ter enfrentado chantagem ou escândalo. Cecilia podia se dar ao luxo de ignorar isso, uma vez que desconsiderava a opinião pública desde seus tempos de debutante em Viena. Mas Laurence era outra história. Ele era um dos principais diplomatas dos Estados Unidos e responsável por proteger a única democracia remanescente na Europa Central e Oriental.

No entanto, parece que ele também não se preocupava com o perigo. Ele havia aprendido que, às vezes, o melhor lugar para se esconder é à vista de todos. E foi assim que ele manteve seu caso com Cecilia: abertamente. Se os dois não usavam subterfúgios e eram sempre vistos com seus cônjuges, os quatro juntos, como alguém poderia afirmar que o comportamento deles era fora do comum? De modo que Laurence foi em frente, embriagado pela beleza ao seu redor — de Cecilia, do palácio e de Praga.

Chegou dezembro e a carta de Viky continuava ignorada; e poderia ter permanecido assim indefinidamente. Mas Viky convocou poderosos aliados para pressionar Laurence: os irmãos Dulles, John Foster e Allen, dois dos advogados mais temidos de Nova York. Eram netos de um secretário de Estado e sobrinhos de outro, que haviam servido a todos os presidentes norte-americanos desde Wilson. Eram dois ferozes oponentes do comunismo, que Foster descrevia como "terrorismo sem Deus". Os dois continuariam servindo como secretário de Estado e diretor da Agência Central de Inteligência, respectivamente, durante o auge da Guerra Fria, processando sem piedade.

O emissário que os Dulles mandaram para Laurence, escolhido entre o quadro de ex-espiões e antibolcheviques de sua firma de advocacia, foi seu protegido Bernard Yarrow. Nascido na Ucrânia como Bernard Yarrowshevitz, ele emigrara para os Estados Unidos em 1922, onde anglicizara seu nome. Como Laurence, ele tinha ascendência judaica, formara-se em direito na Columbia e tinha ligação com Praga, tendo passado os anos de guerra como um elo entre a Agência de Serviços Estratégicos dos EUA (precursora da CIA) e os governos do exílio em Londres, incluindo o tchecoslovaco.

Yarrow chegou a Praga no início de dezembro de 1945 e foi recebido pelo embaixador. O visitante explicou que estava ali para iniciar o processo de recuperação de todos os interesses de Petschek, incluindo a ampla e vasta rede de minas, fábricas, bancos e residências espalhadas pelas terras tchecas (e além). Viky queria a restituição total por parte do governo tcheco e de outros que afirmavam propriedade. Parece que Yarrow não mencionou expressamente o palácio ou a carta de Viky a esse respeito. Não precisava; não havia como não entender o que ele queria dizer.

Independentemente do que Laurence possa ter sentido, ele tinha vasta experiência tanto com advogados nova-iorquinos como com diplomacia internacional. Ele rebateu as investidas de Yarrow com movimentos defensivos. Disse que apoiava totalmente os interesses de Viky, tanto que já estava fazendo tudo que podia para protegê-los. De maneira genial, ele explicou a Yarrow que "o país ainda vive os últimos estágios da 'revolução' [...] o tempo não é propício para pressionar pela solução imediata das reivindicações". Viky teria que exercitar um pouco a paciência e confiar em Laurence. Se o fizesse, o embaixador estava preparado para convencer os tchecos a resolver "esses problemas e compensá-los com dólares americanos".

Laurence falava sério; ele realmente estava empenhado em proteger tudo que pertencesse a Viky e outros americanos, incluindo o palácio. Sua decisão de gastar dinheiro próprio para alugar o local era uma prova disso. Mas ele ficara aborrecido por Viky não ver as coisas dessa maneira; Laurence não seria intimidado por ele, pelos Dulles, por Yarrow ou por qualquer outra pessoa. Em 17 de dezembro, Laurence por fim enviou uma resposta à carta de Viky via mensageiro, respondendo friamente às perguntas havia muito tempo pendentes:

> Sua propriedade foi tomada pelo Estado segundo um decreto presidencial, e atribuída pelo Estado ao Ministério da Defesa Nacional [...] a situação legal é extremamente conflitante, devido aos muitos decretos presidenciais que foram emitidos [...] as coisas que estavam na casa quando [os Estados Unidos] assumiram o controle estão seguras, e provavelmente continuarão assim enquanto [os Estados Unidos] ocuparem as instalações. [...] Contudo [...] é muita sorte que sua casa tenha sido ocupada como embaixada; caso contrário, se os informes aqui estiverem corretos, ela sem dúvida teria sido retomada e ocupada pelo exército, e seu conteúdo, perdido.

Ele estava longe de ser o homem que poucos meses antes havia pedido permissão a Viky antes mesmo de pensar em mudar para o complexo de Petschek. Laurence havia tomado posse do palácio, mas o contrário também estava se tornando realidade.

Sem levar em consideração as emoções de Viky e Laurence enquanto duelavam a distância através do oceano Atlântico, Bernie Yarrow abordou a situação com o desapego de um oficial de inteligência. Ele ficou em Praga quase todo o mês de dezembro para conduzir uma auditoria independente e determinar se aceitava a oferta de Laurence, ou, talvez, se o despejaria da propriedade de Viky. O embaixador fanfarrão era do interesse da imprensa americana, e bastaria um vazamento a Walter Winchell para que as coisas esquentassem. Os Dulles certamente não estavam acima de tais manobras.

Por sua parte, Laurence mantinha relações cordiais com Yarrow. Ele até convidara o visitante, que estava tão longe de casa, para passar a véspera de Natal no palácio, já que Otto, Laurence e Yarrow comemoravam essa festa, apesar de suas raízes judaicas.

Em 26 de dezembro de 1945, Yarrow escreveu a Foster Dulles para transmitir os resultados de sua investigação. Ele havia conversado com o presidente Beneš; com o primeiro-ministro; os ministros de Finanças, Indústria e Comércio Exterior; e outros. A recomendação de Yarrow foi: aceite a oferta de Laurence. De fato, eles não tinham outra escolha: "Fui informado pelos vários ministros que [...] para todos os efeitos, o embaixador Steinhardt será, de fato, advogado de todos os interesses americanos". O caminho para a restituição do palácio e de todas as propriedades de Viky passava por Laurence.

Pronto; Laurence tinha liberdade para permanecer na obra de Otto. Se Viky se sentiu contrariado, não sabemos. O embaixador foi magnânimo, enviando uma mensagem por meio de Yarrow. Quanto Viky e seus familiares gostariam que Laurence pedisse pelo palácio e tudo o mais? Yarrow escreveu a Foster Dulles: "O embaixador sugeriu que você [...] lhe dê uma ideia de qual valor em dólares seria um bom acordo para todas as reivindicações de nossos clientes. Além disso, ele gostaria de ter uma estimativa do que seria um acordo justo, e, por fim, um valor mínimo em dólares que nossos clientes estariam dispostos a aceitar".

Havia apenas um empecilho, disse Laurence a Yarrow com sinceridade. O preço exato dependeria do resultado das eleições na República Tcheca. Mas, quando viu Yarrow partir, o embaixador estava confiante de que a democracia prevaleceria, devido a seu sucesso na expulsão das tropas soviéticas. Como advogado cuidadoso que era, Laurence preparou um memorando de sua reunião com Yarrow. Nele, escreveu que "os comunistas terão sorte se conseguirem vinte por cento do total de votos", perdendo dois ou três assentos no gabinete. Esperar até depois da eleição provavelmente produziria um resultado mais favorável para Viky. "Os Petschek ocupavam na Tchecoslováquia uma posição parecida com a de J. P. Morgan nos Estados Unidos [...] Para conseguir uma audiência justa para as reivindicações de famílias tão ricas quanto os Petschek [...] prefiro um ambiente um pouco mais calmo, que espero que prevaleça na primavera."

11
PEQUENAS SALVAÇÕES
Primavera de 1946

O S JARDINS DO PALÁCIO FLORESCIAM sob os cuidados de Laurence. O gramado, onde não muito antes brilhavam cacos de vidro, agora estava perfeitamente aparado. A trilha de cascalho de quatrocentos metros o emoldurava, enquanto as plantas circundantes brilhavam nas cores de milhares de flores que Laurence adquirira mundo afora.

Os Vigilantes de Praga espiavam tamanha beleza pelas fendas na cerca; havia entre eles mais comunistas que nunca. Os esquerdistas que olhavam o palácio viam um tributo ostensivo à riqueza no estilo de Versalhes e do trono de Bourbon. Esses proletários viam coisas em comum entre o judeu dono de minas que construíra o palácio, os ocupantes alemães que o tomaram e o imperialista norte-americano que agora o ocupava.

Mas os democratas tchecos também estavam entre os Vigilantes. Eles consideravam o palácio um monumento à prosperidade da Primeira República e a um de seus maiores empreendedores, restaurado pela América, o aliado que havia resgatado duas vezes a Europa e as terras tchecas do domínio germânico. Eles observavam com respeito e até com reverência as listras e estrelas que ondulavam no mastro de bandeira especialmente alto que Laurence instalara.

Mas as inclinações políticas de muitos que observavam com olhos de cobiça estavam mais para o centro. Para eles, a obra-prima de Otto Petschek era uma das maravilhas de Praga, e não se preocupavam muito com o que representava. A maneira como esse "centro" votaria decidiria as próximas eleições e definiria o curso do pós-guerra do país, e talvez da região. Em 1946, o continente oscilava entre o comunismo e a democracia. No leste, Stalin havia conseguido influência por meio do controle de marionetes na Hungria, na Polônia, na Romênia, na Bulgária, na Albânia e em outras terras. Mais a oeste, os regimes democráticos continuavam em vigor, mas temiam que a extrema esquerda controlasse as eleições ou usasse violência no caos e nas privações do pós-guerra. A Alemanha e a Áustria ainda estavam ocupadas, divididas entre as potências ocidentais e os soviéticos. A Europa oscilava, e a Tchecoslováquia poderia muito bem ser o ponto de inflexão.

Laurence tinha certeza de que a maioria dos eleitores tchecos escolheria a democracia. Ele escreveu a seu amigo Williamson em Washington: "Inquestionavelmente, há uma forte influência comunista no governo, mas parece estar se enfraquecendo dia após dia, e tenho razoável certeza de que, no outono deste ano, qualquer perigo do comunismo como tal na Tchecoslováquia terá passado".

Ele desprezava as aspirações eleitorais do líder comunista Klement Gottwald — o mesmo defensor feroz dos mineiros que havia criticado Otto décadas antes, provocando gargalhadas nos desdenhosos colegas do parlamento tcheco. Laurence achava absurda a meta de Gottwald: uma maioria de extrema esquerda. Duas semanas antes das eleições de 26 de maio, o embaixador previu uma vitória arrebatadora dos moderados, fortalecido por sua crença de que "a influência da civilização e cultura ocidentais aqui, em minha opinião, é forte demais para que o comunismo a supere". Atento a seu compromisso com Yarrow, Laurence lhe assegurou que "daria início a novas ações com vistas ao acordo" acerca das reivindicações de Petschek em junho, após a votação, quando a mão comunista estaria enfraquecida.

No dia da eleição, Laurence acompanhou a contagem dos votos no Ministério do Interior, que ficava logo depois de Bubeneč, a pouca distância de carro do palácio. O ministério supervisionava a polícia e as prisões tchecas, e suas instalações exalavam um cheiro de caráter penal: três alas modernas e severas que se projetavam para fora, pontuadas por pequenas janelas quadradas. Seu diretor era o rude ministro do Interior comunista Václav Nosek. Ele fora colocado ali por Gottwald, e os dois haviam se unido pelo ódio a Otto e à sua laia. Nosek era um ex-mineiro de carvão que ganhara fama organizando protestos e greves contra os proprietários de minas. Ele ajudara a liderar a grande greve da mina Most em 1932, que atingira fortemente as propriedades de Petschek. Agora, ele estava ali, dando taciturnas boas-vindas a Laurence e aos demais observadores das eleições, incluindo diplomatas e dezenas de jornalistas.

Os números iniciais para os democratas estavam muito aquém do que Laurence esperava. Seria uma anomalia? Conforme a noite foi passando e os votos chegando, ia ficando claro que as previsões de Laurence estavam erradas, bem erradas. De Cheb a Brno, de Praga a Bratislava, de Karlovy Vary a Sobrance, os comunistas estavam se saindo melhor que o esperado em praticamente todo o país. Por fim, Nosek, impassível, mal disfarçando sua satisfação, mostrou a Laurence a contagem final. Os comunistas teriam o maior número de assentos que qualquer partido na legislatura nacional.

Desde que entrara na política presidencial, em 1932, as determinantes experiências eleitorais de Laurence haviam sido as quatro vitórias de Roosevelt. Naquele momento, ele descobriu quanto uma noite de eleições podia ser cruel. Forçando-se a não deixar transparecer o choque em seu rosto, Laurence analisava as colunas de números de

Nosek. Era um desastre. Todo seu árduo trabalho, todo o esforço que ele havia aplicado em ejetar os soldados soviéticos foram inúteis. Não era só uma catástrofe — era uma catástrofe pública. Os jornalistas caíram como um enxame sobre ele, uma vez que o sempre controlado acesso ao embaixador estava aberto. Mas, independentemente do que sentia por dentro, Laurence se manteve firme diante dos repórteres. Um assessor da embaixada ficou impressionado: "Eles lhe faziam perguntas, e ele começava com uma resposta meio oblíqua, não direta, talvez fazendo poucos comentários, cada vez se afastando mais do assunto. Cinco minutos depois, ele ainda estava firme e forte, falando sobre algo diferente. Ele desviava com maestria do assunto".

Naquela noite, mais tarde, de volta ao palácio Petschek, provavelmente com uma bebida forte nas mãos, Laurence avaliou os estragos. Ele havia previsto que a assembleia "seria controlada pelos moderados, com 171 votos dos 300 contra os radicais [...] com 129 votos". Mas a contagem real fora: apenas 147 votos para os partidos pró-ocidentais, contra 153 para os partidos pró-Moscou. Essa diferença de 24 assentos entre sua estimativa e o número real levaria o novo parlamento de uma esperada inclinação ocidental para uma inclinação soviética.

Mas o palácio atraía otimistas, e Laurence era um deles. O telegrama de Schönborn para Washington na manhã seguinte mostrava a melhor face possível dos eventos. Pareciam melhores à luz do dia. Embora os comunistas houvessem recebido um grande número de votos, ainda não tinham maioria na assembleia; era apenas graças a uma coalizão com os socialistas (conhecidos como "social-democratas") que eles controlavam a maior parte dos assentos na legislatura nacional. "Apesar da quantidade inesperadamente grande de votos que o Partido recebeu [...] há pouca dúvida de que o governo [...] no qual todos os partidos estão representados continuará, e embora haja mudanças nas personalidades [...] é pouco provável que haja qualquer mudança material no caráter de [...] suas políticas", escreveu Laurence.

À medida que absorvia os resultados, ele foi ainda mais longe em aceitá-los. Em junho, Laurence estava elogiando os comunistas, prestes a se tornar parceiro deles na negociação de seu esperado acordo sobre o palácio e muito mais. Ele escreveu para Washington: "Não vejo intenção dos líderes comunistas de se gabar de suas conquistas nem de minimizar a extensão dos votos anticomunistas. Eles parecem sérios acerca de sua responsabilidade". Haveria um novo primeiro-ministro comunista, mas Laurence escreveu que o considerava um homem "de bom senso e perspicácia nativa, disposto a aprender; um patriota tcheco que provavelmente não embarcará em empreendimentos extremistas". Esse homem era Klement Gottwald.

Gottwald e seus colegas acordaram que as conversas sobre compensação pelas propriedades de americanos, como o palácio — reivindicações que a Tchecoslováquia assegurava —, começariam um mês após a posse do novo governo. Laurence escreveu a John Foster Dulles dizendo que isso era um bom sinal, mas repetiu seu alerta acerca do impacto da eleição: "Tenho todos os motivos para esperar uma luta árdua". Mas Laurence estava acostumado a isso graças a sua época de litígios, e sabia como combater: barganhando muito. Ele reorientou a política dos EUA para a Tchecoslováquia vinculando-a à restituição, ameaçando limitar o apoio norte-americano ao país se os tchecos não pagassem uma quantia razoável pelas propriedades que pertenciam a Viky e a outros como ele, agora cidadãos americanos.

As negociações se mostraram uma montanha íngreme, como Laurence havia imaginado. Assim que o ministro das Relações Exteriores, Masaryk, agendou a primeira sessão de negociações, ele foi inesperadamente chamado a Moscou, dando início a um longo atraso. Quando os dois lados por fim se reuniram, Laurence sentiu que os tchecos estavam discutindo com "presunção".

Esse mesmo teor de resistência tcheca também era evidente nas crescentes batalhas de Laurence pela manutenção do palácio. O contrato de aluguel exigia que o governo tcheco fizesse reparos na casa, coisa que se tornara necessária. Começaram a surgir mais vazamentos nos telhados. Os canos de esgoto entupiram. Painéis de vidro das estufas caíram por causa da chuva. Fazia mais de duas décadas que Otto havia começado as obras do palácio, incluindo os difíceis anos de vida durante a guerra, e a grande dama já estava mostrando sinais do tempo, como as primeiras rugas no rosto de uma beldade famosa.

O contato de Laurence, com quem ele tratava do aluguel — coronel Kučera —, inicialmente concordara em providenciar os reparos. Kučera era o soldado de carreira que havia expulsado os soviéticos do palácio, colocando-o sob as asas do ministério antes de alugá-lo para Laurence. Mas seu ministro, um fervoroso defensor comunista, ficou furioso com o coronel quando chegou a hora de realmente financiar os reparos. Teriam que usar recursos de suas forças ainda não refeitas para pagar as novas vidraças de um capitalista? Kučera recebeu ordens de que seria transferido de Praga e depois do país.

Laurence, depois de ter seus pedidos repetidamente ignorados por Kučera, por fim escreveu ao ministério. Pediu que honrassem o contrato e o ajudassem a evitar danos ao palácio:

> [A] consideração importante é que essa propriedade é uma das mais valiosas da cidade de Praga [...] é trágico que sofra mais danos nos próximos meses, o que equivale a milhões de coroas pelo fato de não realizar os reparos necessários imediatamente, antes que chegue o frio.

A equipe do Ministério da Defesa se reuniu em agosto de 1946 para decidir o que fazer com o palácio de Otto e o persistente americano que o ocupava. Após as eleições, as considerações que Beneš lhes impusera em 1945 não pareciam mais tão importantes. Eles decidiram lavar as mãos em relação ao inquilino irritante e rescindir o contrato. Os motivos alegados foram: "O palácio originalmente servia de hotel para estrangeiros, a fim de atender a dignitários militares em visita. O ano passado mostrou que um hotel para estrangeiros era necessário, afinal. Foi um erro o palácio não estar disponível para servir a esse propósito, e causou gastos desnecessários".

Essa era uma desculpa inventada — o fluxo de dignitários havia diminuído de forma drástica. Independentemente disso, Laurence teria que sair. Mas, talvez suspeitando do longo silêncio do ministério, ele foi mais rápido. Antes que a lenta burocracia do ministério pudesse gerar uma carta de rescisão, em setembro ele enviou uma nota para informar às autoridades que, apesar dos problemas, ele renovaria o contrato por mais um ano. Não obstante suas queixas, ele estava apaixonado pelo palácio, e se comprometera com Viky, Yarrow e os Dulles a protegê-lo. Tendo feito tanto esforço para se mudar, ele não tinha intenção de sair. De modo que era a vez do ministério de aumentar as apostas. Eles eram uma instituição militar, não imobiliária, assim decidiram se livrar de uma vez por todas do palácio e de Laurence. Ele foi notificado de que o ministério não tinha autoridade para aceitar a renovação do contrato; o edifício fora transferido para a prefeitura de Praga. Uma autoridade municipal, o dr. Janeček, chamou Laurence e lhe explicou que a prefeitura era apenas uma detentora temporária, que ainda não tinham autoridade legal para aceitar o aluguel.

Quem poderia renovar o contrato, então?, perguntou Laurence. Ninguém, respondeu Janeček.

Talvez ele e as pessoas que o haviam enviado achassem que isso seria suficiente para deixar o americano atordoado. Mas, claramente, Janeček não conhecia muitos nova-iorquinos. Laurence respondeu com bastante calma que ele tinha o direito, de acordo com o contrato original, de permanecer ali, e pretendia fazê-lo. E havia mais uma coisa: E os reparos? Janeček queria mesmo que uma propriedade que "não pode ser substituída por dezenas de milhões de coroas" fosse destruída, sendo que "os reparos para preservar e proteger a propriedade custariam apenas [...] duzentas mil ou trezentas mil coroas"? Com a virada no jogo, Janeček subitamente se viu sendo interrogado por um hábil examinador, que não estava muito satisfeito com a incapacidade dos tchecoslovacos de cuidar de uma herança preciosa. Quando Janeček por fim escapou, havia admitido que Laurence podia providenciar os reparos.

Mas Janeček também acabou ficando mudo. Ignorou as cartas cada vez mais iradas de Laurence sobre a capacidade da prefeitura de cumprir suas obrigações, e as consequências disso:

> Durante toda a vida tive o hábito de pagar minhas contas prontamente. Vocês sujaram minha reputação deixando de pagar durante meses algumas contas que apresentei, enquanto eu tentava obter de vocês uma aprovação de rotina [...] Enquanto isso, outros reparos se fizeram necessários, e eu fui humilhado por empresas de Praga que se recusaram a realizar o trabalho porque as contas antigas continuavam sem pagamento.

O palácio estava mais uma vez pesando sobre a reputação de seu mestre. Por fim, Laurence pagou as contas, registrando tudo e deduzindo os valores do aluguel.

Por ser o protetor do complexo de Otto, uma cascata de outras vexações caiu sobre ele. Um vizinho insistia em afirmar que havia adquirido o direito legal de ocupar a garagem de Laurence, e exigiu que ele o ajudasse a conseguir um novo veículo americano como compensação pela desocupação. Uma tcheca dizia ter sido colaboradora nazista e que seus móveis haviam acabado no palácio, e ameaçava abrir uma ação legal para recuperá-los. Com base em um estatuto obscuro, o diretor do Museu Nacional reivindicou o título das obras de arte do palácio. E assim por diante. Cada reivindicação desencadeava uma campanha de duelos em forma de cartas, telefonemas e reuniões infrutíferas.

Aparentemente, o palácio era ainda o motivo de um dos raros desacordos entre Laurence e Cecilia. Enquanto o embaixador achava o palácio "bonito e muito confortável", Cecilia menosprezava "sua opulência e extrema exuberância", até citando um ditado que o comparava a "um bordel de luxo". Ela não sentia ciúmes de Dulcie ou de outras mulheres, mas, aparentemente, seu ressentimento despertava em resposta à profunda paixão do amante pelo castelo.

Os conflitos acerca do palácio começaram a afetar o trabalho de Laurence. Ele escreveu a uma pessoa com quem se correspondia dizendo que os confrontos estavam "interferindo em meus deveres fundamentais em Praga, que são a manutenção de boas relações entre a Tchecoslováquia e os Estados Unidos".

Mas parece que ele nunca pensou em abandonar o palácio. Com a esquerda no poder, sua casa correria maior risco de abuso que nunca. Assim como seu criador, Laurence havia investido tempo e dinheiro demais no local para ir embora. O palácio não o deixaria ir; "esta pequena mãe tem garras", como Kafka escreveu sobre Praga. Ele começou a se preocupar com o que aconteceria depois que acabasse seu mandato. Mesmo que ele conseguisse fechar o acordo para Viky, isso deixaria o palácio nas mãos de um governo dominado por comunistas. E eles já haviam demonstrado amplamente seu desrespeito por aquela magnífica habitação. Laurence também não deve ter gostado do que esse resultado faria com o leal Pokorný, que cuidava do palácio com toda a ternura de um pai em relação a um filho amado.

Enquanto 1946 acabava e Laurence se aninhava nos braços do palácio durante os longos e frios meses do inverno do norte, ele pensou em tudo isso até encontrar uma solução. Como parte do contemplado acordo global com Viky, a Tchecoslováquia adquiriria a propriedade; e se os Estados Unidos a comprassem dos tchecos? Laurence achava que poderia fazer isso sem ter que se apropriar de mais fundos americanos. Havia empréstimos pendentes do governo americano para os tchecos, que, em tese, poderiam ser perdoados em troca do complexo de Otto — dinheiro que, além disso, provavelmente não seria reembolsado. Mas isso só funcionaria se o acordo maior de compensação a Viky fosse cumprido. Quando 1946 se transformou em 1947, Laurence persuadiu com nova urgência o enviado especial tcheco que fora nomeado para tratar das reivindicações de propriedade, o dr. Miloslav Niederle. Eles se entendiam: Niederle era, como Laurence, um veterano da Primeira Guerra Mundial, advogado e diplomata. Ele não se deixou abalar pelo ataque enérgico do embaixador, acostumado a turbulências em uma vida profissional que espelhava os altos e baixos vertiginosos do Estado da Tchecoslováquia. Além disso, Niederle era pessoalmente solidário aos Petschek. O problema era que ele se reportava ao gabinete, e muitos de seus membros de extrema esquerda se lembravam de Otto e sua família de uma maneira não muito agradável.

No início de 1947, Niederle chegou a Laurence com novidades. Os tchecos estavam prontos para fazer alguns pagamentos a requerentes estrangeiros. Em breve Niederle chegaria a um acordo com os suíços nesse sentido. E o governo, embora liderado por comunistas, estava disposto a fazer o mesmo com os americanos. Mas havia um problema: o governo não estenderia essa cortesia aos naturalizados americanos depois de setembro de 1938 — uma medida claramente projetada para excluir os Petschek.

Laurence foi inflexível; estendeu a mão a Viky. Ele havia dado sua palavra, e, além disso, se Viky não aceitasse o acordo, como o plano de Laurence para o palácio poderia ser executado? Laurence disse a Niederle que ou seriam restituídos todos os americanos, ou nenhum.

Em abril, Yarrow foi a Praga, juntando-se às negociações. Ele escreveu a Foster Dulles dizendo que havia "grandes obstáculos" a um acordo devido ao ódio comunista pelos Petschek, mas que Laurence estava fazendo um excelente trabalho para compensar isso: "A influência e persuasão que Steinhardt conseguiu desenvolver entre os altos oficiais do governo, de todos os partidos, tem sido de grande ajuda; sem isso, qualquer perspectiva de resultado positivo seria altamente duvidosa". Apesar do desprezo que sentiam pelos Petschek, os tchecos — inclusive os comunistas — tinham grande estima ao incansável embaixador americano.

Em 31 de maio de 1947 houve um grande avanço. Yarrow telegrafou a Dulles dizendo que Laurence havia chegado a um acordo com Niederle sobre um pagamento total a Viky, por todas as suas reivindicações, de oito milhões de dólares.* Embora isso ainda estivesse sujeito à aprovação do gabinete tcheco, era um grande avanço. Tendo adquirido o palácio, os tchecos concordaram em transferi-lo aos Estados Unidos em troca do perdão da dívida antiga — que os norte-americanos provavelmente nunca receberiam. Laurence estava exultante.

Poucos dias depois — como que para recompensar os tchecos —, o secretário de Estado George Marshall ofereceu à Europa uma enorme ajuda financeira para reconstrução após a devastação da guerra: o Plano Marshall. Laurence tinha algumas reservas em relação a isso. O Plano Marshall contrariava sua filosofia de "barganhar muito" em suas relações com os tchecos. Ele temia que as infusões de ajuda desfizessem seu acordo preliminar com Viky, além de outros progressos. Mas o embaixador acabou apoiando a iniciativa do secretário, embora se perguntasse se os soviéticos realmente permitiriam a participação

---

* Aproximadamente noventa milhões de dólares atuais (2017), segundo a calculadora de inflação do Índice de Preços ao Consumidor (IPC) do Bureau of Labor Statistics.

da Tchecoslováquia. Ele vira com os próprios olhos a hostilidade que os comunistas tchecos e seus senhores soviéticos sentiam em relação aos Estados Unidos.

Laurence ficou satisfeito quando Masaryk aceitou de imediato um convite para participar da Conferência de Paris, em 4 de julho, que daria início às negociações do plano. Naquela noite, porém, Laurence soube que sua cautela inicial era fundamentada. Stalin ordenara a Masaryk, Gottwald e vários outros oficiais do governo que fossem a Moscou para se reunir com o soberano soviético.

Os tchecos compareceram diante de Stalin e seu ministro das Relações Exteriores, Vyacheslav Molotov, em 9 de julho. Em poucas horas, Laurence tinha nas mãos, graças a uma fonte secreta, o telegrama de Gottwald e Masaryk para o gabinete em Praga. O nacionalismo eslavo que Stalin usara para conquistar os tchecos em 1945 agora se tornara uma arma. O telegrama dizia:

> Stalin e Molotov não esconderam que ficaram surpresos com a decisão do governo da Tchecoslováquia de aceitar o convite para Paris [...] [A] União Soviética consideraria nossa participação como uma ruptura no front dos Estados eslavos [...] segundo Stalin, devemos retirar nossa aceitação de participar, ele acha que poderíamos justificar essa ação apontando o fato de que a não participação de outras nações eslavas e de outros Estados do Leste Europeu criaria uma nova situação sob a qual nossa presença poderia facilmente ser contrária à amizade com a União Soviética e nossos outros aliados.

Enquanto Laurence examinava o telegrama, o gabinete tcheco se reunia. Eles estavam discutindo o que fazer. Laurence também. Ele poderia ter feito uma intervenção aberta — falando na imprensa, pressionando o governo, mobilizando Marshall e Truman para que interviessem. Mas isso faria que ele e os Estados Unidos parecessem tão mãos de ferro quanto Stalin. Além disso, Laurence tinha à sua disposição muito menos alavancas que os soviéticos. Tendo retido o apoio dos EUA até que os tchecos atendessem às reivindicações de Viky e de outros americanos, ele tinha pouco mais que o Plano Marshall com que trabalhar.

Então, ele se absteve. Influenciado por sua fé, ele acreditava que Beneš aproveitaria ao máximo a flagrante intervenção de Stalin. "Agora, ele está em posição de deixar claro ao público tcheco que a política externa da Tchecoslováquia está sendo ditada por Moscou", escreveu Laurence. Certamente o povo evitaria esse ataque à sua independência. Ele acreditava no compromisso de Beneš com a democracia e em sua capacidade de influenciar partidos moderados — de convencer o público tcheco de que seu país fora obrigado pela União Soviética a agir contrariamente a seus próprios interesses.

Mas, para decepção de Laurence, nem Beneš nem moderados do governo deram um passo à frente publicamente para lutar pelo Plano Marshall. O anúncio do governo tcheco, tarde da noite do dia 10, repetiu os sentimentos de Stalin e, em muitas partes, suas palavras exatas: "Todos os Estados eslavos e outros da Europa Central e Oriental rejeitaram participar da conferência [...] Nessas circunstâncias, a participação da Tchecoslováquia seria interpretada como um ato dirigido contra nossa amizade com a União Soviética e nossos outros aliados. Portanto, o governo decidiu por unanimidade não participar dessa conferência".

Laurence soube mais tarde que Beneš havia sofrido um leve AVC e ficara temporariamente incapacitado. Mas os outros moderados e defensores pró-ocidentais do governo não tinham essa desculpa. Eles também ficaram mudos; mansamente concordaram com a imposição de Stalin.

Foi um golpe devastador para Laurence. Ele fora enviado a Praga para salvar o país para a democracia. Após seu sucesso inicial, a força gravitacional do comunismo se afirmara com crescente intensidade, atraindo a Tchecoslováquia para a órbita de Stalin. Laurence estava desesperado para encontrar uma maneira de ajudar o país a resistir a essa atração, e ficou furioso por Washington parecer não compartilhar seu senso de urgência. Embora isso não tivesse significado no quadro geral, ele também ficou desapontado devido à frustração de seus esforços para ajudar Viky e preservar o palácio. O ambiente político tenso tornava improvável que o gabinete avaliasse com brevidade seu acordo laboriosamente negociado. Ele deu a notícia a John Foster Dulles em uma carta: "[A] situação política aqui se deteriorou desde a retirada da Tchecoslováquia do Plano Marshall, a ponto de ficar claro que não seria possível obter ratificação, nem mesmo uma aprovação informal do Gabinete, de qualquer acordo que envolva uma reivindicação americana".

Mas, nem tudo estava perdido. As eleições estavam marcadas para maio de 1948. Como em 1946, Laurence as via como uma salvação na maior batalha pela liberdade tcheca, bem como nas menores obrigações que ele assumira:

> A campanha eleitoral aqui já começou, dois ou três meses antes do normal, com uma ferocidade incomum [...] os comunistas ganharão controle absoluto do país entre agora e maio — a data fixada para as eleições gerais — ou não. Se obtiverem o controle absoluto, qualquer acordo formal assinado neste momento seria não só repudiado, como também atacado publicamente como uma tentativa nefasta dos imperialistas pró-guerra americanos de Wall Street de devorar a Tchecoslováquia. Se eles não obtiverem o controle absoluto do país e os moderados vencerem as eleições, haverá relativamente pouca dificuldade em consumar um acordo satisfatório.

Laurence tinha esperanças nesse resultado, sobretudo por causa do país, mas também por causa de Viky e do palácio. E, quando mais um inverno chegou — seu terceiro no complexo de Otto —, a confiança de Laurence aumentou. Ele relatou a Washington que os comunistas estavam enfraquecendo. As forças democráticas estavam fortalecendo sua posição. Laurence mais uma vez previu que os candidatos pró-ocidentais alcançariam ganhos substanciais, como havia feito antes das eleições de 1946.

Os soviéticos haviam secretamente chegado à mesma conclusão. Sua crença nos comunistas tchecos estava diminuindo. O Kremlin tinha dúvidas de que o partido triunfasse nas eleições. O embaixador soviético voltou a Moscou e reclamou que "com o apoio anglo-saxão, os 'elementos reacionários' intensificaram seus esforços, demonstraram hostilidade contra os comunistas e a URSS e elogiaram as virtudes da democracia ocidental".

Por fim, parecia que Laurence poderia ter sucesso em sua missão — mas Stalin não estava disposto a lhe dar essa satisfação.

A tomada definitiva do poder pelos comunistas ocorreu em fevereiro de 1948, quando Laurence retornava a Praga de uma viagem aos EUA para um tratamento médico. Quando estava a quarenta e oito horas de distância, uma crise eclodiu no gabinete. Suas duas alas igualmente divididas, os doze democratas pró-ocidentais e os doze comunistas e socialistas de inclinação oriental, tiveram o confronto mais sério até aquele momento. Os democratas, discretamente sentidos pela retirada do Plano Marshall, haviam sido desde então submetidos a uma indignação atrás da outra: mentiras e calúnias na imprensa comunista; insidioso controle comunista do aparato de inteligência, da polícia secreta e da espionagem; um plano comunista de atentado à bomba contra oficiais pró-ocidentais.

O ministro do Interior, Nosek, demitiu oito policiais não comunistas e os substituiu por seus seguidores. Na reunião de gabinete do dia 17 de fevereiro, os democratas exigiram que as demissões fossem revogadas. Gottwald se recusou a discutir o assunto, alegando que Nosek estava ausente — uma ausência que, de fato, fora ordenada pelo Partido Comunista para esse fim. A disputa se tornou acalorada, com gritos e batidas na mesa, vozes e temperamentos subindo, e representantes das duas alas explodindo, até que a reunião acabou em caos. Foi a última reunião que aquele gabinete teve.

Laurence voltou correndo; pousou no aeroporto de Praga no dia 19. O cheiro do combustível do avião pairava no ar gelado do inverno. Os funcionários de sua embaixada tinham notícias alarmantes. O antigo adversário de Laurence, embaixador Zorin, também estava de volta à cidade. Agora vice-ministro de Relações Exteriores da União Soviética, ele havia desembarcado pouco antes de Laurence. A razão ostensiva de sua presença era supervisionar uma remessa soviética de grãos para Praga. Na verdade, o momento de crise havia chegado, e Stalin queria o controle do terreno.

A equipe de Laurence lhe passou as informações. Os dois campos do gabinete manobravam furiosamente. Os democratas se recusavam a trabalhar com os comunistas, a menos que os policiais demitidos fossem renomeados, e seus substitutos comunistas, afastados. Os comunistas pressionavam pela demissão dos democratas por serem "agentes reacionários".

Todos cortejavam o velho e frágil Beneš, tentando obter vantagem. No sistema parlamentar de governo, o presidente, mesmo enfraquecido pela doença e pelo longo tempo de serviço, ainda possuía grande poder em um momento como aquele. De seus grandes aposentos no Castelo de Praga, ele era capaz de pressionar os comunistas a rescindir as nomeações policiais e trabalhar com seus oponentes. Se Gottwald não mais comandasse a maioria no parlamento, Beneš poderia permitir que outra pessoa — os socialistas ou democratas pró-ocidentais, por exemplo — formassem um governo. Ou poderia escolher abertamente um lado, usando sua estatura para condenar os comunistas e convocar eleições imediatas. Uma nota de Masaryk esperava por Laurence, e resumia a questão de maneira sucinta: "[A] situação está confusa e não clara — *vederemo*" ("veremos").

Como o primeiro mestre do palácio fizera havia muito tempo, Laurence confiava em Beneš para salvar a democracia. Em 21 de fevereiro, ele telegrafou a Washington dizendo que Beneš era totalmente contra aceitar as demissões e que planejava convencer Gottwald a reconduzir os policiais demitidos: "Se os [socialistas] não conseguirem selar um compromisso em uma área que se estreita sustentadamente, as alternativas serão que os comunistas cumpram seu plano de assumir o governo ou que Beneš exerça sua autoridade constitucional na esperança de forçar os comunistas a modificar seu programa".

Mas, enquanto Laurence e o país esperavam por Beneš, os comunistas, com Zorin de olho neles, agiram depressa. Em telegramas urgentes, Laurence relatou o desenrolar dos acontecimentos ao secretário Marshall. Gottwald realizou uma grande manifestação na praça da Cidade Velha, e em seu discurso, transmitido em rede nacional, deixou claro que os comunistas estavam prontos para usar a força. Ele armara ostensivamente a polícia com rifles e enviara centenas de "comitês de ação" — gangues de bandidos — para apoiá-los. Os esquerdistas ocupavam escritórios do governo, dizendo aos trabalhadores não comunistas que ficassem em casa. A polícia e outras pessoas também entraram nos escritórios de partidos da oposição e ameaçaram seus líderes com acusações de tentativa de derrubar o governo. As autoridades até fecharam as fronteiras, suspendendo passaportes e todas as viagens.

Na manhã do dia 23, Laurence chamou um de seus assessores mais antigos, Walter Birge, a seu escritório. Ele gostava de Birge, que o acompanhava desde Ancara, considerava-o um aventureiro e infrator de regras como ele. Ao chegar, Birge notou: "Havia muito menos pedestres que o habitual; além disso, eu sabia que os destacamentos da Milícia Operária, armados com carabinas, estavam patrulhando com a polícia regular". A Milícia Operária, ou Milícia do Povo, era uma força paramilitar de trabalhadores recrutados em seus locais de trabalho, formavam um intimidador complemento das forças regulares. Até mesmo em Schönborn, coração do poder e da proteção americanos, "a recepcionista da embaixada [...] parecia assustada". Ela perguntara a Birge o que estava acontecendo, mas ele também não sabia.

Quando Birge se apresentou diante de Laurence, a expressão do embaixador era "sombria, e seus olhos pétreos". "Está pronto para ir à fronteira alemã?", perguntou-lhe Laurence. Quando Birge assentiu, Laurence o instruiu a tirar um dos líderes democráticos e sua esposa do país. Foram emitidos mandados de prisão contra os dois, e eles precisavam ir embora.

Birge foi depressa até seus alvos, em um encontro arranjado. Eles seriam os primeiros de vários tchecos que Laurence e seus colegas de embaixada ajudariam a escapar.

Havia uma pessoa de quem Laurence tinha que cuidar pessoalmente: Cecilia. Ele fez a curta viagem de Schönborn até o apartamento dos Sternberg, a alguns quarteirões de distância. Enquanto Laurence avançava pelas ruas escuras, sentia o calafrio que tomava conta de Praga. Do tipo que os Vigilantes da cidade não sentiam desde a era nazista. Eles estavam escondidos; as ruas estavam praticamente vazias. As poucas pessoas por quem Laurence passara seguiam apressadas e de cabeça baixa.

Para Cecilia, Laurence "parecia ter envelhecido" desde que o vira pela última vez, antes da viagem dele aos EUA; ela notou que "seu rosto, sempre dourado, como se bronzeado por um sol ancestral, estava cinza e abatido, e seus olhos escuros não tinham o brilho habitual". Ele imediatamente sentiu a dor e o terror de Cecilia. Leopold também estava ali, e Laurence falou francamente com ambos. Disse que eles tinham que partir.

"Não há esperança para pessoas como vocês neste país", explicou. Leopold protestou, dizendo que o povo de Praga ainda gostava dele e o protegeria, mesmo os indivíduos que pertencessem às fileiras do Partido Comunista.

"Vocês seriam loucos se ficassem", interrompeu Laurence. "Salvem sua vida pelo menos. Todo o resto está perdido. Eu temo por sua segurança." Seus amigos estavam assustados, mas não convencidos, de modo que ele prosseguiu. "Não posso ser responsável por deixá-los ficar. Suas simpatias pró-ocidentais são bem conhecidas. Quando os russos assumirem o controle, como é óbvio que acabarão assumindo..." Laurence se calou, encostou a ponta do dedo indicador no pescoço e o arrastou, indicando uma garganta cortada.

— Mas aonde iríamos? — perguntou Cecilia.

— Para os Estados Unidos, claro. Aonde mais? — respondeu Laurence.

Ele comunicou aos dois que esse plano de contingência fora traçado muito tempo antes, e que até conversara com o embaixador britânico sobre se o Reino Unido não seria um destino melhor para os Sternberg no caso de os comunistas tomarem o poder.

Cecilia olhou para Laurence com espanto e gratidão. Mas Leopold ficou furioso.

— Então, você sempre soube! — disse. — Por que não nos contou?

— Ainda havia esperança. Por que criar pânico infundado?

Laurence os urgiu a ir para os Estados Unidos.

— É um ótimo país, e qualquer pessoa com bom senso ainda pode ganhar a vida nele. Pode não ser fácil conseguir os vistos de entrada, mas acho que posso dar um jeito, e cuidarei de vocês quando estiverem lá. O principal problema agora é tirá-los daqui. Você precisa de um tratamento médico — disse a Leopold. — Fui informado de que agora só é permitido viajar em casos de problemas de saúde. Vichy, na França, faria maravilhas por sua perna. Envie seus passaportes imediatamente e todos os outros documentos que solicitarem. Diga que você precisa desesperadamente de um tratamento, que está doente demais para viajar sem sua esposa; e ela não pode deixar o filho. Pode dar certo.

E, então, como Cecilia recordaria mais tarde, Laurence "se levantou rindo, fez uma pequena reverência para nós, como um mágico que tira com sucesso um coelho da cartola, e, depois de nos assegurar mais uma vez que cuidaria de tudo, foi embora".

Em 24 de fevereiro, as esperanças de Laurence para seu país anfitrião aumentaram, pois Beneš declarou que logo falaria por rádio e que estava cuidando da situação, as pessoas deveriam ficar calmas e continuar trabalhando. Mas o dia passou sem discurso, apenas com a intensificação da repressão comunista. No dia 25, Laurence recebeu a devastadora notícia de que Beneš havia se dobrado. Ele aceitara um novo gabinete liderado pelos comunistas, expurgado de todos os elementos pró-ocidentais. Aquele foi o pior de todos os resultados possíveis; o presidente não apenas não conseguira reprimir o golpe, como lhe dera a aparência de legitimidade democrática.

Laurence correu para falar com Masaryk para tentar entender o que havia dado errado. Seu amigo estava angustiado; a crise despojara seu habitual verniz de sofisticação. Ele disse ao chocado Laurence que começava a duvidar da competência de Beneš. O presidente "foi submetido a tanta pressão e tanta tensão física que estou surpreso de que tenha sobrevivido à semana passada". Mas, por que Beneš não renunciara, pelo menos para mostrar que aquilo era um golpe? Masaryk disse que Beneš havia pensado nisso, mas que temia que houvesse caos se o fizesse. De modo que ele aceitaria o novo governo e depois renunciaria. Masaryk disse que Beneš era "um homem arrasado". Achava que Beneš não viveria muito mais tempo.

Mas e a transmissão de rádio? Os comunistas a haviam bloqueado? Masaryk respondeu: "Não há evidências de que o uso da rádio tenha sido negado a Beneš, mas sua condição física, particularmente sua dificuldade de articular as palavras, o impossibilita de falar". Atônito, Laurence perguntou a Masaryk por que ele próprio não renunciava. Seu amigo começou a chorar enquanto tentava se desculpar por participar de um regime já completamente nas mãos dos comunistas. Talvez fosse melhor ficar dentro e lutar do que se render. Como Laurence, ele também ajudava secretamente pessoas a fugir, e alegou já ter salvado aproximadamente duzentas e cinquenta. Masaryk tinha esperanças de conseguir amortecer o golpe da brutalidade comunista por um tempo, ajudando refugiados a atravessar a fronteira.

Laurence enviou todas essas informações a Washington e aguardou instruções de Marshall. Aquele seria o último momento possível para lutar, como Stalin e Zorin haviam feito — a última chance de resistência para Marshall, Truman e o Ocidente. Eles haviam sido enganados. Contaram com Beneš, até que fosse tarde demais. Agora, estavam desamparados, despreparados para um conflito armado. Truman tinha a bomba atômica, e Stalin, pelo menos por enquanto, não. O presidente certamente não ameaçaria usar essa arma sobre a Tchecoslováquia, nem faria movimentos que envolvessem tropas americanas. O povo americano estava exausto devido à última guerra; não estava pronto para de novo sacrificar seus filhos — segundo as assustadoras palavras de Chamberlain uma década antes — "por causa de uma briga em um país distante entre pessoas de quem nada sabemos".

No final, Marshall recusou o pedido de Laurence de emitir uma forte declaração pessoal, argumentando que isso não seria bom. O Departamento de Estado também não aceitou sua recomendação de que os EUA punissem economicamente os comunistas suspendendo todos os fretes dos EUA para a Tchecoslováquia. Nem permitiria que Laurence manchasse a reputação dos soviéticos revelando que Patton queria libertar Praga em 1945, mas que fora impedido por exigência do Departamento de Estado. Um pedido para desclassificar os documentos que provavam isso estava atolado na burocracia da capital. Marshall, quando os jornalistas lhe perguntaram por que o exército dos EUA não havia ficado em Praga, disse que não se lembrava.

Apenas uma década depois de Munique, a Tchecoslováquia estava novamente perdida para o totalitarismo. A cortina de ferro caiu "com um alto baque".

Os últimos dias de fevereiro e março de 1948 foram piores, e passaram como um borrão para Laurence. Um grande fluxo de cabogramas saiu de seu escritório, relatando cada novo ultraje diário dos comunistas a Washington: propaganda antiamericana, uma enxurrada de prisões e aceleração de confiscos de propriedades. Laurence e seus colegas, assim como Masaryk, ajudavam seus melhores contatos e outras almas desesperadas a fugir do país, seguindo os passos de Cecilia e Leopold. Americanos ansiosos o enchiam de perguntas sobre seus parentes ou propriedades. Muitas perguntas. Laurence voltou a trabalhar dia e noite, pressionado pelas vidas agora em risco.

No início de março, Masaryk foi almoçar no palácio. Levou para Dulcie seu habitual buquê de rosas vermelhas. Os Steinhardt serviram seu prato favorito — lagosta — na sala de jantar adornada com painéis de madeira, enquanto os trovadores na pintura de Watteau faziam mudas serenatas para os comensais e Pokorný supervisionava o serviço. O almoço foi surpreendentemente alegre, talvez animado pelas obras de arte de Otto ao redor. O arco da história era visível na curva dos longos corredores banhados de luz e nos artefatos que continham, produtos de séculos da cultura europeia. O palácio expressava a tranquilizadora crença de que a marcha lenta e constante do progresso continuaria, independentemente dos horrores que ocorressem fora dos muros do complexo em qualquer dia, semana ou ano em particular. Johnny Masaryk parecia descontraído, com seu típico caráter "encantador, espirituoso". Muitos acreditam que ele e Laurence conversaram em particular sobre a próxima pessoa que pegaria a rota de fuga americana: o próprio Masaryk. O ministro das Relações Exteriores considerava em segredo seus próprios planos de fugir do país. Depois do almoço, eles apertaram as mãos e se despediram.

Nunca mais se encontraram. Uma semana depois, Masaryk estava morto, caído nos paralelepípedos do pátio do Palácio Czernin. Seu corpo estava retorcido, quebrado pelo impacto de uma queda da janela do banheiro, três andares acima. O relato oficial divulgado pelos comunistas alegava que ele havia perdido as esperanças e cometera suicídio. Mas os Vigilantes de Praga não acreditavam nisso. Havia muitos rumores de que Masaryk estava planejando escapar. Os tchecos, que o amavam como um pai, tinham certeza de que ele fora assassinado, provavelmente por agentes soviéticos que sabiam que ele estava prestes a fugir. Um mórbido senso de humor aparentemente delatara o método do assassinato: a defenestração era um estilo centenário de execução em Praga.

Laurence, arrasado, tendo visto as lágrimas de Masaryk, podia entender a teoria do suicídio. Ele sabia que Masaryk era o assunto das "críticas amargas de alguns de seus amigos mais íntimos", e que isso o afetava profundamente. De modo que Laurence acrescentou à sua já esmagadora carga diária de trabalho a responsabilidade de "reunir qualquer pista ou boato, o máximo possível [...] de que Masaryk fora assassinado". Ele sabia que Masaryk não era autodestrutivo por natureza e que o Kremlin o odiava, "talvez mais por causa de seu jocoso desprezo pelos soviéticos". Masaryk também era perspicaz, e embora houvesse especulações de que ele havia deixado uma nota de suicídio politicamente inconveniente, que havia sido destruída, para Laurence isso não fazia sentido. Seu amigo certamente teria feito cópias dessa carta, talvez inclusive deixado uma com o próprio Laurence. "Se foi assassinato", escreveu Laurence, "acredito que mais cedo ou mais tarde teremos uma pista que resolverá o enigma — mesmo que nunca possamos provar".

Na cerimônia de Masaryk, Gottwald tingiu os eventos recentes com tons nacionalistas eslavos, dizendo: "A tempestade de fevereiro clareou os horizontes de nossa política externa [...] É o fim da ideia de que a república está politicamente sentada em duas cadeiras no exterior [Ocidente e Oriente]. Que se diga a ambos os lados que a Tchecoslováquia é e continua sendo o membro fiel e confiável de uma família eslava."

Outro líder comunista mais tarde reforçou a questão: "Os eslavos se uniram recentemente e se deram conta de seu destino comum em virtude de sua afinidade, e compartilharam aspirações [...] A reciprocidade eslava, que no passado era apenas uma centelha de esperança para os oprimidos, tornou-se, hoje, a expressão da verdadeira irmandade e unidade de todos aqueles que desejam cooperar na construção da paz mundial."

Não demorou muito para que Beneš, um homem destruído, se juntasse a Masaryk na morte. A linha democrática em que Otto tanto confiara, os nomes de Masaryk e Beneš, divididos por Hitler com a relutante ajuda de Rudolf Toussaint, estava agora definitivamente partida. Mesmo antes da morte de Beneš, ele fora afastado sem contemplações para dar lugar a um novo presidente comunista: Gottwald.

Laurence escreveu sobre sua angústia: "[As] últimas três semanas foram, em muitos aspectos, as mais comoventes que tive que suportar em todo meu serviço diplomático". Ele teve que ver seus amigos sendo "presos ou caçados como animais", sem apelação. "A única diferença entre o padrão daqui e o de outros lugares", escreveu, "é a rapidez com que toda a aparência de democracia e liberdade pessoal tem sido eliminada." Os comunistas haviam mostrado sua verdadeira face stalinista: "O que aconteceu na Tchecoslováquia é apenas uma prova conclusiva de que não é possível fazer acordos com o comunismo e morar na mesma casa que ele. Como o fogo, ele consome tudo que toca".

Laurence se distraía com sua intensa atividade. Todos os dias, mais e mais negócios urgentes caíam sobre sua mesa, como ondas na costa após um naufrágio. Cada nova carta, cada novo memorando ou cada nova mensagem telefônica era uma potencial questão de vida ou morte. Um deles dizia respeito ao general Toussaint, que Laurence reconheceu como seu antecessor na casa de Otto. O Vaticano estava perguntando se Laurence sabia onde estava o general. Parece que os americanos o haviam entregado aos tchecos antes do golpe para que fosse julgado. Contudo, os procedimentos não aconteceram, e, com os comunistas no comando, poderia Laurence mandá-lo de volta?

Laurence não tinha tempo de responder a todos os pedidos, e aquele nem sequer dizia respeito a um americano, muito menos a um dos vários tchecos ocidentais que ele estava se esforçando (sem muito sucesso) para salvar. Toussaint fora um combatente alemão e ocupante de Praga. Mas a irmandade provocada pelo palácio tinha seu peso, mesmo no que dizia respeito a um homem assim. Talvez Pokorný tenha dito algo positivo acerca de seu ex-mestre. Enfim, fosse qual fosse seu raciocínio, Laurence escreveu ao governo de Praga, e depois de novo, e de novo. Ficou os importunando pelo "retorno às autoridades militares dos Estados Unidos do ex-general alemão Rudolf von [sic] Toussaint".

Talvez Laurence soubesse que era improvável que desse certo. E não deu; os tchecos não tinham intenção de devolver um prisioneiro alemão. No entanto, serviu para que os tchecos se envergonhassem e realmente julgassem Toussaint — mesmo que tenha sido um julgamento, e não o devido processo que o Ocidente havia proporcionado em Nuremberg. O alemão foi considerado culpado, inclusive por Lídice; aqueles poucos homens da Wehrmacht levados pela SS de outros lugares eram tão condenáveis quanto ele temia. Mas, diferentemente de alguns, Toussaint foi poupado da execução. Em vez disso, recebeu uma sentença de prisão perpétua — uma silente admissão de que ele fora menos cruel que os outros.

Essa avaliação foi reafirmada na prisão. Um a um, o novo governo comunista expurgou os parceiros de Toussaint durante o conflito de maio de 1945 que salvara Praga da destruição. Quando eles chegavam à prisão, faziam amizade com o homem que havia trabalhado com eles para preservar a cidade e seu povo. Os Vigilantes de Praga contam que Toussaint estava jogando xadrez com o general Kutlvašr quando o negociador comunista Josef Smrkovský foi levado para a cela. "O que você está fazendo aqui?", perguntara Toussaint, sem levantar os olhos do tabuleiro. "Achei que seu lado havia vencido."

Os Vigilantes também contam que quando Toussaint foi libertado, anos depois, ele voltou a Praga e caminhou pelo perímetro do palácio, observando o jardim através das grades da cerca.

O fracasso de Laurence na compra do palácio para os Estados Unidos, protegendo-o permanentemente, atormentava-o. Isso significava que, quando ele partisse, o edifício seria devolvido aos comunistas. Algum comissário tcheco ou soviético usaria seu chuveiro de mil jatos. E sua missão seguinte era iminente; os embaixadores costumavam servir por três anos, e a data final se aproximava depressa. Ele seria mandado para outro lugar, assumiria seu cargo antes do final do ano. Laurence tinha que fazer alguma coisa logo ou seria tarde demais. Por mais improvável que parecesse o sucesso, ele decidiu tentar renovar as negociações para que os Estados Unidos adquirissem o complexo.

Apesar da hostilidade entre a recém-comunista Tchecoslováquia e os Estados Unidos, Laurence mantinha uma boa relação com o substituto de Masaryk, Vladimír Clementis. O novo ministro das Relações Exteriores era comunista, mas de boa índole, um intelectual que passara os anos de guerra em Londres como locutor. Laurence era ainda mais próximo de seu vice, Arnošt Heidrich, um homem jovial e obeso com uma inclinação pró-ocidental decidida, mas agora cautelosamente oculta. Ele gostava bastante do enviado americano.

Laurence retomou as negociações do palácio com eles, de onde havia parado em 1947. Ele relatou a Washington em 7 de abril de 1948 que sua primeira abordagem "foi mais bem-sucedida do que eu esperava. Resta ver se o pequeno 'Politbureau' [o círculo interno do governo] [...] permitirá que as autoridades comunistas tchecas [...] prossigam com a transação".

Quando o sol da primavera começou a brilhar no palácio, fazendo cintilar sua fachada branca, as negociações avançaram em um ritmo acelerado. Independentemente dos problemas que os comunistas tinham com os Estados Unidos, muitos deles gostavam de Laurence pessoalmente. E ao permitir que os tchecos usassem a venda do palácio para pagar sua dívida com os Estados Unidos, Laurence estava fazendo uma oferta atraente. Não houve discussões sobre os contratos de empréstimo e aluguel subjacentes. Eles eram válidos e vinculativos aos olhos do direito internacional. Os Estados Unidos ainda mantinham a reserva de ouro tcheca dos tempos de guerra, e, se a quisessem de volta, os tchecos teriam que honrar suas dívidas.

Em maio, o governo da Tchecoslováquia se curvou diante dessas realidades. Por fim, o Politburo honraria o acordo relativo ao palácio que Laurence havia assinado em 1947. Nos dois meses seguintes, os comunistas reafirmaram totalmente o acordo anterior sobre preço e condições, trocaram notas diplomáticas confirmando o pacto e inclusive aprovaram uma lei autorizando a venda, sujeita à assinatura de um contrato final com os Estados Unidos.

Em 19 de julho, Laurence assinou o contrato com os tchecos. Ele conseguira: o palácio era entregue aos Estados Unidos. O complexo de Otto fora a peça central da transação, mas várias outras propriedades menores também foram transferidas, inclusive um edifício na Bratislava que serviria como consulado. Foi um triunfo de negociação nas circunstâncias mais adversas — um último triunfo de Laurence antes de ele partir da Tchecoslováquia para seu próximo posto. O preço não foi baixo — 1,57 milhão de dólares.* Mas foi uma pechincha, principalmente porque o dinheiro não mudaria de mãos; a dívida tcheca, de difícil cobrança, seria perdoada pelos Estados Unidos. Ele havia pago pela casa em "dinheiro de madeira", como Laurence disse a Dulcie Ann, rindo.

O mundo acompanhou tudo. A revista *Life* enviou uma equipe para fazer uma matéria elaborada, e divulgou uma foto de Laurence e do palácio, comentando: "A residência do embaixador é, de longe, a mais magnífica — e cara — de Praga". Otto teria ficado encantado ao ver sua década de esforços por fim recebendo o que merecia graças aos leitores globais da *Life*. A revista trazia páginas e páginas de imagens exuberantes para provar o que afirmava: um retrato de Laurence com a esposa e a filha em frente à escada suntuosa; as peles que Dulcie usava o ano inteiro caídas sobre seus ombros (*Ver imagem 10.*); uma foto panorâmica da câmara da piscina no porão em toda sua glória, com suas colunas e paredes de mármore falso, escaiola, tão meticulosamente falsificadas por Otto; fotos do hall de entrada oval, da sala de jantar, da biblioteca, *Herrenzimmer*, e assim por diante. Os jornalistas até deram uma espiada no presente mais íntimo que Otto dera a Martha: seu banheiro, com acessórios de liga de ouro; pisos, paredes e pilares de mármore; e a banheira elevada.

---

* Hoje, aproximadamente 16,3 milhões de dólares (Bureau of Labor Statistics, calculadora de inflação do Índice de Preços ao Consumidor).

As fotografias eram um toque de pornografia imobiliária para os assinantes que ainda enfrentavam as privações do pós-guerra em Dubuque, Decatur e Des Moines. Mas, para os leitores atentos, havia muita paixão genuína também. Pokorný aparece em uma foto passando o rodo na piscina do porão. Seu rosto impassível revela um toque de alívio, talvez até de satisfação. Sensação que foi compartilhada por outros: a *Life* citou um dos Vigilantes de Praga, que pedira para permanecer anônimo, para sua proteção naquele Estado comunista: "Eu gosto de vir e respirar o ar daqui todos os dias".

Mas havia só um problema. Preocupado com seus esforços para salvar a propriedade e com os preparativos para deixar Praga, Laurence aparentemente esquecera de obter o consentimento de Viky para a venda — inclusive de informá-lo sobre as negociações. Viky ficou chocado ao saber da transação pela mídia. E parece que também não ficou mais tranquilo quando leu que "o Estado tcheco promete uma compensação adequada aos proprietários, desde que a propriedade não esteja sujeita a confisco". Não estar sujeita a confisco? Isso não era uma garantia confiável. De modo que ordenou que seus advogados, os irmãos Dulles e Yarrow, bloqueassem a venda.

Laurence correu para os Estados Unidos e se encontrou com Yarrow no Departamento de Estado em julho, para resolver o impasse. Ele explicou que ainda pretendia barganhar mais para restaurar todas as propriedades de Viky; que aquele havia sido só o primeiro passo. Yarrow duvidava disso, para dizer o mínimo, e foi direto: Viky não aprovaria aquela transação "a menos que o Departamento considere que a aquisição da propriedade é de interesse diplomático ou estratégico supremo, ou de extrema importância para o prestígio".

Essas condições eram um enigma para o embaixador. Laurence não podia dizer honestamente que o prestígio demandava a compra, nem poderia, com uma expressão séria, afirmar que a propriedade atendia ao critério de "interesse supremo", por mais que a amasse. Vários colegas do Departamento de Estado também estavam presentes na reunião, e nunca o deixariam ir tão longe. Afinal, o Departamento resistira a seu interesse no palácio desde o início.

Mas, tendo chegado tão longe, Laurence não tinha intenção de deixar o palácio à mercê dos tchecos, nem mesmo a pedido do legítimo proprietário. De modo que pressionou Yarrow acerca da lógica de Viky: que sentido fazia abandonar a casa nas mãos dos comunistas? Viky não moraria lá. Seria muito melhor para ele que um preço fixo fosse definido, para quando ele por fim recebesse a restituição. Os americanos tinham todas as cartas na mão a esse respeito; afinal, ainda tinham a reserva de ouro tcheca. Yarrow, impassível como sempre, entendeu. Mas sua autoridade de negociação não chegava até ali. De modo que ligou para Allen Dulles em Nova York. Laurence conversou com eles também.

Na verdade, Viky havia dado a Dulles o poder de autorizar a venda. Talvez Viky não confiasse em si mesmo para participar da conversa. Seus sentimentos acerca do palácio e do homem que o construíra eram muito complicados — imprevisíveis até para ele mesmo. Viky não tinha intenção de voltar a morar lá, e, evidentemente, confiava no advogado para decidir o que seria melhor para ele no longo prazo.

Dulles ouviu Laurence. Os argumentos do embaixador eram bons. Dulles era famoso por não ser sentimental, implacável até; nos cargos da CIA que ocuparia em breve, ele se mostraria pronto para autorizar, sem pestanejar, golpes, invasões e até assassinatos. Em comparação, cortar a ligação de um filho com o legado do pai era café-pequeno. A proposta de Laurence visava o eventual benefício financeiro de Viky. Por fim, Dulles concordou.

Estava feito; o palácio estaria sob proteção permanente dos Estados Unidos. Independente do que houvesse acontecido durante seu tempo na Tchecoslováquia, isso Laurence havia conseguido — e mais uma coisa: ele se certificou de beneficiar Pokorný também. Implorou ao

Departamento de Estado que mantivesse permanentemente os empregados tchecos: "Adolf tem um intenso senso de lealdade pessoal em relação à propriedade, que considera quase como um filho. Recomendo com urgência à embaixada e ao meu sucessor que ele mantenha seu emprego indefinidamente". Curvando-se aos desejos do enviado, Washington concordou. O mordomo continuaria encarregado da criação de Otto, ele e a esposa continuariam morando na pequena portaria, agora solo americano. (*Ver imagem 11.*)

Seis semanas depois, quando Laurence se preparava para deixar Praga definitivamente, ele realizou seu último ato de salvação: a Operação Flying Fiancée. Dessa vez, Walter Birge fora pedir um favor perigoso ao embaixador. Um de seus melhores contatos na embaixada escapara do regime comunista. Mas haviam prometido salvar a noiva do homem, Mila, também. O embaixador partiria logo; acaso poderiam inventar uma maneira de contrabandear a mulher em seu avião? Laurence pensou bastante, com sua expressão mais severa. Por fim, assentiu.

— Se você conseguir levar [a] garota até meu avião com segurança e sem ser vista, eu topo.

Birge e o embaixador, consultando um colega, elaboraram um plano. Sempre que um chefe de missão partia, o amigo de Laurence — o corpulento oficial do Ministério das Relações Exteriores, dr. Heidrich — realizava uma recepção com champanhe no terminal do aeroporto. Nessa ocasião, Mila e as quatro secretárias da embaixada levariam buquês de flores para Dulcie. As cinco jovens acompanhariam Dulcie até o avião e deixariam os buquês a bordo. Mas somente quatro sairiam da aeronave. Mila ficaria, entraria em um dos banheiros nos fundos e permaneceria ali, com a porta trancada, até o avião decolar.

No dia da partida, as coisas começaram sem problemas. Birge pegou Mila e a levou ao aeroporto. Estava cheio de gente e de burburinho de conversas. A pequena Dulcie estava cercada, praticamente escondida, pelas quatro secretárias da embaixada e seus grandes buquês. Birge levou Mila até elas, e a moça foi imediatamente absorvida pelo grupo de cúmplices.

Birge se misturou às pessoas e se dirigiu à saída mais próxima — que se abria para a pista e o avião do embaixador. A porta estava trancada. Dois homens robustos, com casaco de couro, estavam parados do outro lado encarando-o. Provavelmente eram da StB, a polícia secreta. Isso era um problema; quando o portão se abrisse e o grupo tentasse ir para o avião, esses homens estariam atentos a qualquer coisa incomum. Talvez até exigissem identificação ou impedissem a passagem de outras pessoas que não os passageiros. Assim que Birge se deu conta disso, um colega se aproximou correndo e sussurrou: "Sabia que, segundo o painel de voos do salão principal, o voo do embaixador não foi liberado?"

Birge conseguiu encontrar Laurence e discretamente lhe informou as múltiplas complicações. Laurence ficou irado. Segundo Birge observou, "como uma pantera se aproximando de sua presa, ele depressa percorreu a curta distância até a administração do aeroporto".

— Você é o responsável aqui? — perguntou Laurence, confrontando um oficial, o capitão Novák.

Quando o homem, surpreso, respondeu afirmativamente, Laurence, irritado, apertando os dentes, disse:

— Birge me disse que meu voo para Frankfurt não foi liberado. Qual é a explicação, capitão?

O capitão, assustado, gaguejou uma desculpa incoerente.

— Ligue para o general Boček — exigiu Laurence.

Boček era o chefe de gabinete das forças armadas da Tchecoslováquia. A mão do capitão tremia enquanto ele fazia a ligação.

Laurence tirou o fone da mão do homem e disse:

— É você, general Boček? Aqui é o embaixador Steinhardt. — Laurence ficou em silêncio enquanto ouvia. — Obrigado por seus bons desejos, general. Agora, poderia me explicar por que meu voo para Frankfurt ainda não está liberado para decolar? Imagino que um voo como esse, por ocasião de minha partida de Praga rumo a meu novo posto diplomático, esteja sob sua jurisdição.

A resposta de Boček não foi satisfatória.

— Isso não é explicação, general, e é um insulto não só para mim, como para os Estados Unidos. — E prosseguiu: — Deixe-me lhe dizer uma coisa, general. Se meu voo não tiver autorização imediata, sabe o que vou fazer? Vou ligar para a base da Força Aérea dos EUA em Rhein-Main e pedir ao oficial no comando que mande um caça-bombardeiro aqui para explodir este inferno de aeroporto de Ruzyn [*sic*]. E não se iluda pensando que meu pedido não será atendido!

Mais dez segundos de silêncio.

Laurence passou o telefone de volta para Novák, dizendo calmamente:

— O general Boček quer falar com você, capitão.

O tcheco ouviu, assentiu e depois desligou o telefone.

— Senhor, embaixador, os detalhes técnicos que atrasaram a liberação de seu voo foram resolvidos. Seu voo para Frankfurt está liberado.

Restava o problema da porta trancada e dos agentes da StB. Laurence e Birge se aproximaram. Decidiram fazer uso de uma segunda porta, para bagagem, na outra ponta do pequeno terminal. Estava aberta, mas Birge viu que era guardada por um soldado gigantesco, armado, cujas "pernas eram como carvalhos, e seu pescoço, o de um lutador peso-pesado". Mas o homem não parecia muito rápido e, ao contrário dos alertas agentes da StB, não estava esperando problemas. Laurence voltou para Dulcie e sua comitiva floral — Mila entre elas — e conduziu-as depressa à segunda saída. O grupo inteiro os acompanhou — dezenas de dignitários liderados pelo rotundo dr. Heidrich. Birge ficou perto da porta deslizante, como quem não queria nada, a poucos metros do enorme guardião inocente.

Então, Birge ouviu um zum-zum de conversa, e Dulcie "apareceu no fim da alfândega, cercada pelo jardim ambulante" formado pelas cinco mulheres que carregavam as flores, " e — mais importante — ali, andando ao lado delas, estava o dr. Arnost Heidrich, com seus cento e quarenta quilos", representando a autoridade tcheca.

Birge olhou para o enorme guarda para avaliar qual seria sua reação diante da multidão que se aproximava. Então, teve uma inspiração repentina: xingou e amaldiçoou o homem em inglês, censurando-o com palavras que ele certamente não compreenderia. Confuso, o gigante armado ficou imóvel, e o bando se dispersou ao seu redor e passou pela porta aberta antes que ele pudesse reagir.

Birge e cerca de cinquenta pessoas chegaram ao avião menos de meio minuto depois de sair do terminal. A dupla de agentes da StB ainda estava posicionada diante da outra porta trancada. Outro guarda, mais alerta, correu pela pista até o avião, e os dois parados à saída de passageiros fizeram o mesmo. Mas Dulcie e as cinco garotas com flores já estavam subindo os degraus da aeronave.

Laurence as seguiu e, então, parou no meio da escada para bloquear os perseguidores enquanto Mila já estava trancada no banheiro. Fez um showzinho, acenando e conversando com a multidão reunida abaixo. Àquela altura, Mila já estava trancada no banheiro. Atrás de Laurence, parada à porta do avião, a multidão podia ver Dulcie de braços cruzados — pequena, mas feroz.

Laurence se voltou para entrar no avião, e o coronel da StB responsável pela segurança do aeroporto se materializou ali. Disse que desejava inspecionar a aeronave antes da decolagem.

— É um procedimento normal — disse o coronel —, para a segurança do embaixador.

Com um sorriso sarcástico, Laurence convidou o coronel a entrar no avião, alardeando para a multidão:

— Parece que ele acha que tenho um clandestino a bordo!

Um ou dois espectadores riram; a maioria estava tensa demais para isso.

O coronel subiu a escada e entrou no avião, passando por Dulcie, que ainda estava de braços cruzados. Atrás dela estava a porta do banheiro, protegida pelas flores. O coronel olhou para a direita e para a esquerda. Tudo que viu foi Dulcie descontente, Dulcie Ann aparentemente mais descontraída e uma floricultura inteira.

O coronel assentiu, deu meia-volta e começou a descer a escada.

— Está satisfeito? — perguntou Laurence com ironia enquanto a multidão assistia ao espetáculo.

O coronel se voltou e bateu continência.

A porta do avião se fechou com força e a aeronave imediatamente começou a taxiar; as turbinas rosnavam e as hélices giravam. Momentos depois, Laurence, Dulcie, sua filha e sua passageira escondida estavam voando rumo à Alemanha.

Foi uma batalha vencida por Laurence. Também houve outros sucessos, incluindo ter salvado o palácio e Cecilia. Mas a guerra fora perdida.

12

"Nunca, nunca, nunca se renda"

Karlovy Vary, Tchecoslováquia, março de 1948

O HOMEM SE COMPORTAVA DE UM jeito estranho. Frieda estava diante dele, com o novo vestido de bolinhas que havia acabado de fazer naquele mesmo dia, cuja saia tinha pregas tão afiadas que poderiam cortar vidro. (*Ver imagem 12.*) Ela segurava uma bolsinha branca de couro envernizado com as duas mãos diante do corpo. Os sapatos plataforma acrescentavam alguns centímetros a seu um metro e meio de altura, além dos que ganhava por estar bem ereta.

O homem estava sentado atrás de uma mesa cheia de papéis. As paredes marrons de seu escritório precisavam de uma nova demão de tinta, as pilhas de antigas anotações e pastas davam ao lugar um cheiro de mofo. Mas, para Frieda, a promessa daquele edifício não o tornava menos glorioso que o luxuoso Grandhotel Pupp do balneário, uma extravagância de cinco andares amarela e branca e lugar de esplêndidos cafés e noites de dança.

Aquele era seu primeiro dia de trabalho. Dentre dezenas de candidatas, o homem a escolhera para ser sua nova secretária, recepcionista e arquivista — três empregos em uma só pessoa. Ela seria verdadeiramente independente pela primeira vez em seus vinte e cinco anos de vida.

Livre.

Nos últimos dois anos e meio, ela conseguira sair do nada e sobreviver, começando apenas com sua pequena mala, sua astúcia e as habilidades de costura que aprendera à mesa da cozinha e no ateliê de Faigie em Sobrance. Frieda se mudava de um lugar para o outro, morando com amigas e parentes, fazendo peças e reformas de roupas — indo atrás de qualquer trabalho que pudesse conseguir para sobreviver e guardar algumas *koruna*. No tempo livre, ela embarcava em seu agressivo plano de autoaperfeiçoamento: lia, fazia cursos de secretariado, livrava-se de seu sotaque oriental. Ela carregava consigo uma pequena pilha de livros: *E o vento levou*, uma coleção de poesias, *História universal*, de H. G. Wells. Tinha uma meta: economizar dinheiro, voltar a estudar e se formar em medicina. Mas tudo começava com arranjar um emprego bem remunerado.

Sua irmã Berta e outras pessoas de seu meio judeu ortodoxo eram céticas. Ficavam dizendo que a verdadeira ocupação para a qual ela estava qualificada era o casamento e a família — dar os nomes de seus pais assassinados a uma nova geração, como exigia o costume judaico. Berta se casara com um viúvo que tinha um filho de oito anos (um menino doce, apesar dos horrores que vira — havia perdido a mãe e os irmãos nas mãos dos nazistas). Logo ele ganhou dois irmãos, cujos nomes homenageavam os falecidos. Berta parecia feliz; a agitação causada pelas três crianças a distraía das lembranças terríveis.

Mas Frieda havia rejeitado todas as tentativas de arranjos. Sobreviveram à guerra menos homens judeus que mulheres, e ela não se sentia atraída por nenhum dos pretendentes. Além disso, ela era ávida por conhecimento e independência. Queria estudos e uma carreira; uma vida própria. Seu herói, *Tatíček* (vovô) Masaryk, acaso não havia dito: "Que as mulheres sejam equiparadas aos homens cultural, legal e politicamente"? E até mesmo não acrescentara o nome de sua esposa ao seu para reforçar seus argumentos? Essas ideias a haviam inspirado. E, agora, ela tinha um emprego de verdade. Mas por que seu novo chefe estava agindo de forma tão peculiar?

Por fim, ele falou.

— Sinto muito — disse —, mas é a situação.

— Que situação? — perguntou ela.

— A... é... a situação política — respondeu ele.

O que isso tinha a ver com ela?, pensou Frieda. Ela acompanhara os eventos em Praga, distraída, enquanto se preparava para o novo emprego — fazendo vestidos e decorando o manual de secretariado. Ela lera que os democratas saíram do governo; o blá-blá-blá dos socialistas, o *bullying* de Gottwald e a aceitação final do novo gabinete por parte de Beneš. Mas ela e suas amigas de Karlovy Vary não deram muita importância à crise. Brincavam, dizendo que o moderado caráter nacional tcheco não se prestava à tirania. "Švejk não é Stalin", diziam, referindo-se ao ícone nacional, um (fictício) soldado tcheco relutante do exército austro-húngaro. Em Karlovy Vary, visitantes e moradores ainda passeavam pela longa colunata greco-romana na rua principal para se curar, como as pessoas faziam havia séculos. Enchiam suas xícaras de porcelana nas torneiras de latão uniformemente espalhadas ao longo da calçada ensombrada — cada uma oferecia uma temperatura e uma composição mineral ligeiramente diferentes — e bebericavam as famosas águas. Praga, a apenas duas horas de distância, parecia muito mais longe que isso.

— Não entendo — disse ela.

O homem explicou:

— Não tenho como contratar alguém novo. É tudo tão incerto... Não sei nem o que será de *mim*.

Seu coração se apertou, mas só por um instante. O mais educadamente possível, ela perguntou se poderiam tentar por uma semana. Frieda sabia que se pudesse pôr o pé na sala, ele veria quanto ela era valiosa. Aquele emprego era sua tábua de salvação. Ela ofereceu adiar seu salário; fazer um corte salarial. Tentou explicar por que ele precisaria de uma boa secretária naquele momento mais que nunca.

Não adiantou. Quanto mais ela pressionava, mais passivo ele ficava. Ele se tornava mais triste a cada argumento. Mas se manteve irredutível. Quando ficou claro que ele não cederia, ela fez uma última súplica e foi embora. Quando voltou a seu quarto, enterrou o rosto no travesseiro e chorou. Estava furiosa com os comunistas — eles haviam estragado tudo. Mas Frieda fez questão de chorar baixinho; dessa vez, era ela quem se preocupava com que alguém ouvisse.

Frieda se forçou a sorrir para seus companheiros e a sentar bem ereta durante a longa viagem de volta ao leste, até o apartamento da irmã, em Košice, tentando ao máximo não amassar seu terninho de tweed (aquele tecido marrom pesado havia sido muito difícil de costurar). Ela estava voltando sem emprego, sem dinheiro e sem perspectivas — só com uma mochila pesada, cheia de roupas novas e livros velhos. Preparou-se para uma enxurrada de críticas.

Mas Berta e seu marido, Shausher, mal notaram a chegada de Frieda. Distraidamente disseram que ela podia dormir em um sofá do lotado apartamento. As duas crianças mais novas brincavam no chão, e a terceira e mais velha fazia o dever de casa. Embora essa cena doméstica parecesse normal, havia tensão no ar.

Berta falava em sussurros com Frieda enquanto esta a ajudava a preparar a refeição da noite. Havia sinais de que Shausher perderia sua pequena fábrica de roupas na onda de expropriações do governo. Mas talvez fosse melhor assim. Eles eram judeus religiosos; não tinham futuro em uma terra comunista. Os esquerdistas odiavam qualquer tipo de religião, e os comunistas judeus tendiam a não ser exceção. "Os judeus podem ser os piores antissemitas", sibilou Berta. Ela tinha três filhos pelos quais era responsável, e isso a deixava em estado de alarme.

Mais tarde, depois do jantar, os adultos ficaram conversando enquanto tomavam chá e comiam os doces caseiros de Berta. As irmãs se sentaram com o outro único morador da casa de Sobrance que havia voltado dos campos: o irmão Boruch. Ele era gregário e descontraído. Como suas irmãs, ele era mais resiliente do que parecia: fora mandado de Auschwitz para Dachau e suportara os dois, enquanto outras pessoas a seu redor sucumbiam. Se tinha pesadelos, ele os escondia por trás do sorriso. Boruch encarava o caráter independente da irmã caçula — e muito mais — com tolerância benigna, sorrindo quando a via.

Frieda notou que os outros já haviam decidido o que fazer. Estavam planejando sair do país. O marido de Berta, Shausher (que também havia puxado uma cadeira), tinha certeza de que sua fábrica seria confiscada. E todo mundo sabia o que acontecia com os judeus ortodoxos no comunismo. Eles já haviam sobrevivido a um regime totalitário, não estavam dispostos a correr riscos em outro. Tinham que sair da Tchecoslováquia, e simplesmente concluíram que Frieda iria com eles.

Ela resistiu à ideia de recomeçar em outro lugar. Aquele era seu país. E ela não estava disposta a desperdiçar dois anos e meio de trabalho para reconstruir sua vida. As considerações religiosas pesavam menos para ela. Frieda era a menos ortodoxa das pessoas ao redor da mesa; sua devoção anterior à guerra fora corroída pelas coisas terríveis que vira. Ela não estava em pior situação que suas amigas mais seculares de Praga e Karlovy Vary, que haviam dado de ombros por Frieda perder o emprego, urgindo-a a ficar e arranjar outro. "Não se preocupe, Frieduska", disseram, "os comunistas não proibirão a dança." Algumas delas também argumentaram que a redistribuição comunista da riqueza não era uma coisa tão ruim. Por que os ricos deveriam ter tanto, e o restante das pessoas tão pouco? Mas a maioria de seus amigos parecia satisfeita só de se desligar da política.

Frieda, o mais casual possível, perguntou se a família não deveria avaliar a possibilidade de ficar. Os outros três se voltaram para ela, incrédulos. Até Boruch, normalmente imperturbável, parecia chocado. Depois do que haviam passado? Todos tinham perdido pais e irmãos; a primeira esposa de seu cunhado e dois de seus filhos também haviam sido assassinados. Somente por meio de esforços extraordinários ele salvara seu filho e a si mesmo. Correr esse risco de novo com outro grupo de totalitaristas estava fora de questão.

— E se alguém voltar, como nos encontrará? — perguntou Frieda.
— E se Beinish ainda estiver vivo?

Eles não ouviam falar do irmão mais velho desde 1941, quando ele fora arrastado pelas ruas de Sobrance pelos aliados húngaros dos nazistas para fazer parte de uma brigada de trabalho militar, ou *munka tábor*. Se Faigie havia herdado a disposição do pai, Beinish puxara à mãe: era extremamente religioso e extremamente gentil. Frieda jejuara por seu retorno seguro toda segunda e quinta-feira (os dias da semana em que a Torá era lida no serviço matinal na sinagoga — os dias tradicionais de jejuns de esperança) de 1941 a 1944, quando fora deportada. Depois da guerra, eles ainda tinham esperanças. Mas já haviam se passado três anos desde o fim da guerra, e quase oito desde a última vez em que viram Beinish. As condições extenuantes no *munka tábor* eram horríveis — tão ruins quanto nos campos. E a esperança desaparecera.

— Frimud — disse o irmão gentilmente, pousando sua mão na dela. — Estamos em 1948. Por favor.

Frieda sentiu sua raiva contra os comunistas se erguer de novo. Mas, como filha de seu metódico pai, ela foi capaz de ceder à força dos argumentos de sua família. Concordou em partir com eles.

Passaram os dias seguintes conversando sobre todos os destinos possíveis, da Palestina ao Canadá e à Venezuela. Mas as autoridades tchecas não estavam muito ansiosas para deixar as pessoas partirem.

E, aparentemente, todo judeu que eles conheciam em Košice queria partir. Quando ficou claro que ninguém iria a lugar nenhum tão cedo e ela se cansou de dormir no sofá, Frieda voltou a Karlovy Vary para ficar com suas amigas.

Ela já imaginara aonde sua família poderia ir, e queria investigar sozinha. Fora ideia do pai, dez anos antes: Estados Unidos.

Frieda podia ver a bandeira americana se destacando na embaixada enquanto subia a rua Tržiště, saindo da Karmelitská. Ela havia pegado um ônibus de Karlovy Vary para Praga e estava hospedada com amigas no bairro judeu. Algumas pessoas conheciam esquemas que ajudavam rapazes. Ela conhecia um que ajudava garotas: as mulheres que ela conhecera nos campos. Em geral, sempre havia uma cama sobrando, e, se não, arranjava-se outra solução.

Quando chegou a Praga, Frieda começou pelo Centro de Informações Americano, no centro, administrado pelos Estados Unidos. Havia uma multidão de tchecos do lado de fora, lendo o material colado nas janelas, e, dentro, debruçavam-se sobre livros e revistas americanas. Quando perguntou sobre vistos, eles a encaminharam à embaixada.

Ela ouvira rumores de que os americanos estavam permitindo que tchecoslovacos imigrassem para os Estados Unidos. Todos sabiam das cotas, claro, e como era difícil entrar. Mas dizia-se que agora tinham uma preferência especial pelos tchecos. Os detalhes eram nebulosos, mas, pensou Frieda, por que não tentar?

Alguns tchecos sentiam amargura em relação aos Estados Unidos. Diziam que as promessas de Wilson de 1918 eram vazias, o que ficara provado em 1938. Depois, os americanos não se deram o trabalho de libertar Praga em 1945, deixando o resgate para os soviéticos. E abandonaram o país de novo em 1948. Não puderam sequer salvar Jan Masaryk, e nem o fato de ele ser meio americano o ajudara.

Mas Frieda não tinha ressentimentos. Seu olhar estava voltado para o futuro. Ela se permitiu sonhar com a vida na América. Aperfeiçoaria seu inglês. Havia lido que eles tinham faculdades inteiras só para mulheres. Frieda ganharia uma bolsa de estudos e se formaria, seria médica — dermatologista, decidiu, combinando a medicina e seu amor pela beleza. Ela sabia que não podia ser tudo que via nos filmes ou lia nos livros, mas, mesmo aplicando a seu sonho um desconto substancial, ele ainda lhe parecia bom. Ela redobraria seus esforços para melhorar seu inglês lendo cada dolorosa página de *E o vento levou*.

A rua de paralelepípedos que levava à embaixada era estreita, e a largura das calçadas mal permitia a passagem de um único pedestre. Ela estava de novo com sua melhor roupa, o vestido de bolinhas. Quando se aproximou, seu coração disparou.

A embaixada estava sendo vigiada pelas autoridades comunistas.

Havia policiais uniformizados em frente ao edifício, e a rua estava cheia de pessoas que — ela tinha certeza — estavam de olho no local. Dois homens grandes, com casaco de couro preto, circulavam por ali. Havia mais à espreita nas portas e em grandes carros de aparência oficial estacionados. A quem achavam que enganavam? Talvez fosse essa a intenção: ficar tão visíveis que espantariam os visitantes da embaixada americana.

Frieda já havia visto coisa pior. Não só os nazistas, mas também os oficiais húngaros que haviam patrulhado Sobrance e a colocado em um vagão de gado; os aviões que haviam atingido o trem da morte em 1945; os soviéticos rondando seu país. Pelo menos aqueles eram tchecos e suas armas estavam no coldre. Não parecia que estavam parando os pedestres que entravam e saíam da embaixada. Ela respirou fundo e, com o pulso acelerado, entrou.

Logo se viu conversando com um diplomata americano de verdade. Ele era mais jovem do que ela havia imaginado; educado, mas neutro, enquanto lhe explicava o programa de imigração. Ela preci-

"NUNCA, NUNCA, NUNCA SE RENDA"

saria de um visto de imigrante. Havia uma lista de espera só para a inscrição. A seguir, ele explicou os requisitos do visto em si. Só a lista de documentos fez a cabeça de Frieda girar: certidão de nascimento, testemunhos, registros do governo tcheco. Também precisariam de americanos que os atestassem com declarações juramentadas.

Mas os requisitos financeiros eram os piores de todos. Eles precisariam ser financeiramente autossuficientes. Sua família não tinha aquele dinheiro; apesar do vestido extravagante, ela pessoalmente não tinha dinheiro *nenhum*.

— Mas e a cota especial? — Frieda por fim perguntou. — Para refugiados da Tchecoslováquia?

— Desculpe, você não está qualificada. Você *está* na Tchecoslováquia. Isso se aplica apenas a pessoas que já saíram.

Ela estava confusa. Por que essas pessoas precisariam de um visto se já haviam saído?

Ele explicou que era para pessoas que estavam presas em outro lugar.

— Mas e as pessoas que estão presas *aqui*? — argumentou ela.

Ele disse que estavam sujeitas à cota regular, e perguntou se ela queria ou não se inscrever na lista de espera.

Mesmo que a família reunisse tudo que tinham, não seria suficiente. Ela disse que teria que conversar com os outros.

Frieda foi embora tão desanimada e desmoralizada que nem checou quem a observava enquanto saía da embaixada.

Houve uma batida forte na porta do apartamento onde Frieda estava hospedada. Ela ficou paralisada. Era insistente, intrusiva — a batida de um estranho.

Ela abriu a porta; era um mensageiro com uma boina verde e um terno combinando, segurando um telegrama. Ela não se lembrava de já ter recebido um telegrama — devia ser má notícia. "As crianças!", pensou por um instante. Com as mãos trêmulas, abriu o envelope. A mensagem de sua família era concisa: "Beinish vivo. Venha imediatamente". Beinish. Vivo? Depois de todos esses anos? Era surreal, tão surpreendente como se Faigie ou Yehudis houvessem voltado de *olam haba* ("o mundo vindouro").

Enquanto fazia as malas às pressas, checava os horários das viagens, e seguiu para a estação. Ela sabia que deveria estar feliz, mas só o que sentia era choque. Achava que já havia experimentado todos os sentimentos humanos possíveis, mas aquele era novo. Talvez já houvesse tido surpresas demais e não pudesse mais reagir. As pessoas com quem ela pensara que poderia contar haviam lhe virado as costas. As que odiava ajudaram a salvar sua vida. *Shtarkers* aparentemente fortes murcharam. Fios finos acabaram se mostrando invulneráveis. E as pessoas voltavam dos mortos.

Era um milagre que Beinish estivesse vivo. Mas, como seu pai lhe ensinara em uma das sessões de estudo do Shabat, o Senhor preferia não ter que fazer milagres. Desencadear as dez pragas ou dividir o Mar Vermelho perturba a ordem natural das coisas, que ele se esforçara ao máximo para estabelecer.

Frieda se encontrou com Boruch e Berta em Košice. Eles explicaram que Beinish havia escrito para o prefeito de Sobrance e que estava voltando da Rússia. Dera a data em que chegaria. Ele pedira que, se algum membro de sua família ainda estivesse vivo, por favor avisasse que estava voltando para casa.

Frieda ficou imaginando se o reconheceriam. Mas, quando seu ônibus por fim chegou a Hlavná ulica, não houve dúvida de que era Beinish que descia os degraus carregando uma pequena mochila. Ele estava mais magro que nunca, braços finos e no rosto óculos enormes; era o irmão mais velho de Frieda. Seu sorriso gentil, sua modéstia radiante, sua pequena estatura — tudo a fazia lembrar Chaya. De repente, ela estava chorando. Todos estavam chorando — Boruch,

Berta e Frieda se amontoaram ao redor de Beinish, abraçando-o e beijando-o.

Seus olhos, imensos por trás das grossas lentes, procuravam os deles. Onde estavam todos os outros? — pareciam perguntar. Eles sacudiram a cabeça.

Alguns dos demais judeus sobreviventes de Sobrance estavam ali para recebê-lo também. Eles se aproximaram, perguntando sobre irmãos, filhos ou maridos, que haviam sido presos com ele em 1941. Acaso Beinish os vira? Estavam vivos? Foi sua vez de sacudir a cabeça. Ele era o único sobrevivente.

Alguém perguntou: "Como você sobreviveu?" A pergunta pairou no ar. Todos prenderam a respiração, esperando a resposta, como se ele fosse um *chacham* — um sábio — por suportar o inimaginável. A maioria havia passado cerca de um ano em cativeiro. Eles conheciam outros que haviam sobrevivido por dois anos ou, em casos raros, até três anos. Beinish era gentil, de compleição frágil, de apenas um metro e meio de altura e fala mansa. No entanto, havia sobrevivido por *oito anos*. Como?

Beinish abriu a mochila e pegou um saquinho com as *tefilin* — seus filactérios, caixinhas que os judeus ortodoxos usam quando fazem as orações matinais —, dois cubinhos pretos laqueados, cada um com cerca de dois centímetros e meio. Selados dentro de cada caixinha havia pequenos pergaminhos enrolados com alguns versículos da Torá, e, do lado de fora, tiras de couro para fixar uma caixa na testa e a outra no bíceps esquerdo, ao lado do coração. Ele ergueu o saquinho que continha suas *tefilin* e disse: *"Ich hob g'leigt tefillin yeden tog, un d'iberiker is nisht gevein in miner hint"* ("Eu colocava minhas *tefilin* todas as manhãs, e o resto não estava em minhas mãos").

Mais tarde, de volta ao apartamento de Košice, Beinish contou aos irmãos tudo que havia passado desde que fora capturado nas ruas pelos ocupantes húngaros de Sobrance: o tratamento miserável que recebera no *munka tábor*, onde dera apoio a uma divisão do exército húngaro e fora capturado pelo exército soviético no rio Don em 1943. Como foram as coisas nos campos de prisioneiros de guerra soviéticos — os invernos gelados e os verões sufocantes. Como seus amigos haviam morrido um por um. Ele mesmo os havia enterrado, declamado o *kadish* para cada um, até que não restara mais ninguém e ele se perguntara quem faria a oração em memória a ele. Então, disseram-lhe que ele seria repatriado, uma vez que a Tchecoslováquia se tornara um Estado comunista fraterno.

Sussurrando com urgência, ele disse que tinham que partir imediatamente, antes que fosse tarde demais.

Ninguém discutiu com ele.

A única opção viável para Frieda e sua família era Israel. Tendo seu Estado sido declarado recentemente, em maio de 1948, Israel aceitaria alegremente cada um deles. A razão de ser do incipiente Estado judeu era aceitar qualquer judeu, de qualquer lugar, desde que conseguisse chegar lá. Esse era o problema. Primeiro, a família teria que fugir da Tchecoslováquia, com suas fronteiras fechadas e suas autoridades geralmente hostis à emigração. Depois, teriam que atravessar a Europa e o Mar Mediterrâneo com crianças pequenas a tiracolo. Tudo isso para se refugiar em uma zona de guerra: cinco Estados árabes atacaram Israel imediatamente após a independência ser declarada, e as hostilidades não haviam cessado por completo.

Mas era possível, pensava Frieda. A Tchecoslováquia seguira Stalin no reconhecimento de Israel. O bloco soviético tinha grandes esperanças para o novo Estado: muitos dos líderes israelenses eram socialistas, e sua instituição característica, o *kibutz*, em grande parte dispensava a propriedade privada. Um dos *kibutzniks* havia sido convocado para servir como o primeiro embaixador israelense em Praga. Frieda ficara encantada. Um representante oficial do Estado judeu apresentando suas credenciais no Castelo de Praga? Era um milagre tão grande quanto o retorno de Beinish. Eles haviam esperado apenas oito anos pelo irmão; os judeus esperaram dois milênios por um Estado. Ela desejava que sua Faigie, aquela sionista fervorosa, estivesse ali para ver — mas o pai, antissionista igualmente fervoroso, ficaria consternado. Ela até podia ouvi-lo dizer: "O homem é socialista, é completamente *frei* ['não religioso'], e o país também!"

Mas, para Frieda, um Estado judeu era um Estado judeu — graças a Deus havia um para o qual fugir. Frieda adorava a ideia de Israel, mas, ao contrário de Faigie, não tinha nenhum desejo ardente de viver lá. Ela pesquisara para ver se eles tinham faculdades de medicina, e ficara desapontada com as rudimentares oportunidades. Ainda assim, ela era realista: eles tinham que ir embora, e Israel era a melhor opção.

Em julho, o novo embaixador israelense em Praga anunciou que Israel mandaria aviões para levar duzentos e cinquenta imigrantes tchecoslovacos por mês. Deu a entender que em breve números muito maiores seriam autorizados a partir. A família se registrou formalmente com o cônsul de Israel. E não estavam sozinhos: logo havia vinte mil pedidos de visto de judeus tchecos pendentes nas mãos do enviado sitiado e sua pequena equipe.

Frieda fez uma última viagem a Karlovy Vary em setembro para ir a um casamento e se despedir de suas amigas. A cidade branca que ladeava o vale parecia tranquila. Ela se deleitou ao sol com pessoas que conhecia; caminhou pela colunata, bebeu cada uma das diferentes águas termais para se lembrar delas; e subiu na torre de observação no monte Doubská, com vista para a cidade. Muitos judeus naquela parte oeste do país eram mais assimilados, e parecia que menos haviam se inscrito para os voos a Israel do que no leste. Ela ficou surpresa ao saber que alguns dos seus conhecidos haviam entrado para o Partido Comunista. Eles não acreditavam naquela *narishkeit* ("bobagem"), claro. Estavam fazendo isso para não ter problemas. Friduska, você poderia fazer faculdade de medicina aqui. Não é tarde para mudar de ideia, diziam.

Qualquer dúvida de sua parte desapareceu diante de um episódio que aconteceu no casamento que a levara à cidade. A recepção tinha duas mesas compridas: uma era *kosher* e outra *treyf*, para quem não se importava. Na verdade, não era *treyf* de verdade — não tinha carne de porco nem crustáceos. Nessa mesa serviam carne de vaca e frango que não haviam sido abatidos ritualmente, portanto, não eram religiosamente aceitáveis. Em Košice, Frieda nunca ousaria comer à mesa *treyf*. Alguém poderia vê-la, e isso lhe criaria problemas com sua família ortodoxa. Mas com suas amigas do oeste ela ficava mais relaxada, e se juntou a elas na outra mesa.

Enquanto ela ria e se divertia com os demais, uma figura magra se aproximou. Era um dos amigos de seu pai, da *yeshiva*, um colega de escola de longa data. Poucas pessoas dessa geração haviam sobrevivido. O homem não recuperara a saúde — suas bochechas eram afundadas e suas costas dobradas. De onde teria saído?

Ele a fitou severamente; seus olhos queimavam sob a aba do chapéu. Sem se importar com o que ela ou suas amigas pensassem, ou com o fato de estar em uma ocasião festiva e que poderia carregar a atmosfera, ele apontou o longo dedo para ela e disse: *"Zalman Leib's tochter est fin der chazzerisher tish?"* ("A filha de Zalman Leib está comendo da mesa dos não *kosher*?") Frieda ficou vermelha, e suas amigas se calaram.

Ela se levantou e foi para a mesa *kosher*, humilhada. Quando a vergonha desapareceu, ela aceitou o alerta e ficou grata; havia se afastado demais da casa de Sobrance. Frieda nunca mais provou carne não *kosher*, e não mais considerou viver na Tchecoslováquia.

Apesar da ousada previsão do embaixador de Israel, no outono de 1948 o governo da Tchecoslováquia continuava permitindo que apenas algumas centenas de pessoas partissem por mês. As autoridades comunistas controlavam os passaportes e as permissões de saída. Impuseram uma série de taxas, que mudavam e aumentavam constantemente. Subornos eram exigidos. Os poucos judeus sortudos que conseguiam superar todos os obstáculos burocráticos se despediam discretamente do restante da comunidade. E os que esperavam se juntar a eles tinham o cuidado de não antagonizar com os comunistas.

Frieda voltou a Košice; dormia em uma cama no canto da casa da irmã e do cunhado, com tudo que tinha dentro de uma mala, e ajudava na fábrica de roupas da família. Quando não tinha nada para fazer ali (o tecido era material escasso sob o domínio comunista), ela participava de todas as aulas que conseguisse encontrar: inglês, o novo idioma universal; contabilidade, para aprender a matemática de que acabaria precisando para seus estudos avançados; hebraico, para se virar em seu novo destino.

Naquele outono, começaram as prisões de líderes sionistas; as notícias chegaram ao apartamento lotado da rua Štúrova com os primeiros ventos gelados da estação. Alguns dos judeus mais importantes da Eslováquia foram detidos, um a um, sob acusações falsas, a partir de setembro de 1948. As autoridades apresentaram diferentes pretextos em cada caso, mas, para Frieda, não havia como confundir o padrão. Ela já havia visto isso.

Ainda mais assustador para sua família foi a repressão policial no mercado clandestino. Sua pequena fábrica de roupas era o que mal mantinha todos eles vivos; mas não podiam produzir roupas sem tecido, e atacadistas e outras fontes oficiais não tinham para vender — uma das muitas carências que eram sentidas sob o novo regime. A única maneira de obter material era às escondidas. Era ilegal, e as autoridades estavam processando vigorosamente os infratores.

Frieda observava o funcionamento do mercado clandestino desde que se conhecia por gente. O pai havia complementado sua renda dessa maneira; ela o observava esconder o contrabando — ouro, joias, dólares — quando viajava com ele. E agora ela se revezava nas transações ilícitas. Tinha medo de ser pega, mas não havia outra maneira de comprar comida e materiais de primeira necessidade — sem falar da garantia dos recursos de que precisariam para pagar as taxas e os subornos para ir embora.

Em dezembro, os dias eram curtos e escuros, o frio era esmagador, e a família começava a perder a esperança, mas uma onda de boas notícias chegou. O embaixador de Israel havia fechado um acordo formal com os comunistas tchecos. Vinte mil judeus teriam permissão para emigrar nos próximos quatro meses.

A família começou a se preparar seriamente. Frieda, que falava bem e era bonita, era quem fazia as rondas burocráticas: pelos gabinetes do governo tcheco, pelas organizações de ajuda judaicas e autoridades de imigração de Israel. A família preencheu inúmeros formulários (em comparação, as demandas americanas por documentos não pareciam tão assustadoras). Pagaram impostos, tarifas e taxas de passaporte, drenando seu já escasso ninho de ovos. Inventariaram suas posses para obter autorizações pessoais de exportação; listaram tudo, desde móveis e eletrodomésticos até pares de meias numerados individualmente. Não era permitido retirar nada de valor da Tchecoslováquia, de modo que o enteado de Berta, Monu, foi posto a trabalhar para fazer tudo parecer velho: ele raspou as laterais da torradeira com um pedaço de lixa e as pernas da mesa com um utensílio afiado. Eles brincavam dizendo que até os rolos de papel higiênico teriam que ser etiquetados como "usados". O senso de humor afiado da família os levara longe, de modo que não o abandonariam.

As listas foram devolvidas, com muitos dos itens negados para exportação. Por que não podiam despachar uma lâmpada, uma panela *kosher* ou uma cadeira de cozinha? Frieda não conseguia entender por que podia ficar com alguns dos seus livros, mas outros haviam sido cortados da lista. Não havia lógica nem discussão com o governo. O que não poderiam levar, eles venderam para os tchecos por uma pequena parte do valor. Eles foram despojados de seus bens sistematicamente. Qualquer que fosse a residual abertura que Frieda tinha em relação ao socialismo, desaparecera para sempre.

Os documentos de viagem chegaram. Eles partiriam da Bratislava em abril — mas só Berta, o marido e seus três filhos. As autoridades tchecas garantiram à família que tudo estava em ordem, que o prazo limite — abril — para o programa seria estendido e que os documentos de todos seriam processados. Frieda não acreditou em nada do que disseram. Ela já havia planejado muitos reencontros que nunca aconteceram e feito muitas despedidas temporárias que acabaram sendo definitivas. Mas a oportunidade de tirar as crianças dali com segurança não podia ser desperdiçada. Em abril, eles se despediram. Frieda abraçou a irmã com força e beijou cada criança. "Vejo vocês em Israel, *im yirtz HaShem* ['se Deus quiser']", disse Frieda. Quem sabia se Ele quereria? Tendo sido tão confiante em sua fé antes, ela não entendia mais o que Ele queria ou não. Então, os cinco partiram. O apartamento, outrora superlotado, de repente parecia vazio demais.

Boruch e sua esposa, Rachel, foram os próximos a partir. Foram aprovados para viajar em maio. O programa de vistos foi estendido, conforme prometido. "Só porque aconteceu não significa que eles não estavam mentindo", disse Frieda a eles. Houve mais abraços e beijos, e eles partiram também.

Ficaram Frieda e Beinish para cuidar um do outro. As refeições eram tranquilas, só os dois ao redor da mesa. No apartamento quase vazio, preparando-se para deixar sua casa, Frieda sentia profundamente a ausência dos outros Grünfelds: da mãe, do pai, das irmãs, das sobrinhas e dos sobrinhos — todos os membros da família, que haviam sido tão numerosos naquela parte do mundo. Seu círculo agora se reduzira a apenas ela e seu irmão. Frieda olhou para Beinish, moderado e gentil, e de novo ficou maravilhada por ele ter sobrevivido. E, então, viu seu próprio reflexo, e se perguntou como ela mesma sobrevivera.

A partida de Frieda e Beinish ainda não estava marcada. O programa de vistos chegava à data final, já adiada várias vezes, de 15 de maio. A comunidade judaica estava diminuindo. E a hostilidade da Tchecoslováquia em relação aos judeus restantes aumentava. Houve mais prisões e mais ataques a Israel, considerado um país burguês que carregava "o jugo da exploração capitalista". Um ano após a independência, a esperada gravitação israelense ao redor do bloco soviético não se materializara. Frieda e Beinish contavam com uma margem de erro pequena, mas não infinita. Acaso estariam presos ali?

Beinish se negava a se preocupar. "Está *b'ydei shamayim* ['nas mãos do céu']", dizia. Frieda desejava ainda ter uma fé tão pura. Ele, sim, merecia o nome dela em iídiche, Frimud Zissel, "um doce devoto".

Então, chegou a notícia: seus documentos haviam sido emitidos. Eles embarcariam para a Romênia em 12 de julho e dali partiriam para Haifa. Beinish sorriu ao receber a notícia e continuou sorrindo o dia inteiro, na sinagoga, orando, estudando os *sforim* (textos sagrados). Seu pedido a Deus para devolvê-lo à Terra Santa, proferido como parte do culto diário por toda sua vida, estava prestes a ser atendido.

Frieda achava que ficaria aliviada, mas estava inquieta. Ela andava pelo apartamento, com medo de partir. O terror comunista era cada vez maior, a apreensão de pessoas e propriedades era comum — ia além dos judeus, embora estes continuassem sendo um alvo em particular. Agora havia abertamente insultos antissemitas na imprensa, trazendo de volta as piores lembranças dos anos de guerra. A palavra *sionista* havia se tornado um código para *judeu*, permitindo todo tipo de injúria. Havia até boatos de que os judeus das fileiras comunistas eram vistos com suspeita — que eles também subitamente decidiram tentar emigrar. Ela temia pelas amigas de Karlovy Vary. E não conseguia se livrar da sensação de que uma parte dela também morria e ficava para trás — cortando o vínculo com seus pais, suas irmãs, suas sobrinhas e seus sobrinhos.

Depois de uma espera ansiosa, repentinamente chegou o 12 de julho. O inspetor de exportação apareceu, analisou os caixotes para remessa dela e de Beinish, comparou o conteúdo com a lista aprovada, fechou-os e os carimbou. Ela deu uma última olhada no apartamento, completamente nu, e mirou pela janela as ruas da Tchecoslováquia. Recordou os momentos felizes naquela terra: quando lia livros à beira do rio, as noites com a família inteira, quando ajudava a mãe nas costuras, estudava com o pai, visitava as irmãs e brincava com os sobrinhos; como se deslumbrara com as aulas de seus professores, quando realmente acreditara na ideia da Tchecoslováquia, em Masaryk e em sua promessa de liberdade. Em Karlovy Vary, por um breve momento, ela até sentira o gostinho disso, quando tudo parecia possível.

Mas também dali ela fora levada ao inferno, e era forçada a partir de novo. Toda a glória da Tchecoslováquia andava de mãos dadas com o horror, pensou, enquanto ela e Beinish apagavam as luzes e fechavam a porta do apartamento.

Ela iria para Israel, mas não se estabeleceria lá. Ela queria liberdade total.

Acima de todas, havia uma nação que prometia isso.

E Frieda estava determinada a chegar lá.

Parte IV

PART IV

13

NADA ESMAGA MAIS A LIBERDADE QUE UM TANQUE

O palácio; terça-feira, 20 de agosto de 1968, por volta de 13h30

A LIMUSINE PRETA ATRAVESSOU A ABERTURA no muro rosa que separava o solo oficial comunista tcheco e o dos Estados Unidos. As barras de ferro do portão se fecharam atrás do carro enquanto ele seguia pela entrada de cascalho do palácio de Otto. Sentada no banco traseiro, atrás de um motorista local com um pronunciado pomo de adão, estava uma americana de quarenta anos. Miudinha, e um pouco robusta, ela usava um vestido azul-marinho sóbrio, com um colarinho branco largo — vestida para os negócios oficiais que estava ali para realizar: convencer o governo da Tchecoslováquia a ingressar na Federação Internacional de Esclerose Múltipla. (*Ver imagem 13.*)

Ela era a mais famosa ativista do planeta na causa da esclerose múltipla. Começara a atuar em filmes aos três anos de idade, era uma estrela internacional aos cinco, ganhara um Oscar aos seis e era a atração número um das bilheterias do mundo aos sete anos. Agora, já adulta, ela ainda tinha pouco mais de um metro e meio de altura, e suas pernas de dançarina, com as panturrilhas bem definidas, pendiam do banco de trás do automóvel, mal alcançando o chão. Seu cabelo era escuro e bufante, em vez dos cinquenta e seis cachos loiros e perfeitos que haviam sido sua marca registrada. Mas o rosto redondo e bonito, emoldurado pela janela do carro, não tinha rugas. Era instantaneamente reconhecido, com suas famosas covinhas, como a mesma que um dia "poderia derreter uma plateia no Bijou ou banhá-la em caloroso prazer": Shirley Temple Black.

Do outro lado da janela do carro de Shirley estava o mundo em miniatura que Otto Petschek havia criado, ainda intacto. Ela já havia visitado algumas propriedades extraordinárias na vida — incluindo o Castelo Hearst, onde seu amigo, William Randolph Hearst, a hospedara com frequência —, mas nunca vira nada assim em seu país. À sua esquerda, havia uma portaria curva com uma vigia oval, algo saído de *O mágico de Oz*. Ao lado, havia algo que parecia uma antiga muralha com arcos romanos, um simulacro de ruína — uma loucura, fileiras escondidas de estufas, em cujos painéis o sol refletia. Então, ela viu de relance um enorme parque inglês banhado pela luz do meio-dia, com suas árvores e gramado deslumbrantemente verdes sob o calor do fim de verão; e, por fim, ao subirem pela entrada, o próprio palácio. A fachada de mármore, com seus veios, se desenrolava diante dela, uma ala se projetava atrás da outra, cada uma com um floreio de colunas, pórticos e frontões.

Vistas como aquela eram parte do motivo pelo qual ela se oferecera para fazer essa viagem — isso e o fato de o comunismo tcheco por fim estar abrandando. Ela estava intrigada com o primeiro-secretário do partido, Alexander Dubček, e suas reformas liberalizantes, incluindo a abolição da censura: a Primavera de Praga. Minorias não comunistas estavam sendo ouvidas nos processos de tomada de decisão. As relações com organizações ocidentais como a dela estavam sendo retomadas. Naquela tarde, ela se encontraria com o próprio Dubček — um dos novos líderes mais comentados do mundo.

Ela saiu do veículo e entrou no palácio. Aquilo era demais para ser absorvido de uma vez: o teto abobadado da sala oval de recepção; o piso de mármore multicolorido; as cadeiras de tapeçaria com brasão real; as mesas com tampo incrustado de dezenas de tons de madeira, toda uma paleta artística de flores, pássaros e borboletas.

O embaixador dos EUA, Jacob Beam, e sua esposa cumprimentaram Shirley, bem como um grupo de funcionários da embaixada e as esposas. Beam era alto e nobre, com traços cinzelados acima da gravata-borboleta; inteligente e decente, mas durão. Ele desfrutara na primeira fila a luta do século XX entre democracia, fascismo e comunismo, monitorando a amada Liga das Nações de Otto em Genebra, servindo em Berlim durante a ascensão da Alemanha nazista, observando Churchill em Londres durante a guerra, lotado em Moscou quando Stalin morrera; e depois, prosseguindo pelo mundo comunista como oficial nas linhas de frente da Guerra Fria. Mesmo assim, não era todo dia que ele recebia Shirley Temple em suas instalações.

Shirley não se ofendeu com os olhares de avaliação dele ou de qualquer outra pessoa. Sorrindo, foi apertando mãos. Ela era observada desde que se conhecia por gente. Mas, sob o sorriso educado, enquanto se dirigia à mesa do almoço com o embaixador, ela estava inquieta. Era sua natureza, desde que fora escalada para *Baby Burlesks*, seu primeiro curta, em 1931, aos três anos. Ela precisava dar vazão à sua energia ilimitada. Tanto quanto qualquer outra razão — avançar na pesquisa sobre esclerose múltipla (EM), ver Praga ou conhecer Dubček —, foi essa necessidade urgente que fez que sua mão se agitasse no ar quando a federação pedira um voluntário para aquela viagem.

Enquanto o embaixador a escoltava para a sala de jantar, os trovadores pintados dedilhavam seus bandolins nas lunetas acima. Suas eternamente reclinadas amantes ouviam com tanta atenção quanto quatro décadas antes, quando Otto as instalara ali. A passagem do tempo era evidente apenas na *craquelure*, nas finas rachaduras que se formaram e se aprofundaram nas pinturas, revestindo os rostos. Shirley e o embaixador comeram e conversaram amigavelmente. Eles tinham tanta consciência quanto os músicos e suas damas — ou seja, nenhuma — de que em poucas horas estariam presos em uma invasão do bloco soviético.

Por mais sereno que o palácio parecesse naquela tarde de agosto de 1968, o mundo fora era um tumulto. Nos Estados Unidos, os protestos contra a guerra e pelos direitos civis atingiram o auge. As ruas americanas estavam cheias de manifestantes, coros, faixas — e gás lacrimogêneo e cassetetes da polícia. Martin Luther King Jr. fora assassinado em Memphis e Bobby Kennedy, em Los Angeles. O país parecia estar desmoronando. Essa turbulência ecoava no mundo inteiro, com protestos de Paris a Filadélfia, do Rio de Janeiro a Roma. E penetrara até a Cortina de Ferro, em Praga. Até recentemente, o governo da Tchecoslováquia estivera envolvido na estase comunista que caíra após a partida de Laurence Steinhardt — um estado policial autoritário e unilateral. Certamente, houve repercussão dos pontos mais baixos, como os julgamentos antissemitas dos líderes comunistas judeus em 1952. Mas, mesmo quando nações comunistas como a Iugoslávia e a Romênia demonstravam independência de Moscou e outras se rebelavam, com protestos ou revoluções na Alemanha Oriental, Polônia e Hungria, durante os anos 1950 a Tchecoslováquia ainda era uma obediente cliente russa. Quando a década de 1960 chegou, os linhas-duras da época de Stalin se mantiveram no topo do partido e continuavam controlando o governo da Tchecoslováquia; sua mão sobre o poder de lá aparentemente forjava o mesmo metal impenetrável da cortina que separava o Leste e o Oeste.

Mas, à medida que a década se desenrolava, a mudança começou a se desenvolver. Alguns dos primeiros sinais apareceram nas artes. Uma série de filmes tchecos boicotava maliciosamente o regime. Seguindo essa sugestão, os membros de uma conferência oficial de escritores comunistas surpreenderam a todos ao exigir abertamente a liberdade de expressão. Alguns políticos também começaram a pressionar mais pela liberalização, e ninguém mais que Alexander Dubček, a quem Shirley estava ansiosa para conhecer.

Dubček havia passado por uma transição não muito diferente da de seu país. Filho de um comunista eslovaco conservador que havia levado a família para o "paraíso dos trabalhadores", a União Soviética, Dubček vivera lá a adolescência, absorvendo a ideologia do pai e de seus anfitriões. Dubček tinha apenas dezoito anos quando voltou e entrou no Partido Comunista tcheco, lutando contra a Wehrmacht de Rudolf Toussaint e seus aliados eslovacos colaboracionistas como partidário na Segunda Guerra Mundial, e depois lealmente ajudando a tomada comunista de 1948. Nos anos que se seguiram, Dubček subiu nas fileiras do partido, irritando os mais velhos com seu veio independente obstinado, sua admiração pelo comunismo dissidente de líderes vizinhos, como Tito na Iugoslávia e Nicolae Ceaușescu na Romênia, e sua cada vez mais urgente luta interna pela liberalização. Apesar das repetidas tentativas de rebaixá-lo ou afastá-lo, ele sempre reaparecia. Quando o espírito de mudança começou a se acelerar, em 1967, Dubček simpatizava com aqueles que pressionavam por uma evolução mais rápida, dentro e fora do partido. Ele queria reformar o comunismo, não o substituir, e conseguiu apoio interno de uma geração mais jovem de camaradas com ideias semelhantes.

Dubček assumiu o cargo de primeiro-secretário do partido em janeiro de 1968. Naquela primavera, ele defendia o "socialismo com rosto humano": liberalização da economia, da expressão, da imprensa e das artes. "A esperança chegou ao ápice em março, abril e maio", quando a liberalização começou a tomar conta e se espalhar. Houve uma explosão de energia popular longamente contida. As pessoas começaram a abrir pequenas empresas. O teatro, o cinema e a ficção criativos floresceram, criticando abertamente o comunismo e a história dos últimos vinte anos. Acima de tudo, as pessoas que antes andavam pelas ruas com medo — os Vigilantes de Praga — começaram a levantar os olhos de novo.

Até a casa de Otto estava envolvida no renascimento. A televisão oficial da República Tcheca lançou um documentário sobre os Petschek e suas casas em Bubeneč, incluindo a mais gloriosa de todas: o palácio. O programa falava livremente sobre a conexão dos EUA com a propriedade, surpreendendo os combatentes da Guerra Fria da embaixada. "[O] repórter de televisão simplesmente apontou [...] 'Aqui está o embaixador americano morando nesta casa de Petschek'", recordou um funcionário da embaixada. "E eles não disseram nada sobre os exploradores estarem em uma delas [...] Se alguém que não conhecesse o comunismo houvesse visto isso, teria dito: 'Bem, é como se vê na televisão'. Mas ninguém vê isso na televisão dos países comunistas." Antes criticado, agora o palácio era reconhecido como parte da história tcheca, atualmente de propriedade americana.

Infelizmente, o talvez maior responsável pela preservação do palácio não estava mais vivo para ver isso. Adolf Pokorný havia servido mais sete embaixadores depois de Laurence, cuidando do palácio como se fosse seu. Continuara investindo energia e amor no polimento dos candelabros e talheres de prata, fazendo manutenção nos mecanismos da parede retrátil e em outras maravilhas idiossincráticas de Otto, e escondendo de mãos furtivas os objetos preciosos que seu primeiro mestre havia reunido.

Pokorný tivera um longo dia de trabalho habitual no domingo, 29 de janeiro de 1967; depois, fizera uma pequena caminhada pela rua da entrada para dormir algumas horas na portaria. Quando ele não apareceu na manhã seguinte, os empregados sabiam que só podia haver uma explicação. Viky voltou dos Estados Unidos para prestar as condolências da família à enlutada sra. Pokorný, também idosa e doente, e para providenciar cuidados para ela. Os sentimentos de Viky em relação ao palácio eram ambivalentes (e, sem dúvida, agravados pelo fato de os tchecos ainda não lhe haverem pago a dívida pela venda que Laurence providenciara — o assunto agora estava em litígio). Mas como poderia não ser grato ao mordomo que cuidara de seu pai e de todos eles, que tornara possível que as irmãs tivessem um cachorro, que ajudara as meninas e a mãe a fazer as malas e fugir em 1938, e que conduzira com segurança a criação do pai por entre as ondas da democracia, do fascismo e do comunismo?

Pokorný teria ficado feliz — de seu jeito habitual e quase imperceptível — de ver os sinais da liberalização florescendo em toda parte em 1968, como as rosas, os jacintos e as tulipas no jardim do palácio. E ele certamente teria ficado curioso pela estrela de cinema americana que visitara o palácio em sua peregrinação para ver o florescer da liberdade tcheca.

Shirley voltou ao quarto 21 do Hotel Alcron no final de sua primeira terça-feira em Praga por volta das dez da noite. Caiu na cama exausta, mas feliz. Havia cumprido sua missão; os tchecos concordaram em ingressar na federação da EM. O ministro da Saúde ficara encantado com sua proposta, e aprovara os termos imediatamente. Shirley fora recebida com o mesmo entusiasmo por especialistas em neurologia e biologia na *alma mater* de Otto, a Universidade Carolina. Ela ficara "encantada com essas pessoas simpáticas e inteligentes", que se reuniram para encontrá-la nas veneráveis instalações daquela universidade fundada em 1348.

Sua única decepção foi seu encontro com a estrela do show: Dubček. Enquanto Shirley participava de discussões na universidade, uma secretária lhe enviara uma mensagem: "Sua reunião com o sr. Dubček em quinze minutos foi cancelada; ele está atarefado". O líder do partido se oferecera para recebê-la no dia seguinte, mas ela tivera que recusar. Estava longe dos filhos, do marido e dos pais idosos havia uma semana; por mais que quisesse conhecer Dubček, era hora de ir para casa.

Shirley se obrigou a levantar da cama. Comparado com os luxuosos arredores do palácio Petschek, seu quarto era espartano; a única janela dava para "um muro de pedra sombrio do outro lado de um poço de luz". O hotel em si era um marco *art déco*; seu saguão ostentava mármore estriado multicolorido, móveis aerodinâmicos e baixos, e uma estátua dourada e delicada da deusa Diana, nua, com os braços abertos e as palmas das mãos voltadas para o céu. Mas os melhores quartos já estavam ocupados; o hotel fora lotado por geólogos que estavam na cidade para uma convenção, além de repórteres que cobriam a liberalização e outros estrangeiros. Ela não reclamou; Shirley raramente reclamava.

O último evento do dia de Shirley, uma coletiva de imprensa, durou cinco horas, "como essas coisas acontecem nessa parte do mundo". Ela havia perdido o jantar, então vasculhou a mala em busca de uma reserva de emergência: pastilhas de chocolate Droste, cuidadosamente colocadas na bagagem pelos filhos.

O dia havia sido longo, mas altamente produtivo. A cama, pensou, "parecia muito boa mesmo". Mas, antes de dormir, Shirley ligou o rádio. Ela passara a infância no início da era de ouro do rádio, e gostava de dormir com ele ligado — mesmo que não conseguisse entender uma palavra do que transmitia. Ela girou o botão para sintonizar a Czechoslovak Radio. Enquanto pegava no sono, a reportagem acabou e ela ouviu algo que pôde reconhecer: os lamentosos tons do hino nacional da Tchecoslováquia, *"Kde domov můj"* ("Onde é meu lar?"). Shirley estava com saudades de casa, onde estavam os filhos; o marido, Charlie; e os pais, a meio mundo de distância, na Califórnia.

Ela estava feliz porque ia voltar de manhã, mas se perguntava se estava agindo bem ao recusar a oferta de Dubček de um horário alternativo para a reunião. Como ela logo saberia, "era um compromisso que nenhum de nós dois poderia ter cumprido".

~

Shirley mal havia cochilado quando o telefone tocou, assustando-a. Era a telefonista do hotel. Um mensageiro acabara de chegar do aeroporto. Ela explicou que o rapaz insistia em vê-la imediatamente.

Era um pedido bastante estranho, mas ela estava acostumada a pessoas que se comportavam de forma estranha. O fato de ser uma celebridade as desequilibrava, às vezes extremamente. Alguns anos antes, um fã perturbado havia aparecido em sua casa na Clay Drive com uma arma; Shirley fizera sinais à sua família para que se afastasse, acenando com a mão nas costas, e, enquanto eles chamavam a polícia e a esperavam chegar, ela tentava acalmar o homem todo desgrenhado.

O mensageiro pegou o telefone. Ele falava quase tudo em tcheco, mas ela entendeu "aeroporto" e "precisa descer ao saguão". Shirley agradeceu educadamente, mas com firmeza, e pediu que deixasse sua mensagem com os funcionários do hotel. "O que quer que seja", disse a si mesma, "pode esperar até amanhã".

Ela se deitou. Ouviu o bebê de um jornalista americano chorar baixinho uma ou duas vezes no quarto ao lado. Por fim, tudo ficou quieto e ela adormeceu mais uma vez.

Em algum momento da noite, ela acordou de novo, dessa vez por causa do "ronco de um jato voando baixo". Shirley viu que o quarto "ainda estava escuro [...] Ouvi gritos distantes na rua e uma rajada de tiros. No quarto ao lado, o bebê chorava e alguém batia em uma máquina de escrever. Então, as coisas se acalmaram". Ainda sonolenta, Shirley cogitou o que poderia ser toda aquela atividade. Mas disse a si mesma: "Crianças choram à noite, alguns aviões voam baixo e os jornalistas costumam trabalhar até tarde. Se a milícia tcheca decide realizar exercícios barulhentos à noite, é problema deles". Ela se virou e voltou a dormir.

A próxima notícia que Shirley teve chegou ao amanhecer, quando foi despertada pelo forte ruído de alguém batendo à porta. A pessoa gritou: "Acorde, madame! Fomos invadidos! Os russos tomaram o aeroporto! Tanques e tropas estão entrando em Praga! Oh, madame, isso é terrível!"

Shirley se assomou ao corredor. Estava vazio. Ela não fazia uma refeição decente desde o almoço no palácio Petschek, no dia anterior; seu único sustento nas últimas dezesseis horas foram aqueles chocolatinhos. Ela viu que havia uns pãezinhos duros nas bandejas do serviço de copa do lado de fora dos quartos, e furtivamente pegou vários. Shirley correu de volta para o quarto e ligou o rádio.

Sem vista para a rua e com a transmissão de rádio ininteligível, Shirley decidiu abandonar os limites de seus aposentos para saber o que estava acontecendo. Foi mordendo os pãezinhos enquanto se vestia; colocou um par de botas amarelas e cobriu os cabelos não lavados com uma boina branca. Então, saiu do quarto 21 e subiu a escada que levava ao telhado.

Agachada atrás do parapeito como Priscilla, a criança soldado em seu filme *Queridinha da vovó*, Shirley olhou para a rua. O poder militar da União Soviética descia a Štěpánská em direção à Praça Wenceslas, no final do quarteirão, como um rio que corre para o oceano. "Grandes tanques verdes, sujos e engordurados devido à longa corrida noturna desde a fronteira, passavam trovejando [...] armas apontadas para a multidão [...] Tripulantes de rosto sombrio nas torres", usavam capacete com grandes abas sobre as orelhas e que se estendiam até o queixo, para ajudar a abafar o barulho das máquinas de guerra. Enquanto roncavam sobre os paralelepípedos, os soldados ocasionalmente disparavam "rajadas curtas de armas automáticas em carros estacionados pela rua e acima da cabeça dos espectadores", fazendo Shirley se encolher.

A escala da invasão foi esmagadora. "Veículos blindados rodavam pela rua, abarrotados de soldados. Usavam uniforme completo, verde-acinzentado com detalhes vermelhos, botas pretas, sérios [...]. Os jatos MiG-21 roncavam [acima] em voo baixo sobre o telhado", reconhecíveis pelas asas triangulares escuras abaixo da fuselagem em forma de dardo. Eram chamados de Balalaikas, em homenagem aos violões russos de corpo em forma de pirâmide — se bem que os roncos agudos dos jatos dificilmente seriam música para os ouvidos de Shirley.

Os tchecos se agrupavam nas ruas, circulando apesar dos tiros periódicos. Eram os Vigilantes de Praga, olhando tudo "descrentes e confusos". Os observadores eram predominantemente estudantes, mas estavam acompanhados por pais de cenhos franzidos e por aposentados de rosto enrugado e olhos que assistiam a uma cena do passado. Desenrolava-se diante deles um novo horror para somar a tudo que já haviam visto: os libertadores de 1945 estavam ficando parecidos com os invasores de 1939. "Então, um pequeno grupo [de pessoas] surgiu no caminho de um tanque, que havia parado. Um soldado russo agitou sua arma", mas ninguém se mexeu. Os tchecos começaram a discutir com ele e seus camaradas, empoleirados na torre e no teto do tanque. Por fim, "o comandante, um homem corpulento, gritou: *Vypyryod!*, 'avante!'". Shirley teve medo de que as pessoas fossem atropeladas. Mas, quando o tanque avançou, a multidão dispersou.

"A um quarteirão de distância, na esquina da Praça Wenceslaus [sic], uma multidão formada por milhares de pessoas cercava um tanque estacionário. Um velho tentou enfiar um pedaço de corda pesada na lagarta do tanque. De repente, mais dois tanques dobraram a esquina e dispararam suas metralhadoras", mais uma vez acima da cabeça da multidão — mas, dessa vez, mais perto.

Shirley recuou. Ela já havia visto o suficiente — de fato, mais que isso —, e voltou para dentro.

Shirley desceu as escadas e emergiu no escuro saguão *art déco*. Sua sombra era alongada devido à luz artificial lançada pelos lustres de cristal. O saguão, embora mais seguro, estava quase tão caótico quanto a rua. "Enquanto os tanques continuavam passando em frente ao Hotel Alcron, a recepção transbordava centenas de hóspedes, todos trocando especulações sobre o que aconteceria conosco. Holandeses, austríacos, ingleses, americanos, gregos, alemães, todos nós igualados pelo denominador comum de nossa situação." Os garçons serviam o café da manhã com olhos vermelhos e lacrimejantes, as arrumadeiras andavam feito robôs pelos corredores para limpar os quartos, chorando.

Fragmentos de informação eram obtidos pelo rádio e pela televisão do hotel. O dia havia começado com as estações locais ainda nas mãos dos apoiadores da Primavera de Praga. As emissoras explicaram que o bloco soviético havia invadido o país: principalmente russos em Praga, somados em outros lugares a poloneses, búlgaros e húngaros. Dubček estava na sede do partido com os outros líderes reformistas da Tchecoslováquia, cercados por tanques soviéticos. A embaixada americana pediu para seus cidadãos permanecerem onde quer que estivessem.

Havia um aparelho de TV em um lugar que o hotel chamava de bar seco, onde não serviam álcool. "As camareiras, os auxiliares de mesa e os hóspedes se aglomeravam, todos grudados nos apresentadores, nesse caso, um homem sombrio e uma mulher de olhar triste". A televisão de Praga, na opinião profissional de Shirley, "parecia um canal animado e divertido da nova Tchecoslováquia com liberdade de expressão". Mas a apresentadora falou, e outro hóspede traduziu: "Ela não pode ficar no ar; mantenham todos uma postura calma; apoiem Dubček". A apresentadora começou a chorar quando ouviram as primeiras notas do hino nacional. Lá estava ele de novo: *"Kde domov můj"*. Se a noite anterior havia impregnado Shirley de saudades de casa, agora a fizera mergulhar na tristeza. Passou por sua cabeça que ela não tinha ideia de quando veria *seu lar* de novo. Quem poderia saber o que aconteceria com ela, com qualquer um deles? A imagem da televisão desapareceu.

Shirley e as outras pessoas se aglomeraram ao redor do rádio, que continuava transmitindo. Porém, por quanto tempo mais? Os jornalistas já haviam informado: "Unidades militares estão se aproximando do edifício da rádio. Estão se aproximando lentamente pela rua Vynohradska [sic] e estão a poucos metros de nosso prédio". O edifício ficava a apenas cinco minutos a pé do Alcron, de modo que Shirley monitorava os boletins da rádio com uma orelha, enquanto com a outra ouvia os disparos.

Subitamente, algo inesperado aconteceu. O locutor disse: "Uma multidão de cidadãos está se reunindo em torno dos veículos blindados cheios de soldados soviéticos diante do edifício da Czechoslovak Radio". Enquanto as tropas russas continuavam a se reunir em frente à barricada, os praguenses que falavam sua língua — que eram muitos, especialmente da geração mais jovem — começaram a conversar com os soldados, tentando argumentar com eles. Os tchecos disseram às tropas que elas eram bem-vindas, desde que não estivessem ali como ocupantes. A transmissão prosseguiu: "Todos os soldados soviéticos estão repetindo a mesma coisa: que vieram para nos libertar dos alemães ocidentais, como fizeram em 1945". Que alemães?, perguntou o grupo. Onde estavam?

Os russos deram de ombros timidamente quando as pessoas os bloquearam, e não apenas com o corpo. Alguns jovens haviam formado uma barricada em frente à estação de rádio com carros, ônibus e um bonde. Se Shirley houvesse saído, teria não só ouvido a resposta russa, mas também visto. Ela estava na esquina do impasse. "Inúmeros tanques vieram para o centro de Praga, e as tropas chegam aos milhares. As multidões tchecas cresceram, aumentaram, explodiram e se quebraram diante de uma falange de soldados, que marchavam rigidamente para esvaziar as ruas, atirando acima da cabeça das pessoas ou diretamente na multidão."

Durante tudo isso, a rádio ainda transmitia, descrevendo a batalha iminente. Shirley ficou atônita, com "uma impressão avassaladora [...]

durante todas aquelas horas iniciais de estrondos de armas automáticas, o barulho das lagartas dos tanques nas pedras do calçamento, o ruído dos transportes das tropas e a agitação e explosão da multidão nas ruas. É uma atmosfera de espírito de resistência, desafiador e destemido, que se sente entre as pessoas. Os russos parecem ter cutucado um vespeiro."

Por fim, enquanto Shirley e os outros ouviam ansiosamente, os russos fizeram sua jogada. Dois tanques tentaram romper a barricada. Mas os estudantes haviam feito um bom trabalho com sua barreira improvisada: os tanques ficaram presos. Enquanto os motores giravam, inativos, um único tcheco subiu nos pesados veículos e perfurou os reservatórios de combustível extra que ficavam na traseira de cada tanque. Então, jogou um fósforo no combustível que havia derramado na rua, e, de repente, os paralelepípedos estavam pegando fogo.

Os repórteres informaram que um tanque também havia pegado fogo, labaredas se erguiam altas. Os soldados pulavam pelas laterais para os braços dos companheiros. Mais veículos blindados apareceram, alguns atirando descontroladamente. Cinco tanques pegaram fogo; as chamas se espalharam e atingiram dois caminhões carregados de munição. "As tropas soviéticas tentavam apagar o fogo com roupas oferecidas pelos civis." Os projéteis dos tanques disparavam em todas as direções; um acertou um ônibus em uma rua lateral, que queimou vigorosamente antes de explodir; seu tanque de combustível havia acabado de ser completado até a borda. Dois prédios também ardiam em chamas.

À distância, Shirley podia ouvir os tiros, as explosões dos projéteis, os gritos das pessoas. "Nove ambulâncias passaram uivando por nosso hotel em direção à praça", mas os russos não as deixaram passar. Começaram a atirar de novo. "As pessoas fugiram antes do tiroteio e se jogaram no chão. Após o tiroteio, voltaram aos carros blindados soviéticos e conversaram com os soldados."

Os russos por fim permitiram que as ambulâncias passassem. Milagrosamente, a rádio permaneceu no ar. Até o momento, o povo da cidade havia vencido. Foi um triunfo para os Vigilantes de Praga, que se uniram como combatentes para proteger sua amada cidade, como haviam feito quando se levantaram contra Toussaint e os alemães em 1945. Mas, como naquele ano, sua atitude teve um alto custo. "Vinte pessoas gravemente feridas foram levadas ao hospital de Vinohr[a]dy, em Praga, principalmente com ferimentos a bala" e pernas esmagadas pelos tanques.

O saguão do Alcron estava um pandemônio após a batalha; as pessoas se esforçavam para determinar o que havia acontecido. Uma jovem de cabelos compridos, que usava um medalhão com o símbolo da paz, aproximou-se de Shirley:

— O que está acontecendo? — perguntou. — O que está acontecendo?

Shirley explicou:

— A Tchecoslováquia foi ocupada pelos russos e nós também estamos na armadilha.

— Está brincando! — disse a jovem. — Somos um grupo de vinte e cinco, estamos em um albergue da juventude descendo a rua, e não sabemos de nada. — A garota era só um pouco mais velha que a filha de Shirley.

— Muito bem, ouça — disse Shirley —, volte para o albergue. Fique com o responsável por sua excursão.

— Ele sumiu — respondeu a garota. — Não o vemos desde a noite passada. O que vamos fazer?

Essa era a pergunta que todos se faziam. Shirley não sabia a resposta, mas fez o possível para conversar com a moça. Logo, uma multidão se formou ao redor delas — não apenas hóspedes do hotel, mas também americanos de toda a cidade. Aparentemente, a notícia de que Shirley Temple estava ali havia se espalhado entre os turistas presos em Praga. Surpreendentemente, com o caos nas ruas, logo se formou uma fila de pessoas querendo autógrafos no hotel. Shirley agradeceu, apesar das circunstâncias incomuns. O escritor alemão Heinrich Böll estava hospedado no hotel, e ficou impressionado com aquela cena surreal. Mas Shirley percebeu que ela poderia ser útil; o fato de ser uma celebridade acalmou as pessoas e as distraiu. "Brilhe, Shirley, brilhe", sua mãe costumava lhe dizer logo antes de enfrentar as câmeras. Por mais aterrorizada que ela se sentisse, aprendera havia muito tempo a arte de mascarar o medo, e, naquele momento, ela poderia usar esse seu dom.

No meio do dia, fazia quase vinte e quatro horas desde que Shirley fizera sua última refeição completa sob o ar sereno do palácio de Otto. Subitamente, sentiu-se faminta — com invasão ou sem. O salão do hotel estava aberto para o almoço, e ela entrou. "Um grande cartaz de papelão foi erguido atrás do bufê, escrito 'Dubček' duas vezes, primeiro em tcheco e embaixo em russo [cirílico]. Fora, o fogo de metralhadora prosseguia."

O garçom estava bem ereto, mas os olhos o denunciavam. Parecia que andara chorando "ao apresentar um prato de carnes e legumes frescos dispostos como as joias da coroa. 'A vitela está muito boa hoje, madame', disse". Lágrimas começaram a fluir de novo de seus olhos, tão vermelhos quanto os cortes de carne na bandeja.

Da praça próxima provinha o som das metralhadoras. "Um homem corpulento, que esquecera de fazer a barba, mantinha seu rádio transistorizado colado no ouvido. 'Pobre Rádio Praga. Estão dizendo que há tanques atirando no prédio. Quando tocam o hino nacional, significa que os russos entraram no estúdio'." Shirley se deu conta da improbabilidade das circunstâncias em que se encontrava. Ela e os demais hóspedes eram "bisbilhoteiros da história".

Enquanto Shirley pegava sua caneca de café quente nas mãos, entrou apressado um turista holandês com notícias de fora. Uma imensidão de tchecos estava reunida na Praça Wenceslas, portando cartazes com a imagem de Dubček e provocando os soldados soviéticos. Então, alguém atirou na multidão. "Um garoto arrancou sua camisa, e encharcando-a no sangue do camarada caído, agitou-a acima da cabeça, gritando: 'Tchecoslováquia livre!'"

Shirley voltou ao saguão, onde "o assunto era fazer ou receber chamadas — ambos eram um problema". O telefone dos quartos só faziam chamadas locais. As de longa distância eram realizadas nas cinco cabines públicas que havia no saguão, mas os telefones não estavam funcionando. A central telefônica do hotel não podia ajudar. Shirley viu as telefonistas do hotel "trabalhando heroicamente, mas fazer chamadas parecia impossível, e, para receber, as linhas estavam congestionadas".

Era cedo na Califórnia, e a família de Shirley devia estar acordada vendo notícias da invasão. Ela queria muito ligar para casa; tinha certeza de que seu marido, Charlie, tentaria falar com ela. Não que ele se preocupasse desnecessariamente: sendo um combatente veterano da Segunda Guerra Mundial, Charlie não era de fazer alarde. E ele confiava nela como confiaria em um camarada de armas. Sua confiança na perspicácia e no instinto de autopreservação dela era tão grande que Charlie a deixara lidar com aquele maluco armado que aparecera na casa da Clay Drive, enquanto ele chamava a polícia. Mesmo assim, ele ia gostar de conversar com ela, de saber que ela estava segura; assim como o restante da família.

Shirley viu um grande telefone marrom em cima de uma mesa de tampo de vidro, perto da entrada principal do hotel. Estava mudo. "Se você olhar através da mesa de vidro", disseram-lhe, "vai notar que o telefone tem um fio, mas que não há onde conectá-lo." Esse era o resumo do comunismo.

Estava começando a se desesperar quando um canal de comunicação foi aberto. Representantes da mídia americana começaram a ligar, perguntando por ela. Repórteres de campo em Praga haviam publicado as primeiras matérias sobre os eventos, e notaram a presença dela bem no coração da zona de guerra. Em pouco tempo, jornalistas de costa a costa dos Estados Unidos estavam tentando falar com ela. Shirley atendia a uma ligação após a outra, fazendo o possível para descrever a situação: a invasão, a barricada, as baixas tchecas. Pediu a cada repórter que avisasse que ela estava bem, porque seus pais eram "idosos e costumavam se preocupar". Também passou o contato de Charlie e o nome das pessoas que estavam com ela no hotel, pedindo aos jornalistas que informassem às famílias dos demais hóspedes que eles estavam bem e tentando achar um meio de sair dali.

Enquanto fazia malabarismos com a mídia, Shirley recebia um grande número de novos amigos tchecos. Um número impressionante de praguenses, que ela havia conhecido nos dias anteriores, haviam aberto caminho através das forças de ocupação soviéticas até o Alcron. Foram até ali para perguntar sobre sua segurança e seus planos, mas ela não tinha nenhum. Uma mulher que ela conhecera nas discussões sobre a Federação Internacional de Esclerose Múltipla se aproximou depressa e a chamou de lado.

— As coisas estão piorando — informou. — A embaixada americana não pode ajudá-la. Nós podemos tirá-la daqui com segurança. Está tudo organizado. Você tem que vir conosco imediatamente.

Shirley avaliou o que fazer, ciente de que a demanda da mulher era tão genuína quanto grave. Poderia desafiar a embaixada, que insistia em que ela ficasse onde estava? Ir embora exigiria atravessar muitos quilômetros pelo campo para cruzar a fronteira em segurança. Sem dúvida encontrariam um grande número de soviéticos armados pelo caminho. Ela queria sair do país — assim como as dezenas de outros americanos inseguros e desesperados que circulavam pelo saguão. Mas seguir aquela mulher significaria dar as costas às pessoas, e, se ela fosse pega, isso poderia até fazer que os soviéticos tomassem alguma medida draconiana contra quem estava no hotel.

— Não — respondeu Shirley, por fim. — Lamento. Você foi uma boa amiga, e não esquecerei isso.

Durante toda a tarde outras pessoas a abordaram com ideias semelhantes, com esquemas cada vez mais estranhos, incluindo uma fuga escondida em um caminhão de feno.

À medida que o dia passava, Shirley ia notando a chegada de algumas pessoas menos bem-vindas. Em cada andar apareceram, de repente, dois homens de rosto pétreo sentados atrás de mesas. Shirley não sabia se eles estavam ali para ajudar os hóspedes ou para espioná-los. Outros rostos suspeitos entraram no saguão, tentando se misturar às pessoas.

Shirley os apontou para outra praguense que havia passado pelo hotel para ver como ela estava. Fez um gesto sutil indicando uma mulher magra e elegante, que usava uma jaqueta de pele de camelo e uma calça combinando.

— Eles são estranhos — sussurrou para sua amiga tcheca. — Ficam por perto, falam pouco, não se misturam. Acho que eles falam alemão.

— Alemão, sério? — As pupilas da mulher se dilataram. — Bem, preciso ir — disse ela abruptamente, e saiu pela porta.

A noite caiu; houve um toque de recolher, e o fluxo de visitantes de Shirley cessou.

A comida minguava no salão de jantar. Shirley estava grata pela única refeição decente que havia feito naquele dia e aceitou o fato de que teria que bastar. Ela deixou que os outros, os geólogos e as esposas, e alguns idosos, pegassem o pouco que restava. Havia esquecido a fome por conta do implacável bombardeio de tiros, dos tanques roncando e das ambulâncias uivando.

Funcionários da embaixada mandaram uma mensagem: estavam tentando conseguir alguns ônibus da Áustria para ajudar os americanos a fugir. Mandariam notícias quando tivessem — e, enquanto isso, recordavam aos cidadãos dos EUA que não saíssem do hotel. Passaram-se horas sem mais notícias. O rádio ainda transmitia de forma intermitente, agora de vários locais clandestinos. Por volta das nove da noite, os locutores deram notícias sombrias: "Há pouco tempo", disse a emissora, Dubček e mais três membros reformistas do governo "foram sequestrados no edifício do Comitê Central, em Praga, e levados a um destino desconhecido".

Mais tarde, houve uma explosão abrupta de tiros em frente ao hotel, assustando Shirley e pessoas que ainda estavam no andar térreo. Shirley recordaria que "uma mulher, mais ousada que eu, saiu correndo e gritou: 'Alguém levou um tiro!'" Shirley a seguiu até a rua de paralelepípedos. Para seu horror, viu o corpo sem vida de outra mulher, caído diante delas em uma poça vermelha de sangue. Parece que ela erguera o punho, com raiva, para os invasores, e levara um tiro no estômago. Um veículo blindado soviético já se afastava pela rua Štěpánská. Era tarde demais para ajudar.

"Veja", disse outro hóspede, um corpulento turista de Miami, segurando algo na mão. "É uma bala! Espere só até eles verem isto lá em casa!" Shirley deu meia-volta, enojada. A imagem do corpo estendido daquela mulher ficaria gravada em sua memória pelo resto da vida. Ela voltou para dentro, subiu lentamente a escada para seu quarto, trocando "olhares ferozes" com a dupla de homens estranhos que ainda estava sentada no patamar daquele andar, e trancou a porta atrás de si.

Poderia realmente ter se passado apenas um dia desde que ela caíra na cama com tanta satisfação? De volta ao quarto 21, ela estava tonta de fome. Seus anfitriões a haviam recebido com tantas delícias antes da invasão — melão búlgaro fresco, mariscos, o licor nacional tcheco Slivovitz, e muito mais. Ela deveria ter guardado um pouco. Em vez de comer, ela foi lavar o cabelo. Pelo menos a água não havia acabado.

Foi separar as roupas para o dia seguinte. O que se veste para uma invasão? Ela escolheu um vestido azul-marinho sério. Deitou-se na cama, de lingerie mas ainda usando as botas amarelas, para o caso de precisar sair depressa. "Durante um longo tempo fiquei ouvindo o barulho de tiros e olhando para a parede vazia, ocasionalmente pensando em melões, lagostas e no Slivovic [*sic*], enviando pensamentos solitários e amorosos para minha família."

Na manhã seguinte, Shirley se levantou com o sol. Foi depressa até o saguão, e chegou no momento em que o recepcionista estava saindo pela porta do hotel. "Preciso ir", disse, e em seu rosto não havia mais o alto astral que ela vira antes da invasão. Ele apertou a mão de Shirley com firmeza, dizendo, "Sra. Black, eu lhe desejo boa sorte".

Ela sentou-se no salão de jantar com um repórter da United Press International, James Jackson. Enquanto bebiam café, podiam ouvir o esfacelamento da Tchecoslováquia. Como escreveu Jackson, "os tiros têm sons diferentes. As armas de pequeno porte ecoam, 'crump, crump, crump'. A munição pesada de um caminhão russo explodindo facciosos faz: 'Whump! Whump! Whump!' É ponderoso e quase rítmico quando o fogo dispara".

Imensos aviões de carga substituíram os caças MiG no espaço aéreo sobre o Alcron, distraindo Shirley com a abordagem ensurdecedora. Parecia que iam aterrissar na rua Štěpánská, não no aeroporto Ruzyně de Praga. Mas aquele não era o único som no ar; o *"Kde domov můj"* estava em todo lugar. Constantemente havia alguém cantando, cantarolando ou tocando o hino nacional, que também havia sido a última coisa que a Rádio Praga tocara antes de se despedir no dia anterior. Àquela altura, a justificativa de Moscou para a invasão soviética já estava se espalhando pelo mundo: "Dar assistência urgente ao fraterno povo da Tchecoslováquia, incluindo assistência por meio de força militar". Essas palavras eram um eco distorcido do abraço fraternal eslavo oferecido a Gottwald por Stalin em 1945. Nas ruas de Praga, os tchecos viam a verdadeira natureza do abraço nacionalista de seus colegas eslavos e estavam decididamente pouco entusiasmados para retribuí-lo.

Shirley viu os veículos militares que passavam roncando pela rua Štěpánská, e, sombriamente, notou vários soldados do outro lado da entrada do hotel. Primeiro, os espiões germanófonos tentando se misturar no saguão, depois os dois homens observando cada patamar do hotel, e agora isso: o hotel sob guarda armada.

Às nove horas, um tcheco parou uma caminhonete em frente ao hotel e correu para o saguão, segurando uma lista de nomes. Shirley o reconheceu: era o mesmo motorista da embaixada que a levara ao mundo pacífico dos Petschek no início daquela semana — parecia ter sido uma década antes.

— Sra. Black, precisa ir comigo para a embaixada — disse ele, com seu proeminente pomo de adão balançando na garganta.

— Mas eu entendi que a embaixada queria que esperássemos aqui os ônibus para a Áustria — respondeu ela.

Com expressão pesarosa, ele a corrigiu baixinho:

— Madame, isso é fantasia. Temos que ir agora.

Os geólogos e as esposas se aninharam ao redor dela.

— Isso cheira a armadilha — advertiu um amigo. — Vou ligar para a embaixada.

Tentaram discar, mas, como sempre, não deram sorte.

Mais uma vez Shirley avaliou a situação. O carro tinha placa diplomática, e ela conhecia o homem da sua visita ao palácio. Decidiu arriscar. Pegou a mala e trocou abraços com as pessoas que ficavam para trás, que não podiam ou não queriam abandonar a relativa segurança do Hotel Alcron. Uma das arrumadeiras chorou abertamente quando se aproximou de Shirley para se despedir. Shirley tentou animá-la, dizendo, brincando, que se não fosse embora agora, talvez tivesse que ficar ali para sempre e trabalhar no hotel. A mulher, com o rosto molhado de tanto chorar, entregou a Shirley oito cravos vermelhos embrulhados em jornal. Ela tomou as mãos ásperas da arrumadeira nas suas — Shirley sempre preferiu mãos trabalhadoras às ociosas — e as beijou.

Ao sair, Shirley olhou com mais atenção o jornal que envolvia as flores. Era 8 de junho de 1968: a data do funeral de Bobby Kennedy. Havia uma foto da viúva, vestida de preto, enquanto o marido era enterrado. Essa imagem não era um augúrio muito promissor para o dia.

Shirley saiu do Alcron e disparou pela rua; o *staccato* de tiros próximos acelerava seus passos. No carro, ela se juntou a outras duas passageiras. As três esperaram uma quarta. "Obviamente, nem todos dormiram de botas", pensou Shirley. Um enorme tanque acelerou pela Štěpánská na direção delas; reduziu a marcha e se arrastou até o carro. O canhão do tanque girava de um lado para o outro. Chegou a elas, cheirando a petróleo, fumaça de escapamento e aço quente. A escotilha se abriu e quatro soldados se inclinaram para avaliar as mulheres caladas. Os soldados soviéticos usavam macacão e tinham armas automáticas penduradas no corpo: Kalashnikovs, com seu característico pente, curvo como uma cimitarra.

Com o rosto sombrio emoldurado pelos gorros de couro com protetores de orelha, eles encaravam. Shirley estava aterrorizada. E quando ela achava que não aguentaria mais, o tanque trocou de marcha e seguiu pela rua. Ela fechou a janela quando seu pulso começou a voltar ao normal. Por fim, a mulher que estavam esperando saiu do hotel e se juntou a elas. Com isso, o carro abandonou o meio-fio.

Encontraram obstáculos ao longo da rota. Os soviéticos haviam improvisado barreiras, posicionando os tanques frente a frente pela estrada. Em cada um desses obstáculos, o motorista xingava, girava o volante e pegava uma rua alternativa. Embora nenhuma das mulheres nem desconfiasse para onde estavam indo, ele aparentemente sabia o que fazer.

Confrontos dispersos aconteciam pela cidade, e os sons do conflito podiam ser ouvidos de longe. Elas tentavam ficar bem quietas enquanto o carro passava pelo labiríntico bairro Malá Strana. Mesmo em um dia normal, era fácil para um visitante se perder nas emaranhadas ruas de Praga. Shirley não fazia ideia de onde estavam.

Após cerca de vinte minutos, o carro parou em frente a um arco que perfurava uma fachada alta de pedra e gesso onde tremulava a bandeira de faixas e estrelas: a embaixada americana. Shirley soltou um suspiro de alívio. O motorista era legítimo, graças a Deus. Ela e as outras desceram, juntando-se a várias dúzias de pessoas em frente ao Schönborn. Com quatro séculos de idade, ele havia sofrido muitas invasões: austríaca, sueca, prussiana, alemã e agora soviética.

Parecia que os ônibus não viriam por ora; portanto, americanos e outros ocidentais que tinham carros (e combustível, que não estava mais disponível para vender) formavam um comboio para sair do país. Na confusão, Shirley foi ignorada pelos preocupados funcionários da embaixada — essa era uma das poucas ocasiões em que ela queria muito ser notada. Como ia sair dali? Ao contrário dos proprietários de veículos, sentados em seus carros, ela não tinha meio de transporte. Carregando sua mala, ela encurralou um jovem funcionário cansado e se identificou.

— Por que estou indo *agora*? — perguntou. — Eu não tenho carro.

— Veja, sra. Black — respondeu ele —, se há alguém que a quer fora de Praga mais que *nós*, são os soviéticos.

Ele a levou por um corredor abobadado guardado por fuzileiros navais e emoldurado por duas cariátides antigas: estátuas de dois metros e meio de guerreiros vestindo pele de leão e segurando bastão de guerra. Ela adentrou o amplo pátio interno da embaixada enquanto ele carregava a mala. Em três lados erguiam-se as alas da estrutura, cujas paredes brancas eram pontuadas por janelas em molduras de pedra.

Ela encostou na parede do edifício antigo, sentindo-se desamparada. Acima dela, no telhado, uma densa fumaça negra saía da velha chaminé. A embaixada estava queimando seus arquivos, como Toussaint havia feito exatamente quarenta anos antes a cerca de um quarteirão dali. Sua solidão não durou muito. Ela foi colocada no banco da frente de uma Mercedes, estacionada à frente de um SUV preto coberto com uma grande bandeira americana que a fez lembrar de um carro funerário.

— Esse é o carro da bandeira — disse um jovem do departamento de relações internacionais com cara de intelectual e testa alta franzida por causa do estresse. Seu nome era Larry Modisett. Ele se sentou ao volante. — Há um motorista tcheco que sabe o caminho. Nós estaremos na liderança até o posto de controle, e ele assumirá depois disso. Vamos.

Eles seguiriam para o oeste, para a fronteira com a Alemanha Ocidental, atravessando Rozvadov, seguindo para Nuremberg e para casa — se tudo saísse conforme o planejado. Mas as coisas raramente saem conforme o planejado durante uma invasão.

Os outros veículos estacionados foram saindo atrás deles, um a um.

O comboio passou por muitos transportes de tropas, carros blindados e tanques; a maioria ia em direção ao centro de Praga e todos depressa, geralmente pelo meio da rua. Em todos os principais cruzamentos havia tropas e veículos russos. Nas duas extremidades das pontes e ao longo da ferrovia havia tanques em movimento, tanques esperando, tanques às centenas.

Sair da embaixada foi ainda mais tortuoso que chegar a ela. Em três ocasiões, Modisett parou e desapareceu para explorar a estrada antes de retornar e prosseguir. Estavam se aproximando dos arredores de Praga quando ele parou mais uma vez. Chegaram a uma fila de veículos contendo americanos e outros estrangeiros que haviam encostado do lado direito da estrada, aparentemente esperando para entrar na carreata. Modisett estacionou no fim da fila e saiu do carro mais uma vez, caminhando até sumir de vista.

Cinco minutos se passaram, depois dez. Meia hora se passou; Shirley estava tensa de impaciência. De repente, a porta se abriu e um homem lhe disse, não com muita delicadeza: "Circulando!" Ela explicou que não era a motorista e que não sabia aonde ir. Mas ele não se importou. "Dirija até lá, senhora", rosnou para ela, brandindo um cartão de identificação de aparência oficial gravado em relevos dourados.

Seguir as ordens exigiria dirigir do lado errado da rua um carro desconhecido para contornar os veículos da frente. Mas Shirley não era de recuar. Ela se sentou ao volante da Mercedes e saiu da fila de carros estacionados. Atrás dela, havia um jipe cheio de jovens soldados a passeio que haviam ficado presos na invasão e estavam protegendo o comboio enquanto ele passava pelas linhas soviéticas. Quando ela saiu com o carro, eles soltaram ovações retumbantes.

Eles a seguiram, e logo toda a frota de carros estava atrás dela. "Todo o comboio estava me seguindo, como um enxame de lemingues. Eu havia percorrido apenas alguns metros quando um grande ônibus tcheco entrou na estrada e brecamos de novo." Sorrindo para ela, o homem que dirigia o ônibus encostou no meio-fio. Shirley passou por ele, acenou e acelerou, embora não tivesse ideia de aonde estava indo.

A questão do destino foi logo respondida — definitivamente. "Uns cinco minutos depois, meu problema foi resolvido por dois enormes tanques russos estacionados paralelamente do outro lado da estrada. Eu me aproximei devagar e parei à distância de um carro de um dos tanques, e notei que o cano de um canhão, um grande círculo preto, estava apontado diretamente para mim através do para-brisa. Shirley continuou dirigindo. Não olhou para a tripulação do tanque, esperando que não a notassem.

Na lateral da pista, um grupo de ocidentais e um de tchecos e russos — alguns de uniforme, outros não — discutiam. Shirley se aproximou de Modisett e o chamou. Ele se voltou e olhou para ela, surpreso. O jovem oficial do departamento de relações internacionais explicou a Shirley que "os soldados estão nos segurando porque não temos documentos oficiais de trânsito". Ele se desculpou e continuou discutindo, aparentemente sem resultado. Os tanques não se mexeram. Por fim, um oficial soviético de botas pretas marchou até eles e ordenou que o tanque deixasse o veículo de Shirley passar. Modisett entrou no carro, e ela passou espremida pela abertura da barricada, cercada por rostos severos; as enormes rodas do tanque estavam bem perto deles de ambos os lados.

Os motoristas de trás a seguiram. Expandido para incluir os outros carros estacionados que estavam esperando no posto de controle, o comboio que partira da embaixada cresceu para mais de cem veículos. Incluía americanos, canadenses, britânicos, europeus ocidentais e até dezenas de tchecos que não ficariam para ver como a invasão acabaria. Estendia-se por mais de um quilômetro e meio naquela estrada pitoresca, através de campos verdes e colinas. Mas nem Shirley nem os outros motoristas e passageiros estavam no clima de admirar a paisagem. Conforme combinado anteriormente, eles logo passaram a liderança ao motorista local que dirigia o carro da bandeira. Sem pestanejar, ele pisou fundo, agitando as estrelas e listras atrás do veículo. Shirley, que nunca aceitara um papel secundário, o ultrapassou. Ela "retomou a posição de liderança e a manteve".

Shirley e Modisett se revezavam na direção. Shirley estava no banco do passageiro quando se aproximaram de Plzeň, no meio da tarde; ela estava inquieta. Foram alertados de que a cidade apresentava sinais de problemas, com protestos e brigas nas ruas. E o comboio também estava duas horas atrasado, graças às centenas de bexigas que faziam parte dele — pelo menos uma precisava ser esvaziada a cada cinco minutos. O progresso do comboio era uma sucessão de "breca, sai, entra na fila e breca".

A certa altura, Shirley e Modisett ficaram surpresos ao descobrir que estavam muito à frente dos outros e que os haviam perdido de vista. Pararam para esperar, até que passaram dois jovens tchecos de moto. Shirley acenou para eles e perguntou se haviam visto uma longa fila de carros atrás deles. Sim, haviam visto, mas estavam a uma boa distância para trás. Enquanto fumavam cigarros compartilhados, os motociclistas mostraram alguns panfletos de apoio a Dubček feitos pelos trabalhadores da fábrica de armas Škoda. Os motociclistas se despediram gentilmente e retomaram seu caminho, e em pouco tempo o comboio alcançou o carro de Shirley e seguiu o exemplo.

Se conseguissem passar pelo próximo trecho de rodovia, a fronteira estaria próxima. Mas, quando pararam à beira da estrada para descansar mais uma vez, surgiu do nada um avião de combate soviético, e, voando baixo, passou pelos carros. O barulho que fez machucou os ouvidos de Shirley. Exatamente no mesmo momento, um helicóptero russo subitamente se levantou de trás de uma árvore e foi direto em direção a eles. Parou a talvez três metros acima deles, com a estrela vermelha pintada em seu corpo verde-acinzentado e fosco. O forte vento que os rotores provocavam fazia o mato nas laterais da estrada se inclinar e tremer. Os soldados olhavam pela cabine, examinando Shirley e seus companheiros.

Ela sentiu os olhos dos russos a perfurando pela terceira vez naquele dia: a tripulação do tanque em frente ao hotel; os soldados nos bloqueios das estradas em Praga; e, agora, o helicóptero. Ela fora encarada a vida inteira, mas nunca daquele jeito.

Depois de alguns minutos, a pequena caravana retomou cautelosamente a viagem rumo à fronteira. A Mercedes de Shirley ainda estava à frente, seguida pelo carro da bandeira. O helicóptero voou para um lado e ficou ali enquanto o comboio passava lentamente. "Como um general passando revista nas tropas", pensou Shirley. Ela olhou atrás do helicóptero e só viu carros blindados e tanques saindo das pistas laterais e enchendo a estrada nas duas direções. Um fluxo de veículos soviéticos a caminho de Plzeň alcançou e passou o lento comboio ocidental, e outro de russos poderia surgir na direção oposta, rumo a Praga. Eles haviam caído no meio da força invasora.

Continuaram em ritmo acelerado — que outra opção tinham? —, e as forças russas gradualmente foram desaparecendo enquanto circum-navegavam Plzeň. Quando terminaram o desvio ao redor da cidade, Shirley achou que estavam livres. Então, um tanque soviético gigante, puxado por um jipe, entrou apressado na estrada. Acelerou e cortou o veículo de Shirley e o carro da bandeira. "Ele vinha trovejando bem atrás de nós, pronto para a ação, com a boca aberta. Tínhamos medo de acelerar, e de desacelerar."

Então, tão rapidamente quanto o tanque aparecera, sumiu por outra estrada lateral. Mas o jipe ficou, e tinha dois oficiais soviéticos dentro. "Não olhe agora", disse Shirley a Modisett, "mas acho que estamos levando um jipe soviético para a fronteira". Mas o jipe também acabou sumindo.

Em pouco tempo, vários militares tchecos armados acenaram para que o carro de Shirley passasse. Deram a boa notícia de que o comboio estava a apenas um quilômetro da fronteira com a Alemanha Ocidental. Os veículos deviam prosseguir pela faixa da esquerda. As tropas sorriram e acenaram.

Eles logo viram por que os mandaram seguir pelo lado esquerdo da estrada. Havia um gargalo na fronteira. Shirley observou que estava "entupido, com dezenas de automóveis alinhados à direita, portas abertas e muitas pessoas em pé ao sol". Shirley e sua frota receberam prioridade. Eles seguiram as instruções, permanecendo na faixa da esquerda enquanto se dirigiam lentamente para a guarita.

Shirley entregou seu passaporte ao guarda tcheco parado em frente à cabine. Ele o levou para dentro, onde Shirley pôde ver que havia um oficial soviético ao comando. Ambos olharam para Shirley pela janela da guarita. Após um intervalo, o tcheco saiu de novo e se dirigiu a ela. "Passe", disse, devolvendo-lhe o documento de viagem.

O carro, com Shirley no banco do passageiro, entrou na Alemanha Ocidental. Parou, e ela emergiu "ainda segurando os oito cravos vermelhos". Shirley foi cercada por repórteres, tropas americanas lotadas na Alemanha e pela polícia militar. Foi bombardeada de perguntas sob a luz do sol da tarde, com uma câmera de televisão focada em seu rosto.

— O que você viu?

— Vi muitos tchecos chorando, e isso me fez chorar também — respondeu ela.

Ela havia ido à Tchecoslováquia para testemunhar o florescimento da liberdade, e, em vez disso, vira-a ser esmagada. Ela nunca esqueceria a mulher morta na calçada em frente ao hotel. E não pretendia deixar que os responsáveis por isso se safassem.

Shirley não desistiria de conhecer Dubček.

Ela voltaria.

14
UMA PRODUÇÃO REVOLUCIONÁRIA

DE VOLTA A SUA CASA ensolarada no norte da Califórnia — um santuário entre as colinas verdes —, Shirley continuava sendo assombrada por Praga. Quando fechava os olhos, via a mulher caída na rua. Para Shirley, aquela vítima sem nome simbolizava todos os tchecos que estavam sob a mira das armas e dos tanques dos invasores soviéticos, resistindo pacificamente.

Muitas vezes Shirley punha para tocar o disco que havia trazido de Praga para casa, do *"Kde domov můj"*, o hino nacional tcheco, gastando os sulcos do vinil preto. Ela vestiu roupas tradicionais tchecas — um avental vermelho ricamente bordado, um chapéu de camponês pontudo e uma blusa branca — e assistiu a uma manifestação em San Francisco contra a invasão soviética. Ela chorou quando chegaram as notícias de Praga: repressão, instalação de linhas duras, restauração do regime stalinista. Sua família, confusa, nunca a vira assim.

Shirley acabou guardando os trajes tchecos em seu armário cheio, ao lado de sua coleção de vestuários que remontava a seus primeiros filmes. Mas ela estava mudada. Debruçava-se sobre jornais e revistas, estudando os assuntos mundiais. Dizia às pessoas que deveria ter entrado no serviço de relações internacionais havia muito tempo. Ela queria achar um jeito de lutar por pessoas como a mulher morta — não apenas tchecas, mas todas aquelas cuja liberdade estava sendo roubada.

Ela era republicana, embora liberal, e fez uma campanha vigorosa para o partido naquele ciclo. Isso e sua nova determinação de trabalhar com relações internacionais lhe renderam uma nomeação como um dos delegados dos EUA na Assembleia Geral da ONU para a sessão de 1969, do recém-eleito Richard Nixon. Durante a orientação, ela impressionou Henry Kissinger com uma pergunta inteligente sobre a Namíbia; ele ficou chocado com o simples fato de Shirley "conhecer esse nome".

Ela mergulhou em seu trabalho na ONU, elaborando resoluções, debatendo questões e construindo coalizões. Os outros delegados a elogiaram como uma "brisa fresca que sopra suavemente em nosso meio". O corpo geralmente se dividia em relação à Guerra Fria, mas, apesar da experiência traumática em Praga, Shirley era pragmática em sua abordagem do comunismo. Quando o embaixador americano na ONU lhe informou sobre a política dos EUA de marginalizar a China comunista, ela o surpreendeu com sua resposta: "Agora eu entendo de que maneira estamos mantendo a China fora das Nações Unidas. Alguém poderia me dizer *por que* estamos mantendo a China fora das Nações Unidas?"

Shirley era um tipo diferente de combatente da Guerra Fria. Ela se opunha vigorosamente ao comunismo, mas acreditava que havia espaço para trabalhar com seus adversários, não apenas para combatê-los. Nisso, ela prenunciava a trégua de seus chefes Nixon e Kissinger. Isso lhe permitiu conquistar a boa vontade generalizada de outros países nas Nações Unidas, mesmo que alguns dos mais veementes anticomunistas que haviam formulado a política americana a considerassem mole demais. A escola do "sem concessões" fora liderada

UMA PRODUÇÃO REVOLUCIONÁRIA

pelos irmãos Dulles — os mesmos que ajudaram Viky a negociar com Laurence Steinhardt —, quando serviram no governo nos anos 1950 e 1960. A abordagem de Shirley era mais sutil — ela acreditava estar mais próxima dos valores democráticos que os Estados Unidos defendiam globalmente desde que Wilson transformara o país em líder mundial, em 1918. Ela não achava os Estados Unidos perfeitos, eles (como o longo projeto de construção de Otto Petschek) estavam buscando a perfeição.

Depois que seu mandato na ONU acabou, Shirley serviu em uma série de outros cargos no governo, principalmente focados em questões ambientais internacionais (ela esteve à frente de seu tempo como republicana verde também). Os cargos não eram glamorosos; Nixon acreditava no pagamento das dívidas, e ela estava fazendo sua parte. Quando Gerald Ford assumiu a presidência, em 1974, ela recebeu sua recompensa: uma embaixada em Gana. Ela estava entre as primeiras autoridades que Ford empossou, e prestou juramento com outro conhecido americano, o novo enviado à China, George H. W. Bush. O presidente Ford estava determinado a apresentar uma nova cara ao mundo depois de Watergate. Shirley gostaria de ter voltado a Praga, mas estava animada para servir em qualquer lugar. Uma vez estabelecida na África Ocidental, ela rapidamente conquistou os ganenses, tornando-se chefe honorária e combatendo a influência soviética. Mas Ford estava lutando para ganhar a reeleição depois de perdoar Nixon, e em menos de dois anos ele a chamou de volta a Washington para ser sua chefe de protocolo.

Quando Ford perdeu em 1976, Shirley se viu desempregada. Ela esperava que o presidente eleito, Jimmy Carter, a mantivesse, mas, depois de flertar com a ideia, ele lhe desejou tudo de bom e contratou seu próprio chefe de protocolo. Ela havia vivido uma corrida do ouro no governo, e esperaria que um republicano ou um democrata sagaz vencesse e a levasse de volta à política.

Doze anos depois, ela ainda estava esperando. Shirley fora candidata à diretora da CIA e a outros cargos concorridos na época de Reagan, mas nenhum se materializara. Dizem que Nancy Reagan a bloqueara porque Shirley já havia beijado "Ronnie" em um filme, e brincava sobre isso. Mas o fator decisivo pode ter sido o fato de ela ter apoiado o oponente principal dele, o mais moderado George H. W. Bush.

Para se ocupar, em 1981 Shirley foi pioneira na criação de um curso de orientação para novos embaixadores no Departamento de Estado. Ela tinha energia demais para simplesmente ficar em casa. Quando Bush foi eleito, em 1988, ela havia treinado praticamente todos os embaixadores americanos dos oito anos anteriores. Ela enviara centenas deles, inclusive para Praga. Embora fosse considerada difícil a missão ali, por causa da vigilância e do assédio do governo totalitário tcheco, tinha suas compensações — notavelmente, a gloriosa propriedade que ela visitara em 1968, onde moravam os embaixadores. O palácio de Otto se tornou famoso em todo o serviço de relações internacionais. Como disse um de seus alunos embaixadores em Praga, o palácio era "a melhor propriedade para os embaixadores". Otto teria gostado do elogio, mas certamente ficaria surpreso ao saber que eram os enviados dos EUA, e não as futuras gerações dos Petschek, que usufruíam de seu chuveiro de mil jatos no banheiro de azulejos verdes. (Talvez lhe servisse de consolo saber que seu filho Viky por fim fora pago pelo palácio na década de 1980, graças a um acordo global com a Tchecoslováquia.)

Em fevereiro de 1989, Shirley estava em Seattle a negócios quando recebeu uma ligação em seu quarto de hotel. Era da Casa Branca. Poderia atender ao presidente? Seu coração deu um pulo. E, de repente, ela estava ao telefone com seu colega de juramento da era Ford, o recém-empossado presidente Bush.

Depois de uma saudação calorosa, ele foi direto ao ponto. Acaso ela concordaria em servir como embaixadora na Tchecoslováquia?

"Eu disse sim tão rápido e tão alto", contou ela mais tarde a um repórter, que seu marido, assustado, exclamara: "Com o que você concordou?" Para surpresa de Shirley, Bush não tinha ideia de sua história com Praga — não sabia que sua experiência em 1968 dera início à carreira em relações internacionais. Ele simplesmente reconhecia que ela era inteligente e forte, e que seu charme (e fama ainda poderosa) poderia ajudar a acelerar as mudanças naquele regime obstinadamente brutal. Seu marido riu quando Shirley desligou o telefone e começou a pular de alegria. Ela estava comemorando seu retorno a um Estado totalitário, um dos mais repressivos do mundo, onde havia sobrevivido a um grande perigo. No entanto, Shirley estava emocionada por poder fazer algo para melhorar as coisas no país que a colocara no caminho de seu destino.

Quase exatos vinte e um anos depois de ter visto o palácio pela primeira vez, Shirley subiu pela entrada de automóveis na noite ventosa e chuvosa de 11 de agosto de 1989. O arco romano ao lado da guarita estava um pouco mais gasto; as estufas mais além, um pouco mais arruinadas. Mas, enquanto caminhava pelo interior do palácio, descobriu, atipicamente, que não conseguia se lembrar de nenhum aspecto de sua grandeza. Ela ficara tão impressionada em sua primeira visita que não gravara nada. Ela sentia que estava "chegando como uma estranha".

Fora das muralhas do palácio, para Shirley a Tchecoslováquia parecia "um remanso stalinista". Gustav Husák, o homem que havia derrubado Dubček, ainda estava no poder, agora como presidente. Colegas linhas-duras como Vasil Bil'ak, que convidara os soviéticos a invadir o país, também permaneciam em posições oficiais. Eles dividiam as rédeas com membros de uma geração jovem e intransigente, como Miroslav Štěpán, chefe do partido em Praga. Os líderes tchecos tinham pouco afeto pela mudança radical que emanava da União Soviética de

Mikhail Gorbatchov e haviam reprimido brutalmente uma série de protestos dissidentes durante o ano anterior, usando canhões de água e gás lacrimogêneo e espancando e prendendo manifestantes.

Shirley viu-se diante de um problema espinhoso: como extrair dos recalcitrantes *apparatchiks* mais liberdade para o povo tcheco? Apesar dos compromissos do país (sob os Acordos de Helsinque) de respeitar a liberdade de expressão, a imprensa e a assembleia, os líderes do governo ainda perseguiam abertamente os cidadãos que tentavam exercer esses direitos. Shirley queria pressionar os líderes o máximo possível. Mas, apesar de todo seu ardente compromisso com a liberdade, a experiência que adquirira nos tempos da ONU reforçara sua abordagem mais sutil do comunismo. Ela não podia simplesmente atacar; para progredir, teria que fazer malabarismos entre críticas duras e persuasão positiva.

Alguns combatentes da Guerra Fria endurecidos em batalhas, cada um em sua embaixada, além de alguns especialistas nos Estados Unidos, questionaram se Shirley estaria à altura da tarefa. Era um trabalho difícil para qualquer outro embaixador americano na região. "Se Praga fosse Roma ou Paris, seria fácil interpretar a decisão de George Bush de pedir que ela fosse embaixadora na Tchecoslováquia como simplesmente uma recompensa política pelo serviço longo e leal à causa conservadora republicana", escreveu um jornalista. "Mas Praga é um posto difícil, geralmente ocupado por diplomatas de carreira com formação em assuntos da Europa Oriental." Outro repórter foi mais direto: "Eu a adorei em *Bright Eyes* e em *A pequena órfã* quando eu era criança, mas não sou fascinado por suas credenciais diplomáticas". Shirley sorria publicamente diante de tais dúvidas, mas, em particular, estava incrédula. Ela havia trabalhado em uma série de cargos por todo o ramo executivo, servira como uma bem-sucedida embaixadora, treinara centenas de outros e fora até nomeada como única oficial honorária de relações internacionais da história do país pelo então secretário de Estado George Shultz. No entanto, havia gente que ainda afirmava que ela não era boa o suficiente. Essas críticas foram bem resumidas pelo filho de um dos oficiais da embaixada; ele disse que quando o pai contou à sua filha que Shirley Temple seria a embaixadora dos EUA, ela disse: "Mas, papai, ela não é uma menininha?"

O presidente Gustav Husák marcou a data de seu credenciamento extraordinariamente rápido: 23 de agosto, menos de duas semanas após sua chegada. O protocolo diplomático a proibia de participar de eventos públicos até que ela fosse formalmente credenciada, mas isso não a impediu. O vigésimo primeiro aniversário da invasão do bloco soviético estava se aproximando, e Shirley e sua equipe souberam que os tchecos pretendiam se reunir às cinco da tarde na Praça Wenceslas para comemorar. Miroslav Štěpán, o linha-dura chefe do partido, havia anunciado que as manifestações seriam tratadas com firmeza, inclusive com o uso de "força, segundo as leis tchecoslovacas válidas". O governo chegou ao ponto de repetir o alerta diretamente à embaixada: as autoridades tchecas não poderiam garantir a segurança dos estrangeiros, fossem diplomatas, jornalistas ou observadores casuais que estivessem "presentes no perímetro de manifestações não permitidas". Shirley não se preocupou. Inspirada pelas lembranças de 1968, ela se recusou a ser intimidada pelos comunistas mais uma vez.

Em 21 de agosto, Shirley amarrou seus tênis, pegou a mão de Charlie e disse à equipe do palácio que ela e o marido iam passear. Ela tinha cuidado com o que dizia dentro do palácio; avisaram-na de que havia aparelhos de escuta por toda parte, plantados pelo regime. Caminhando pelo vizinho Parque Letná, uma gigante faixa verde que se estendia por quilômetros pela cidade, ela disse a Charlie aonde estavam indo: Praça Wenceslas.

Seu marido, alto, imponente ao lado da pequena embaixadora, generosamente acompanhava o ritmo dos passos dela. Sob os cabelos grisalhos e finos, Charlie ainda tinha a aparência de astro de cinema que a atraíra quando eles se conheceram, no Havaí, trinta e nove anos antes. Na época, ela estava se recuperando de seu primeiro e curto casamento com um aspirante a ator. Shirley ficara decepcionada quando aquele belo jovem veterano que conhecera em uma festa em Honolulu não a reconhecera imediatamente. Mas Charles Black nunca havia visto um filme dela. Conforme eles passavam mais tempo juntos, ela começou a valorizar esse fato, pois Charlie vira quem ela realmente era e se apaixonara por isso, não por sua fama (ou seu dinheiro; ele era de uma família que saía nas colunas sociais de San Francisco e tinha bastante dinheiro).

Apesar de suas raízes aristocráticas, Charlie tinha um caráter boêmio; na época em que eles foram apresentados, ele trabalhava no gabinete executivo da empresa Dole, mas passava o tempo livre surfando e se divertindo na praia. Ele era um complemento para a sede de aventuras de Shirley, viveram muitas nas quase quatro décadas juntos. Charlie era autoconfiante e orgulhoso de suas realizações, incluindo uma Estrela de Prata por valor em combate e uma série de negócios de sucesso. Ele deixava que Shirley fosse Shirley (como quando confiara nela para lidar com o homem armado que aparecera na casa deles enquanto ele chamava a polícia). Mas ele também sabia ser protetor quando a sede de ação dela passava dos limites. O fato de não ter uma postura machista, combinado à sua força discreta, fazia dele um bom marido para uma embaixadora — particularmente uma que talvez gostasse um pouco demais de riscos.

Enquanto se dirigiam à praça, os dois ficaram impressionados com o desamparo dos pedestres tchecos. "Era uma opressão que dava para ver e sentir", disse Shirley mais tarde. "O que eu notei [...] foi a postura do povo. Era como se estivessem sendo esmagados. Dava para ver fisicamente os problemas. Eles não deviam falar muito com estrangeiros; mal conversavam entre si [...]." Era sinistro. Estranho. Até as crianças eram caladas. Os Vigilantes de Praga tinham medo de olhar; sua visão estava obscurecida pelo medo.

UMA PRODUÇÃO REVOLUCIONÁRIA

Shirley e Charlie entraram no vasto espaço aberto da Praça Wenceslas, no extremo noroeste. Com oitocentos metros de comprimento, subindo gradualmente de noroeste a sudeste, havia sofrido poucas mudanças desde a última vez que Shirley estivera ali, em 1968. Os edifícios que flanqueavam a praça de ambos os lados ainda eram uma mistura de épocas e estilos, aquela bela miscelânea que caracterizava as ruas de Praga. Uma salvadora bênção do comunismo era que o regime construíra relativamente pouco no centro da cidade. No extremo sul da praça, erguendo-se bem acima dela, ficava o Museu Nacional, do século XIX, com sua cúpula de metal e vidro. Os danos provocados pela artilharia soviética em 1968, mal restaurados, ainda podiam ser vistos na sua fachada e nos edifícios ao redor. Logo abaixo do museu ficava a estátua equestre de são Venceslau, olhando diretamente para o local por onde Shirley e Charlie haviam entrado na praça. A atmosfera era mais sombria ali e, Shirley assim sentiu, mais triste por ter acumulado vinte e um anos de fuligem e lágrimas.

Como os Black, outras pessoas passeavam por ali em casais, bem como individualmente ou em pequenos grupos. Por volta das cinco da tarde, muitos aceleraram o passo, juntando-se a pedestres que subitamente começaram a chegar de todo lado indo em direção ao extremo sul da praça. Em questão de segundos — foi o que pareceu a Shirley —, uma multidão de cerca de mil e quinhentas pessoas havia se reunido na base da estátua de são Venceslau. Os manifestantes logo desenrolaram uma faixa: "Os bolcheviques vieram com tanques, nós viemos com flores". Braços foram levantados, dedos apontados para o céu formando um V — o sinal de paz. Ergueu-se o coro: "Vida longa à liberdade!"

Enquanto a multidão se aglomerava, os Black diminuíram um pouco o passo. Continuaram andando e assistindo à distância. Já era imprudente o bastante estar ali durante o limbo diplomático de Shirley, antes de seu credenciamento. Ela não ousava se envolver na manifestação em si, mas queria que o regime notasse que estava ali e que os observava. Para que não deixassem de notá-la, ela usava um boné com suas iniciais, que também eram as da temida polícia secreta: STB.

Shirley e Charlie não eram os únicos observadores. A Veřejná bezpečnost (VB), polícia de choque, também logo chegou. Esses policiais às vezes eram chamados de *kosmonauti* ("cosmonautas"), porque pareciam viajantes do espaço com seu capacete de proteção branco. Apareceram quase tão depressa quanto os manifestantes. A polícia marchou para frente em formação, fila após fila, portando escudos de plástico transparente e cassetetes brancos. Mandaram a multidão sair dali. Um grupo de manifestantes resistiu passivamente, sentando-se na calçada. Shirley observou enquanto cada manifestante era levantado por quatro policiais, um para cada membro, e preso, colocado dentro das vans da polícia. Com isso, a multidão começou a se dispersar. Por volta das cinco e meia, a praça estava completamente vazia.

Enquanto Shirley e Charlie voltavam para o palácio pelo parque, ela tinha sentimentos contraditórios. Odiava o fato de o governo demonstrar tanto desprezo pelos Acordos de Helsinque. No entanto, como ela escreveu para Washington, "o ativismo político [estava] crescendo". Não era 1968, claro, quando parecia que toda a população da cidade estava nas ruas. O país ainda não havia se recuperado da invasão. Mas já era alguma coisa. A resistência estava viva.

No dia seguinte, a resistência e ela se encontraram para um café.

Em 22 de agosto, Shirley colocou um vestido de bolinhas e recebeu um grupo de dissidentes tchecos na casa de um colega da embaixada. O grupo era liderado por Jiří Dienstbier, um dos membros fundadores da Carta 77, o principal movimento dissidente. Dienstbier tinha cabelos grisalhos e bigode, rosto cansado de duas décadas de trabalhos servis, inclusive como alimentador de fornos no metrô de Praga. Ex-jornalista, ele era um dentre as dezenas de milhares de intelectuais de mente reformista de Praga que foram expurgados após a invasão soviética que Shirley testemunhara, vinte e um anos antes. Vários membros da geração mais jovem de dissidentes tchecos acompanharam Dienstbier para falar com Shirley. Com seus cabelos compridos, os rapazes animados poderiam se passar por estudantes de graduação em uma viagem a campo com o professor. Mas o grupo era muito mais durão do que parecia; havia sofrido diariamente assédio policial, espancamentos, ataques de cães, de canhões de água, detenções e prisões — sempre reagindo sem violência. Esses dissidentes não se contentavam em assistir passivamente enquanto Praga continuava nas garras do totalitarismo. Fizeram do protesto pacífico uma arma, ainda que não decisiva.

Dienstbier e os outros observaram a nova embaixadora, avaliando-a. Perguntavam-se se seria algum tipo de estratégia americana dar o cargo a uma ex-estrela de cinema. Independentemente disso, uma reunião como aquela era "muito importante" para a causa e até para a segurança física deles. "Foi uma oportunidade de intercambiar as informações que tínhamos. E também nos ofereceu certa proteção. Era mais difícil prender ou matar alguém que fosse levado a sério por autoridades estrangeiras [...] E isso era uma questão de vida e morte. Em nosso caso, a questão era se seríamos jogados na prisão por alguns anos ou protegidos de alguma maneira."

Os dissidentes não esconderam nada de Shirley. Husák, Bil'ak, Štěpán e os outros no poder queriam segurar o comunismo e sua própria autoridade a todo custo. Para isso, eles precisavam fortalecer a economia, inclusive obtendo o status comercial de nação mais favorecida (MFN, *most favored nation*) dos Estados Unidos. De modo que Dienstbier e os outros imploraram a Shirley: não dê isso a eles levianamente. Vincule o MFN aos direitos humanos.

Para Shirley, "havia muita emoção por baixo" das palavras dos dissidentes:

Ficar sabendo das sentenças de prisão deles [...] do terrível abuso de direitos humanos [...] não só ir para a prisão, mas também, talvez, perder sua casa se você fosse uma pessoa de pensamento independente. Talvez seus filhos não conseguissem continuar os estudos se não pensassem como o partido queria. Arrancar seu telefone, fazer buscas noturnas em sua casa. Tudo que pudesse gerar estresse, estresse pesado, nas pessoas. E conhecer esses abusos me deixou muito triste por elas. Elas estavam sendo oprimidas havia muito tempo.

Shirley chegou à conclusão de que os tchecos queriam mudar, mas não estavam unidos como nação para isso. Enquanto eles estavam sentados ali — a embaixadora cuidadosamente arrumada e penteada, sua equipe grisalha de combatentes da Guerra Fria, Dienstbier e seus colegas desalinhados —, Shirley sentiu que a mudança estava a caminho. A reunião a encheu de energia, além dos sinais de vida que o protesto lhe transmitira. Ela teve certeza de que algo grande estava por vir. "Ninguém sabia quando aconteceria, mas todo mundo falava e pensava sobre isso, e tinha esperanças."

Shirley não sabia bem o que esperar quando foi ao Castelo de Praga no dia seguinte para apresentar suas credenciais ao presidente Husák. Sua participação no protesto certamente não passara despercebida pela polícia secreta. Sem dúvida, eles haviam seguido alguns dissidentes que se reuniram com ela. Acaso Husák a repreenderia? Ele estivera no poder durante duas décadas, a maior parte como chefe do Partido Comunista, antes de sua ocupação atual do castelo como presidente. Ele era um partidário da Segunda Guerra Mundial que fora expulso do partido e preso durante os anos de Stalin, antes de ser "reabilitado". Shirley tentou ler o rosto dele durante a elaborada cerimônia no Salão do Trono do castelo. Alto, cabelos brancos, mas ainda de forte compleição, ela o achou inescrutável quando lhe entregou as credenciais.

Shirley fez um breve discurso em tcheco. *"Predavam do vasich rukou pane presidente akreditacni listiny"* ("Apresento em suas mãos, sr. presidente, minhas cartas de credenciamento"). Quando terminou, ela pôs a mão no peito e disse, espontaneamente, que esperava não ter ferido muito seus ouvidos. Ele sorriu, respondendo, "não muito", e todos, em suas respectivas comitivas, sorriram.

Terminada a cerimônia, os dois foram para uma sala de estar adjacente para ter uma conversa privada. Sentaram-se ao redor de uma mesa servida com uma refeição leve, e com cigarros e fósforos (ambos eram fumantes). Após alguns gracejos amistosos, Husák explicou a razão do rápido credenciamento: "Eu queria que você viesse e apresentasse suas credenciais imediatamente [...] Queria ver o que você havia se tornado". O presidente disse a Shirley que ele e a esposa adoravam seus filmes antigos. Shirley sempre dizia que "Shirley Temple abre portas para Shirley Temple Black". Naquele momento, ela pensou consigo mesma: "Se deu certo, ótimo". Eles tiveram uma conversa abrangente. Ela lhe recordou que havia estado ali em 1968 e disse que, na opinião dela, o país nunca havia se recuperado da invasão propiciada pelo Pacto de Varsóvia. Ele ouviu educadamente, mas sem se comprometer. Mais tarde, por fim livre para conversar com a imprensa, Shirley disse a mesma coisa.

Nem todo mundo foi tão cortês quanto o presidente. Três dias depois, Shirley foi encurralada em um evento por outro dinossauro de 1968, o colega de Husák, Vasil Bil'ak. Ele era o principal ideólogo do partido e ajudara os soviéticos a depor Dubček. Bil'ak se aproximou de Shirley e falou furiosamente:

— Não gostei do que você disse sobre meu país e meu governo.

Fingindo inocência, ela respondeu:

— Sr. Bil'ak, o que eu disse que o deixou tão chateado?

A calma de Shirley o fez ficar ainda mais agitado:

— O povo do [meu] governo não conseguiu digerir o que você falou sobre a invasão da Tchecoslováquia pelos exércitos do Pacto de Varsóvia em agosto de 1968. — Ele disse que aquilo não fora mais que um "incidente" e insistiu: — Quando estiver aqui por mais tempo, vai ver que estávamos certos.

Ela se recusou a aceitar aquilo como um mero incidente. Inabalável, respondeu:

— Eu estava aqui em agosto de 1968 e vi com meus próprios olhos, e ouvi com meus próprios ouvidos, o que estava acontecendo [...] Tenho [minha] opinião sobre a *invasão*, que *nunca* vai mudar.

Ao ouvir isso, Bil'ak saiu, furioso.

Ela foi recebida mais cordialmente pela imprensa, que se amontoava ao redor dela em Praga. Shirley os recebeu no palácio, na biblioteca, sob as altas prateleiras de livros multilíngues que Rudolf Toussaint havia permitido que Pokorný preservasse. Com sua decoração ornamentada, a casa era um palco maravilhoso para um anfitrião — e ninguém sabia dominar um palco como Shirley. Ela usou o palácio e tudo que havia nele para lutar pela liberdade do povo tcheco. Deixou que os repórteres segurassem a miniatura do Oscar que ficava sobre o console da lareira da biblioteca e depois fez os jornalistas focarem nos maus-tratos aos dissidentes. Ela explicou à imprensa que "a mensagem antiga, muito útil e importante é que não se intervém nos assuntos internos de outro Estado. Mas, certamente, podemos pedir ao governo que cumpra as obrigações do tratado, principalmente na área dos direitos humanos". Ao aceitar os Acordos de Helsinque, a liderança tcheca havia concordado com padrões mínimos, e ela pretendia fazer que os cumprissem.

Seguramente credenciada, ela também usou seu senso de humor provocador na batalha pelos direitos humanos. Na calçada em frente ao palácio havia um conjunto de edifícios pertencentes à StB. A varanda de seu quarto dava para eles. Certa de que os binóculos da polícia estavam voltados para ela sempre que saía à varanda, Shirley usava uma camiseta com suas iniciais (combinando com o chapéu do protesto de agosto): STB. Quando ficou evidente que eles estavam seguindo sua Cadillac, ela afixou o monograma no carro. Quando pegou um filhote de boxer, ela o chamou de Gorby, em homenagem a Gorbatchov. Em uma ocasião, o embaixador soviético cancelou o jantar no último minuto, desculpando-se com ela depois, em uma reunião.

"Oh, não se preocupe", respondeu ela. "Gorby estava lá." "Todos empalideceram", recordaria Shirley mais tarde. "Eles perguntaram: 'Na residência?!' E eu disse: 'E ainda está lá'. Nem me importei, porque eu sou desse tipo."

Com o tempo, Shirley também descobriu que pelo menos um subgrupo dos Vigilantes de Praga era afetuoso com ela. Quando saía para caminhar, dizia-lhes bom-dia em tcheco — *"Dobrý den"*. No início, eles desviavam os olhos, mas, depois, aproximavam-se de Shirley e puxavam suas carteiras. Na primeira vez, Shirley pensou: "O que será? Uma carteirinha do Partido Comunista, ou o quê?" Mas, então, eles sacavam um cartão do clube de fãs de Shirley Temple, de bordas puídas, apresentando-o timidamente. Isso aconteceu dezenas de vezes.

Esses encontros às vezes eram profundamente comoventes. Uma mulher disse a Shirley quanto seus filmes e os livros baseados neles significavam para ela. "Ela e toda sua família foram presos porque eram judeus, separados e mandados para campos de concentração. No fim da guerra, todos os outros membros de sua família estavam mortos. Mas essa mulher tinha uma conexão com sua vida anterior: os livros sobre Shirley Temple." A mulher chorou ao lhe contar isso, e deixou Shirley e as pessoas ao redor em lágrimas também.

Shirley não confundia esses pequenos momentos de graça com grandes avanços. Os comunistas ainda estavam no controle. Mas, assim como em sua primeira visita a Praga, uma surpresa a aguardava.

~

Shirley manteve um cronograma regular de reuniões com dissidentes naquele outono. Como observou um dos funcionários da embaixada, "todo mundo na embaixada tinha contato com a comunidade dissidente, da embaixadora para baixo. Todos no departamento político, no econômico, no de assuntos públicos e no departamento consular tinham contatos. Nós conversávamos com eles. Estávamos conscientes do fato de estarmos sendo seguidos e preocupados com que isso lhes causasse problemas. Mas eles queriam esse contato conosco [...] [Isso] lhes dava um pouco — talvez o mínimo — de proteção".

Outras embaixadas questionavam essa estratégia, perguntando: "Por que os americanos continuam incentivando os dissidentes, reunindo-se com eles dessa maneira? Por que não aceitam o fato de que as coisas são do jeito que são? Eles são assim há mais de quarenta anos, e não vão mudar". Mas Shirley e sua equipe — seu vice, que a apoiava muito, Ted Russell; seu chefe político-econômico, brilhante e realista, Cliff Bond; seu agente de direitos humanos, o compassivo Ed Kaska — viam isso de uma maneira diferente. A esposa de Cliff, Michele, também funcionária da embaixada, explicou: "Mantemos conexões com eles porque achamos que estão certos, porque concordamos com o que dizem. Concordamos com o motivo pelo qual estão pressionando e insistindo, e os respeitamos por isso". Os Estados Unidos tinham seus altos e baixos nas terras tchecas desde 1918 — promovendo a democracia wilsoniana e depois se afastando; rugindo de novo para ajudar a derrotar o fascismo, mas deixando o país escorregar de novo, dessa vez para o comunismo —, mas do compromisso com os dissidentes os americanos podiam se orgulhar. Shirley se orgulhava.

Em 4 de outubro, ela recebeu o talvez mais importante dissidente no palácio: Václav Havel. O dramaturgo de cinquenta e dois anos era o líder de fato do movimento de protesto. Seu amigo e colega de escola, o diretor expatriado tcheco Miloš Forman, estava na cidade. Shirley providenciou para que os dois fossem ao palácio comemorar o aniversário de Havel, em 5 de outubro. Havel havia saído recentemente da prisão e tomava bastante cuidado, de modo que precisavam desse pretexto. O que poderia ser mais lógico que um pequeno encontro de artistas para comemorar um aniversário: Havel, o escritor, Forman, o diretor, e Shirley, a atriz? Forman achou o estratagema esplêndido, e a embaixadora "inteligente... esperta... corajosa".

O palácio era um lugar familiar para Havel. Era onde ele e os demais escritores tchecos se encontravam com os colegas americanos que haviam ido a Praga para apoiá-los. Philip Roth, John Updike, William Styron, Arthur Miller, Kurt Vonnegut e muitos outros — uma biblioteca americana viva — já o haviam visitado. Eles tiveram longos jantares, cheios de fumaça, com Havel e seus colegas tchecos sob a *boiserie* esculpida, as pinturas antigas e os elaborados lustres de cristal. Updike ficara tão impressionado com o lugar que o usara como cenário de um conto publicado na *The New Yorker*:

> A residência do embaixador americano em Praga era conhecida como o último palácio construído na Europa; foi construído no final dos anos 1920 por um banqueiro judeu muito rico, cuja família, uma década após a construção, teve que fugir de Hitler. Eles haviam ganhado sua fortuna com a mineração de carvão. Os americanos adquiriram o palácio e seus terrenos após a guerra, antes de a Tchecoslováquia se tornar tão comunista. Todo o edifício se curva suavemente — ou seja, foi construído ao longo de um arco, e uma caminhada por seus vastos corredores produz uma perspectiva inconstante, na qual pinturas, painéis de seda, mesas com tampo de mármore e grandes portas de carvalho metalizadas vão lentamente surgindo à vista, do mesmo modo que as ilhas aparecem acima do horizonte para um navio no mar e depois afundam

lentamente atrás dele, além do majestoso, turbulento e pálido turquesa.

Shirley e alguns colegas do Departamento de Estado receberam Havel e Forman na biblioteca. O jovial diretor ficou falando, contando histórias engraçadas sobre cinema, enquanto o grupo se servia de pratos de frios finamente fatiados. Shirley avaliava Havel. Ele estava sentado quieto, parecia meio desconfortável no elegante terno de Manchester que vestira para a ocasião. Tinha cabelos e bigode loiros, e não era muito mais alto que Shirley. O ambiente ao redor o fazia parecer ainda mais magro.

Havel parecia cansado, e por boas razões: ele travava uma batalha inflexível com o regime comunista havia mais de duas décadas. Como a de Shirley, 1968 mudara sua trajetória, levando-o do teatro para a política. Ele havia sido uma daquelas vozes rebeldes no rádio durante a invasão, e era cofundador da Carta 77. A resposta brutal do regime incluíra uma longa sentença de prisão em condições adversas que provocaram uma doença pulmonar recorrente em Havel (se bem que os dois maços de cigarro por dia não ajudavam). Husák, Bil'ak e seus tenentes ordenaram que ele fosse acossado incessantemente, incluindo perseguição, escutas telefônicas e prisões periódicas. Talvez o mais doloroso de tudo tenha sido o fato de se recusarem a permitir que suas peças fossem apresentadas na Tchecoslováquia, embora ele continuasse a escrevê-las e elas fossem encenadas e aclamadas no mundo inteiro.

Shirley já conhecera líderes, como Roosevelt, Nikita Khrushchev e Richard Nixon, e todos eles tinham a tendência de gostar de holofotes. Mas Havel não: ele parecia satisfeito só de sentar e ouvir, mastigando seu sanduíche de frios. Mas logo se tornou o centro das atenções. "Vašku, você pode ganhar o Prêmio Nobel amanhã", disse Forman, usando o apelido de escola de Havel. "Eles anunciarão às onze horas, estamos todos esperando!" Havel não poderia deixar de dizer algo. Todo mundo olhou para ele com expectativa. Ele começou se desculpando pelo inglês; explicou que ele e Forman "se conheciam" desde os tempos em que nenhum dos dois sabia falar inglês, na escola [...] [Nós] aprendemos juntos, e ele aprendeu melhor que eu".

Então, Havel respondeu calmamente a perguntas sobre tudo, desde a época em que esteve na prisão até suas opiniões sobre os problemas atuais da Tchecoslováquia, e se os Estados Unidos deveriam ter intervindo em 1968. Ele disse que fora tratado melhor que nunca durante sua mais recente estadia na prisão, por quatro meses, que acabara em maio de 1989. "[Foi] quase como umas férias", disse. Isso era um sinal de progresso. A visão de Havel era de que "mais coisas mudaram nesses quatro meses que nos anos de minhas prisões anteriores. Não só porque muita coisa mudou nos países vizinhos — na Polônia, o Solidariedade já exercia uma enorme influência sobre os comunistas, e na União Soviética havia a *perestroika* —, mas principalmente porque a sociedade tchecoslovaca começou a despertar da anestesia em que foi mergulhada em 1968 pela ocupação soviética".

Shirley sentia essa mesma aceleração, e eles tiveram "uma longa conversa [...] sobre o ritmo e a direção da mudança política na Tchecoslováquia". Havel a alertou de que a estrada provavelmente seria longa. A conversa voltou para 1968. Um dos colegas de Shirley disse a Havel que ele "trabalhava no Departamento de Estado dos EUA quando a invasão começou, em agosto de 1968. E perguntavam: O que devemos fazer? Devemos agir, de um jeito ou de outro? Como atuar para não piorar as coisas?" Havel fez o melhor que pôde para responder. Na verdade, ele estava muito mais concentrado no que Dubček e os outros líderes tchecos deveriam ter feito para garantir apoio internacional antes da invasão. Ele não sabia se isso teria sido eficaz, mas o instinto lhe dizia que teria garantido uma melhor chance de sucesso.

Quando a reunião por fim terminou, depois de duas horas, Shirley estava arrebatada. Ela o *adorara*. Ele era um "líder moral" para os tchecos. Podia ser calado, mas era "carismático". Quando Havel foi embora, Shirley lhe deu um abraço e, como é tradicional em Praga, um beijo em cada face. Para ela, aquele primeiro encontro com Havel "[iria] ficar para sempre em meu coração". Ela havia visto muita atuação em sua época, mas Havel era uma coisa real, um herdeiro digno de líderes como Masaryk e Beneš. Ele fez aumentar sua esperança de que acontecesse uma transformação.

A mudança continuava acelerada na região. A Polônia e a Hungria estavam se liberalizando rapidamente, inclusive lamentando a participação no esmagamento da Primavera de Praga em 1968. Na Alemanha Oriental, os manifestantes inundaram as ruas, inaugurando um governo mais moderado (embora ainda comunista) que iniciou negociações com dissidentes. Fora das fronteiras tchecas, as águas políticas estavam agitadas; contudo, em Praga, Husák recebia placidamente embaixadores no castelo, Bil'ak mostrava seu mau humor no parlamento, e continuavam a aplaudir oficialmente a invasão de 1968. Os comunistas tchecos buscavam segurança no Leste: na Romênia, onde Ceaușescu controlava com força o poder; em Moscou, onde havia rumores de um possível golpe de direita contra Gorbatchov; e na China, onde a Praça da Paz Celestial era um exemplo assustador de como acabar com a dissidência. Observadores notavam que a "atitude do governo tcheco até agora tem sido recusar-se a conversar com grupos de oposição e de direitos humanos, insistindo que quaisquer medidas que levem a mudanças políticas ou econômicas devem ser orquestradas exclusivamente pela liderança".

Dissidentes contaram para Shirley que outra grande manifestação aconteceria em 28 de outubro. Era o septuagésimo primeiro aniversário do nascimento do país, o triunfo de Masaryk, o velho, e de

Beneš. A data sempre fora um ponto de conflito. Sua celebração fora extasiada em 1918, e sombria em 1938, 1948 e 1968. Naquele ano, os dissidentes pretendiam marcá-la com um protesto maciço no ímã de confronto, a Praça Wenceslas.

Com a aproximação da data do protesto, os comunistas advertiram Shirley para ficar à parte. A ameaça se deu em uma reunião com Štěpán, o chefe do partido em Praga. Ele era, talvez, o principal linha-dura da geração mais jovem, às vezes identificado como aparente herdeiro de Husák e Bil'ak. Em 18 de outubro, Shirley se reuniu com ele na Assembleia Federal, ao lado do Museu Nacional, na praça. Štěpán era obeso, de mandíbulas fortes e lábios grossos, olhos estreitos em uma cabeça oblonga.

Após apresentações precipitadas, Štěpán fez um monólogo de uma hora, passando um sermão a Shirley sobre respeito ao governo comunista tcheco e difamação de dissidentes. A seguir, ele tentou terminar a reunião, alegando ter um compromisso com o líder da Organização para Libertação da Palestina, Yasser Arafat. Shirley o deteve, dizendo que ele havia falado, e agora ela tinha o que dizer também.

Ela disse que "os direitos humanos são tanto problema seu [...] como meu", porque "não podemos esperar progresso em áreas como MFN enquanto não sejam encontradas soluções". Ela "não entendia por que a liberdade de expressão não podia ser exercida na Tchecoslováquia". Shirley assinalou os nomes de dissidentes específicos que eram perseguidos. Beligerante, Štěpán respondeu que "não iria dar uma de ingênuo e agir como se não os reconhecesse [...] Quando uma pessoa publica um jornal que não respeita as leis tchecas, deve ser preso. Simplesmente [...] como jornalista, quem difama alguém deve ser preso". Segundo sua posição, se leis tchecas válidas fossem quebradas, os criminosos seriam processados.

Em termos da situação atual, ele citou uma lei que proíbe manifestações na Praça Wenceslas. Instou Shirley a ser realista e alertou que os tchecos comuns não concordavam com os agitadores. "Nunca permitiremos que eles influenciem as massas para nos criticar ou negar que nosso partido tenha realizado algo durante quarenta anos." A relação entre ele e Shirley "podia seguir uma das duas estradas. Uma era o caminho da cobrança mútua. A outra era a cooperação".

De volta à embaixada, depois da conversa contundente com Štěpán, Shirley ordenou que sua equipe ficasse longe do protesto. Participar era muito perigoso. Mas ela mesma não tinha intenção de seguir suas próprias ordens.

Sábado, 28 de outubro, foi um "dia de outono cinza e amargamente frio". A manifestação estava marcada para as três da tarde. Por volta das duas, Shirley disse a Charlie:

— Estou a fim de dar uma volta.

— Aonde você quer ir? — perguntou ele.

— Pensei em ir ao parque — respondeu ela.

Shirley falou alto, para que os microfones ocultos captassem. Ela tinha certeza de que o palácio estava "completamente grampeado". E seu palpite de que alguns empregados dali também trabalhavam para a polícia secreta a impedia de falar livremente em sua própria casa.

Ela amarrou seus tênis Reebok. Eram amarelos, como as botas que usara em agosto de 1968.

Já fora do complexo, os Black caminharam depressa até a estação de metrô mais próxima, Hradčanská. Dali, foram três paradas rápidas da estação Můstek até a praça. O vagão estava lotado e os passageiros lançavam olhares furtivos para Shirley. Ela e Charlie saíram do metrô junto com outros casais e atravessaram o arco medieval embutido em uma das paredes da estação.

Assim que os Black emergiram na enorme praça, avistaram outros manifestantes esperando o sinal de começar. "A Praça Wenceslas se enchia depressa de pessoas que fingiam olhar as vitrines das lojas, ou que caminhavam deliberadamente de um lado para o outro, na esperança de evitar as cada vez mais frequentes checagens de documentos feitas pela polícia." Shirley e Charlie rumaram para o habitual ponto de mobilização: a estátua de são Venceslau, montado em seu cavalo, no extremo sudeste da praça. Ele era um santo padroeiro adequado para os dissidentes que viviam sob ameaça do próprio governo: um líder lendariamente bom que fora atacado pelo próprio irmão.

Pouco depois das três da tarde, os manifestantes convergiram para a estátua equestre. Primeiro centenas, depois milhares de pessoas fluíam juntas, reunindo-se exatamente em frente ao monumento. Dois manifestantes "levantaram uma faixa com o irônico slogan: 'Não permitiremos que nossa república seja subvertida'". Era um deboche às autoridades, que usavam a frase para explicar "por que estão prontos para dialogar com todos os grupos, exceto com os que discordam deles". Outro cartaz ostentava o slogan de Masaryk, *pravda vítězí* ("a verdade prevalece"). Muitas pessoas na multidão desenrolaram bandeiras tchecas vermelhas, azuis e brancas e as agitavam com força, fazendo o tecido tremular. Jornalistas ocidentais que cobriam o evento escalaram a base da estátua e começaram a filmar. A polícia passou a exigir identificações. Gritos irromperam, e a multidão, pensando que alguém estava sendo preso, bradava "Largue-o! Largue-o!".

Shirley, com seu marido a tiracolo, seguiu pela praça em direção ao sudeste, até a estátua. Então, um "baixinho apareceu com uma câmera tentando tirar uma foto minha". Ele obviamente era da StB. Shirley lhe disse firmemente que não queria que tirassem foto dela. Ela tentou virar para o outro lado. "Dei muito trabalho a esse fotógrafo", recordaria mais tarde. Mas os *paparazzi* da polícia secreta eram ainda mais descarados que os comuns. Ele conseguiu bater uma foto, que a StB exibiu posteriormente com a legenda "embaixadora dos EUA na manifestação".

A multidão crescia — Shirley achava que havia dez mil pessoas ali. Todos começaram a bater palmas no mesmo ritmo; o som "subia, depois descia, depois subia de novo, em volume e intensidade". O barulho era entremeado com períodos de relativo silêncio. "Todos pareciam estar constantemente monitorando a situação, como se soubessem que logo seria interrompida, talvez com violência e prisões." Então, milhares de vozes se uniram em uma canção familiar, que Shirley ouvira e tocara em sua cabeça e em seu aparelho de som durante duas décadas: o hino nacional, *Kde domov můj* ("Onde é meu lar?"). Naquele momento, ali era o lar de Shirley — Praga, a praça, com pessoas corajosas o suficiente para exigir sua própria liberdade.

"De repente, centenas e centenas de policiais de choque vieram marchando das entradas do metrô e se alinharam atravessando [...] a praça." A VB entrou em cena, assim como durante a manifestação de agosto. "Eles usavam capacete branco com viseira e tinham grandes escudos e longos cassetetes brancos. Foi uma demonstração de força assustadora e avassaladora."

Shirley e Charlie já estavam bem perto do protesto, ligeiramente afastados em uma lateral. Enquanto assistiam, os alto-falantes da polícia começaram a chiar. "A crescente multidão ficou momentaneamente silenciosa quando uma voz de autoridade grunhiu por um megafone. Era impossível ouvir as palavras claramente", por causa da estática. Mas não havia como confundir o conteúdo: as autoridades ordenavam que as pessoas se dispersassem. As palavras confusas foram repetidas várias vezes para a multidão que assobiava para mostrar seu desdém.

No entanto, a enorme multidão foi gradualmente se agitando; os manifestantes foram dando meia-volta e atravessando a praça, na mais perfeita ordem. Agitaram bandeiras e cartazes, gritaram "Masaryk!", "Liberdade!" e "Havel!", e retomaram suas palmas rítmicas — um som impressionantemente alto quando feito em uníssono por milhares de mãos.

Enquanto Shirley e Charlie observavam, as tropas antimotim começaram a seguir a multidão, como se fossem a retaguarda de uma procissão. "Suas botas pesadas batiam contra o pavimento enquanto marchavam, e eles seguravam seus cassetetes à frente com as duas mãos." Logo estavam acelerando, pressionando a massa de pessoas, "forçando a multidão a seguir pela praça". A pressão provocou ondas adiante, fazendo que toda a falange de manifestantes acelerasse. Então, começou o tumulto: "[A] polícia havia desfeito suas fileiras e agora atacava os retardatários que não andavam rápido o suficiente para se adequar a seus passos". Com o rosto impassível por trás do visor de plástico e do escudo, "eles simplesmente adentraram a multidão e atacaram aleatoriamente".

"Agora vamos correr", disse Shirley a Charlie. Eles deram meia-volta e saíram dali, voltando para o local de onde haviam partido. A multidão também corria naquela direção, fugindo da polícia, cujos bastões subiam e desciam, cortando as costas da multidão como debulhadores. Shirley fez bom uso de seus Reeboks amarelos enquanto ela e Charlie aceleravam para o noroeste com a multidão que fluía rapidamente. Eles se misturaram ao fluxo de pessoas de todas as idades e de todos os ritmos. Mesmo no meio do tumulto, os Vigilantes de Praga notaram seus amigos americanos. "A certa altura, um estudante tcheco passou por mim e disse: 'Obrigado por vir'."

Enquanto corriam de volta pela praça, os Black pensaram em escapar pela primeira rua lateral, a Krakovská. Mas, assim que se aproximaram, uma barricada da VB se ergueu, bloqueando a saída. Eles continuaram andando, "atravessaram outra rua e havia barricadas ali" de novo. O mesmo aconteceu no cruzamento seguinte, a Opletalova. "Toda vez que atravessávamos uma rua, víamos que a polícia havia erguido barricadas." Eles pretendiam liberar a praça e não queriam que as pessoas voltassem pelas laterais, de modo que a estavam selando em sincronia com o avanço dos colegas de capacete branco.

Enquanto isso, as tropas de choque continuavam avançando por trás da multidão, agitando os *pendreky* ao se aproximarem. Shirley e Charlie se esconderam "atrás de um outdoor ali perto" enquanto a "multidão era empurrada". No caos, ela viu pessoas indo em sua direção. Duas figuras haviam se destacado da multidão que passava, e se aproximaram dela e de Charlie. Será que eram policiais à paisana que pediriam seus documentos? Ela se preparou ao ver que eles "avançavam para mim". Então, eles disseram: "Pode nos dar um autógrafo, por favor?" Ela deu dois autógrafos apressados.

Quando os dois fãs se aproximaram, Shirley e Charlie viram um conhecido no meio do caos: Perry Shankle, um simpático inspetor do Departamento de Estado que estava em turnê em Praga. Shankle olhou para Shirley sem acreditar, e lhe perguntou: "O que está fazendo aqui?" E ela respondeu, impassível: "Ah, saímos para dar uma volta". Eles estavam a certa distância do Hotel Jalta, um marco da era Khrushchev, onde Shankle estava hospedado. Decidiram se refugiar no prédio, imaginando que "talvez fosse melhor lá que na rua, porque a polícia estava começando a usar cassetetes na cabeça das pessoas" por ali.

Assim que entraram no saguão do Jalta, o porteiro tentou trancar a porta. Shirley se identificou e insistiu que o hotel deixasse a entrada liberada para outras pessoas que precisassem de refúgio. Com isso garantido, Shirley examinou a multidão, eclética e considerável, que se formava no saguão e viu outro rosto amistoso: o encarregado de negócios britânicos. Ele apresentou Shirley ao homem que estava ao seu lado, um repórter do *Times* londrino, Richard Bassett.

Bassett aproveitou e entrevistou Shirley. "Refletindo sobre a polícia antimotim, munida de capacetes, escudos e cassetetes, a mulher que passou a infância em Hollywood disse que aqueles anos a prepararam para qualquer coisa." Ela lhe contou sobre o papel em seu filme favorito, *Queridinha da vovó*, de Kipling, no qual ela detia um exército inteiro. Aquela experiência "a deixara imperturbável diante de policiais de choque".

Ela explicou que "a violência em Praga não lhe era estranha. Em 1968, ela estava no venerável Hotel Alcron, do outro lado da praça, quando os tanques soviéticos chegaram para esmagar a Primavera de Praga". Ela descreveu a visão que a assombrava desde aquela época, da mulher que sacudira o punho para um tanque e levara uma bala no estômago, caída, morta, em uma poça de sangue em frente ao hotel. Olhando para o outro lado da rua, Shirley podia ver a rua Štěpánská, onde ficava o Alcron. Disse a Bassett: "Nada esmaga mais a liberdade que um tanque".

Shirley queria uma visão mais clara do que estava acontecendo. Ela subiu ao quarto de Shankle, que dava para a praça. (Mais tarde, ele ligaria para sua esposa e lhe diria, sem rodeios: "Shirley Temple passou a tarde no hotel comigo, em meu quarto".) O quarto de Shankle tinha uma grande janela, com largo beiral. Estava tão imunda que parecia coberta de sujeira da Primeira República, dos últimos vestígios dos flocos de carvão dos Petschek, que antes subiam pelas chaminés e tomavam o ar de Praga. Shirley se apoiou e sentou no parapeito da janela, com os pés com calçados amarelos balançando acima da multidão. (*Ver imagem 14.*)

Shirley viu, embaixo, que a VB havia parado de avançar. Já haviam expulsado todos aqueles que estavam prontos para fugir, esvaziando a praça de manifestantes, "mas algumas centenas se recusavam a ser intimidados e ficaram ali, desafiadores". Eles batiam palmas, faziam coro, e cantaram o hino nacional de novo, junto com a canção favorita de Masaryk, *"Ach, synku, synku"* ("Oh, meu filho, meu filho"). "Durante a cantoria, as pessoas erguiam os braços e faziam o sinal de paz com os dedos." A VB apreendeu câmeras de jornalistas e de amadores, expondo os filmes e jogando-os na rua. "As pessoas debochavam e assobiavam para a polícia enquanto ela literalmente arrastava cidadãos pelo meio da rua Vodičkova."

Enquanto ela observava, a polícia cercou os manifestantes restantes. Eles "formaram um tipo de caixa em volta dos manifestantes, fechando a praça em cima e embaixo. Alinhando-se ombro a ombro, foram tornando a caixa cada vez menor [...] A polícia de choque deixou um canto da caixa aberto, por onde os menos corajosos poderiam escapar, se quisessem [...] Então começaram a apertar o cerco sobre as poucas centenas de manifestantes que restavam".

Por fim, ficaram completamente cercados, sem escapatória por lado nenhum.

Então, começou a pancadaria. Shirley assistia, horrorizada, enquanto os "cosmonautas" se lançavam sobre a pacífica multidão de dissidentes. "Essas poucas centenas foram espancadas aleatoriamente e jogadas no chão, antes de serem levadas para camburões [...]" "Alguns jovens de roupas casuais, que obviamente trabalhavam para a polícia uniformizada, apreenderam manifestantes, espancando-os e arrastando-os para os ônibus que aguardavam." Demorou apenas dez minutos para a VB esvaziar completamente a praça. Então, eles também dispersaram, desaparecendo tão rapidamente quanto haviam aparecido, cerca de trinta minutos antes.

Shirley, abalada, acompanhada por Charlie, desceu as escadas para ir embora. Quando passou pelo saguão lotado do hotel, todos os olhos a fitavam. Ela se esforçou ao máximo para manter uma expressão neutra. Atrás do longo balcão de obsidiana do bar, nos fundos do saguão, um garçom de blazer branco a chamou para lhe oferecer um drinque antes que ela fosse embora; um Shirley Temple. Ela recusou. Mesmo no melhor dos momentos, ela não gostava daquela bebida feita com xarope. E certamente não estava a fim de uma naquele momento. Ela merecia uma bebida mais adulta, que a estava esperando no palácio. Shirley e Charlie foram embora.

Dirigiram-se para o norte, saindo da praça enquanto a luz do dia desvanecia. O sol estava se pondo, reduzindo a visibilidade e diminuindo a temperatura. Eles aceleraram o passo em direção à segurança do complexo de Otto.

UMA PRODUÇÃO REVOLUCIONÁRIA

Mas, quando Shirley e Charlie viraram em uma das ruas estreitas do centro da cidade, de repente foram interceptados. Uma multidão de manifestantes dobrara a esquina e seguia diretamente na direção deles. Evidentemente, o grupo estava voltando para a Praça Wenceslas. Parecia haver milhares, "repetindo 'Sem violência!' [...] e 'Diálogo, diálogo!'".

Os Black tentaram passar, espremidos, mas nadar contra aquela densa massa de pessoas era impossível. Não tiveram escolha a não ser voltar e seguir na direção oposta à que estavam — dando de cara com uma fileira de VBs de capacetes brancos se aproximando do outro lado da rua, impedindo sua fuga. Os manifestantes avançaram e "gritaram 'Gestapo!' e 'O mundo está observando!'".

Mais uma vez, ela e Charlie estavam no meio daquilo. Procuravam freneticamente um lugar onde se esconder. Estavam em frente a um açougue fechado, onde se via pedaços de carne pela janela de vidro. Shirley tentou se abrigar no umbral na porta, mas duas mulheres já ocupavam o lugar, amontoadas. Então, ela encostou no vidro, enquanto Charlie fazia o possível para protegê-la.

Conforme os manifestantes avançavam, ela pensou: "Posso ser derrubada, e isso será meu fim". Ela se pressionou contra a fachada da loja, olhando para a carcaça de um porco pendurada na janela logo atrás. E se perguntou se esse mesmo destino estava prestes a acontecer com ela, sabendo que poderia ser facilmente pisoteada se caísse no meio daquela debandada.

Mas a enxurrada de pessoas diminuiu momentaneamente, e ela e Charlie avistaram uma abertura. Correram disparados pela brecha, contornando os manifestantes. Por fim, conseguiram atravessar. A rua à frente estava vazia, e o som das massas ia retrocedendo atrás deles. Eles correram por vários quarteirões, até que diminuíram a velocidade e retomaram o curso em direção a Bubeneč, dessa vez traçando uma rota indireta para evitar novos protestos. O que deveria ter sido uma caminhada rápida acabou levando mais de duas horas.

De volta ao palácio, Shirley e Charlie desabaram em um par de cadeiras antigas. Haviam tido muita sorte, e sabiam disso. Shirley se levantou e viu que seu macacão havia deixado faixas escuras na tapeçaria da cadeira — a areia do beiral da janela do Hotel Jalta. Essa faixa preta era uma intrusão no santuário de Otto — não menos imunda que se um pedaço de seu carvão houvesse manchado o estofamento.

Naquela noite, a cidade estava quieta. As ruas eram guardadas pela Milícia do Povo — como em 1948, para defender a prerrogativa comunista. Eram filhos e inclusive netos de seus antepassados agressores, alguns dos quais, já grisalhos, ainda estavam entre eles. A televisão estatal informou que cerca de "duzentas e cinquenta pessoas foram detidas". Entre elas, estrangeiros menos afortunados ou menos cuidadosos que Shirley e Charlie; uma dúzia deveria ser deportada. Não havia números imediatamente disponíveis sobre quantos manifestantes foram feridos ou hospitalizados.

Nos dias que se seguiram, Shirley pagou o preço pela decisão impulsiva de protestar. Sua presença foi divulgada com destaque na imprensa comunista. Ao lado da rádio Free Europa e da Voice of America, ela estava entre aqueles a quem o regime culpava publicamente por incitar os dissidentes: a general "dirigindo suas tropas". Na segunda-feira, Shirley teve que enfrentar seus colegas na embaixada e explicar por que, depois de instruí-los a não participar dos protestos, ela mesma o fizera. Mais tarde, ela descreveu a um jornalista o que acontecera, e ele perguntou:

— Então, você desobedeceu à sua própria ordem de não ir?

— Eu disse que não segui meu próprio conselho — respondeu Shirley.

— Falou com Washington depois que foi publicado que você estava lá?

— Não. Na reunião seguinte da equipe do país, que ocorreu alguns dias depois, eu entrei e disse que havia desobedecido às minhas próprias ordens e que me puniria, como faria com qualquer outro que houvesse feito o mesmo.

— E o que você fez?

— Nada. Não registrei nada em meu prontuário. Eu me perdoei.

Ela mesma precisava sentir o pulso da dissidência para fazer seu trabalho. Cerca de dez mil pessoas haviam comparecido ao protesto. Foi a "maior manifestação tcheca em vinte anos"; na verdade, desde a última vez em que ela estivera em Praga. Os participantes não eram só dissidentes importantes, mas também pessoas comuns. As fileiras dos Vigilantes de Praga estavam inchando de novo, "apesar de terem sido atingidos na cabeça, presos e encurralados nas ruas laterais e levados para a cadeia". Os Vigilantes haviam ido muito além da mera observação. Por isso, aquele fora "um momento muito perigoso para eles".

Shirley entendia que tinha um papel a desempenhar na proteção das pessoas. Seu olhar era uma espécie de seguro — e havia muito mais que ela poderia fazer como embaixadora na hora certa. Mas, o que quer que acontecesse a seguir, ela queria que os tchecos liderassem. Como ela às vezes dizia aos colegas de embaixada quando eles coreografavam suas performances: "Havia apenas uma estrela no palco". Dessa vez, não era ela. De modo que Shirley esperou — e observou.

15

A VERDADE PREVALECE

O palácio; sexta-feira de manhã, 17 de novembro de 1989

O SOL PÁLIDO DO AMANHECER SURGIU no céu sobre o palácio. Seus primeiros raios compartilharam o ar frio de novembro com os gritos isolados de pássaros nas árvores nuas que cercavam o jardim. No segundo andar, pela janela da pequena sala de jantar da família, uma luz brilhava na manhã ainda escura. Dentro, a salinha ainda continha a mesa oval de seis lugares. Otto Petschek havia se sentado à cabeceira dela um dia, batucando a métrica de uma ária misteriosa na superfície enquanto Martha sorria e Viky, Eva, Ina e Rita ouviam, com a cabeça baixa, tentando adivinhar a música.

Agora, apenas dois dos lugares estavam ocupados. Shirley e Charlie geralmente tomavam o café da manhã em um agradável silêncio. Se tivessem algo a dizer um ao outro, passavam bilhetes, certos de que a sala estava cheia de escutas. Isso fazia que a polícia secreta ficasse ouvindo em seus dispositivos de interceptação o barulho da porcelana oficial do Departamento de Estado, o som das torradas crocantes e o farfalhar do jornal matutino. Charlie acordava cedo, e Shirley o acompanhava. Era uma oportunidade, enquanto sua mente estava fresca, de pensar nos desafios do dia — ou, como ela preferia vê-los, oportunidades.

Seus contatos haviam alertado a embaixada de que esperavam que milhares de pessoas participassem de manifestações naquela tarde. O dia 17 de novembro era o aniversário da repressão nazista de 1939 às universidades tchecas. As forças de ocupação haviam respondido ferozmente aos estudantes que protestaram contra seu reinado. Os homens de Hitler executaram os líderes, deportaram mais de mil jovens ativistas para campos de concentração e fecharam os campi das universidades. Exatamente cinquenta anos depois, os estudantes planejavam se reunir em um dos campus da Universidade Carolina às quatro da tarde para celebrar o aniversário dessas atrocidades.

Aconteceria o avanço que todos estavam esperando? Shirley adoraria que sim, mas, enquanto tomava seu café, não acreditava que fosse aquele o dia. Por um lado, o aniversário não era particularmente explosivo. Era muito menos significativo para os tchecos que as duas datas marcantes que haviam atraído Shirley para a Praça Wenceslas: a comemoração de 21 de agosto da invasão do bloco soviético e o Dia da Independência Tcheca, 28 de outubro. Dada a opressão que havia definido grande parte da história tcheca, o fechamento das universidades estava longe de ser o evento mais lacrimoso a celebrar.

Depois, havia o fato de que era uma reunião de pessoas oficialmente sancionada. Era copatrocinada pela Svaz socialistické mládeže (SSM), União da Juventude Socialista, aprovada pelos comunistas, e com um grupo de estudantes independentes pouco conhecido, o STUHA (Fita). Aparentemente, o regime se preocupava tão pouco com os riscos que havia concedido permissão para o evento. Eles nem se deram ao trabalho de reprimir Havel e os outros principais dissidentes, que também não esperavam muito daquele dia. O dramaturgo ficou em sua casa de campo, supostamente para evitar problemas para os manifestantes (mas alguns amigos seus achavam que era para ficar com uma namorada).

Por outro lado, como Shirley acabava de perguntar a seus colegas, "quem poderia prever a Alemanha [Oriental] há algumas semanas?" Inúmeras pessoas haviam saído às ruas por lá, derrubando os aparentemente eternos governantes linha-dura. Milhares de pessoas haviam fugido do país, entrado em Praga e pedido asilo na embaixada da Alemanha Ocidental, logo abaixo do quarteirão do Schönborn. Quando por fim foram autorizados a partir para o lado ocidental, a própria Shirley estava diante da embaixada e acenara para eles, sorrindo, enquanto eles seguiam rumo à liberdade. Estavam em júbilo, jogando suas inúteis *ostmarks* pelas janelas dos ônibus. Alguns dias depois, em 9 de novembro, a mesma energia popular alemã derrubara o Muro de Berlim.

No fim, Shirley decidiu proteger suas apostas no dia 17. Mandaria observadores para a reunião da Universidade Carolina, por precaução. Seriam três: Cliff Bond, chefe do departamento político; Ed Kaska, que trabalhava no portfólio de direitos humanos; e um jovem oficial consular, Robert Kiene, cujo apetite por protestos só se comparava ao de Shirley.

Se fosse um fim de semana, ela poderia se ausentar. Afinal, o contato que tivera com o desastre em 28 de outubro não lhe causara medo do ativismo; pelo contrário. Mas deveres mais mundanos a chamavam: naquela tarde, ela seria coanfitriã de uma recepção comercial EUA-Canadá no andar de baixo, nos luxuosos salões do palácio. Fora uma luta árdua conseguir isso para as empresas norte-americanas que tentavam obter sucesso na economia controlada pelos comunistas. Ela não poderia se ausentar de um evento planejado havia muito tempo só porque estava intrigada com uma reunião de estudantes.

Quando chegou ao seu escritório no Schönborn, naquela manhã, Shirley autorizou o trio da embaixada a participar do protesto e deu instruções estritas a Bond de ligar para ela no palácio se algo interessante acontecesse.

No início da tarde, os três emissários saíram do Schönborn, o palácio amarelo renascentista que abrigava a embaixada. Enquanto desciam a rua medieval de paralelepípedos até o fim do quarteirão, o céu era de um azul deslumbrante, intensificado pelo ar frio e claro. Na esquina, viraram à esquerda e usaram o excelente transporte público de Praga para fazer a viagem de vinte minutos até o campus Albertov da universidade. Cliff Bond levava moedas tchecas de cobre e prata, que tilintavam no bolso, assim poderia usar um telefone público para falar com a embaixadora, se necessário.

Os americanos chegaram por volta das três da tarde para encontrar um bom lugar para observar. Centenas de estudantes, de alto astral naquela linda tarde, já esperavam no centro do campus, um espaço aberto de aproximadamente cinco acres. Os prédios que o compunham incluíam arquitetura neobarroca da época de Otto, e lembravam seu palácio. O edifício de patologia, em forma de J, tinha inclusive uma curva igualmente incomum. Era um lembrete de que se a arquitetura podia se curvar, a política também podia.

Como no resto de Praga, aquelas estruturas estavam saturadas de memória. O instituto de patologia servira como relicário para os santos da democracia. Foi para onde os alemães levaram os corpos dos assassinos de Heydrich — Kubiš e Gabčík. Posteriormente, a cabeça dos dois foram preservadas no instituto, boiando em potes de vidro cheios de formaldeído. E foi também ali que os comunistas entregaram o corpo destroçado de Jan Masaryk para ser examinado. O líder dos protestos de 1939, Jan Opletal, esteve matriculado ali, até que os nazistas o mataram.

Cliff e seus colegas perceberam que o dia seria incomum pelo tamanho da multidão que se formava. Algumas centenas se transformaram em milhares, e continuava chegando gente, gradualmente preenchendo o enorme espaço. Às quatro da tarde, o campus estava lotado, com uma multidão de quase vinte mil estudantes. Os sentimentos antigovernistas eram claros, transmitidos pelas faixas caseiras, palavras lindamente escritas à mão em preto em cartazes e lençóis brancos agitando-se acima da multidão: *zrušte monopol ksč* ("revoguem o monopólio do partido comunista tcheco") e *svobodu* ("liberdade"). Outro cartaz continha uma versão levemente modificada do lema de Tomáš Masaryk, *pravda vítězí* ("a verdade prevalece"). O manifestante havia acrescentado um ponto de interrogação: "A verdade prevalece?"

Após algumas preliminares, Josef Šárka subiu à plataforma onde havia alto-falantes simples, encaixada na curva do edifício de patologia, sobre o gramado. Aos setenta anos, Šárka havia crescido com a Primeira República, ajudando Opletal a liderar os protestos antinazistas em 1939 e, consequentemente, sendo deportado para Sachsenhausen. Ele havia voltado para servir na resistência durante a Segunda Guerra Mundial, para participar da Primavera de Praga e para resistir ao comunismo, inclusive assinando a Carta 77. Ele era um monumento vivo ao desafio tcheco.

Šárka não tinha medo de provocar o regime, como puderam notar os funcionários da embaixada. "Estudantes, não tenham medo, fico feliz por vocês estarem lutando pelo que nós lutamos naquela época", rugiu. A multidão ovacionou enormemente o idoso; milhares de vozes gritavam "Liberdade!"

O representante do copatrocinador do Partido Comunista, o SSM, talvez alarmado com o tom estabelecido, subiu ao palco a seguir. Tentou falar, mas Šárka inflamara a multidão. Interrompiam repetidamente o homem com o mesmo assobio agudo com que haviam recebido as ordens da polícia na Praça Wenceslas algumas semanas antes. Quando ele perguntou o que o governo poderia fazer melhor amanhã, a plateia gritou: "Renunciar!"

Enquanto o sol se punha e o céu ficava índigo, um orador após o outro se levantou para denunciar o regime: "Não vamos celebrar silenciosamente esse evento do passado; também estamos aqui pelo presente. Estudantes universitários lutaram e lutarão contra a injustiça totalitária". "A opressão é pior que a morte! [...] Temos que lutar pela liberdade, porque não dá para viver sem ela."

Um surpreendente rumor se espalhou pela multidão, estimulando os observadores americanos e os estudantes: Dubček estava ali. Por mais improvável que pudesse parecer — o herói de 1968, que agora vivia uma existência tranquila sob forte vigilância na Bratislava, subitamente aparecer em um protesto estudantil em Praga —, era verdade. Ele fora a Praga para encontrar alguns amigos e soubera da manifestação. Com seu chapéu fedora, sobretudo, terno cinza e gravata bem apertada, ele imediatamente se distinguiu dentre os manifestantes vestidos casualmente, a maioria de cabelos compridos. Assim que chegou, foi rodeado por simpatizantes fervorosos e caçadores de autógrafos. Com a mesma rapidez, policiais à paisana apareceram e o levaram embora, mas não antes que sua presença fosse notada, eletrizando a multidão.

O nome de Dubček foi repetido em coro, bandeiras e cartazes se agitavam, e os slogans de 28 de outubro explodiram de novo, reverberando nas paredes neobarrocas. "*Svobodu!*", "Masaryk!", "Havel!". E novos foram acrescentados, de forte cunho antigovernista: "*Svobodné volby!*" ("Eleições livres!"), "*Chceme novou vládu!*" ("Queremos um novo governo!"), "*Nechceme Štěpána!*" ("Não queremos Štěpán!"). Os jovens e enérgicos manifestantes pareciam a grande audiência de um estádio esportivo. E se comportavam como se fossem: eles se divertiam, riam e brincavam. Não estavam apenas cantando a liberdade, e sim praticando-a.

Às cinco da tarde, estava escuro. Os palestrantes haviam acabado e chegara a hora da segunda parte do programa aprovado: uma marcha para o cemitério de Vyšehrad, ali perto, local de sepultamento de artistas nacionais tchecos como Dvořák, Mucha e Smetana. Ali, os estudantes prestariam homenagem a Opletal e aos outros que haviam tombado cinquenta anos antes. Os manifestantes retiraram velas de dentro dos casacos — aparentemente, todos haviam levado uma. Marcharam para fora do campus; dezenas de milhares de luzinhas cintilando rumo ao cemitério, com Cliff e seus colegas atrás. Quando entraram no cemitério, os manifestantes se comportaram de forma solene. O local era um dos tesouros menos conhecidos do porta-joias de Praga — mais como um jardim de esculturas que um local fúnebre. Cada túmulo era cuidadosamente personalizado; os sepulcros variavam em épocas e estilos tanto quanto os edifícios da cidade.

O cabeça da procissão parou diante do túmulo do poeta romântico do século XIX Karel Hynek Mácha. Ele havia sido para sua geração o que Havel era para a atual — sua voz coletiva —, e suas palavras ainda ecoavam. Mácha havia sido aluno da Universidade Carolina, assim como os manifestantes e Opletal; assim como Otto e Kafka.

As pessoas fizeram um minuto de silêncio por todas as vítimas de 1939, por todas as perdas que se seguiram, pela liberdade sem a qual tiveram que crescer. Então, milhares de vozes jovens espontaneamente se ergueram cantando o hino nacional.

Eram seis da tarde. Os estudantes deveriam se dispersar, mas as cerimônias haviam turbinado suas emoções. Quando se voltaram para sair do cemitério, os líderes começaram a gritar: "*Václavák! Václavák!*" — "Para a Praça Wenceslas!" Onde mais se reuniriam para celebrar a liberdade? Milhares de pessoas se dirigiram ao centro da cidade. Para isso eles não tinham autorização, de modo que estavam violando a lei. Mas não se importaram. Um aluno carregava um cartaz com uma citação de Opletal: *kdo se bojí, ať zůstane doma, ale měli bychom jít!* ("quem tiver medo, fique em casa, mas nós temos que ir!").

Cliff foi procurar um telefone para ligar para a embaixadora.

No palácio, o evento comercial EUA-Canadá estava em pleno andamento. Os empresários norte-americanos e seus colegas tchecos conversavam com Shirley e seu coanfitrião, o encarregado canadense Rob McRae, no jardim de inverno. Capitalistas ou comunistas, todos queriam cumprimentar Shirley. Ela era paciente com o aspecto comercial de seu papel de embaixadora: trocava apertos de mãos, dava autógrafos, posava para fotos. A primeira impressão de Laurence Steinhardt quando vira o palácio pela primeira vez estava certa: era um excelente local para conduzir a diplomacia americana, e Shirley o aproveitava ao máximo.

No meio do rebuliço, um de seus assessores a puxou de lado. Cliff Bond estava ligando. Ela foi para a biblioteca e levou o fone ao ouvido. Shirley gostava de Cliff, embora eles nem sempre se entendessem. Mas ele era um funcionário notável — um dos melhores —, e ela podia confiar em seus informes. Ele relatou: "A multidão de estudantes é muito grande. Ouvimos rumores de que Alexander Dubček esteve aqui antes. A manifestação assumiu um tom decididamente político, e agora se afastaram do programa autorizado. Eles estão indo para a Praça Wenceslas".

Shirley sentia a energia dos manifestantes do outro lado da cidade. Tinham o mesmo fogo que o das manifestações de agosto e outubro — na verdade, a mesma centelha que ela notara na Praça Wenceslas, vinte e um anos atrás, antes de ser tão cruelmente extinta. Mas aqueles jovens eram de uma nova geração. Não haviam visto a esperança ser esmagada em 1938, 1948 ou 1968 — sua visão não fora maculada por terem testemunhado a história. Talvez, afinal, aquele fosse o dia do acerto de contas. Ela pediu a Cliff que a mantivesse informada.

Shirley voltou ao jardim de inverno e conversou com Rob McRae. Como ela, ele era amigo dos dissidentes e conhecedor de protestos. Ele também havia participado da manifestação de outubro e de muitas outras. Os dois ainda não estavam prontos para dizer que aquele era o momento que estavam esperando, mas concordavam que era necessário ficar de olho. Retomaram as conversas dentro dos serenos limites do palácio, mas a cabeça e as esperanças dos dois já estavam em outro lugar.

O trio da embaixada voltou à procissão que descia a colina. Quando chegaram à base, os líderes da marcha se prepararam para virar à direita e entrar na rua Vyšehradská, a rota mais direta para a praça. Mas, quando se aproximaram do cruzamento, viram que tinham companhia: uma falange de capacetes brancos. Era a VB, com várias fileiras de profundidade, bloqueando o caminho, com seus escudos antimotim e seus cassetetes prontos.

Naquela ocasião, no entanto, os manifestantes estavam em maior número que a polícia. As autoridades não esperavam vinte mil manifestantes. Quando a vanguarda dos manifestantes chegou ao cruzamento, a VB tentou compensar seu número inferior tomando a iniciativa. Alguns se lançaram sobre a multidão, arrastando alguns dos líderes — inclusive o amigo de Havel, o conhecido anarquista John Bok. Com seu cabelo selvagem saindo da cabeça em todas as direções, ele gritava: "Conte a Vašek!" — ou seja, Havel —, "Mandem uma mensagem para ele em Hrádeček! [...] Digam-lhe o que está acontecendo, depressa!" Um grupo de policiais deu uma gravata em Bok e o levou, espernearando, para uma van da polícia.

Os estudantes se mantiveram imperturbáveis. Eles conheciam a não violência. Haviam aprendido com Havel e outros dissidentes e com os protestos do passado recente. De fato, eles gritaram: "Estamos desarmados!" e "Sem violência!" Com sua força numérica, eles simplesmente redirecionaram o curso, como a água que contorna uma rocha. Evitaram a rua bloqueada e seguiram direto pela rua Plavecká, em direção ao rio. A polícia, em menor número, não fez mais nenhum esforço para detê-los — por ora.

Com os diplomatas americanos na cola, os estudantes viraram à direita no Gottwaldovo nábřeží ("aterro de Gottwald"), o brutal stalinista pai do Estado comunista eternizado como nome de avenida. Um rio de pessoas logo rumava para o norte pela rua paralela ao rio Vltava. Era uma das vias principais, cheia de restaurantes, bares, edifícios de apartamentos e lojas de frente para as águas. A vista era deslumbrante: pontes que cruzavam o rio a cada quatrocentos metros ou mais, e na outra margem, Malá Strana, encimada pelo enorme Castelo de Praga. No meio desse panorama de cartão-postal, os estudantes eram um espetáculo. Eles encheram as ruas agitando bandeiras e faixas de protesto, aplaudindo e ovacionando. Logo começaram a cantar em uníssono: *"Češi! Pojďte s námi!"* ("Tchecos! Venham conosco!"), convocando colegas, pais, avós e até alguns bisavós; as gerações anteriores dos Vigilantes de Praga; e aqueles que haviam desviado o olhar. A mensagem era clara: hora de agir.

E foi exatamente isso que as pessoas fizeram. Jogaram dinheiro na mesa onde estavam bebendo, disseram aos vendedores para deixar as compras para mais tarde, abandonaram cinemas e teatros e saíram de seus apartamentos correndo para alcançar os estudantes. Toda vez que por uma janela se via uma luz se apagar, os manifestantes aplaudiam: era mais uma pessoa se juntando ao desfile aparentemente interminável de manifestantes. Os praguenses foram chegando aos milhares, depois às dezenas de milhares, até que aquele rio humano encheu a avenida. Alguns eram barulhentos, acompanhando os aplausos e os cânticos: "Quarenta anos de comunismo são suficientes" e "Varsóvia, Berlim e agora Praga". Outros se mantinham calados, marchando atordoados, como se não pudessem acreditar no que estavam vendo.

Carros, bondes e ônibus pararam para admirar a procissão. Os motoristas buzinavam sem parar, demonstrando aprovação. Os passageiros estendiam os braços para fora das janelas para apertar a mão dos manifestantes ou fazer o sinal de paz. Todos estavam molhando os pés nas águas da liberdade.

Quando a vanguarda da procissão já estava a um quilômetro e meio além do aterro, o número de manifestantes havia aumentado muito, talvez chegando a cinquenta mil. Eles conheciam Praga; as ruas sinuosas eram tão familiares para eles quanto sua própria pulsação. E agora estavam prontos para ensaiar outra marcha na praça. Os líderes viraram à direita, afastando-se do rio, pegando a Národní třída — a estrada Nacional. O local pareceu adequado para Cliff e seus colegas da embaixada. Naquela esquina, no século XIX, havia um santuário do renascimento da língua, cultura e identidade tchecas: o Teatro Nacional Tcheco. Enquanto a multidão passava aos milhares diante dos telhados dourados, os manifestantes gritavam e cantavam. Estavam tão entusiasmados que não se deram conta de que a rua era muito estreita e escura, ou de que poderiam estar entrando em uma emboscada. Naquela noite, Praga era um tabuleiro de xadrez gigante, e o regime — Husák, Štěpán e o resto — estava prestes a fazer o próximo movimento.

Cliff encontrou um telefone, colocou as moedas de prata e fez outra ligação para Shirley. Dessa vez, o curioso Rob McRae sabia exatamente o que estava acontecendo quando a embaixadora recebeu um recado. Ela se afastou para ouvir o relato de Cliff: "Os estudantes marcharam para o norte, à beira do Vltava. A multidão é ainda maior, e estão repetindo 'Berlim, Varsóvia, Praga'. Estão seguindo para Národní třída em direção à Praça Wenceslas". Shirley disse que ele e os outros tomassem cuidado e que estava aguardando ansiosamente as próximas informações.

Shirley se aproximou de McRae e informou: "Algo realmente grande está acontecendo". O encarregado canadense concordou. Mas eles sabiam que esse "algo" poderia ser perigoso. Ambos já haviam testemunhado a disposição do regime de usar a força. Decidiram encerrar a recepção para estarem prontos a responder à manifestação, independentemente do curso que tomasse.

Os anfitriões fizeram tilintar suas taças para chamar a atenção dos convidados. O mais educadamente possível, Shirley e McRae agradeceram a todos pela presença e lhes desejaram boa-noite. Os convidados pareciam confusos, mas, obedientemente, foram embora. McRae saiu também, e Shirley foi para a biblioteca aguardar a próxima ligação.

Cerca de quatrocentos metros descendo a Národní třída, os líderes pararam abruptamente, obrigando todos atrás a fazer o mesmo. Os três americanos, mais atrás, viram as pessoas da frente sentarem. A rua estava cortada por um muro formado pela polícia de choque, com seus capacetes brancos — fileiras e fileiras deles.

Os manifestantes mais corajosos estavam sempre na frente. Seriam os primeiros alvos se houvesse um ataque policial. E valendo-se dessa coragem, foram até os oficiais e pediram que deixassem a marcha passar. O rosto dos cosmonautas ficava distorcido devido às duas camadas de plástico grosso: do protetor facial transparente que descia de cada lado do capacete e do escudo antimotim na frente. Mas, de perto, os manifestantes puderam ver que muitos policiais eram jovens — da mesma idade que eles.

Os estudantes tentaram olhar os policiais nos olhos, mas estes olhavam, inexpressivos, a meia distância ou para o chão. Os estudantes disseram às tropas que não eram violentos; que só queriam ir à praça; que depois iriam para casa. Tentaram entregar flores à VB, em um gesto de paz. Um jovem levemente fanático, depois de ter seu buquê recusado, jogou-o por cima de um escudo. O buquê pousou na mão de um policial, que o jogou longe, como se fosse um ferro incandescente.

A polícia não se mexeu. Portanto, os manifestantes voltaram aos seus lugares e de novo sentaram na rua. Posicionaram velas acesas nos poucos metros de calçada que havia entre eles e as tropas, e atrás das velas, bandeiras. Cantaram o hino nacional, intercalado com palmas e slogans contra o comunismo e o regime. Pediam repetidamente que um representante do governo fosse até ali discutir os termos. Tudo que pediam era ir à praça. Ergueram faixas caseiras de mais de dois metros de comprimento: *nechceme násilí* ("não queremos violência") e *demokracie pro všechny* ("democracia para todos"). Havia jornalistas ocidentais por toda parte: repórteres segurando cadernetas ou microfones; fotógrafos com várias Nikons e Canons penduradas ao pescoço, ou pesadas câmeras de vídeo apoiadas nos ombros.

Como a marcha havia parado, milhares de pessoas que estavam na longa cauda do protesto começaram a se afastar. Mais atrás na Národní, o fato de terem marchado já parecia suficiente para algumas pessoas, que lentamente voltavam ao que estavam fazendo antes. Quando as autoridades começaram a usar alto-falantes para ordenar a dispersão dos manifestantes, algumas pessoas que estavam na frente também escapuliram, saindo discretamente pelas ruas laterais ou pelo fim da Národní.

Mas, assim como em 28 de outubro, um grupo da resistência se recusava a sair dali. Nessa ocasião, havia milhares, a maioria estudantes que haviam iniciado sua odisseia horas atrás, sob o céu azul do campus Albertov. Eles ficavam ora sentados, ora em pé, como notavam Cliff, Ed e Robert, já perto da linha dianteira. As velas queimavam na frente dos líderes; a cera ia congelando no ar frio da noite, enquanto os minutos passavam e nada acontecia. Era um impasse.

Cliff aproveitou a pausa e foi procurar um telefone e informar Shirley: "A polícia está bloqueando o caminho dos estudantes para a praça. Há um impasse em Národní třída". Ela não gostou do que ouviu. Uma pausa semelhante havia precedido a ação da polícia em 28 de outubro. Mas isso fora à luz do dia, agora estavam em uma rua escura, em uma noite fria. Sem dúvida Cliff era experiente no que estava fazendo; mas, mesmo assim, ela o alertou de novo para ter cuidado, dessa vez com mais intensidade.

Cliff encerrou a ligação com: "Madame embaixadora, isso não vai acabar bem".

Quando Shirley desligou o telefone, ligou para Washington, D.C. "State Ops", respondeu a voz do outro lado da linha. Era o Centro de Operações do Departamento de Estado, a linha usada depois do expediente para relatar desenvolvimentos importantes em qualquer lugar do mundo. E ela tinha um a informar.

Robert Kiene, o mais jovem dos três americanos, aproveitou a paralisação para uma rápida pausa. Seus colegas de embaixada já conheciam a primeira regra da cobertura de protestos: "Faça xixi antes de ir". Mas Robert, que era mais novo em tudo aquilo, não fora ao banheiro antes. E precisava muito ir. Ele encontrou uma porta destrancada em um dos edifícios da Národní e entrou. Em busca de um banheiro, desceu ao porão. Em vez de um banheiro, ele encontrou "um salão de baile no porão, cheio de jovens de smoking e vestidos elegantes, participando da tradicional *tanečni*, ou aula de dança". Por mais urgência que tivesse, Robert ficou um tempo assistindo aos jovens casais formalmente vestidos girando pela pista de dança. "Eles estavam completamente alheios ao que ocorria na rua, lá em cima" — seus pares desalinhados, sentados, confrontando fileiras e fileiras de policiais da tropa de choque sob as fortes luzes fluorescentes e o ar noturno.

Robert voltou para Cliff e Ed. Os três, próximos à frente da multidão, observavam enquanto as autoridades aumentavam a pressão verbal durante a hora seguinte. Várias vezes a polícia repetiu pelos megafones que as pessoas deveriam ir embora. E muitas, principalmente na parte de trás da multidão, dispersaram em silêncio. Pouco depois das oito da noite, os manifestantes ainda estavam na casa dos milhares — talvez uns dez mil, embora a aglomeração tornasse difícil dizer com certeza.

Os que restavam, decidiram que tinham direito de passar para a praça. Estavam assustados, mas não tanto. Um dissidente veterano explicou o estado de espírito necessário para ficar firme em circunstâncias como aquela:

> Quando você se depara pela primeira vez com uma fila sólida de jovens de rosto sombrio e capacete, com seus cassetetes de um metro de comprimento e escudos tipo Guerra nas Estrelas [...] deseja com todas as forças estar em outro lugar. Mas, quando isso acontece pela quinta vez, e você ainda está por ali, e continua sendo a mesma pessoa, dá ou leva algumas porradas, começa a parecer que você dá conta. Pode até sentir certa animação, por mais imprudente que pareça. Quando seu instinto lhe diz para correr por sua vida, e as pessoas próximas, algumas talvez seus amigos, não correm, suas pernas também não se mexem. Cada vez mais, você tira determinação e coragem do coro de slogans, dos olhares trocados, do roçar dos ombros com a pessoa ao lado. Sempre há alguém à sua frente que assume riscos ainda maiores e que é mais corajoso e louco que você. E assim, você fica.

O regime não foi menos implacável. Štěpán havia alertado Shirley dizendo que as "leis serão aplicadas". Como líder do partido em Praga, ele acompanhava de perto o protesto. Do conforto de seu gabinete, sem dúvida fumando um dos charutos produzidos pelos aliados em Cuba, com o cheiro do tabaco tão forte que quase passava pelo telefone, ele repetidamente ligava para o comandante da polícia que estava na cena do protesto. Štěpán insistiu para que os estudantes não fossem autorizados a entrar na praça — a qualquer custo. Tome medidas *firmes*, gritou para o coronel da polícia no comando. O homem hesitou. Não deveriam deixar que a violência partisse dos manifestantes? Mas, sob a pressão de Štěpán e de outros líderes do governo, ele por fim ordenou a seus homens que se preparassem.

Às oito e meia da noite, depois de cerca de noventa minutos de impasse, a expressão dos jovens policiais era mais sombria. Apertavam mais os escudos e cassetetes, e sua postura era mais rígida. Eles "pareciam durões, com raiva, quase fora de si, como se estivessem drogados ou surtados".

Cliff e os outros americanos notaram a mudança. Era como se a temperatura houvesse caído de repente. Os manifestantes também notaram. Cantaram "Nós venceremos" e repetiram: "Vocês têm que nos proteger" e "Nossas mãos estão vazias". Então, houve um distúrbio mais atrás na multidão. Cliff e seus colegas se voltaram e viram o motivo. "Para nossa consternação, vimos que a polícia havia fechado a rua cerca de cem metros atrás." Um segundo cordão policial havia fechado a rua. Assim como em 28 de outubro, as autoridades formaram uma caixa, prendendo os manifestantes entre as fileiras da polícia a leste e oeste e os prédios dos dois lados.

> De repente, a multidão percebeu que havia perdido a rota de fuga e que estava cercada. Foi o inferno na terra. Muitos manifestantes, acossados e em pânico, começaram a repetir: "Sem violência! Sem violência!" [...] Outros, percebendo corretamente que estavam à mercê da polícia de choque e seus capacetes brancos, começaram a provocá-los com gritos de "Liberdade! Liberdade!" [...] Mais uma vez ouviu-se pelos megafones a ordem de dispersar. Mas a multidão sabia que era uma piada de mau gosto, pois não havia para onde ir.

A tensão atingiu um nível insuportável. Como o mais experiente americano presente, Cliff "decidiu que a discrição era a maior parte do heroísmo". Ele se voltou para Robert e Ed e disse: "Temos que sair daqui". Eles foram para a frente da multidão e confrontaram a polícia que estava na esquina. Uma garota aterrorizada foi atrás deles, implorando aos americanos que a levassem junto. "Nós a convidamos para nos seguir. Os policiais à paisana que estavam na esquina, todos usando jaqueta de couro preta, eram alguns dos maiores jovens que eu já havia visto reunidos em um só lugar. Nós nos aproximamos de uma figura de autoridade, certamente um oficial da StB, e mostramos nossas identificações diplomáticas. Ele fez cara feia, anotou nosso nome e fez um sinal para que passássemos." Ele exigiu também o documento de identidade da garota, mas ela não tinha nada a oferecer, de modo que o oficial da StB a afastou, estendendo um dedo para indicar que voltasse para a multidão. Ela caiu, deu marcha à ré e logo foi engolida pelo mar de gente. Cliff ficou observando-a, desejando que ela ficasse bem, até que "um gigante vestido de couro nos empurrou bruscamente para a rua, para fora da caixa".

Os três americanos olharam para trás para ver o que poderiam observar de sua nova localização, mas haviam sido expulsos para uma rua lateral de onde não se via nada. Talvez outra rua lhes desse uma perspectiva melhor do que estava acontecendo. Enquanto corriam pelo quarteirão, ouviram uma erupção atrás deles. O ataque aos manifestantes havia começado.

Shirley andava para lá e para cá na biblioteca, aguardando o próximo informe de Cliff. O palácio nunca parecia mais quieto que logo após a saída de um grande grupo. O repentino vazio ecoava por toda parte. Naquela noite, era difícil acreditar que milhares de pessoas estavam reunidas, protestando, a pouca distância dali, atravessando o parque e descendo a colina. Otto havia salvaguardado o palácio do mundo, colocando camadas protetoras de isolamento em torno de seus ocupantes. O muro do complexo, os jardins, a parte externa da casa e os cômodos eram como as bonecas matrioscas, uma dentro da outra.

Na biblioteca, havia uma barreira a mais: os livros que revestiam as paredes. Representavam a vida de leituras de Otto, uma camada de cultura que ele acreditava que de alguma forma o protegeria, ele e a sua família, ou ao menos permitiria que se perdessem em mundos melhores. Shirley não conseguia fazer isso naquela noite; ela ficava voltando a este mundo, inquieta e insegura em relação ao que estava acontecendo no centro da cidade.

Um pouco depois das nove da noite, o telefone por fim tocou, rasgando o ar parado. Do outro lado da linha, Cliff, na cena da manifestação, gritava no bocal do aparelho. Havia choro e berros ao fundo. Ele disse à embaixadora que a polícia havia atacado os manifestantes pacíficos. Que a brutalidade era muito pior do que haviam visto em agosto e outubro. A VB cercara e depois avançara sobre a multidão, baixando cheios de violência seus cassetetes sobre a cabeça e corpo expostos das pessoas. Muitos ficaram inconscientes no primeiro golpe.

Mesmo com as vítimas caídas e desmaiadas, a polícia continuava a espancá-las. Alguns estudantes tentaram se esquivar, mas não havia para onde ir, a polícia os perseguia pelo espaço confinado até os encurralar. Os manifestantes cambaleavam, com feridas abertas na cabeça e sangue escorrendo, ou mancando penosamente devido aos golpes no torso ou nas pernas. Muitos choravam, e as lágrimas se misturavam com o sangue em suas faces, cheias de vergões deixados pelos golpes de cassetete. Nem mesmo os membros da imprensa ocidental estavam seguros. Mais de uma dúzia havia sido atacada, suas anotações foram apreendidas, seus filmes queimados, suas câmeras esmagadas no chão. E o mais perturbador que Cliff disse foi: "Vi uma jovem mãe, com uma criança nos braços, sendo espancada. Outros estudantes tentavam protegê-la da polícia com o próprio corpo". Sua voz tremia.

Shirley ouvia, horrorizada, Cliff descrever a cena em tempo real. Os estudantes estavam sendo expulsos da zona de batalha. Estavam sendo perseguidos por Boinas Vermelhas, a polícia antiterror do regime, "assassinos treinados", conhecidos por sua marca registrada — as boinas vermelhas. No rosto impassível das tropas especiais não se via sinais de esforço, embora estivessem correndo. Se o negócio das tropas de choque era machucar, a ameaça dos Boinas Vermelhas era bem pior.

De repente, Cliff se deu conta de que os Boinas Vermelhas não estavam mirando só os tchecos em fuga. Estavam com os olhos fixos nele, em Ed e em Robert. Estavam indo diretamente para os americanos e se aproximando depressa. No meio de uma frase, Cliff disse a Shirley: "Tenho que correr, a polícia está chegando", e ao largar o telefone os três saíram correndo pela rua. Ele deixou a embaixadora pendurada na linha. Ela ficou ouvindo, com o telefone colado na orelha, desejando desesperadamente que seus homens houvessem escapado a tempo. Shirley não precisava estar na Národní třída para estar totalmente presente. Suas lembranças ainda eram frescas — a janela do açougueiro, o rosto dos policiais, as repentinas explosões de violência contra civis desarmados, os gritos. A mulher em frente ao Hotel Alcron, com o corpo retorcido. Mas ela via outra coisa também: as pessoas estavam despertando. Os Vigilantes de Praga estavam se tornando os Manifestantes de Praga. Depois daquela noite, tudo mudaria.

Pouco depois de Shirley ter informado a State Ops, ela teve notícia de Cliff; ele, Ed e Robert estavam bem. Os Boinas Vermelhas não correram atrás deles, só o suficiente para expulsá-los da Národní třída, e os três funcionários da embaixada já estavam devidamente enxotados. Eles iam jantar, e depois Cliff ficaria acordado para preparar um telegrama para Washington.

Shirley também ficou acordada até tarde naquela noite, recebendo ligações do pessoal da embaixada, da imprensa e de outras fontes. Conforme ia recebendo os detalhes da violência, ficava cada vez mais irritada. Mas, por pior que fosse, ela sabia que ainda poderia piorar. A bem-sucedida repressão na Praça da Paz Celestial, na China, no verão anterior, já provara isso, com centenas de mortos e milhares de feridos. Lá, a força maciça havia funcionado, esmagando os dissidentes. Evidentemente Praga não era Pequim, mas ela não podia descartar a possibilidade de que Štěpán e os demais linhas-duras desencadeassem a violência.

A partir daquela noite, Shirley revidou com todas as armas de seu arsenal diplomático. Ela e seus colegas apresentaram um imediato protesto ao governo tcheco, detalhando os abusos e as violações do direito internacional. Instaram o Estado-Maior a cancelar o convite para uma visita de uma delegação do governo tcheco aos Estados Unidos. Shirley pressionou Washington a convocar o embaixador tcheco e lhe dar uma bronca e publicamente detonar o regime. O Departamento de Estado cumpriu sua parte, declarando que a "violência sem sentido do governo tcheco [...] prejudicou ainda mais sua credibilidade em casa e no exterior". Shirley também despachou seus funcionários de volta às ruas, às casas e aos escritórios de seus contatos, para terem noção da situação na cidade. Sua equipe se espalhou por Praga, reportando-se a ela e à embaixada, inclusive com o número de prisões e vítimas. Ela se certificou de que as informações atualizadas fossem transmitidas ao Foggy Bottom, uma onda de atualizações que fluiu o tempo todo durante as setenta e duas horas seguintes.

Por fim, Shirley empregou a talvez mais poderosa arma de todas: a própria voz. Ela era a americana mais famosa do país e uma das mais famosas do mundo. Abandonou o protocolo para fustigar publicamente o regime. "O governo", disse à imprensa, "está assustado e descontrolado, coisa que deploramos profundamente". Suas palavras vibravam de fúria. O sentimento era genuíno, mas também tático. Ela queria que todos soubessem que os Estados Unidos estavam chocados. Eles que imaginassem: se a embaixadora está tão furiosa pelo uso inicial de força, como os Estados Unidos reagiriam diante do uso de tanques?

Por ora, pareceu funcionar. Na manhã de sábado, 18 de novembro, Robert Kiene havia voltado à praça e relatado "uma estranha vibração de energia no ar". Durante aquele dia e o seguinte, milhares de praguenses saíram às ruas. As autoridades deixaram a multidão vagar dentro e ao redor da praça e espairecer — uma lição aprendida tarde demais. O mais próximo que as coisas chegaram de um choque talvez tenha sido no domingo, 19 de novembro: milhares de manifestantes tentaram atravessar o rio e marchar pela Malá Strana até a sede do governo, o Castelo de Praga. Robert estava no meio da multidão, que tentava atravessar uma das pontes que cortava o Vltava, e relatou o que aconteceu:

> Passei sobre a ponte com a multidão, e, do outro lado, nossa marcha foi detida por uma fileira de policiais de capacete, como os da Národní no dia 17. Eu me lembrei instantaneamente dos acontecimentos daquele dia e me dei conta de que, caso a polícia isolasse a multidão como antes, não haveria para onde ir além dos lados, nas frias águas invernais do Vltava. A multidão inteira parece ter pensado a mesma coisa ao mesmo tempo, e recuamos cautelosamente até a relativa segurança da terra firme.

No fim, os cassetetes que abriram tantas cabeças na sexta-feira ficaram contidos durante o fim de semana inteiro. Shirley considerou isso uma vitória. Ela esperava que o frenesi de atividade na embaixada, quando ela e todos os outros trabalharam dia e noite, houvesse contribuído para isso. Mas, quando deitou a cabeça no travesseiro no palácio naquela noite de domingo, ela sabia que a segunda-feira traria outra grande manifestação. Os estudantes estavam convocando uma greve geral em todo o país para dali a uma semana, em 27 de novembro, e planejavam um protesto para chamar a atenção ao movimento. Ela se perguntou se — e quando — as ruas ficariam de novo manchadas de sangue. Seu corpo inteiro doía. Devido ao estresse, ela estava cheia de urticária.

Shirley estava certa de se preocupar. Husák, Biľak, Štěpán e seus capangas reconheciam que estavam enfrentando a mais profunda ameaça à sua autoridade desde 1968. Liderados pelo presidente do partido, Miloš Jakeš, eles passaram o fim de semana, 18 e 19 de novembro, conversando e pensando sobre como manter o poder — inclusive por meio da força. A declaração pública que resultou disso na segunda-feira foi ameaçadora. Os comunistas declararam que, embora "não queiramos seguir um caminho de confronto que os elementos antissocialistas estão tentando impor a nós", "não podemos concordar com a violação da Constituição e das leis da terra", nem "assistiremos, impotentes, às atividades de grupos que agem em desacordo com a ordem legal tcheca e são incitados por estrangeiros". O golpe nos Estados Unidos e em Shirley foi inegável. Para ela, parecia que o regime estava preparando suas forças para revidar as ameaças. Os Vigilantes de Praga relataram ter visto veículos blindados e tropas se reunindo e treinando em diversos locais da cidade. Todos os distritos tinham um estádio esportivo, e havia rumores de que estavam sendo usados para treinamento. Robert Kiene ficou surpreso, em um de seus passeios, ao descobrir que a polícia aparentemente estava se organizando para um ataque em Smíchov, não muito longe da embaixada. Ele ficou alarmado, pensando que a própria embaixada poderia ser um alvo, embora seus colegas mais antigos garantissem que isso era improvável. O regime também convocou para Praga a odiada Milícia do Povo, a força paramilitar que ajudara a reprimir a liberdade em 1948 e em 1968.

Naquela segunda-feira, Shirley manteve sua contraofensiva diplomática. Ela e a embaixada emitiram mais declarações à imprensa, outra nota diplomática alertando o governo tcheco e mais cabogramas, que levaram Washington a se manifestar com veemência.

Mais tarde, ela decidiu usar outra arma de seu arsenal: seus Reeboks amarelos. Ela compareceria pessoalmente à manifestação noturna na praça. Dessa vez, Shirley não fez segredo disso — nada de usar o pretexto de sair para uma caminhada com Charlie. Ela esperava que a StB estivesse ouvindo quando proclamou, em sua voz mais alta, que estava indo para a praça e que encontraria Cliff na frente do Hotel Jalta. (Na verdade, um agente da StB a estava monitorando e anotando tudo, obedientemente, em seu registro de vigilância.) Ela queria que todo mundo do regime — particularmente os agressores sanguinários como Štěpán e Bil'ak — soubessem que ela estaria lá.

E Shirley estava lá quando o povo de Praga emergiu às dezenas de milhares. Continuaram chegando, até parecer que aquele enorme espaço, supervisionado pelo bondoso Venceslau com seu capacete e sua lança, não suportaria mais. Havia estudantes do ensino médio, de cabelos em cascata compridos até os ombros, com seus apreciados jeans Levi's ou Lee do Ocidente colados nas pernas finas; mães em seu melhor vestido; pais de terno e gravata; avós enrugados, com o rosto amassado como papel crepom. Setenta e duas horas antes, a maioria havia sido obediente. Muitos eram até membros do Partido Comunista. Mas, agora, haviam se transformado em rebeldes devido à violência contra os filhos e contra uma geração de jovens tchecos.

A torrente de manifestantes fez que as multidões que Shirley vira em agosto e outubro parecessem uma mixaria. Quando o encontro chegou ao auge, ela calculou que estava diante de pelo menos duzentas mil pessoas — certamente, a maior manifestação desde 1968 e uma das maiores da história da Tchecoslováquia. A multidão começou a repetir os slogans familiares — "*Svobodu!*" ("Liberdade!"), "*Svobodné volby!*" ("Eleições livres!") — e novos — "*Máme toho dost!*" ("Já deu!"), "*Masaryk na stovku!*" ("Masaryk na nota de cem coroas!"), "*Demisi!*" ("Renúncia!"), e a rima "*Konec vlády jedné strany!*" ("O fim do governo de partido único!"). E no que se tornaria uma marca registrada da época, eles gritavam: "*Už je to tady!*" ("Finalmente chegou!"), e balançavam suas chaves, simbolizando com o metal os sinos que dobravam pela morte do regime, ou o povo destrancando o Castelo de Praga, ou um dos muitos outros significados sobre os quais os Vigilantes refletem até hoje. Quaisquer que fossem as razões, duzentos mil chaveiros tilintando em uníssono era um barulho inimitável. De todas as coisas incomuns que Shirley testemunhara em suas seis agitadas décadas, ela nunca ouvira nada parecido.

A multidão observava periodicamente as entradas da praça em busca do repentino e temido aparecimento dos capacetes brancos — ou pior, dos Boinas Vermelhas ou das tropas do exército de uniforme verde. Mas eles não se materializaram. A polícia de choque, com canhões de água e veículos blindados, estava estacionada a certa distância, e ali ficou. O único sinal visível de autoridade era uma câmera de vídeo que vigiava a praça no alto de um poste, girando abertamente para a frente e para trás de modo a capturar imagens do protesto. Um ágil estudante subiu no poste. Quanto mais alto ele chegava, mais as ovações se espalhavam. Quando ele por fim arrancou o fio elétrico da câmera com um floreio, desativando-a, milhares de pessoas aplaudiram.

Alto-falantes haviam sido instalados ao redor da estátua de são Venceslau e conectados a um megafone. Nada estava muito organizado. Para os Vigilantes de Praga, era um dia para serem livres. Por pelo menos uma tarde, eles cuidariam de si mesmos. A maioria da multidão não conseguia ouvir os alto-falantes, dado o volume de pessoas e a relativamente fraca amplificação. No entanto, alguns estudantes falaram, pedindo apoio à greve.

Quando Shirley encontrou Cliff, já estava bem escuro. O espaço era iluminado pelos holofotes gigantes do Museu Nacional. Os manifestantes decidiram que era improvável que as autoridades os expulsassem. Estavam seguros, pelo menos por aquela noite. A multidão era pacífica e alegre, os slogans engraçados, o clima de comemoração. Eles cumprimentaram Shirley e a receberam como um dos seus. Ela adorava festas e, apesar do perigo iminente, aquilo parecia uma festa — uma saudação à liberdade, tema recorrente dos cânticos e das faixas. Quando encontrou Cliff nos degraus do Hotel Jalta, Shirley estava comovida com a tenacidade do anseio tcheco pela liberdade. Mas eles concordavam que os manifestantes não pareciam estar organizados.

Mas esse não seria o caso por muito tempo.

Havel voltou correndo para Praga no sábado, acelerando pelas estradas rurais em sua grande Mercedes preta. De volta à cidade, o dramaturgo começou a trabalhar roteirizando a revolução — embora, talvez, fosse mais fiel dizer encenando uma improvisação, dada a natureza espontânea de muita coisa que se seguiria. E ele fez isso em sua casa profissional: o teatro. À noite, quando os estudantes anunciaram a greve e os manifestantes saíram às ruas, Havel e outros dissidentes se reuniram no Teatro Realistické, do outro lado do rio onde o massacre havia ocorrido. Eles discutiram a noite toda sobre o que fazer e quem faria o quê. Havel era o moderador do grupo, ouvia principalmente, e ocasionalmente propunha alguma coisa.

As conversas prosseguiram no domingo de manhã no apartamento de Havel, seguidas à noite por um longo e indisciplinado debate em outro teatro, o Actors' Studio. Enchendo a pequena sala, no palco e na plateia, havia escritores e atores, filósofos e políticos, muitos dos quais foram relegados, depois de 1968, a carreiras como foguistas e guardas, lixeiros e vigias noturnos. A maior parte do tempo, Havel deixava que os outros falassem, intervindo baixinho quando pareciam empacados e, com muita gentileza — às vezes de maneira dissimulada —, levando o grupo a um consenso. No fim, adotaram um roteiro amplamente escrito por ele: uma declaração estabelecendo uma nova organização, o Občanské fórum ("Fórum Cívico").

Sua sede dali para a frente seria um terceiro teatro, o Lanterna Magika. Eles passaram a segunda-feira se organizando — fundindo as várias facções em uma, dividindo tarefas. Havel não se intrometeu no protesto de segunda-feira na praça. O Fórum Cívico ainda não estava consolidado. Chegar a essa coesão era fundamental para que a revolução pacífica não se dissolvesse em facções em guerra. Além disso, ele respeitava o público. Como Otto, ele próprio era um Vigilante de Praga, criado na e pela cidade.

Mas os líderes dos protestos pediram que ele fosse à praça na terça-feira. Eles temiam que o regime os afogassem ali "como coelhos". Ele concordou. Mais que isso, ele faria um espetáculo memorável.

Na terça-feira, Shirley viu outra multidão enorme se reunir na praça. Apesar da temperatura congelante e da nevasca (para não falar do risco de um ataque policial), era pelo menos tão grande quanto a do dia anterior. Bandeiras tchecas e cartazes se agitavam acima da multidão. Noventa e seis músicos de orquestra se reuniram sob um cartaz que dizia "A orquestra filarmônica tcheca está com vocês". Até o Partido Socialista, oficialmente membro do governo, estava participando. Havel precisava de um lugar para falar, e o jornal socialista lhe ofereceu o terraço elevado de seu escritório, no meio da praça. Mas como poderiam ouvi-lo? "Do nada, apareceram [...] ajudantes de palco, técnicos de som e diretores de cena de várias bandas de rock'n'roll." Eles montaram enormes caixas de som, passando fiação da varanda à praça enquanto as pessoas aguardavam a chegada de Havel.

Às quatro da tarde, "uma enorme onda de aplausos trovejou no ar" quando Havel se aproximou do parapeito de seu mirante para falar, a neve caía ao seu redor. "O som era incrivelmente alto e claro, e a voz cuidadosa, dramática e um tanto rouca de Havel ecoou na Praça Wenceslas. 'Vážení přátelé!'" "Queridos amigos", começou ele, e até aquela introdução rotineira provocou uma ovação prolongada. As pessoas não podiam acreditar que estavam todos juntos, poderosos duzentos mil, e ouvindo de verdade aquele dramaturgo havia muito tempo banido. Alguns temiam que a polícia aparecesse na sacada para prendê-lo antes que ele pudesse dizer mais alguma coisa — ou que atacasse todos.

Mas nenhum capacete branco, boina vermelha ou uniforme verde do exército invadiu a praça ou a varanda de Havel enquanto ele fazia suas observações. Ele explicou o programa do Fórum Cívico — o roteiro acordado pelos dissidentes. Eles exigiam uma reavaliação do que havia acontecido em 1968; a saída dos responsáveis, incluindo Husák, e de seus herdeiros, especialmente Štěpán; uma investigação do ataque de sexta-feira aos manifestantes; e a libertação de presos políticos. E também apoiariam a greve estudantil de 27 de novembro.

Havel não era um grande orador. Ele ficava mais à vontade com sua máquina de escrever ou dando dicas nas coxias. Mas, naquele dia, ele atraiu aplausos empolgados. Seus pontos de vista eram coisas com que todo mundo concordava — termos em torno dos quais um movimento popular poderia se unir. E então, depois de dez minutos, Havel fez algo surpreendente. Ele parou, agradeceu às pessoas e deixou o palco para os outros. Isso foi caracteristicamente generoso — o oposto dos enroladores comunistas que ficavam horas falando, coisa habitual nos comícios do regime. Havel sabia que monólogos eram chatos. Ele estava acostumado a divertir seu público, e o programa que se seguiu foi prova disso. Houve apresentações curtas e emotivas de representantes das universidades, do teatro e dos trabalhadores. Depois, um padre dissidente leu uma declaração do cardeal František Tomášek, arcebispo de Praga. Aquele prelado de noventa anos mantinha-se firme contra o comunismo fazia décadas, muitas delas passadas em prisão domiciliar. "O arcebispo exortou o povo a tomar a democracia imediatamente. A multidão foi à loucura, gritando: 'Tomášek, Tomášek, Tomášek!'"

Mas o final superou até isso. A cantora Marta Kubišová surgiu na varanda. Ela já havia sido a vocalista mais famosa do país — a voz de 1968 —, mas fora banida por seu papel na Primavera de Praga. Essa era sua primeira apresentação pública em Praga em vinte e um anos. Em um tom claro, impregnado de mais de duas décadas de esperança reprimida, ela cantou com as duzentas mil pessoas da praça o *"Kde domov můj"*. Vários Vigilantes de Praga choravam abertamente enquanto cantavam juntos as palavras:

> *Onde é meu lar? Onde é meu lar?*
> *As águas murmuram pelos prados,*
> *os pinheiros sussurram sobre as rochas,*
> *nos pomares brilham as flores da primavera.*
> *É um paraíso sobre a terra.*
> *E esta é a linda terra,*
> *A terra tcheca, meu lar!*
> *A terra tcheca, meu lar!*

A embaixadora americana se emocionou — e se impressionou. Havel havia encenado um espetáculo de brilhantismo, fosse previamente escrito ou improvisado. Ela acreditava no poder do espetáculo para unir as pessoas, para lhes dar propósito e força. Ela ajudara a fazer isso pela América durante a Depressão. Naquele dia, Havel e sua trupe haviam feito o mesmo pelos Vigilantes de Praga transformados em atores. Mas seria o suficiente para ajudá-los a resistir aos golpes? O regime atacaria?

~

Na quarta-feira, um comunista de alta posição disse à embaixada que haviam surgido duas facções dentro da liderança comunista, já profundamente dividida. Uma era conciliatória, mas a outra pedia medidas extremas. Os líderes desta incluíam Štěpán, que, segundo o informante, "deu ordens à polícia e aos paramilitares de atacar os manifestantes em 17 de novembro". Ele estava tentando garantir uma resposta dura aos protestos, "pressionando para que se determinasse um toque de recolher ou um possível estado de emergência". O líder do partido de Praga estava se posicionando para tomar o país.

Outros sinais preocupavam Shirley. Depois que a Československá televize (ČST) noticiou as maciças manifestações de segunda e terça-feira, o regime ocupou o estúdio e assumiu o controle das transmissões. Agora, "a entrada é controlada pela polícia e [...] há oficiais de segurança uniformizados dentro do prédio". O diretor da ČST foi ao ar insistir que a TV não fora tomada. Ele afirmou: "Eu chamei as forças de segurança para manter pessoas não autorizadas longe dos estúdios". Ninguém acreditou nele; Shirley com certeza não. A equipe de rádio fora trancada para fora do edifício.

O mais ameaçador de tudo era que o exército continuava se mobilizando. Havia rumores de que o ataque seria breve, a ponto de Robert Kiene temer novamente pela sua segurança. Antigos funcionários da embaixada garantiram que ele não precisava se preocupar. Mas seu nervosismo pouco ajudou quando dois líderes estudantis foram falar com ele, confiando-lhe um documento: o último desejo e o testamento dos manifestantes. Eles contavam com a embaixada — com o poder dos Estados Unidos e com a fama de Shirley — para que os divulgassem ao mundo caso algo de mal lhes acontecesse.

Shirley urgiu sua equipe a sair às ruas e contatar suas fontes para reunir todas as informações possíveis sobre a situação militar, os movimentos de tropas e, acima de tudo, a lealdade das tropas ao regime. A situação era alarmante: as unidades especiais do exército, "treinadas para lidar com a 'insurreição pública'", estavam em alerta máximo, esperando um sinal dos líderes comunistas. Se eles se mobilizassem, assegurariam o centro, expulsando estudantes das universidades e reforçando seu domínio sobre a cidade. Parecia que Štěpán e sua camarilha estavam deixando o caminho aberto para a solução de Tian'anmen ("Praça da Paz Celestial").

Quinta-feira era Dia de Ação de Graças nos Estados Unidos. O dia estava cinzento e frio, com rajadas de neve; mas o palácio capturava o sol e o projetava para dentro, como um prisma. A determinação de Otto de abrir salas para o exterior, com janelas em dois, três ou mesmo nos quatro lados, significava que todos os cantos do palácio eram banhados por luz natural o tempo inteiro. No jardim de inverno, as famílias da embaixada se reuniram para uma cerimônia matutina. Tendo feito tudo que pudera para ajudar Havel e o povo tcheco, Shirley tinha uma última coisa a oferecer — uma oração:

> Em 1620, um pequeno grupo de peregrinos, em busca de liberdade contra a opressão, desembarcou em uma terra que se tornaria os Estados Unidos. Em 1620, nobres tchecos lutaram em Bilá Hora pela mesma razão.
> Hoje, em 1989, comemoramos o sucesso dos peregrinos dando graças a Deus. Hoje, em 1989, nossos vizinhos tchecos estão presos em uma luta pela liberdade.
> Hoje, aqui, damos graças ao Deus de todas as pessoas por nossa boa sorte. Hoje, faremos uma oração para a Tchecoslováquia, para que alcancem sua própria liberdade.
> Que nossa celebração de hoje assegure não só nossas bênçãos de liberdade e paz, mas também essas mesmas bênçãos para tchecos e eslovacos.

Naquela tarde, Havel falou na praça e fez o próprio apelo, dirigindo-se às forças de segurança em nome da multidão que ouvia com o rosto voltado para cima:

> Exortamos todos os membros das Milícias do Povo a não se manifestarem violentamente contra seus colegas de trabalho e a não cuspirem em todas as tradições de solidariedade entre os trabalhadores.
> Desafiamos todos os membros da Polícia a perceber que são, acima de tudo, seres humanos e cidadãos deste país, e só depois subordinados a seus superiores.
> Desafiamos o Exército Popular tcheco a ficar do lado do povo e, se necessário, a defendê-lo pela primeira vez.
> Apelamos ao público e aos governos de todos os países para que percebam que nossa pátria é, desde tempos imemoriais, o lugar onde os confrontos europeus e mundiais começaram e terminaram, e que não só o destino de nosso país está em jogo, mas também o futuro de toda a Europa. Exigimos, portanto, que apoiem de todas as formas o movimento popular e o Fórum Cívico.

Posteriormente, Shirley escreveu a Washington: "Václav Havel fez uma apresentação impressionante na manifestação". Mas as autoridades tchecas não ficaram tão satisfeitas. O ministro da Defesa, Milán Václavík, foi à televisão para responder. Ele criticou "os ultimatos e as demandas irrealistas feitos por grupos de oposição, a crítica inadequada ao que já foi feito, a mácula sobre tudo que é socialista". Ele ressaltou que o exército não havia se envolvido em violência contra os manifestantes. Em um telegrama a Washington, Shirley comentou que a mensagem dele era ambígua. De fato, foi: deixou no ar a possibilidade de intervenção militar.

O ceticismo de Shirley era mais justificado do que ela poderia imaginar. Em privado, Václavík transmitira uma mensagem menos enigmática a Štěpán e aos líderes comunistas: "Junto com os trabalhadores, os camponeses e a inteligência, estamos prontos para defender [...] as realizações do socialismo, a liberdade e a paz da República Socialista tcheca". As tropas do exército foram totalmente mobilizadas e preparadas para agir segundo instruções do governo. Václavík havia entregado uma arma carregada ao partido; na sexta-feira, eles se reuniriam para discutir se deveriam ou não puxar o gatilho.

Eles acreditavam que a decisão era só deles. Mas Havel já havia se preparado para o dia seguinte. Como dramaturgo, ele estava planejando uma surpresa.

Poucos minutos antes das dez horas da manhã de sexta-feira, Husák, Jakeš, Bil'ak, Štěpán e os demais membros do Comitê Central entraram em um local de treinamento do partido, cercado por guardas armados, para decidir o que fazer. Durante o dia, eles vazaram informações para a imprensa: de que haveria mudanças na liderança, de que os eventos de 17 de novembro seriam investigados, de que estavam prontos para negociar com os dissidentes. Shirley achava que as notícias eram "entregues à mídia de uma maneira que parecia ter a intenção de produzir o máximo impacto favorável no público". Mas, após quarenta anos de mentiras comunistas, quem poderia acreditar? O oposto era igualmente provável que fosse verdadeiro.

A liderança comunista ainda estava reunida seis horas depois, sem sinais de interrupção, enquanto a grande multidão esperava Havel — cerca de trezentas e cinquenta mil pessoas. Era um oceano de gente, a praça não poderia conter nem mais uma gota. Os Vigilantes transbordavam pelas ruas laterais, enchendo-as também. Pouco antes das quatro da tarde, Havel emergiu de sua sede, o teatro Lanterna Magika, perto dali. Ele estava cercado por um grupo de guarda-costas, liderado por John Bok — o mesmo anarquista de cabelos selvagens que gritara "Tell Vašek!" quando fora preso no Albertov, na sexta-feira anterior.

Bok protegia Havel e outro homem que o acompanhava. Enquanto se dirigiam à praça através de arcadas e becos, os pedestres por quem passavam paravam e olhavam para eles. O companheiro de Havel era uma figura familiar. "Ele parece ter saído diretamente de uma fotografia em preto e branco de 1968. Ele tem o rosto envelhecido, mais enrugado, claro, mas usa os mesmos casaco cinza e lenço estampado, o mesmo sorriso tentador e tocante, o mesmo chapéu de funcionário público." Ele e Havel entraram pelos fundos do edifício Melantrich, onde ficava a varanda feita de palanque. Atraíam olhares mais incrédulos enquanto seguiam para o quarto andar, por fim chegando juntos à varanda. Ao ver o convidado de Havel, um rugido tomou conta da multidão. As pessoas começaram a gritar seu nome várias vezes: "Dubček!, Dubček!, Dubček!" Havel levara para eles o herói de 1968. Deu um passo atrás e deixou que o ex-primeiro-secretário e os Vigilantes se divertissem. Os aplausos eram tão fortes que faziam a praça tremer — apesar do volume dos eventos da semana, nenhum dos presentes jamais havia ouvido um som parecido. Dubček abriu os braços como se quisesse abraçar a multidão e disse: "Vocês sabem que eu os amo".

Shirley, observando como fizera a semana toda, saboreou o estrépito de júbilo. Ali estava Dubček, por fim! Ela sabia o significado de uma ovação, e aquela continuava sem parar: um minuto... dois. Por fim, depois de três minutos de aplausos, Dubček acalmou a multidão e falou. Ele endossou o Fórum Cívico. Disse que tchecos estavam, como em 1968, se manifestando, tentando tornar sua sociedade melhor. Pediu que a geração de 1968, Husák e o resto deixassem o poder. "Nós já testemunhamos um novo amanhecer", proclamou. "Vamos agir agora para que o amanhecer se torne dia."

Trezentas e cinquenta mil pessoas responderam: "Dubček no castelo, Dubček no castelo!"

"Isso", respondeu ele, "depende de vocês".

Enquanto Dubček falava, os últimos raios de sol desapareciam no céu e os holofotes se acendiam por toda a praça. Ele falou durante onze minutos antes de dar um passo para trás, desencadeando outra rodada de aplausos. Em seguida surgiu Havel. A multidão se deleitava com a dupla, e repetiam "Dubček-Havel". Os dois ficaram ali, juntos, como se formassem uma chapa eleitoral.

Depois, Havel e Dubček voltaram ao Lanterna Magika e deram uma entrevista coletiva no palco. Dubček ainda era comunista — ainda pregava o marxismo com um rosto humano. Ele e Havel estavam conversando amigavelmente quando o amigo deste, Jiří Černý, um crítico musical alto e careca, se aproximou, inclinou-se e lhe sussurrou no ouvido. Černý pegou o microfone e disse que tinha um anúncio a fazer: "Todos os membros do *Presidium* e do *Secretariat* do Comitê Central renunciaram". As últimas palavras foram abafadas por um rugido, enquanto toda a sala, todos os dissidentes endurecidos e todos os repórteres cínicos irromperam em aplausos. A liderança do partido estava saindo. Por fim, não haveria intervenção militar. Štěpán e os demais linhas-duras amarelaram.

Havel sorriu e fez o V de vitória quando ele e Dubček se levantaram. O mais novo abraçou o mais velho. Havel, rindo, momentaneamente enterrou o rosto no ombro de Dubček. Das coxias, uma garrafa de champanhe se materializou — a bebida favorita de Havel, que o regime o impedira de provar durante os anos do injusto encarceramento. Ele levantou sua taça e brindou a "uma Tchecoslováquia livre", tilintando-a na de Dubček. Pela primeira vez, não havia um tom de melancolia no rosto sorridente do ex-primeiro-secretário.

Na praça, o povo de Praga, manifestantes e observadores, alegrou-se quando a notícia foi anunciada, pulando e celebrando loucamente. As chaves tilintaram de novo, dessa vez como uma previsão realizada.

Naquele fim de semana, Shirley assistiu às manifestações — já grandes demais para a praça —, que foram transferidas para o Parque Letná, a poucos minutos a pé do palácio de Otto. A maior multidão da história da Tchecoslováquia, mais de meio milhão de pessoas, reuniu-se para ouvir discursos e bandas em um palco que foi erguido onde um dia esteve a maior estátua de Stalin do mundo. Aquele foi apenas o fim do primeiro ato, claro. O verdadeiro espetáculo estava para começar. Mas era um começo — a Revolução de Veludo, como os historiadores a chamariam.

Não foi uma revolução de Shirley — essa honra pertencia aos tchecos. Mas ela havia desempenhado seu papel. O som dos discursos e da música reverberavam por todo o bairro, atravessavam o complexo de Petschek e ecoavam nos corredores do palácio. Otto ficaria surpreso com esse estridente acréscimo à trilha sonora de sua casa e de sua cidade. Rudolf Toussaint provavelmente teria feito uma observação irônica, e Laurence Steinhardt teria ficado exultante. Shirley estava adorando.

Na embaixada, Shirley tirou um pôster da parede de seu escritório. Eram fotografias da liderança comunista, com seus nomes e títulos. Ela o pendurou de cabeça para baixo. Štěpán e os demais a encaravam com suas rígidas poses oficiais — agora invertidos. Shirley fez isso, como explicaria mais tarde, "para poder dizer que eu viro o mundo dos comunistas de cabeça para baixo". O pôster ficou assim pelo resto de seus anos em Praga, como um eco do ditado que circulava por ali: "Na Polônia levou dez anos; na Hungria, dez meses; na Alemanha Oriental, dez semanas... na Tchecoslováquia, dez dias!"

Mais tarde, ela reuniu sua equipe sênior: Ted, Cliff, Ed e os demais combatentes da Guerra Fria. Sentaram-se ao redor da mesa de reuniões. A Revolução de Veludo era o momento pelo qual eles haviam trabalhado, alguns deles durante toda a carreira. "Olhando-os seve-

ramente nos olhos, ela disse: 'Vou fazer isso uma vez, só uma vez'."
Ela se levantou, sorriu, posicionou os braços e começou a cantar "On the Good Ship Lollipop", e saiu dançando pela sala, em pura alegria. Quando terminou, sua equipe aplaudiu — as palmas eram para ela, para eles mesmos, para Havel e Dubček e para todos os dissidentes com quem haviam trabalhado, mas principalmente para os Vigilantes de Praga. A liberdade estava de volta.

16

"O PASSADO NUNCA ESTÁ MORTO. NEM SEQUER É PASSADO"

O palácio; 27 de janeiro de 2011, por volta das 21 horas

— Nachman, vocês, americanos, são otimistas demais — disse minha mãe.

No dia seguinte, eu deveria apresentar minhas credenciais de embaixador dos EUA em Praga. Eu estava na biblioteca do palácio e ao telefone com minha *maminka*, revisando minhas anotações em tcheco. Pretendia usá-las na cerimônia e depois salpicá-las em minhas aparições na TV.

Eu lhe perguntei se meu plano de falar a língua de meus anfitriões — ou o que eu ia dizer — era otimista demais.

— Ambos!

Ela achou minha pronúncia ruim ("Você parece *zmrzačený* [aleijado]") e que meus publicamente anunciados objetivos eram ambiciosos demais, dada a situação atual. As coisas começaram de um jeito bastante promissor depois que Shirley Temple Black e Václav Havel retomaram a relação EUA-República Tcheca, em 1989. George H. W. Bush havia visitado Praga para ver o milagre, e também o palácio de Otto Petschek; ele fora seguido por Bill Clinton, que usara a curva do palácio como pano de fundo para comentários, e depois conquistara os Vigilantes de Praga tocando sax em um clube de jazz em Praga, na presença de Havel. A adesão tcheca à Otan fora conduzida por Clinton e sua secretária de Estado, Madeleine Albright — uma refugiada tcheca do regime comunista, assim como minha mãe. Albright era uma convidada frequente do palácio, e encantava os empregados lavando e passando as próprias roupas.

Até a divisão entre tchecos e eslovacos acabara bem. Um Divórcio de Veludo, como as pessoas diziam, para combinar com a Revolução de Veludo; mas fora mesmo suave. Desde que Masaryk e Beneš improvisaram o casamento das duas nações, em 1918 (para surpresa de Otto e de todos os demais), os eslovacos se queixavam de serem tratados como sócios minoritários. Assim como muitos outros que tinham laços com as duas terras, minha mãe inicialmente achara a separação uma ideia terrível. Havel se opusera de forma tão radical que renunciara ao cargo de presidente tcheco antes do rompimento. Mas ela se acostumara, e Havel também — ele voltara como presidente da nova República Tcheca por mais dez anos.

Tudo continuara mais ou menos aveludado durante os anos 1990. Até que houvera uma deterioração gradual, começando na virada do século: o descontentamento popular tcheco com as desigualdades e injustiças do capitalismo restaurado; a volta ao nacionalismo e ao populismo e contra o liberalismo, liderado pelo substituto de Havel, o arquiconservador Václav Klaus (por quem minha mãe demonstrara tanto desdém durante nossas conversas antes de eu deixar os Estados Unidos); e a raiva tcheca por supostas esnobadas americanas — mais recentemente, Obama cancelara uma planejada base de radar dos EUA em solo tcheco.

Eu tinha uma série de propostas para a defesa, a economia e a cultura preparada para enfrentar o declínio, e as defenderia na TV tcheca no dia seguinte. Uma grande parte de meu discurso seria o fato de eu morar no palácio. Se o filho de uma judia tcheca mandada para

Auschwitz pela Alemanha nazista podia voltar a Praga representando a nação mais poderosa do mundo e morar na casa que um dia fora apreendida pelas mesmas forças alemãs, *tudo* era possível.

Mas minha *maminka* era mais pessimista:

— Você está entendendo tudo errado.

— E qual é o caminho certo? — perguntei.

— Esperar o pior!

Nós dois rimos, mas eu entendi o que ela quis dizer. Ela ainda era atormentada por tudo que havia perdido, propensa a pesadelos e lágrimas repentinas. Em Israel, ela conhecera meu pai, Irvin (um refugiado judeu polonês que, como ela, tivera o ensino superior negado pela família religiosa), e se casara com ele. Ele a levara aos Estados Unidos, como ela sonhara. Abriram uma hamburgueria, mas mesmo ali ela não conseguia se livrar do trauma que o fascismo e o comunismo haviam deixado em sua psique.

Recordei a reação de minha mãe à invasão de Praga, em 1968, quando eu tinha cerca de oito anos. Com meu pai, vimos os tanques soviéticos rastejando na tela do pequeno televisor que ficava acima da caixa registradora. Isso foi no sul de Los Angeles, logo após os tumultos de Watts; e a agitação nas ruas de Praga não estava tão distante do que havíamos visto em nosso próprio bairro. Meu pai, taciturno e solidário, pousara uma de suas grandes mãos calejadas no ombro de minha *maminka* enquanto ela chorava e amaldiçoava os comunistas e os nazistas. Bastardos de esquerda, bastardos de direita — que diferença faziam os rótulos? Para ela, eram todos iguais.

Morar nos Estados Unidos também não foi nada fácil para ela. Como tantos imigrantes sonhadores, ela e meu pai acabaram tendo que trabalhar brutalmente para sobreviver. Sem profissão, eles ganhavam a vida trabalhando dezesseis horas por dia, todos os dias do ano, exceto no Yom Kipur. Geriram seu pequeno negócio juntos até a súbita morte de meu pai, depois de um ataque cardíaco, em 1975.

"O PASSADO NUNCA ESTÁ MORTO. NEM SEQUER É PASSADO"

Mas, a partir dessa tristeza, minha mãe deu uma guinada nas coisas. Ela arrendou a hamburgueria e passou a complementar a renda vendendo roupas femininas em uma loja de departamentos de luxo. Ela sentia falta de meu pai, mas adorava o trabalho — cercada de roupas bonitas e clientes gratas, como fora no ateliê de roupas da irmã, em Sobrance. Ela investiu em mim suas frustradas esperanças de estudar, e ficou radiante (e toda orgulhosa) quando recebi os diplomas por que ela tanto ansiara, mas nunca pudera obter. Quando me tornei sócio de um escritório de advocacia, ela se aposentou, instalando-se em um acolhedor apartamento com jardim em Los Angeles. (*Ver imagem 15.*)

Agora, com quase noventa anos, ela continuava lendo vorazmente e acompanhava os eventos atuais no rádio e na televisão (frequentemente os dois ao mesmo tempo). Amigos mais jovens a ajudavam a encontrar notícias tchecas na internet, e ela seguia todos os meus movimentos. Eu insistia que sua vida havia sido um sucesso, que por fim alcançara a liberdade que tanto procurara, mas ela não via as coisas dessa maneira. Mesmo assim, ela estava o mais feliz que eu já a havia visto, e orgulhosa de minha carreira — mas não se poupava de fazer críticas. Ela com frequência me dava bronca por meus fracassos, particularmente sempre que achava que eu havia deixado de seguir as três regras da hamburgueria que ela me inculcara a vida inteira e que enfatizara antes de eu partir para Praga: faça sempre o que é certo. Seja sempre leal. E sempre sirva o melhor hambúrguer que puder — faça o seu melhor, independentemente de qualquer coisa.

Naquela noite, foram minhas habilidades no idioma tcheco — ou a falta delas — que ficaram aquém de seus altos padrões. Nós treinamos um pouco mais e, quando tive que desligar, ela encerrou pedindo que eu não a envergonhasse na televisão no dia seguinte. (A cerimônia de credenciamento seria coberta pelos noticiários tchecos.) Eu lhe disse que tentaria não envergonhá-la.

Eu estava reflexivo, pensando na jornada de minha família até aquele momento — e na minha. Antes de ir para a cama, decidi dar outra olhada naquela suástica embaixo da mesa. Fui até a câmara oval, acendi as luzes da sala o máximo que pude, deixei minha bebida no chão de mármore colorido, deitei-me de costas, como um mecânico de automóveis, e deslizei por baixo da mesa.

Vi aquele símbolo odioso de novo, e o número de série. Mas, dessa vez, graças a uma segunda olhada e a uma iluminação melhor, notei que havia também uma marca mais antiga, pintada com tinta branca já envelhecida, e amarelada como marfim. Parecia ser a designação original do inventário dos Petschek de quando a casa fora aberta pela primeira vez. Havia também outro número mais novo. O da propriedade do governo dos EUA, imaginei, de quando o local fora adquirido pela primeira vez após a Segunda Guerra Mundial. Esse foi repetido posteriormente, em um rótulo moderno e brilhante, com um código de barras.

Ali estava, bem diante dos meus olhos, a história do século passado no palácio, tão nitidamente arqueada quanto a curva da própria casa: origens tchecas e judias, ocupação alemã, restauração e cuidado americanos. Minha presença em Praga como embaixador dos EUA era o resultado de uma trajetória idêntica. O lado de baixo daquela mesa era um mapa do século tcheco e de minha família.

Eu estava determinado a saber mais sobre todos os aspectos daqueles que passaram pelo palácio antes de mim. Enquanto isso, independentemente do que minha mãe dissesse, eu acreditava que essa história era um triunfo inequívoco para nossa família.

Mas as coisas foram mais complicadas do que eu imaginava.

Na manhã seguinte, fiquei meio nervoso ao descer os degraus do palácio e entrar no carro para fazer a curta viagem até o castelo e comparecer diante do presidente Klaus. Não só minha mãe não gostava dele. Liberais tchecos e europeus e a maioria dos ex-dissidentes o odiavam. Eles questionavam como ele conseguira permissão, durante os anos comunistas, para estudar economia na Cornell (onde fora embebido de sua economia de livre mercado). Alegavam que, como ministro das Finanças no primeiro governo pós-revolução, Klaus fraudara privatizações para beneficiar seus amigos. Depois, houve o pecado de, como primeiro-ministro, encorajar a dissolução do país. Seus críticos diziam que, quando Havel se aposentara, Klaus havia injustamente inclinado as eleições para a sucessão do dramaturgo, fazendo acordos obscuros com os eleitores. Como presidente, ele sondara temas nacionalistas e populistas, alegando que os "eurocratas da classe executiva" que dirigiam a União Europeia (UE) desprezavam os "eslavos da classe econômica" e pedia solidariedade para com outras terras eslavas. Klaus era considerado, acima de tudo, muito próximo dos russos. De fato, seu livro, que negava as mudanças climáticas, havia acabado de ser traduzido para o idioma deles com o financiamento de uma empresa russa de energia, a Lukoil, que tinha interesses comerciais na Tchecoslováquia.

Achei difícil encaixar essa caracterização demoníaca com aquele cavalheiro com jeito de vovô, agradavelmente sorridente, diante de quem eu logo me encontrei, sobre um longo tapete persa, no Castelo de Praga. Lindsay e a equipe da embaixada formavam fila atrás de mim, diante do que parecia um saleiro de quatro metros de altura de porcelana branca, muito bem trabalhado com floreios dourados: um elegante aquecedor rococó. Estávamos na Sala do Trono do Castelo de Praga, a poucos metros de onde Obama me apresentara a Klaus. São Paulo tinha um olhar questionador no quadro pendurado em uma parede de brocado de seda vermelha. Víamos Praga inteira das janelas, e eu podia ver a bandeira americana tremulando acima do ponto mais alto da embaixada, com as árvores e os gramados do monte Petřín além dela.

Atrás do presidente havia altos funcionários de seu gabinete e do Ministério das Relações Exteriores. Ele era alto, de compleição sólida, cabelos brancos cortados rentes e bigode branco. Usava um terno elegante, escuro, feito sob medida para os contornos de seu corpo, e envolvia uma leve pança.

Fiz comentários em meu tcheco imperfeito. Klaus pareceu estar satisfeito e se divertir um pouco com meus esforços. Forcei as últimas palavras e proferi uma muda oração de gratidão por não ter ficado com a língua presa. A seguir, caminhei pelo longo tapete oriental que nos separava e lhe entreguei minha carta de nomeação e outros documentos, que ele aceitou com um sorriso. Voltamo-nos e posamos lado a lado para uma multidão de fotógrafos e jornalistas que se reuniam atrás de uma corda, centenas de flashes disparavam, como o final de um show de fogos de artifício em 4 de julho.

Ele me falou de seu amor pelos Estados Unidos: seus estudos na Cornell; sua afinidade com a conservadora escola de economia de Chicago e a cidade em geral, que ele planejava visitar em breve. Sua afeição pela América era genuína. Falamos de sua amizade com os senadores dos EUA (todos conservadores) e seus elogios públicos às tentativas de Obama de restabelecer a relação dos Estados Unidos com a Rússia. Eu não podia exatamente discordar dele — essa era a política de meu presidente. Klaus esperava que Lindsay e eu fôssemos convidados frequentes nos concertos de jazz que ele realizava mensalmente no castelo: jazz americano, especificou com um sorriso. Eu gostei dele, e estava disposto a dar uma chance, independentemente do que os outros dissessem.

Minha mãe viu as fotos de nós dois e bufou para mim quando conversamos mais tarde:

— Vejo que você tem um novo amigo.

Tentei mudar de assunto, perguntando se ela havia feito algum progresso no planejamento de sua viagem.

Ela respondeu:

— Por quê? Para eu poder conhecer seu novo amigo?

Decidi que seria melhor falar da viagem outro dia.

Apesar da ansiedade de minha mãe, eu me sentia em casa como judeu vivendo na Europa. A República Tcheca tinha uma das mais baixas taxas de antissemitismo do continente, empatada com Canadá e Estados Unidos. Os tchecos também eram muito pró-Israel — de longe, mais que qualquer cidadão da União Europeia. O Bairro Judeu era uma grande atração em Praga e recebia milhões de turistas — judeus ou não — do mundo inteiro. Eu ia aos cultos do Shabat semanalmente no coração do bairro: a Velha Nova Sinagoga, construída em 1270 e agora a mais antiga em operação contínua da Europa. Durante os tempos comunistas, a polícia secreta perseguia os fiéis que entravam por seus portais, mas eu fui cordialmente recebido, me deram uma posição privilegiada entre os pilares de pedra áspera que sustentavam o teto abobadado. Minha mãe ficou impressionada.

— Nachman, nossa família orou ali durante séculos, mas você é o primeiro a ter um lugar designado!

Naquela primavera, os tchecos organizaram uma conferência sobre o antissemitismo europeu. Foi convocada pela Comissão de Helsinque — o mesmo órgão que fora tão crucial para os dissidentes. Ela ainda lutava por direitos civis em todo o continente. A conferência aconteceu na sede do Ministério das Relações Exteriores, no Palácio Czernin. Ao entrar, notei um busto no pátio interno. Era uma escultura de Jan Masaryk, situada no local onde ele caíra para a morte.

Isso dava um tom apropriadamente sombrio ao dia. Um palestrante atrás do outro se levantava e descrevia incidentes terríveis que ocorriam em toda a Europa: um adolescente francês jogado no chão e agredido por uma gangue de mais de uma dúzia de pessoas, que gritava injúrias antissemitas; um pedestre na Suíça que, depois de responder afirmativamente quando lhe perguntaram se era judeu, foi espancado com brutalidade por três agressores; um líder estudantil no Reino Unido, cercado por manifestantes que repetiam slogans antissemitas enquanto ele esperava para fazer seu discurso; discriminação em acomodações públicas, em residências, no trabalho. Ouvi uma história atrás da outra sobre o tipo de antissemitismo tradicional que minha família havia sofrido no passado, bem como novas variantes. Negação do Holocausto que havia nos dizimado, ou simplesmente substituição de *Israel* por *judeus* nas velhas mentiras, escondendo o ódio sob um verniz político; "Veneno velho em novas embalagens", como disse uma autoridade tcheca.

Ele também reconheceu que os tchecos não eram imunes a isso: "Em países com pequenas comunidades judaicas como a República Tcheca, a paixão pelo ódio é frequentemente manifestada atacando a memória dos mortos [...] Suásticas são pintadas em lápides em locais remotos; palavras questionando o maior genocídio do século passado são publicadas anonimamente em discussões na internet [...] É importante ressaltar que elas são direcionadas não apenas contra a comunidade judaica, mas também contra os ciganos [...] e outros grupos de vítimas do nazismo".

A conferência foi noticiada no mundo todo. Não demorou muito para que minha mãe ficasse sabendo.

— Então — disse —, você participou da conferência sobre antissemitismo?

— Sim, mãe, claro que sim.

— Agora você admite que eu estava certa?

— Mãe, os tchecos *realizaram* a conferência. Independentemente do que esteja acontecendo em outras partes da Europa, a República Tcheca é o país menos antissemita do mundo.

— Eu os vi admitir que têm um problema.

"O PASSADO NUNCA ESTÁ MORTO. NEM SEQUER É PASSADO"

— Confie em mim, você estará perfeitamente segura aqui. Por que não vem ver por si mesma?

— Eu disse que não iria? Seja paciente; você mal chegou aí.

O embaixador de Israel me convidou para um coquetel. Aceitei, mas, quando chegou o dia, eu estava cansado e tentei dar uma desculpa. Yaakov Levy, um israelense baixinho e intenso, na casa dos sessenta anos, havia desafiadoramente representado seu país em locais hostis ao redor do planeta; ele não receberia um não com tanta facilidade. Ele respondeu, parecendo arrasado: "Mas teremos um convidado surpresa, especial; ele vem só para falar com você. E ele ficará *muito* desapontado". Eu não tive escolha senão ceder.

No carro, a caminho do evento, comentei com minha mãe, durante nossa ligação diária, que estava exausto. Sua resposta foi:

— Você está cansado demais para ir a um *coquetel*? Ah, *shvoltegger* ["vagabundo preguiçoso"]. Experimente ficar no frio de Auschwitz; aí você saberá o que é estar cansado.

Embora ela e o embaixador não se conhecessem, sem dúvida haviam estudado a culpa judaica nas mesmas antigas fontes.

Eu estava conversando com colegas na festa quando, de repente, senti uma onda de eletricidade correr pela sala. Ninguém menos que Václav Havel estava atravessando o umbral da porta, com um ajudante a reboque. Eu o reconheci no mesmo instante — o herói de 1989. Perfeitamente vestido de terno e gravata, como um ex-presidente, ele era mais baixo do que eu esperava. Yaakov se aproximou e sussurrou para mim: "Ele veio aqui para falar com você; só pode ficar uns quinze minutos", e me empurrou para o ex-dissidente do jeito que minha mãe fazia para me obrigar a falar com mulheres elegíveis em casamentos.

Foi um prazer conversar com Havel; ele me fazia perguntas com um tom de voz baixo e retumbante. Ele havia sobrevivido a várias crises da doença pulmonar que desenvolvera durante o cativeiro, o que, combinado com o fumo, havia lhe dado aquela voz grave. Ele parecia cansado, mas alegre, quando nos sentamos para conversar. Havel havia acabado de fazer seu primeiro filme, adaptação de uma de suas peças, *Odcházení*. Era a história de um chefe de Estado aposentado forçado a sair de sua residência por um oficial concorrente, descrito como um vigarista e gângster, que muitos acreditavam ser uma caricatura cruel de Klaus (mas Havel, com um brilho nos olhos, negara publicamente e dissera que as tensões entre eles haviam sido exageradas).

Depois de conversarmos por cerca de um quarto de hora, ele se voltou para dizer algo a Yaakov, que pairava por ali. Achei que Havel fosse oferecer algumas informações importantes antes de se despedir, de modo que me inclinei para absorver cada palavra. Mas o que ouvi foi Havel perguntando com seu profundo rosnado: "Eh... embaixador, você tem champanhe?"

Ele acabou ficando cerca de duas horas, enquanto o pequeno grupo discutia as lições da história e sua aplicação no presente. Havel mais ouvia que falava, mas ocasionalmente fazia uma pergunta ou uma observação. Logo ficou claro que ele amava os Estados Unidos por apoiar a ele e aos outros dissidentes durante as décadas sombrias e por acolher os tchecos de volta à liberdade. Ele foi caloroso comigo, apesar de termos acabado de nos conhecer; eu era o beneficiário do trabalho árduo realizado por Shirley e meus outros antecessores.

Falei das minhas ambições para o cargo e da história de minha família, e inclusive dos sentimentos de minha mãe em relação ao palácio. Ele se identificou com ela, recordando que fora preso uma vez ao sair do complexo. Havel pediu que nós, Estados Unidos, não esquecêssemos nossas lições e não abdicássemos de nossa liderança na luta pela democracia. Ele parecia pensar que os Estados Unidos haviam se tornado complacentes demais e, embora gostasse de meu colega de faculdade que atualmente estava no comando, achava que éramos meio ingênuos. Seu ponto de vista — como havia declarado em uma carta aberta a Obama, escrita com outros líderes — era que a Europa estava de novo em risco devido às "forças do nacionalismo, do extremismo, do populismo e do antissemitismo" e "à insidiosa intimidação e influência da Rússia". Sua análise não era tão diferente da de minha mãe.

Ponderando suas palavras, eu me aproximei mais dele, e, bem baixinho, perguntei se tinha algum conselho para me dar acerca de minha função de embaixador. Ele fez uma pausa e pensou por um instante. Por fim, falou: "Você precisa ser um diplomata *bem pouco diplomático*". Não entendi exatamente o que ele quis dizer, mas o coquetel estava acabando, e não houve tempo para perguntar.

Eu mal podia esperar para contar à minha mãe sobre aquela noite. Ela amava Havel, em parte porque ele era uma conexão viva com seu ídolo, Tomáš Masaryk. Ela crescera sob o governo do primeiro presidente tcheco, e eu havia acabado de conhecer o último, antes da dissolução da Tchecoslováquia em duas novas nações. Havel representava o íntimo e complicado vínculo tcheco-americano, assim como eu, tanto como enviado de um país ao outro quanto como tcheco-americano. Os Estados Unidos haviam ajudado a criar o Estado tcheco, viram-no perdido para o fascismo e depois para o comunismo, mas ajudaram a resgatá-lo de novo das mãos de ambos. Havel parecia achar que o país estava sob ameaça outra vez. Mas por que ele queria que eu fosse não diplomático?

Lindsay, Tamar e eu nos estabelecemos em Praga naquela primavera e continuamos nos empenhando para fazer minha mãe ir nos visitar. Liguei para os médicos dela para perguntar se ela estava em condições de viajar. Eles não tinham objeção alguma; achavam que seria bom para ela. Amigos e familiares se juntariam a nós no Pessach ("Páscoa judaica"), e esperávamos que ela viajasse com eles. Nós três sempre passávamos esse feriado com ela.

Mas, enquanto acelerávamos os preparativos para o feriado, encomendando caixas de *matzá* e de vinho, ela anunciou que não estava pronta. "Foi no Pessach que eles nos tiraram do gueto, Nachman. Eu simplesmente não consigo encarar isso." O que eu poderia fazer, exceto dizer que a entendia?

Mas o feriado não seria o mesmo sem ela, de modo que tentamos compensar isso convidando nossos amigos favoritos de Praga para o Seder na sala de jantar formal do palácio. Segundo meu conhecimento, aqueles seriam os primeiros Sedarim realizados ali desde que os Petschek partiram. O Pessach celebrava a liberdade — os hebreus que fugiram da escravidão no Egito —, e as pessoas que convidávamos exemplificavam essa virtude. Tínhamos em comum o compromisso com a liberdade, em todas as suas formas. Ex-dissidentes e suas famílias, gente do governo tcheco, de ONGs e comunidades empresariais e colegas de várias embaixadas, inclusive a minha. Era costume convidar pessoas de todas as fés, e havíamos emitido os convites independentemente da religião de cada um.

Os convidados foram recebidos por nosso mordomo, Miroslav Černík, com seu cabelo branco bem penteado, terno escuro e gravata vermelha. Ele era nosso Pokorný, tão sintonizado com o palácio que me disse certa vez: "Muitas vezes sinto que sou parte deste lugar; que qualquer coisa que acontece com ele acontece comigo". Embora eu não houvesse conhecido seu lendário antecessor Pokorný, era como se o conhecesse por meio do amor de Černík pela casa, do conhecimento de seu funcionamento mais íntimo e de seus cuidados.

Durante os preparativos para o Pessach, eu lhe disse isso. Černík respondeu: "E o senhor tem muito em comum com Otto Petschek, embaixador".

Mas acho que isso não foi exatamente um elogio. Por exemplo, eu havia solicitado a ajuda dele e da equipe para a limpeza da casa para o

Pessach. Faz parte da tradição dar uma boa lavada na residência, inclusive procurar e eliminar migalhas de pão, ou *chametz*, proibidos nessa celebração — só comemos *matzá*, um pão sem fermento. Todas as migalhas fermentadas devem ser encontradas e descartadas — uma tarefa muito mais assustadora em uma casa de mais de cem cômodos que em nosso apartamento de três quartos em Washington. Mas Černík (e os empregados, sob seu comando) procuraram conosco de boa vontade.

Quando terminamos, era hora de outro costume: a busca ritual por qualquer *chametz* restante. Pequenos pedaços de pão são propositalmente escondidos por toda a casa, e a família os procura com uma vela na mão e os varre com uma pena — um símbolo que remete aos dias em que ainda não existiam lanternas e aspiradores de pó. Depois, esses últimos pedaços de pão são incinerados, e caso algum tenha sido esquecido, recita-se uma bênção especial que anula as migalhas deixadas para trás.

Černík veio em minha direção quando eu preparava os pedacinhos de pão para esconder. Quando os viu, ele praticamente pulou por cima da mesa para pegá-los.

— Embaixador, o pão é proibido — repreendeu-me.

Eu lhe expliquei o ritual que estava prestes a realizar. Ele olhou duvidoso para a vela, a pena e, especialmente, o pão.

— Mas e se esquecer onde colocou um pedaço? — perguntou.

— Não se preocupe, Černík, farei uma bênção especial que anula o *chametz*, então, não há problema.

— Embaixador — respondeu ele, olhando para mim como se eu fosse louco —, por que não fez isso antes, em vez de limparmos tudo?

Independentemente disso e dos muitos outros desafios inerentes ao Pessach, Černík se superou na noite da ocasião especial. Seu amado palácio brilhava quando nossos convidados entraram na sala de jantar. Černík ficava ali ajudando a mim e a Lindsay a recebê-los. Os painéis brilhavam, as cornucópias e guirlandas esculpidas na madeira pareciam transformadas em objetos reais por obra de algum artifício mágico praguense conhecido apenas pela empresa Gerstel que as havia esculpido nos anos 1920 e pelo dono da casa que as havia encomendado. O verdadeiro milagre era que estávamos fazendo aquilo em uma sala que já recebera para jantar gente como Heydrich, Frank e outros nazistas de alto escalão. O espaço estava cheio: mais de sessenta convidados sentados ao redor de oito mesas. Cumprimentei todos e começamos a Hagadá, a história do êxodo lida no Seder, percorrendo a sala enquanto cada presente recitava uma passagem no idioma de sua escolha. Ouvimos hebraico, tcheco, inglês, francês e até alemão — um reflexo da biblioteca poliglota de Otto que ficava do outro lado do palácio curvo.

Talvez a parte mais famosa da Hagadá seja a história dos quatro filhos: o sábio, o perverso, o tolo e *mi she'aino yodea lishol*, o jovem demais para fazer perguntas. Os narradores também falaram do quinto filho: aquele que se afastara dos judeus e, portanto, não estava presente. Naquele ano, como acabamos vendo, havíamos convidado o quinto filho — muitos deles, aliás. Repetidas vezes, os convidados se aproximavam de mim e sussurravam em meu ouvido que eram judeus ou tinham ascendência judaica. *Embaixador, minha mãe era judia* [...] *minha avó* [...] *minha bisavó* [...].

Quando troquei comentários com Lindsay após o primeiro prato, fiquei surpreso e achei divertido quando me disse que o mesmo havia acontecido com ela. Havíamos convidado aquelas pessoas porque admirávamos seu trabalho pelos direitos civis, pelos ciganos, contra a corrupção ou por outras boas causas. Mas, por coincidência ou instinto, sem querer, havíamos reunido um número desproporcional de judeus tchecos.

Quando falei com minha mãe depois do Seder, eu lhe contei isso. Para mim, fora maravilhoso. Mas ela tinha uma opinião diferente:

— Nachman, por que você acha que não sabia disso, ou por que eles precisavam sussurrar? Eles estão escondendo esse fato. Você acha que depois de tudo que passaram é tão fácil esquecer, correr riscos, ter certeza de que o passado não vai voltar? Você ouviu alguma coisa do que eu disse desde que me contou que ia para Praga? Eles também estão assustados. Com razão!

Não discuti. Mais tarde, porém, ao fazer minha caminhada terapêutica diária pela trilha de pedregulhos, fiquei me perguntando se ela estaria certa. Eu achava que a história formava um arco, como a curva do palácio de Otto atrás de mim. Mas talvez eu estivesse observando a característica errada daquela construção. Talvez a história andasse em círculos, como aquele pelo qual eu caminhava, dispondo todas as décadas passadas.

— Nachman, você parecia um louco na internet.

Minha mãe achava que eu havia me empolgado demais em meu discurso de maio em Lety, onde os ciganos se concentravam. O povo romani (eles preferiam esse termo ao mais coloquial, embora mais humilhante, *ciganos*) me convidara para falar na comemoração anual de seu sofrimento nas mãos nazistas. O local ficava a algumas horas de carro de Praga, em uma área agrícola, entre terras cultivadas e campos verdejantes. Quando entrei no estacionamento e saí do carro, um fedor invadiu minhas narinas; um cheiro como nada que eu já havia sentido. Um aroma avassalador de decomposição, coisa doce e podre, carregava o ar.

— O que é *isso*?! — perguntei a alguém.

— Há uma fazenda de porcos ao lado — respondeu ele. — Na verdade, eles minimizaram o cheiro hoje.

— *Hrozný* — concordei. — Horrível.

O fedor era um contraste gritante com o ambiente pastoril do local: longas fileiras de árvores, um campo verde, pastos suavemente ondulados. Os edifícios originais do campo haviam sido demolidos fazia muito tempo. Por que a fazenda de porcos não fora removida?

Não havia dinheiro para isso, disseram. Que absurdo! Sem dúvida o governo podia pagar.

O fedor era uma afronta não apenas aos ciganos, mas também a todas as vítimas dos nazistas, inclusive minha mãe. Deixei de lado meu discurso preparado e falei francamente, expressando minha indignação à plateia (que incluía o primeiro-ministro e outros dignitários). A mídia filmou tudo e publicou as partes mais furiosas e intimidadoras do discurso. Eu havia exagerado, disse minha mãe. Ela achava que seu cuidado com a aparência a ajudara a sobreviver ao Holocausto. Que fizera os nazistas pensarem que ela seria uma boa trabalhadora, e a fazia se sentir bem. Ela queria que eu fosse mais atento à minha.

— Eu... perdi a paciência — disse.

— Não foi tão ruim, dadas as circunstâncias — respondeu ela. — Mas tente manter sua dignidade da próxima vez.

Mesmo assim, eu sabia que ela não estava tão contrariada. Também pensei no conselho de Havel: ser um diplomata não diplomático. Eu estava começando a entender o que ele quisera dizer.

Logo surgiram tensões com o presidente Klaus, exatamente como minha mãe havia previsto — mas o que aconteceu surpreendeu a mim e a ela. Depois de aceitar minhas credenciais, Klaus sempre foi gentil. Conforme prometido, ele convidava Lindsay e eu a seus frequentes concertos de jazz no Salão Espanhol, construído pelo imperador louco Rodolfo II, com três mil metros quadrados de painéis brancos, bordas douradas e espelhos. Devia ser o espaço mais magnífico do Castelo de Praga (e onde Obama assinara o tratado com os russos). Eu adorava ouvir os sons de uma forma de arte americana preenchendo-o. Klaus com frequência nos colocava na primeira fila, quase sempre ao lado dele, e vivia imerso na música, batendo o pé e balançando a cabeça. Meu tcheco estava melhorando, e conversávamos nessa língua entre os números ou quando um músico fazia algo realmente espetacular.

Era muito legal ter a amizade de Havel, com quem continuava a me encontrar, e de seu adversário Klaus. Os dois resumiam toda a história moderna da República Tcheca. Minha mãe me avisou para não me entusiasmar com o amor de Klaus pelo jazz. "Os nazistas também amavam música, algumas das mesmas que *nós* amamos", dizia. Eu lhe recordei que os nazistas odiavam jazz, rotulando-o como "depravado". Mas tinha que admitir que a cultura poderia ser moralmente fungível. Bastava ver onde eu morava: um palácio que fora criado por um judeu tcheco germanófono e preservado por um general alemão da Wehrmacht, e cobiçado por soviéticos e americanos. Mas, em termos humanos, eu ainda não podia deixar de gostar de Klaus e de me relacionar com ele por causa da música. De modo que fui pego de surpresa em maio, quando um de seus principais assessores, Petr Hájek, atacou a proeza americana de levar Osama bin Laden à justiça. Após esse evento, Hájek afirmou que era uma farsa, "uma ficção da mídia [...] um conto de fadas moderno para adultos — o bem e o mal. Quem quiser que acredite [...] Pessoalmente, acho que Osama nunca existiu. O 11 de setembro, como foi apresentado, explicado e armado, nunca aconteceu". O próprio Klaus emitiu uma declaração sobre a morte de Bin Laden, e embora não tenha negado sua existência, foi morno; não disse nada sobre o bizarro discurso inflamado de seu assessor. Quando pressionado pela mídia, Klaus se recusou a criticar seu subordinado, e só disse: "Eu pensei com muito cuidado nas palavras de minha declaração".

Eu poderia ignorar a recepção morna de Klaus à morte de Bin Laden, mas tinha que questionar o fato de ele dar sua aprovação a Hájek. Eu e os Estados Unidos não poderíamos continuar nos relacionando de forma normal com Klaus se ele ignorasse os insultos de seus subordinados. Se Klaus não respondesse — e vigorosamente —, eu teria que... Bem, eu não sabia o que iria fazer, mas faria alguma coisa. Não fiz minha ligação habitual para minha mãe naquele dia porque estava ocupado lidando com o furor, mas podia muito bem ouvi-la sussurrar: "Eu avisei".

Hájek era um teórico da conspiração que fazia o questionamento das mudanças climáticas de seu chefe parecerem café-pequeno. Ele negava que fumar fazia mal às pessoas, contestava a teoria da evolução (afirmando: "Eu não descendo dos macacos"), e sugeria que o presidente Obama não havia nascido nos Estados Unidos. Ele era um exemplo da extrema direita europeia clássica: populista, desdenhoso para com a verdade, a imprensa e as instituições liberais. A imprensa especulava dizendo que Klaus não o repudiaria.

Mas, para meu alívio, Klaus fez isso. Ele afirmou que Hájek não havia consultado nem a ele nem a seu gabinete, que a declaração era lamentável e que "quero dizer claramente que ele não expressou a opinião do presidente". Não foi uma acusação ressonante (o ministro das Relações Exteriores e muitos outros já haviam fornecido outras), mas, ainda assim, foi bem-vinda. Klaus deu sequência a suas palavras em nossa festa de Quatro de Julho, no palácio de Otto, dizendo a cerca de dois mil convidados que o dia "é uma ocasião para celebrar os valores consagrados na Declaração de Independência, porque esses são os valores, sr. embaixador, que nós compartilhamos com seu país".

Até minha mãe, de má vontade, deu-me crédito quando conversamos naquela noite. Ela assistira à cobertura sobre a festa e ficara impressionada. Conversamos sobre isso e sobre a parede mágica de Otto, que havíamos recolhido para acomodar todo mundo. A maquinaria ainda funcionava, mas a estrutura descendente precisava ser sustentada manualmente pelos empregados no porão, que seguravam o fundo e os lados até que a parede chegasse ao chão. A aparência do palácio era ótima, mas os mecanismos internos estavam começando a se desgastar.

— Assim como eu — disse minha mãe, rindo, e apontou que havia nascido na mesma época em que a obra do palácio havia começado.

"O PASSADO NUNCA ESTÁ MORTO. NEM SEQUER É PASSADO"

— Acho que vocês dois estão se saindo muito bem — respondi. — Quando você vai ver o lugar com os próprios olhos?
— Logo — disse ela. — Logo.

Eu treinei para a chegada dela entretendo outros visitantes. Ninguém foi mais bem-vindo que a filha de Otto, Eva. Aos noventa anos, ela era a mais velha ocupante original do palácio ainda viva. Ela me disse por telefone que queria levar as netas para ver a casa de sua infância. Eu a convidei para ficar. Em inglês, em um sotaque que tinha as mesmas inflexões leves que eu ouvira a vida inteira, ela recusou: "Seria doloroso demais".

Mesmo assim, ficamos felizes com sua companhia, mesmo que só por uma noite. Lindsay, Tamar e eu tínhamos um monte de perguntas preparadas enquanto a esperávamos nos degraus rasos da frente daquela que um dia foi sua casa. Ela desceu do táxi lentamente, mas com firmeza. Eva era baixinha, da altura de minha mãe, e igualmente elegante. Seu marido, Bob Goldmann, que também havia fugido da Europa de Hitler, tinha a mesma altura e idade — eram iguais, como um par de brincos de pérola vintage. Suas netas gêmeas, em idade universitária, erguiam-se acima deles, altas, com longos cabelos negros. Enquanto conduzíamos Eva e sua família pela alta porta da frente, com o vidro emoldurado por grades de ferro preto ornamentado, ela hesitou, dizendo:

— Meu pai nunca me permitiu usar esta entrada.
— Eu sou o embaixador — disse eu. — Portanto, eu lhe dou permissão.

Enquanto andávamos pelo palácio, Eva deu vida a sua história. Ela nos contou como era Otto — severo, sim, mas também divertido. Ele adorava fazer aqueles jogos de adivinhação musical, batucando o ritmo de uma ópera na mesa de jantar com um de seus pesados talheres de prata e recompensando o primeiro filho que adivinhasse qual era. Ela identificou amostras restantes da prataria: "Eram esses", disse, espantada. Eva ficou surpresa e satisfeita ao ver que os livros do pai ainda estavam na biblioteca — principalmente os judeus. Descreveu a obsessão do pai na construção do palácio, o que se revelava "em cada maçaneta". Quando chegamos ao quarto de Otto, ela nos contou sobre a morte dele e que Martha havia mantido o aposento como um santuário, forçando Eva a se sentar ali com ela e lamentar sua perda. "Eu odiava isso", disse ela. "Eu queria chorá-lo do meu jeito." Mais tarde, ela descreveu a fuga da família em 1938. Perguntei se eles realmente haviam se convertido ao cristianismo, indo direto para um Congresso Eucarístico global depois que partiram, como diziam os rumores. Ela me lançou o mesmo olhar desdenhoso que tantas vezes recebi de minha mãe. "Garoto tolo", disse, "era a única maneira de conseguirmos um visto." Ela e o marido mantinham uma forte identidade judaica e suas netas falavam hebraico fluentemente.

Após essa visita, Eva e eu ficamos próximos. Conversávamos regularmente, e comecei a visitá-la quando passava por Nova York. Ela se abriu comigo sobre o pai e me mostrou como ver o palácio para entender seus ocupantes. Acabei encontrando evidências de todos eles: os livros de arquitetura e design de Otto, as páginas marcadas transformadas em componentes da casa; um anuário nazista deixado por Rudolf Toussaint, detalhando o sistema contra o qual ele havia se voltado no final da guerra; um cinema que Laurence Steinhardt havia instalado, tentando usar os filmes (e falhando) como arma contra o comunismo; as restaurações na casa toda que Shirley havia empreendido enquanto a democracia também era restaurada. Eu acabei fazendo amizade com os descendentes de todos eles em minha busca pela história completa do palácio.

A visita de Eva me deixou mais determinado que nunca a levar minha mãe a Praga. Eu lhe contei tudo sobre minha nova amiga.

— Ela era rica — disse, fungando. — O que ela sabia sobre sofrimento?

"O PASSADO NUNCA ESTÁ MORTO. NEM SEQUER É PASSADO"

Mas minha mãe tinha tanta curiosidade pelos detalhes da vida dos Petschek quanto na época em que ela e as irmãs falavam sobre a família na casa de Sobrance, oito décadas antes. Eu a fiz prometer me contar todas as suas histórias de novo. E que lugar melhor para isso que Praga? Ela disse que poderíamos conversar sobre isso quando Lindsay, Tamar e eu fôssemos visitá-la nas férias de verão, em agosto.

Quando fizemos as malas para essa viagem, eu achava que minha *maminka* já estava mudando de ideia e quase concordando em visitar o palácio. Ela tinha orgulho do trabalho que eu havia feito para reconstruir o relacionamento entre os dois países. E vira pelas notícias que os tchecos estavam felizes. Ela teve que admitir que nenhum desastre acontecera comigo. Eu achava que estava pronto para fazê-la por fim se comprometer com uma data futura.

Mas, então, tudo desmoronou.

Na tarde de quinta-feira, 4 de agosto, fui à casa de minha mãe para fazermos um lanche e passarmos um tempo juntos, só nós dois. Ela havia guardado para mim uns *chalushkes*, repolho recheado, um dos meus pratos favoritos.

Quando cheguei, ela chacoalhou umas páginas de internet impressas diante de meu rosto.

— O que é isto?

Olhei as manchetes tchecas. Era Hájek de novo. Dessa vez, ele estava aborrecido devido a um evento LGBT que aconteceria e que eu estava apoiando. A comunidade gay de Praga pedira ajuda da embaixada em sua primeira celebração do Orgulho, que incluía um desfile. Eu havia adorado a ideia por várias razões, dentre as quais a ressonância com 1989 — quando os Vigilantes de Praga se tornaram os Manifestantes de Praga. Rapidamente concordamos, e contribuímos com financiamento. Como resultado, a minha foi a primeira das treze assinaturas de embaixadores na carta que endossava o Orgulho de Praga. Eu soube que a cidade era o mais longe no Leste Europeu a que um evento do Orgulho jamais ousara ir.

Naquele momento, entendi por quê. O assessor de Klaus denunciou "o carnaval gay" como uma "séria demonstração política de certa visão de valor do mundo", referindo-se aos homossexuais como "pervertidos". E ele não estava sozinho. Um alto funcionário do Ministério da Educação, Ladislav Bátora, foi ainda mais longe. Anunciou que ele e os líderes de seu partido político de extrema direita entregariam cartas de protesto contra dois responsáveis por esse ultraje: o prefeito de Praga e eu. O partido se chamava Dost — "Basta" —, e seu símbolo era um punho. Bátora representava o recorrente lado negro do nacionalismo eslavo, ainda vivo um século depois de Otto ter achado que desapareceria. Como Klaus, Bátora era defensor da soberania tcheca e um forte adversário de sua dissolução em instituições liberais como a UE. Ele se declarava favorável a "Confúcio acima de Rousseau, Estado-nação acima de sociedade civil, *goulash* acima de McDonald's e a coroa tcheca acima do euro" e "contra o europeísmo, o direitismo humano, o sexismo, o multiculturalismo, o feminismo, o ecumenismo, o ambientalismo e a homossexualidade". Ele ficou famoso por, entre outras coisas, confraternizar com os neonazistas e louvar como "ótimo" o livro antissemita tcheco *The Death of the Slavs*, uma reformulação de *The Protocols of the Elders of Zion* e outras mentiras.

Tentei tranquilizar minha mãe. Eram apenas dois membros da ala lunática se expressando.

— Nachman, ambos trabalham para o governo.

Eu lhe disse que tinha certeza de que eles não estavam falando em nome do governo.

— Bem, e por que estão mexendo com você? Treze embaixadores assinaram a carta.

— Minha assinatura é a primeira. O embaixador americano é o primeiro entre iguais; por isso é um cargo tão bom.

— *Milacku* ["querido"], como você pode ser tão cego? Os judeus, os ciganos, agora os gays... Você não vê um padrão aí?

Eu fora enviado a Praga para consertar as coisas com os tchecos, e grandes confrontos públicos realmente não constavam na descrição do cargo de embaixador. Eu não havia me preparado para uma enorme conflagração, e estava a quase dez mil quilômetros de distância. O mais abominável, espreitando por trás de Hájek e Bátora, era Klaus. Sim, eu tinha um bom relacionamento com o presidente, mas Hájek tinha um melhor. E Klaus também havia defendido publicamente Bátora no passado, menosprezando as alegações contra ele de antissemitismo e várias outras más condutas, o que comprometia a correção política. Klaus era não só o político mais importante da República Tcheca, como tinha laços profundos com conservadores americanos, inclusive alguns congressistas — e planejara uma viagem para os Estados Unidos nas próximas semanas.

Enquanto comíamos, minha mãe me perguntou o que eu faria. Conversamos sobre minhas opções: recuar, não dizer nada ou revidar, e os prós e contras de cada uma. Ela avaliou silenciosamente as escolhas.

Pensei no que ela dissera antes de eu sair de Praga, para me lembrar das três regras da hamburgueria. Qual seria a melhor decisão diplomática que eu poderia tomar? Deveria ser fiel ao relacionamento entre os dois países ou a minhas sensibilidades liberais em relação a esse assunto? Qual seria o certo a fazer nessa circunstância?

Analisei o conselho de Havel de ser um diplomata não diplomático. Eu já entendia melhor o que ele quisera dizer: que não permitisse que as convenções de meu novo papel impedissem meu caráter humano.

Refleti sobre meus antecessores no palácio. Que conselho eles me dariam se estivessem sentados ali conosco, comendo *chalushkes*? Pensei no indomável Otto, que seguira sua visão, independentemente do custo; em Laurence, cuja ousadia havia salvado o palácio, mas, infelizmente, não o país; em Shirley, que com astúcia protegera os dissidentes e a revolução; e até em Toussaint, com seus constantes compromissos, enfraquecendo moralmente a cada concessão e depois se redimindo parcialmente no último momento.

Foram lutadores, todos. Minha mãe também. Enquanto limpávamos com pão de centeio rústico o restinho de molho de laranja doce de nossos pratos, ela por fim falou:

— Nachman, qual sua escolha, de verdade? — perguntou, com orgulho e medo ao mesmo tempo. — Você tem que dizer alguma coisa.

Os profissionais da embaixada haviam chegado à mesma conclusão. Naquela sexta-feira, emitimos uma declaração: "A Embaixada Americana está feliz porque a República Tcheca é um país onde seus cidadãos podem usufruir de todos os direitos humanos, independentemente de sua orientação sexual. É lamentável que existam pessoas em cargos oficiais com opiniões intolerantes".

Tranquilizei minha mãe dizendo que tudo daria certo. Mas ela não tinha tanta certeza. Já fazia muito tempo que ela perdera sua confiança de menina no credo de Masaryk: "A verdade prevalece". Eu lhe disse que, quando tudo isso explodisse — e explodiria —, ela iria para Praga. Precisávamos de sua ajuda na embaixada, brinquei.

Ela não disse sim, mas também não disse não.

Pouco antes de emitirmos nossa declaração, Klaus publicou uma. Dessa vez, ele não repudiava Hájek, e sim o apoiava ao máximo. Em um comunicado à imprensa, Klaus escreveu: "Discordo totalmente das demandas [...] de me distanciar das afirmações de Petr Hájek [...] As declarações não foram feitas por mim e eu provavelmente teria escolhido palavras diferentes. No entanto, também não sinto 'orgulho' desse evento". Klaus argumentou que o uso da palavra "pervertidos" por Hájek para descrever a comunidade gay tinha "valor neutro". E prosseguiu: "Uma coisa é tolerar algo, mas outra é dar apoio público em nome de uma instituição importante".

"O PASSADO NUNCA ESTÁ MORTO. NEM SEQUER É PASSADO"

Não sabíamos da declaração de Klaus quando emitimos a nossa, mas a proximidade levou a imprensa a acreditar que o estávamos repreendendo diretamente. E a mídia logo começou a dizer que Klaus também havia tomado as coisas dessa maneira. Ele ficou furioso e exigiu que o ministro das Relações Exteriores, Karel Schwarzenberg, fizesse alguma coisa. Eu achei que estávamos em boas mãos com Schwarzenberg, ex-chefe de gabinete de Havel e um líder *pravdoláskař*, ou praticante "da verdade e do amor". Benigno, tolerante e bem-humorado, ele era um nobre herdeiro de alto escalão que todos chamavam de Príncipe. Costumava cochilar em reuniões oficiais chatas e seguia o slogan da campanha: "Adormeço quando os outros falam bobagens". Eu o admirava — até o havia convidado ao palácio para jantar um sábado no *Damenzimmer*, com seus painéis de seda verde e sua vitrine iluminada exibindo uma seleção dos pequenos tesouros de cristal, porcelana e prata de Otto e Martha. Aquele salão era menos cavernoso que a sala de jantar formal e mais adequado para reuniões menores. O Príncipe havia nos encantado durante a refeição, esvaziando seu copo de vinho e proclamando "*Shiker iz a goy*", uma antiga e indolente frase iídiche que significa que os gentios são bêbados — coisa raramente ouvida dos lábios da nobreza católica.

Por isso, fiquei surpreso quando, no dia seguinte, Schwarzenberg criticou publicamente a mim e aos outros embaixadores. Ele proclamou que a declaração dos embaixadores era contraproducente e desnecessária, porque, em Praga, "ninguém impede que os grupos relevantes desfrutem de seus direitos e os manifestem em público". Schwarzenberg também disse que "causa uma impressão de interferência nos assuntos internos". Isso era o pecado capital da diplomacia, o "fio desencapado" que nenhum embaixador deveria tocar. Mesmo ele tendo muito gentilmente acrescentado que supunha que não havíamos feito por mal, o estrago estava feito.

A viagem inaugural de minha mãe como conselheira diplomática estava se mostrando um pouco mais complicada que o esperado. Apesar de meus esforços para dissuadi-la, na segunda-feira ela assistiu ao vídeo do Dost marchando para entregar sua carta de protesto. Encabeçados por Bátora, os líderes do partido subiram a rua Tržiště até a embaixada. Bátora severamente apresentara a carta a um de nossos seguranças uniformizados postado à porta da frente. O guarda tentara se manter inexpressivo, mas através das câmeras sua contrariedade ficou evidente, como se alguém houvesse lhe entregado uma fralda suja. A carta do Dost era difícil de acompanhar, mas a essência era que eu havia traído o legado de Ronald Reagan ao defender os direitos dos gays. Eu achei tudo isso absurdamente engraçado, digno de uma das peças de Havel, mas minha mãe não viu humor nenhum. Assim como quando descobri a suástica embaixo da mesa, cada um de nós encarou as coisas de uma maneira. Ela olhou para mim, carrancuda, e eu disse:

— Mãe, você os viu; são um bando de imbecis.

— Onde foi que eu ouvi isso? — respondeu ela.

Eu entendi a referência histórica.

Como se todo o ocorrido já não bastasse, Klaus também se pronunciou naquela segunda-feira. Para ele, o Príncipe não havia ido longe o suficiente — Klaus disse que ele próprio teria sido ainda mais severo. E me deu outro soco, dizendo que não conseguia imaginar um embaixador tcheco se comportando daquela maneira.

Estava na hora de voltar para Praga.

Eu disse à minha mãe que se lembrasse de que havia prometido me visitar quando tudo se resolvesse. Ela fez uma observação depreciativa sobre meu senso de humor, mandou-me tomar cuidado, disse que me amava e me dispensou.

O voo de volta a Praga foi longo. Eu estava nervoso, sem saber o que me esperava no palácio. Mas, quando subi a escadaria suntuosa que ficava sob a tapeçaria de Jasão, a situação havia girado cento e oitenta graus a nosso favor.

A marcha do Dost rumo à embaixada havia sido a gota d'água. O chefe supremo de Bátora, o primeiro-ministro Petr Nečas, assistira incrédulo pela televisão, com o restante do país, enquanto um de seus subordinados se dirigia à embaixada do aliado mais importante da República Tcheca para entregar uma correspondência não autorizada cheia de ódio. Nečas repudiou publicamente Bátora, dizendo que ele não representava o governo e que deveria se comportar como um funcionário, não como um ativista. Nečas zombou de toda aquela controvérsia, dizendo que era desnecessariamente dramática, histérica e exagerada, fruto da *okurková sezóna* — "temporada do pepino". (Agosto era a época da colheita do pepino, que, segundo a tradição tcheca, faz que as pessoas se comportem como tolas.)

Então, o primeiro-ministro aumentou as apostas, exigindo que o ministro da Educação demitisse Bátora. O Príncipe e o copresidente de seu partido se uniram, chamando Bátora de "velho fascista". Para não ficar para trás, Bátora declarou que o Príncipe era um "velho *lame duck*" (político em fim de mandato, já sem influência) e um "velhinho triste", e disse que desafiaria o Príncipe a um duelo, se pudesse, mas não podia, por pelo menos três razões — que não especificou. Logo foi rebaixado e, não muito tempo depois, estava desempregado.

O primeiro-ministro reforçou seu ponto de vista ostensivamente recebendo um líder empresarial americano e eu alguns dias depois. A mídia apareceu, tirou fotos minhas e do primeiro-ministro apertando as mãos. Os jornalistas escreveram que o conflito público entre mim e Bátora havia sido o evento precipitante que levara todo o caso adiante, e um momento "crucial" no confronto extremista dos tchecos. Eles mal sabiam que no auge do conflito eu estava comendo repolho recheado em Los Angeles com minha mãe.

Soube que embaixadores tchecos em outros lugares do mundo haviam endossado os eventos do Orgulho, refutando a afirmação de Klaus de que nenhum embaixador de seu país se comportaria como eu. Isso mais as advertências do primeiro-ministro e o comportamento de Bátora fizeram Klaus se calar. Talvez tenha sentido os ventos políticos mudando contra ele. Fosse qual fosse o motivo, ele passou para outros tópicos. Com o tempo, voltei a ser convidado para suas noites de jazz no castelo. Ele me recebeu cordialmente, como se toda aquela controvérsia nunca houvesse existido. Era minha função retribuir, e foi o que fiz.

Uma matéria do *The New York Times* sobre a disputa dizia que Klaus havia sido isolado. Qualificou toda a agitação como uma vitória da tolerância. Mas o repórter admitiu confusão acerca de uma coisa: por que o embaixador americano havia acabado como uma figura central?

Minha mãe, leal leitora do *Times*, ligou para mim para falar sobre isso.

— O repórter deveria ter me ligado. Eu poderia ter lhe dito por quê! — disse ela, dando uma risadinha.

— Viu, deu tudo certo — respondi. — A verdade prevaleceu! Você é uma gênia diplomática. Então — acrescentei —, quando vem nos visitar?

— Vamos marcar a data — respondeu ela.

Fontes e agradecimentos

Este livro foi construído com base em três anos de pesquisas que realizei em mais de trinta arquivos de vários países depois de deixar meu cargo, em agosto de 2014. Também realizei dezenas de entrevistas e explorei volumosas fontes secundárias. Fui beneficiado pela cooperação extraordinária dos descendentes de cada um dos meus protagonistas; por estudiosos e especialistas de cada uma das eras sobre as quais escrevi; e pela minha maravilhosa equipe global de assistentes de pesquisa, que incluiu falantes nativos de tcheco e alemão. O trabalho teria sido impossível sem eles, porque minha compreensão da primeira língua é imperfeita e da segunda mais ainda.

Tudo isso me permitiu descrever detalhadamente eventos antigos. Mas houve uma desvantagem: um volume de notas e bibliografia grande demais para incluir de forma completa na edição impressa deste livro. Mas tudo isso pode ser encontrado em https://www.normaneisen.com/bibliography. As notas condensadas a seguir indicam a fonte de todas as citações e de alguns pontos críticos. O restante pode ser encontrado online. A bibliografia e a lista completa de arquivos só estão disponíveis na internet.

Um exército de pessoas me ajudou a criar este livro, e sou profundamente grato. Os principais dentre todos são: meu amigo Daniel Berger, que me incentivava diariamente quando este livro estava sendo escrito e me apoiava de todas as maneiras; a Brookings Institution e, em particular, meu colega Darrell West, que foi o primeiro defensor do livro (e de mim) nessa instituição; meu agente Eric Simonoff, da William Morris Endeavor, cuja empolgação com meu conceito bruto foi um impulso, além de propiciar seu desembarque nas mãos de minha maravilhosa editora, Molly Stern, e de sua equipe da Crown; minha primeira editora nessa casa, a incrível Domenica Alioto, que trabalhou comigo página por página para encontrar as palavras que dessem vida às pessoas e suas histórias, e que refez o livro com sua sugestão (ou melhor, exigência) de que eu entretecesse a vida de minha mãe nele; a sucessora de Domenica na Crown, Claire Potter, que assumiu o comando quando o primeiro rascunho foi concluído e o finalizou de forma brilhante; meu extraordinário editor de produção da Crown, Chris Tanigawa, tão tolerante com meus excessivos ajustes; meu principal assistente de pesquisa da Brookings, Andrew Kenealy, cujo empenho cheio de alegria tornou este livro tão dele quanto meu; nossos colegas de pesquisa da Brookings, Kelsey Landau, Carolyn Taratko e Curtlyn Kramer; meus principais assistentes de pesquisa em Praga, Mikuláš Pešta e Carmen Rubovičová, e a Forum 2000 e seu diretor, Jakub Klepal, por fornecerem suporte a eles e a mim; nossos colegas de pesquisa europeus Petr Brod, Jürgen Förster, Julia Gulatee, Kristýna Kaucká, Friederike Krüger, Susanne (Krüger) Maier, Martina Sedláčková e Adéla Vondrovicová; a filha de Otto Petschek, Eva Petschek Goldmann, os netos Peter Goldmann e Andrea Klainer, o bisneto Marc Robinson, o sobrinho Robert Gellert e o sobrinho-neto David Spohngellert, cuja grande ajuda se destacou mesmo dentre a calorosa cooperação de outros parentes de Petschek citados online; o neto de Rudolf Toussaint, Alexander Toussaint, a neta de Laurence Steinhardt, Laurene Sherlock, e o sobrinho, Peter Rosenblatt; o filho de Shirley Temple Black, Charles Black Jr., sua filha Susan Black Falaschi e Curtis Grisham, todos ofereceram uma ajuda extraordinária; Lital Beer, Rita Margolin e seus colegas do Yad Vashem em Jerusalém, pela inestimável ajuda nas pesquisas; minha família, incluindo minha mãe, Frieda Eisen, minha esposa, Lindsay Kaplan, minha filha, Tamar Eisen, minha sogra, Anne Kaplan e meus primos Moshe e Mordechai Schiff; e os especialistas que tiveram a gentileza de ler e comentar os esboços, Hillel Kieval (Parte I), Igor Lukes (Partes II e III), Paul Wilson (Parte IV), Leon Weiseltier (livro inteiro) e Al Kamen (livro inteiro). Sou imensamente grato por sua ajuda, mas quaisquer erros são exclusivamente meus. Agradeço também a muitos outros que ajudaram e que estão citados online.

As opiniões e caracterizações deste livro são de responsabilidade do autor e não representam necessariamente posições oficiais do governo dos Estados Unidos.

NOTAS

Conforme explicado em "Fontes e agradecimentos", as seguintes notas foram altamente condensadas devido a restrições de espaço. Notas completas e uma bibliografia podem ser encontradas em www.normaneisen.com.

ABREVIAÇÕES
AARN — Administração de Arquivos e Registros Nacionais, College Park, Maryland
ADST — Association for Diplomatic Studies and Training Foreign Affairs Oral History Project
AFB — Arquivo da Família Black
AFP — Arquivos da Família Petschek
AFS — Arquivo da Família Steinhardt
AFT — Arquivo da Família Toussaint
AMZV — Archiv Ministerstva zahraničních věcí, Praga
ADMP6 — Departamento de Construção, Arquivo do Distrito Municipal de Praga 6
ASN — Arquivo de Segurança Nacional, Washington, D.C.
BC — Biblioteca do Congresso, Washington, D.C.
BHSA — Bayerisches Hauptstaatsarchiv, Munique
BMF — Bundesarchiv Militärarchiv, Freiburg
BPDE — Biblioteca Presidencial Dwight D. Eisenhower, Abilene, Kansas
CEPG — Coleção Eva Petschek Goldmann, AFP
CMR — Coleção Marc Robinson, AFP
ČNB — Archiv České národní banky, Praga
DBY — Documentos de Bernard Yarrow

DGFP — Archives of the German Foreign Ministry
OKW — Alto Comando da Wehrmacht
PAAA — Politisches Archiv des Auswärtigen Amts, Berlim
RG — Record Group
Site — Serviço de Informações de Transmissão no Exterior
SOA — Státní oblastní archiv, Praga
VHA — Vojenský historický archiv, Praga

PRÓLOGO

primeira geração de judeus tcheco-americanos: Por uma questão de concisão, uso o adjetivo "tcheco" como abreviatura em referência à Tchecoslováquia (como neste caso), à República Tcheca, às terras tchecas (incluindo a Boêmia, a Morávia e a Silésia), aos moradores dessas terras e ao idioma que falam.

cem aposentos: Minha contagem inclui os aposentos dos cinco andares.

"Verdade e amor prevalecerão": "Living in Truth", *The Economist*, 31 de dezembro de 2011.

idólatras da "verdade e do amor": Michael Žantovský, *Havel: A Life* (Nova York: Grove Press, 2014), p. 456.

1. O FILHO DE OURO DA CIDADE DOURADA

um homem de trinta e nove anos: Eva Petschek Goldmann, filha de Otto e Martha Petschek, entrevista do autor, Nova York, 14 de março de 2014; Andrea Goldmann Klainer e Peter Goldmann, entrevista por telefone do autor, 20 de outubro de 2017. Minha entrevista com Eva em 2014 foi enriquecida com várias conversas anteriores que tive com ela entre 2011 e 2014, e as citações a ela aqui incorporam esses contatos anteriores.

Depois de onze anos: Veja, por exemplo, carta, Otto a Martha, s.d., item 38, Coleção Marc Robinson (doravante CMR), AFP. O número dos itens da correspondência de Otto e Martha se referem simplesmente à ordem de paginação nas respectivas coleções dos materiais que me foram apresentados; as cartas não são preservadas em ordem cronológica nem em outra ordem. Os itens do Arquivo da Família Petschek que não pertencem a uma coleção específica são referidos simplesmente como AFP.

um descampado se estendia logo atrás de sua casa: Eva Penerova, "The House on Zikmund Winter Street", manuscrito não publicado, p. 3.

vários lotes que seus pais: Para detalhes sobre a consolidação da propriedade familiar em Praga-Bubeneč, consulte Pavel Zahradník, "Dějiny domu"; Pozemkové knihy Bubeneč, entradas 36 e 379, Gabinete Cadastral de Praga; caixa 427, Soupis písemností "A" Bankovního domu Petschek a spol, Státní oblastní archiv Praha (doravante SOA); e Penerova, "The House", p. 3. Salvo especificação em contrário, todas as referências a documentos do SOA são da coleção citada.

Passara anos caminhando: Carta, Otto a Martha, s.d., item 174, Coleção Eva Petschek Goldmann, AFP (doravante CEPG).

um cidadão-modelo: "History of the Petschek and Gellert Families", março de 1946, AFP, p. 9-23. Para um esboço abreviado desse documento de domínio público, consulte "History of the Petschek-Gellert Family", 15 de novembro de 1945, caixa 8, Documentos de Bernard Yarrow (doravante DBY), 1907-1973, Biblioteca Presidencial Dwight D. Eisenhower (doravante BPDE), Abilene, KS.

havia música na cabeça: Eva Petschek Goldmann, entrevista do autor; Marc Robinson, entrevista do autor, New Haven, CT, 6 de novembro de 2017.

Fora sua primeira grande paixão: Robert B. Goldmann, *Wayward Threads* (Evanston, IL: Northwestern University Press, 1997), p. 134; carta, J. Eger a sr. Petschek, 12 de dezembro de 1945, caixa 8, DBY, BPDE.

mais de cem aposentos: Casa n. 181, Departamento de Construção, Arquivo do Distrito Municipal de Praga 6 (doravante ADMP6); Eva Petschek Goldmann, "The Otto Petschek Compound", manuscrito não publicado, s.d.

uma residência condizente: Veja, por exemplo, Karel Kratochvíl, *Bankéři* (Praga: Nakladatelelství politické literatury, 1962).

uma personificação: Eva Petschek Goldmann, entrevista do autor; Klainer e P. Goldmann, entrevista por telefone, 20 de outubro de 2017; Robert Gellert, sobrinho de Otto, entrevista do autor, Nova York, 2 de fevereiro de 2015.

Ele nasceu em 1882: A certidão de nascimento de Otto Petschek pode ser encontrada na caixa 502/2, SOA. Os documentos do censo mostram onde a família morava em 1890 e 1910, incluindo o nome de todos os membros da família — todos mantidos em Archiv hlavního města Prahy. Os detalhes da infância de Otto são de Eva Petschek Goldmann, entrevista do autor. São corroborados em Viktor Petschek, entrevista de Marc Robinson, s.d.; e Eric K. Petschek, *Reminiscences* (Bloomington, IN: Xlibris, 2010).

Vigilantes de Praga: O termo é meu, mas o fenômeno é antigo. Veja Karla Huebner, "Prague Flânerie from Neruda to Nezval", em Richard Wrigley (org.), *The Flâneur Abroad: Historical and International Perspectives* (Newcastle: Cambridge Scholars, 2014), p. 281-297.

Nos anos seguintes: Veja, por exemplo, Kateřina Čapková, *Czechs, Germans, Jews? National Identity and the Jews of Boêmia*, trad. Derek Paton e Marzia Paton (Nova York: Berghahn Books, 2012).

panfletos antissemitas: Livia Rothkirchen, *The Jews of Bohemia & Moravia: Facing the Holocaust* (Lincoln: University of Nebraska Press, 2005), p. 17.

Leopold Hilsner: Idem. Para os distúrbios antissemitas e antialemães da época, consulte Hillel Kieval, *Languages of Community: The Jewish Experience in the Czech Lands* (Berkeley: University of California Press, 2000), p. 167-170.

As ondas *fin de siècle:* Eric K. Petschek, *Reminiscences*, p. 26.

Decidiram fugir: "United Continental Corporation: History and Background", s.d., AFP, p. 22. Para as atividades econômicas da família Petschek, veja as caixas 1 e 25, "Bankovní dům Petschek a spol., 1868-1988". Archiv České národní banky (doravante, ČNB), Praga; e caixas 415 e 388, SOA. Salvo indicação em contrário, todas as referências a documentos do ČNB são dessa coleção.

Otto adotou uma visão mais otimista: Eva Petschek Goldmann, entrevista do autor.

Ele queria ser maestro: Ina Petschek, filha de Otto e Martha Petschek, entrevista de Marc Robinson, s.d.

"Dez dias em Viena": Carta, Otto a Isidor e Camilla, 31 de dezembro de 1900, item 64, CMR.

Eles o mandaram: Para a matrícula de Otto, ver Archiv Univerzity Karlovy, Matriky Německé univerzity v Praze, inventární číslo 3, Matrika doktorů německé KarloFerdinandovy univerzity v Praze/Německé univerzity v Praze (1904-1924), p. 42 e 132. Para seus registros universitários, veja caixa 502/2, SOA.

"serragem intelectual": Reiner Stach, *Kafka: The Early Years*, trad. Shelley Frisch (Princeton, NJ: Princeton University Press, 2016), p. 248.

"Tive que sair": Carta, Otto a Martha, 17 de julho de 1912, item 1, CEPG.

Era de uma gentileza: Sylvia Hoag, neta de Otto e Martha Petschek, entrevista do autor, La Mesa, CA, 22 de dezembro de 2015 (transmitindo informações de seu pai, Viktor); Eric Petschek, sobrinho de Otto e Martha Petschek, entrevista do autor, Darien, CT, 16 de março de 2015.

"Por que não me casar com Martha?": Carta, Otto a Martha, s.d., item 60, CMR.

"um grande realista": Carta, Otto a Martha, 7 de agosto de 1912, item 47, CMR.

"Nos momentos em que nossa sorte": Ibidem.

"Graças a Deus": Por exemplo, carta de Martha a Camilla, 4 de junho de 1928, item 183, CEPG.

"A propósito": Carta, Otto a Martha, 7 de agosto de 1912, item 47, CMR.

"Incentivado por seu melhor presente": Carta, Otto a Martha, 8 de agosto de 1912, CMR.

"Minha mãe sempre diz": Carta, Otto a Martha, 29 de julho de 1912, item 4, CEPG.

Os judeus abastados de Praga: Helena Krejčová e Mario Vlček, *Výkupné za život: Vývozy a vynucené dary uměleckých předmětů při emigraci židů z Čech a Moravy v letech 1938-1942 (na příkladu Uměleckoprůmyslového Musea v Praze)* (Praga: Dokumentační centrum pro převod majetku z kulturních statků obětí druhé světové války, 2009), p. 366.

"Senhora, gostaria de": Carta, Otto a Martha, s.d., item 174, CEPG; carta, Otto a Martha, 25 de outubro de 1916, item 10, CEPG.

"Está TRANSBORDANDO": Por exemplo, carta, Otto a Martha, s.d., item 76, CEPG.

"HRDLS": Por exemplo, carta, Otto a Martha, s.d., item 161, CEPG.

der Hund: Carta, Otto a Martha, s.d., item 109, CEPG, entre outras.

Ele vagava pelos corredores: V. Petschek, entrevista.

"*schlmiel*" e "não quer ouvir": Carta, Otto a Martha, s.d., item 7, CEPG; ibidem, item 102.

"Eles estão sentados": Ibidem, item 19.//
"a criança nasceu": Carta, Otto a Martha, s.d., item 62, CMR.
"Para a surpresa de papai": Ibidem, item 68.
"Papai ficou muito surpreso": Ibidem, item 7; carta, Otto a Martha, s.d., item 68, CMR.
"Não mamãe, não papai aqui": Ibidem, item 113.
"Meu querido *Burschischi*": Carta, Otto a Viktor, s.d., item 22, CMR.
"Mil e mais beijos": Carta, Otto a Martha, s.d., item 7, CEPG.
"Por fim concluí": Carta, Otto a Martha, s.d., item 120, CEPG.
"Rasgue a carta": Carta, Otto a Martha, *c.* setembro de 1917, item 25, CMR.
"tinha tanta umidade": Carta, Otto a Martha, s.d., item 16, CEPG.
"Estou transformando a garagem": Carta, Otto a Martha, s.d., item 62, CEPG.
"Agora que o muro": Carta, Otto a Martha, s.d., item 101, CEPG.
"muito imprudente": Ibidem, item 56.
"Por favor, arranje tudo com mamãe": Ibidem, item 181.
"Segure-me, ou vou pular": Carta, Otto a Martha, s.d., item 59, CMR.
"Bubeneč foi finalizada": Ibidem, item 44; carta, Otto a Martha, s.d., item 117, CEPG.
"Qual é a diferença": Carta, Otto a Martha, s.d., item 147, CEPG.
"grandes esperanças de paz": Ibidem, item 143.
um jovem jornalista e acadêmico tcheco: Zbyněk Zeman e Antonín Klimek, *The Life of Edvard Benes, 1884-1948: Czechoslovakia in Peace and War* (Oxford, Reino Unido: Clarendon Press, 1997), p. 21-33.
mischpoche: Carta, Otto a Martha, s.d., item 31, CMR.
"não percebia que havia jovens": Ibidem, item 66.
"o poder judaico": *Štít národa* 2, n. 22, p. 4 (1º de dezembro de 1921).
"Para onde esses judeus": "Světová katastrofa uhlím", *Čech*, 5 de novembro de 1920.
O antissemitismo não se limitava: Hillel Kieval, *The Making of Czech Jewry: National Conflict and Jewish Society in Bohemia, 1870-1918* (Nova York e Oxford, Reino Unido: Oxford University Press, 1988), p. 185-186.

"**mais sério antagonista ideológico**": Tomáš Masaryk, *Constructive Sociological Theory*, Alan Woolfolk e Jonathan B. Timber (org.) (New Brunswick, NJ: Transaction Publishers, 1994), p. 6.

"*mir viln Beneš*": Minha mãe, cuja família religiosa sempre agradecia após as refeições, recordou esse gracejo.

Ambos eram pensadores iluministas: Zeman e Klimek, *The Life of Edvard Benes*, 11; P. Goldmann, entrevista por telefone, 20 de outubro de 2017.

Beneš foi jantar com o magnata: Penerova, "The House", p. 20.

2. O REI DO CARVÃO

Ela se oporia com firmeza: Eva Petschek Goldmann, entrevista do autor; Klainer, entrevista por telefone, 23 de outubro de 2017; Hoag, entrevista.

Otto contratou a empresa: Caixa 464, SOA; L. Späth (org.), *Späth-Buch, 1720-1920. Geschichte und Erzeugnisse der Späth'schen Baumschule* (Berlim: Mosse, 1920).

Isso instantaneamente: Hoag, entrevista.

Mas, quanto mais: Barbara Kafka e Doris Kafka, netas de Otto e Martha Petschek, entrevista do autor, Washington, D.C., 20 de março de 2015.

Como arquiteto: Martin Ebel e Helena Vágnerová, *Otto Petschek's Residence: Two Faces of an Entrepreneur's Villa in Prague*, Praga, República Tcheca, exposição do National Technical Museum e Embaixada dos EUA em Praga, 28 de novembro de 2012 a 31 de março de 2013; Zdeněk Lukeš, *Splátka dluhu: Praha a její německy hovořící architekti 1900-1938* (Praga: Fraktály, 2002), 182-185; caixa 14, ČNB.

Spielmann criou impressionantes: Casa n. 181, Departamento de Construção, ADMP6.

No entanto, Otto aprovou: Caixas 493/2 e 512, SOA.

"TRANSBORDANDO": Carta, Otto a Martha, s.d., item 76, CEPG.

ficou furioso: Prefeitura de Praga, referência n. III-38533/29, 3 de outubro de 1929, Casa n. 181, Departamento de Construção, ADMP6.

Otto confrontou Spielmann: Eu ouvi essa história pela primeira vez de John Ordway, o encarregado de negócios interino da embaixada dos EUA em Praga em 2010, e ela também sobreviveu entre os descendentes de Petschek; os detalhes foram corroborados, por exemplo, por P. Goldmann, entrevista, 23 de outubro de 2017. Também foi compartilhada repetidamente comigo pelos Vigilantes de Praga de hoje durante o tempo que passei naquela cidade. Acredito que essa história reflita a dramática mudança na deflexão do palácio naquele momento e seja corroborada, em parte, pela existência de maquetes do palácio; veja Zahradník, "Dějiny domu", p. 15.

O arquiteto, de rosto pálido: Veja John Ordway, "Villa Petschek — The American Ambassador's Residence in Prague", manuscrito não publicado, 8 de junho de 2011, atualizado em 30 de dezembro de 2015, p. 7. O embaixador Ordway questiona se a quebra do modelo pode ser uma história apócrifa, e, de fato, poderia. Eu a considero autêntica pelos motivos expostos na nota anterior.

"realizada sem alvará oficial": Caixas 386, 493/1 e 493/2, SOA.

"solicitar imediatamente": Zahradník, "Dějiny domu", p. 7-8; Casa n. 181, ADMP6.

"A construção continua no bairro de Bubeneč": "Bankhaus Petschek", *Štít národa* 6, n. 18, p. 4 (1º de novembro de 1925).

"Eu me recusei": Carta, Otto a Martha, s.d., CEPG (esta carta não recebeu um número de item na coleção).

"Ou eu amo loucamente": Carta, Otto a Martha, s.d., item 129, CEPG.

a assinatura de Spielmann apareceu: Zahradník, "Dějiny domu", p. 11.

"troca de literatura ordinária": Carta, Otto a Martha, s.d., item 5, CMR.

listas de anotações e inspirações: Essas listas ainda podem ser encontradas na sala de zinco do palácio Petschek. Salvo indicação em contrário, todas as descrições das notas e esboços arquitetônicos de Otto derivam dos originais ainda mantidos no palácio.

A prefeitura de Praga: Prefeitura de Praga, referência n. 21244-III/27, 26 de outubro de 1927, Casa n. 181, Departamento de Construção, ADMP6.

porque ele a destruía: Kratochvíl, *Bankéři*, 244-246. Os detalhes sobre o adivinho vêm, por exemplo, de Eva Petschek Goldmann, entrevista do autor.

"Você não me trata como uma adulta": Carta, Otto a Martha, s.d., item 130, CEPG.

jogo musical de adivinhação: Eva Petschek Goldmann, manuscrito não publicado, julho de 1985, p. 4.

"**O *Hund* de novo**": Carta, Otto a Martha, s.d., item 109, CEPG.

"**somente o ato de assumir**": Carta, Otto a Martha, janeiro de 1927, item 66, CMR.

"*Römer! Mitbürger! Freunde!*": V. Petschek, entrevista.

"**Charlatão, boca suja**": Essas traduções estão anotadas nas margens de uma versão em inglês de uma biografia da rainha Vitória (Lytton Strachey, *Queen Victoria* [Londres, Reino Unido: Chatto & Windus, 1922]), ainda no palácio Petschek.

"**Ottolini**": Eric K. Petschek, *Reminiscences*, p. 28.

um político obscuro: Volker Ullrich, *Hitler: Ascent, 1889-1939*, trad. Jefferson Chase (Nova York: Knopf, 2016), p. 189, 200.

"**Eu avisei**": Eva Petschek Goldmann, entrevista do autor.

e lhes pedir o dinheiro: Eric K. Petschek, *Reminiscences*, p. 56; Gellert, entrevista, 10 de fevereiro de 2015.

"*schlmiel*": Carta, Otto a Martha, s.d., item 7, CEPG.

"**tio nazista**": Eric K. Petschek, *Reminiscences*, p. 31.

Otto resistiu: Eva Petschek Goldmann, entrevista do autor; Klainer e P. Goldmann, entrevista por telefone, 2 de novembro de 2017.

3. O PALÁCIO SEM FIM

Otto subiu os degraus: Eva Petschek Goldmann, entrevista do autor.

Em outubro de 1929: Os detalhes do progresso do palácio em 1929 são de Ebel e Vágnerová, *Otto Petschek's Residence*; Zahradník, "Dějiny domu", p. 12-16; e Prefeitura de Praga, referência n. III-1835/29, janeiro de 1929, Casa n. 181, Departamento de Construção, ADMP6.

conseguiram evitar: Robert Goldmann, marido de Eva Petschek Goldmann, entrevista do autor, Nova York, 31 de março de 2016.

ações trabalhistas contra Otto: Marie Čutková (org.), *Mostecké drama: Svědectví novinářů, spisovatelů a pokrokové veřejnosti o velké mostecké stávce roku 1932* (Praga: Mladá Fronta, 1972).

"**Vocês dizem que estamos sob o comando**": Klement Gottwald, *Klement Gottwald v roce 1929: Některé projevy a články* (Praga: Svoboda, 1950), p. 118-135.

NOTAS

"**O maior capitalista da Tchecoslováquia**": Assembleia Nacional da República Tcheca, Câmara dos Deputados, 128ª reunião, 18 de junho de 1931, *Digital Library of the Czech Parliament*, http://www.psp.cz/eknih/1929ns/ps/stenprot/128schuz/s128006.htm.

"**Maryčka Magdónova**": "Maryčka Magdónova" foi escrito por Petr Bezruč. A história das filhas de Petschek vem de Marc Robinson, entrevista do autor, Nova York, 19 de outubro de 2017, e é corroborada pelas anotações de suas conversas com elas; por exemplo, entrevista com I. Petschek.

"**Agora você vai ficar brava**": Carta, Otto a Martha, s.d., item 166, CEPG.

"**Minha querida *Dumme*!**": Ibidem, item 54.

de se mudar para o palácio: Zahradník, "Dějiny domu", p. 17-18; Prefeitura de Praga, referência n. 49881/30, 29 de dezembro de 1930, Casa n. 181, Departamento de Construção, ADMP6; caixas 329/1, SOA.

Em de junho de 1931: Penerova, "The House", p. 8.

Otto os conduziu com muito orgulho: Eva Petschek Goldmann, entrevista do autor.

Ele e Martha realizavam: Todos os detalhes sobre os jantares de Otto e Martha, salvo especificação em contrário, são de Penerova, "The House", p. 9, 12, 13-14, 20.

"**teria me matado**": V. Petschek, entrevista.

aparência ameaçadora de Otto: P. Goldmann e Klainer, entrevista do autor, Nova York, 25 de março de 2015; Ruth Stein, sobrinha de Otto e Martha Petschek, entrevista do autor, Washington, D.C., 8 de fevereiro de 2015.

"**É relaxante**": Stein, entrevista.

não gostavam dele: Zdeněk Lukeš, crítico de arquitetura, entrevista do autor, Praga, 5 de agosto de 2016; e, por exemplo, Assembleia Nacional da República Tchecoslovaca, Câmara dos Deputados, 128ª reunião, 18 de junho de 1931, *Digital Library of the Czech Parliament*, http://www.psp.cz/eknih/1929ns/ps/stenprot/128schuz/s128006.htm.

hoje, passaria dos cem milhões: Esse número é de Penerova, "The House", p. 8.

seus gemidos eram ouvidos: Professor dr. Herrnheiser, "Resultados do exame de raios X de Otto Petschek", 8 de setembro de 1931, AFP.

O tcheco alto, calvo e silencioso: Penerova, "The House", p. 15, 16; Jan Hájek e Miroslav Hájek, sobrinho-neto de Adolf Pokorný, entrevista por Mikuláš Pešta, Praga, 15 de novembro de 2017.

a sensibilidade voltou: Professor dr. Herrnheiser, "Resultados do exame de raios X de Otto Petschek, 26 de novembro de 1931, AFP.

pouco menos de sete milhões: Zora Pryor, "Czechoslovak Economic Development in the Interwar Period," em Victor S. Mamatey e Radomír V. Luža (org.), *A History of the Czechoslovak Republic 1918-1948* (Princeton, NJ: Princeton University Press, 1973), p. 188-215.

"O governo tcheco": Čutková, *Mostecké drama*, p. 43.

Masaryk retribuíra a gentileza: "Petschek & Co.", *Knihy znovunalezené*, 6 de setembro de 2016, http://knihyznovunalezene.eu/en/vlastnici/petschek.html.

pediu a Otto que representasse a Tchecoslováquia: "Report Concerning the Choice of the Czechoslovak Member of the Administration Board of the High Commissariat for Refugees by the League of Nations", 10 de novembro de 1933, caixa 926, 3. Společnost národů, II. politická sekce, Archiv Ministerstva zahraničních věcí, Praga (doravante AMZV).

o Partido Nazista se tornara: Veja, por exemplo, Ian Kershaw, *Hitler 1889-1936: Hubris* (Nova York: Norton, 1998), p. 497-591.

As águas do nazismo: Eva Petschek Goldmann lembrou que *fräulein* Fürst partiu no início dos anos 1930; Penerova parece situar a partida no final da década. Devido à incerteza, coloquei esse evento em uma parte independente e não lhe atribuí uma data precisa.

Parecia acreditar: "United Continental Corporation: History and Background", AFP, p. 40.

Mas nem todos os Petschek: Gellert, entrevista, 10 de fevereiro de 2015; Eric K. Petschek, *Reminiscences*, p. 75-77; Penerova, "The House", p. 20-21.

"Ele já parece com um inglês": Carta, Otto a Martha, *c.* 1930, item 161, CEPG.

Asperin von Sternberg: Rita Petschek, filha de Otto e Martha Petschek, entrevista por Marc Robinson, s.d.

"Não havia escadas para o porão": Prefeitura de Praga, referência n. 379264/34, 11 de agosto de 1934, Casa n. 181, Departamento de Construção, ADMP6; Zahradník, "Dějiny domu", p. 19.

4. A FILHA MAIS NOVA

"Os Petschek partiram!": As citações e os outros detalhes deste capítulo são baseados em minhas conversas com minha mãe durante muitos anos. Agradeço a Denisa Vinanska, de Sobrance, pelas muitas conversas comigo sobre a história da cidade. Para corroborar as lembranças de minha mãe acerca de Sobrance, utilizei Lýdia Gačková *et al.*, *Dejiny Sobraniec*, org. Peter Kónya e Martin Molnár (Prešov: Vydavateľstvo Prešovskej univerzity v Prešove pre mestský úrad v Sobranciach, 2013).

5. UM ARTISTA DA GUERRA

A Mercedes diplomática preta: Para a hora e o destino do veículo, consulte o cabograma de Eisenlohr e Toussaint para o Ministério das Relações Exteriores da Alemanha e o Ministério da Guerra, Praga, 21 de maio de 1938, 21h30, *Documents on German Foreign Policy, 1918-1945. From the Archives of the German Foreign Ministry* (*DGFP*), série D, v. 2 (Washington, D.C.: United States Government Printing Office, 1949), n. 182, p. 309-311; e Andor Hencke, *Augenzeuge einer Tragödie. Diplomatenjahren in Prag, 1936-1939* (Munique: Fides Verlagsgesellschaft, 1977), p. 90-92. A Alemanha manteve uma *Gesandtschaft* (legação) em Praga. Para a marca do carro oficial de Toussaint, veja o memorando de Eisenlohr, 9 de fevereiro de 1937, RAV Prag 6, Politisches Archiv des Auswärtigen Amts (doravante PAAA).

quarenta e sete anos: Personalbogen, Rudolf Toussaint OP 61643, Bayerisches Hauptstaatsarchiv (doravante BHSA). Esta descrição é baseada em fotografias de Toussaint do final dos anos 1930, compartilhadas por Alexander Toussaint, seu neto: Arquivo da Família Toussaint (AFT): Detalhes adicionais sobre a aparência de Toussaint são extraídos de uma longa entrevista com Alexander, realizada pelo autor em Praga nos dias 7 e 8 de agosto de 2016. Essa conversa incorporou informações de várias outras que tive com ele em 2015 e 2016; todas são citadas coletivamente aqui como "Alexander Toussaint, entrevistas".

limusines esperando: Eva Petschek Goldmann, entrevista do autor; Gellert, entrevista do autor, 10 de fevereiro de 2015; e B. Kafka e D. Kafka, entrevista do autor, Washington, D.C., 16 de outubro de 2015.

Ele havia sido artista: Defesa de Toussaint, Julgamento por Crimes de Guerra, 25 de outubro de 1948, Praga, LS 804/48, caixa 881, SOA.

Essa maneira de observar: Ibidem; Alexander Toussaint, entrevistas.

estavam em conflito: Igor Lukes, *Czechoslovakia Between Stalin and Hitler: The Diplomacy of Edvard Beneš in the 1930s* (Nova York: Oxford University Press, 1996), p. 148-157; Detlef Brandes, *Die Tschechen unter deutschem Protektorat: Besatzungspolitik, Kollaboration und Widerstand im Protektorat Böhmen und Mähren von Heydrichs Tod bis zum Prager Aufstand*, parte 2 (Munique e Viena: Oldenbourg, 2008).

Para tentar evitar isso: Hencke, *Augenzeuge*, p. 90.

Toussaint odiava guerra: Alexander Toussaint, entrevistas.

Ele havia sobrevivido: Personalbogen, Rudolf Toussaint OP 61643, BHSA.

ele sabia que os tchecos: Carta, Toussaint ao supervisor em Berlim, 26 de março de 1938, RH 22934, p. 35-36, Bundesarchiv Militärarchiv Freiburg (doravante BMF).

Os militares tchecos atuais: Detlef Brandes, *Die Sudetendeutschen im Krisenjahr 1938* (Munique: Oldenbourg, 2009).

E, se os tchecos: Peter Hoffmann, *History of the German Resistance, 1933--1945*, trad. Richard Barry (Montreal: McGill-Queen's University Press, 1996), p. 51.

Toussaint esperava: Cabograma, Newton a Halifax, 17 de agosto de 1938, em E. L. Woodward, Rohan Butler e Margaret Lambert (org.), *Documents on British Foreign Policy, 1919-1939* (*DBFP*), série 3, v. 2, n. 675, 1938 (Londres: His Majesty's Stationery Office, 1949), p. 144.

que o contatava com frequência: Cabograma, Newton a Halifax, 1º de novembro de 1938, *DBFP*, Série 3, v. 3, n. 253-255.

Mas seu pedido de transferência: "Topographisches Büro to Bayerisches Ministerium für Militärische Angelegenheiten", 17 de maio de 1919, OP 61643 (49), BHSA.

Em 1936, Toussaint estava servindo: Memorando do Ministério das Relações Exteriores, 13 de outubro de 1936, RAV Prag 6, PAAA; memorando do Estado-Maior, 10 de outubro de 1936, arquivo pessoal de Rudolf Toussaint, Personalbogen 6/371, BMF.

Como muitos que: Veja defesa de Toussaint, Julgamento por Crimes de Guerra, SOA; Hencke, *Augenzeuge*, p. 148.

O irmão dela havia: Alexander Toussaint, entrevistas.

a legação alemã notificou: Cabograma, Ministério das Relações Exteriores da Alemanha à legação alemã em Praga, 8 de outubro de 1936; veja RAV Prag 6, PAAA.

Toussaint foi recebido: Memorando interno, legação alemã em Praga, 9 de novembro de 1936, RAV Prag 6, PAAA.

Quando o governo organizou: Carta, Toussaint ao supervisor (nome ilegível), 25 de novembro de 1937, RH 2/2934 (28), BMF.

Em fevereiro de 1937: Memorando de Eisenlohr, 9 de fevereiro de 1937, RAV Prag 6, PAAA.

No outubro seguinte: Ibidem, 12 de outubro de 1937, RAV Prag 6, PAAA.

ele se apaixonara: Alexander Toussaint, entrevistas.

fez um acordo: Cabograma, legação alemã em Praga ao Ministério das Relações Exteriores da Alemanha, 22 de abril de 1938, RAV Prag 6, PAAA.

"a situação era": Cabograma, Toussaint ao supervisor, 5 de novembro de 1937, RH 2/2934 (20), BMF.

Em particular, Berlim instruiu: Lukes, *Czechoslovakia Between Stalin and Hitler*, p. 122

Ehrenwort: Ibidem, p. 125-126.

"segundo as informações": Memorando de Bismarck, Berlim, 16 de março de 1938, *DGFP*, série D, v. 2 (1937-1945) (Washington, D.C.: Government Printing Office, 1949), n. 85, p. 169.

"Não sei nada sobre esses preparativos": Ibidem.

Era para isso: Carta, Toussaint ao supervisor, 18 de março de 1938, RH 2/2934 (33-34), BMF.

"*Ein Volk, ein Reich*": Brandes, *Die Sudetendeutschen*, p. 312-315.

Em 19 de maio: Lukes, *Czechoslovakia Between Stalin and Hitler*, p. 143--157; Entrada do diário de Alfred Jodl, 24 de agosto de 1938, Registros do Gabinete do Conselheiro Chefe dos EUA para Processos de Criminalidade do Eixo, Livros de Documentos de Defesa, Alfred Jodl, JO 14, Administração de Arquivos e Registros Nacionais (doravante AARN), College Park, MD; e Depoimento do General de Infantaria Rudolf Toussaint, 3 de abril de 1946, Registros do Gabinete do Conselheiro Chefe dos EUA para Processos de Criminalidade do Eixo, Livros de Documentos de Defesa, Alfred Jodl, JO 62, AARN.

coberta de cartazes: Hencke, *Augenzeuge*, p. 87.

ligou para o Estado-Maior: Cabograma, Eisenlohr e Toussaint ao Ministério das Relações Exteriores da Alemanha e ao Ministério da Guerra, *DGFP*, série D, v. 2, n. 182, p. 309-310; Hencke, *Augenzeuge*, p. 90.

"para restaurar": Cabograma, Eisenlohr e Toussaint ao Ministério das Relações Exteriores da Alemanha e ao Ministério da Guerra, *DGFP*, série D, v. 2, n. 182, p. 310.

"provisoriamente preocupadas": Ibidem.

Às seis da tarde: Hencke, *Augenzeuge*, p. 91.

Toussaint descreveu: Cabograma, Eisenlohr e Toussaint ao Ministério das Relações Exteriores da Alemanha e ao Ministério da Guerra, 21 de maio de 1938, *DGFP*, série D, v. 2, n. 182, p. 309-311; Hencke, *Augenzeuge*, p. 90-92.

"provas irrefutáveis": Ibidem.

Às 22h50: Cabograma, Eisenlohr e Toussaint ao Ministério das Relações Exteriores da Alemanha, 21 de maio de 1938, *DGFP*, série D, v. 2, n. 183, p. 311.

Defesa Vermelha: Cabograma, Eisenlohr ao Ministério das Relações Exteriores e Ministério da Guerra, 23 de maio de 1938, n. 161, Berlin R 29756 (Tschechoslowakei), PAAA.

Toussaint e Hitler: Cabograma, Newton a Halifax, 1º de novembro de 1938, *DBFP*, série 3, v. 3, p. 253-255.

"oficial de olhos castanhos": Alexander Toussaint, entrevistas.

à medida que as tensões aumentavam: Cabograma, Newton e Halifax, 1º de novembro de 1938, *DBFP*, série 3, v. 3, n. 286, p. 253-255.

Na segunda-feira, 23 de maio: Hencke, *Augenzeuge*, p. 101.

A cerimônia seria realizada: Ver Brandes, *Die Sudetendeutschen*, p. 157--158.

Toussaint e seus colegas protestaram: Hencke, *Augenzeuge*, p. 101.

ele recebeu ordens: Vlastimil Klíma, *1938: Měli jsme kapitulovat?*, Robert Kvaček, Josef Tomeš e Richard Vašek (org.) (Praga: NLN-Nakladatelství lidové noviny, 2012), p. 21.

Toussaint fez uma saudação militar: Fotografia, Berliner Verlag/Archive (ČTK Fotobanka: Third Reich — Sudetenland Crisis 1938).

NOTAS

Colocou primeiro uma coroa de flores: G. E. R. Gedye, "Fiery Talks Mark Sudetens' Funeral", *New York Times*, 26 de maio de 1938.

"Não é minha intenção esmagar": Wilhelm Keitel, *Generalfeldmarshall Keitel. Verbrecher oder Offizier? Erinnerungen, Briefe, Dokumente des Chefs OKW*, org. Walter Görlitz (Göttingen: Musterschmidt Verlag, 1961), p. 183; William L. Shirer, *The Rise and Fall of the Third Reich: A History of Nazi Germany* (Nova York: Simon & Schuster, 1960), p. 365.

"É minha decisão inalterável esmagar": Carta, Hitler e Keitel a Von Brauchitsch, Raeder e Göring, 20 de maio de 1938, States Exhibit n. 69, Ata do Processo de Nuremberg, v. 3, Décimo Primeiro Dia, 3 de dezembro de 1945, item 11, 16. Versão em inglês, *The Avalon Project at the Yale Law School: Documents in Law, History and Diplomacy*, http://avalon.law.yale.edu/imt/12-03-45.asp.

"A situação": Carta, Toussaint ao superior em Berlim, 1º de junho de 1938, RH 2/2934 (45), BMF.

"As negociações entre o governo": Carta, Toussaint ao superior em Berlim, 17 de agosto de 1938, RH 2/2934 (47-52), BMF.

"Devemos sempre": Relatório de Henlein, 28 de março de 1938, *DGFP*, série D, v. 2, n. 107, p. 197.

No final do verão: Por exemplo, cabograma, Newton a Halifax, 23 de agosto de 1938, *DBFP*, série 3, v. 2, n. 675, p. 143-146.

"como esses": Carta, Toussaint ao superior, 17 de agosto de 1938, RH 2/2932 (47-51), BMF.

Jodl lhe confidenciou: "Case Green, August 24-31, 1938", Registros do Gabinete do Conselheiro Chefe dos EUA para Processos de Criminalidade do Eixo, Livros de Documentos de Defesa, Alfred Jodl, JO 14, AARN.

Ele queria uma avaliação sincera: Diário do General Alfred Jodl, tradução do doc. n. 1700-PS, 7 de setembro de 1938, microfilme T84, rolo 268, fotograma 180 (51), AARN.

julgava "a situação tcheca": Ibidem.

De volta à legação: Andor Hencke foi o primeiro conselheiro da legação alemã em Praga na época. Suas memórias (Hencke, *Augenzeuge*), embora devam ser tratadas com cuidado, são indispensáveis para descrever a atmosfera na legação em Praga de 1937 a 1939.

"**Hitler estabeleceu**": Ibidem, p. 148.

"**como aves selvagens indefesas**": Hitler, "The Final Speech of the Führer at the Nuremberg Party Days", 12 de setembro de 1938, publicado no *Freiburger Zeitung* 135, n. 249 (13 de setembro de 1938), p. 1.

"**totalmente arrasado**": Friedrich-Carl Hanesse, declaração sob juramento, 28 de novembro de 1949, Julgamento dos Crimes de Guerra de Toussaint, Abt. IV OP 61643, BHSA.

No dia seguinte, Toussaint: Cabograma, Toussaint e Hencke ao Alto-Comando da Wehrmacht (doravante OKW) *Attachegruppe*, n. 356, 13 de setembro de 1938, R 29.767, PAAA.

"**Queremos voltar ao Reich**": "Special Announcement of the German News Agency: Henlein's Proclamation to the Sudeten Germans Demanding Return to the Reich", *DGFP*, série D, v. 2, n. 490, p. 802.

A legação foi inundada: Hencke, *Augenzeuge*, p. 153.

"**A divulgação da notícia**": Cabograma, Toussaint e Hencke ao OKW, 17 de setembro de 1938, *DGFP*, série D, v. 2, n. 515, p. 824.

sentia-se mais determinado: Friedrich-Carl Hanesse, declaração sob juramento, 28 de novembro de 1949, OP 61643, BHSA.

A reação dos dois ao discurso de Hitler: Lukes, *Czechoslovakia Between Stalin and Hitler*, p. 211-218.

Eles também não receberam: Hencke, *Augenzeuge*, p. 151-167.

"**Excelentemente, obrigado**": Entrada do diário, 22 de setembro de 1938, Registros do Gabinete do Conselheiro Chefe dos EUA para Processos de Criminalidade do Eixo, Livros de Documentos de Defesa, Alfred Jodl, JO 13, AARN.

Mais que depressa: Idem, ibidem. Veja também a declaração de Toussaint, que corrobora a informação. As memórias de Keitel também informam que Jodl ligou para Toussaint no final de setembro, durante as negociações de Godesberg. Keitel, *Erinnerungen*, p. 192. Veja também Hencke, *Augenzeuge*, p. 154-155 (descrevendo a chamada, mas, aparentemente, atribuindo-a incorretamente a Keitel, e não a Jodl).

Jodl ficou claramente desapontado: Hencke, *Augenzeuge*, p. 155.

O aviso de Toussaint e Hencke: Cabograma, Toussaint e Hencke ao OKW *Attachegruppe*, n. 427, 23 de setembro de 1938, R 29.768, PAAA; Ullrich, *Hitler*, p. 738-739.

"totalmente em silêncio": citado em Ullrich, *Hitler*, p. 738.

"Se houver paz": Hencke, *Augenzeuge*, p. 169.

"todos os adidos disseram": Cabograma, Toussaint e Hencke ao OKW *Attachegruppe*, n. 443, 24 de setembro de 1938, Büro des Staatssekretär R 29.768, PAAA.

Por meio de sua rede de contatos, ele soube: Hencke, *Augenzeuge*, p. 171, 181.

"A questão não é a Tchecoslováquia": Citado em Thomas Childers, *The Third Reich: A History of Nazi Germany* (Nova York: Simon & Schuster, 2017), p. 409.

"professor itinerante": Ibidem.

sabia extraoficialmente: Hencke, *Augenzeuge*, p. 179-184.

"Calma em Praga": Cabograma, Toussaint e Hencke ao OKW, 27 de setembro de 1938, *DGFP*, série D, v. 2, n. 646, p. 976.

Os militares de carreira da Wehrmacht: Entrada no diário de Jodl, 7 de setembro de 1938, microfilme T84, rolo 268, fotograma 13-198, fotograma 180, AARN.

"Não há como": Lukes, *Czechoslovakia Between Stalin and Hitler*, p. 245.

A manhã seguinte foi: Hencke, *Augenzeuge*, p. 184.

Mas os detalhes do acordo de Munique: Interrogatório de Rudolf Toussaint em 3 de novembro de 1947, em Pankrac RG 1329/S/1/187, Vojenský historický archiv, Praga (doravante VHA).

Em 15 de março de 1939: Hencke, *Augenzeuge*, p. 309.

Como Toussaint temia, em 1938: Cabograma, Newton a Halifax, 1º de novembro de 1938, *DBFP*, série 3, v. 3, n. 378.

Quando chegou a Toussaint: Hencke, *Augenzeuge*, p. 309.

Quando Toussaint encerrou: Brandes, *Die Tschechen unter deutschem Protektorat: Besatzungspolitik, Kollaboration und Widerstand im Protektorat Böhmen und Mähren bis Heydrichs Tod (1939-1942)*, parte 1 (Munique e Viena: Oldenbourg, 1969), p. 34-36.

O edifício de quatro andares do banco Petschek: Cabograma, Newton a Halifax, 31 de março de 1939, *DBFP*, série 3, v. 4, n. 136.

o valor mais alto: Krejčová e Vlček, *Lives for Ransom*, p. 368-370.

Na noite anterior: Penerova, "The House", p. 23; Marc Robinson, entrevista do autor, Nova York, 19 de outubro de 2017.

6. O HOMEM MAIS PERIGOSO DO REICH

crescente demanda: Ian Kershaw, *Hitler: A Biography* (Nova York: W. W. Norton & Company, 2008), p. 480-484.

Embora houvesse sido expulso: Terry C. Treadwell e Alan C. Wood, *German Fighter Aces of World War One* (Stroud, Reino Unido: Tempus, 2003), p. 120.

Laumann começou a registrar em segredo: Defesa de Toussaint, Julgamento por Crimes de Guerra, SOA.

"reacionárias": Relatório confidencial, 2 de dezembro de 1939, Dienststelle Ribbentrop R 27179, PAAA.

Em 8 de novembro de 1939: Richard J. Evans, *The Third Reich at War: 1939-1945: How the Nazis Led Germany from Conquest to Disaster* (Londres: Penguin, 2009), p. 109-111.

"Não posso concordar": Relatório Confidencial, 2 de dezembro de 1939, Dienststelle Ribbentrop R 27179, PAAA.

Em Berlim: Entrada do diário, 29 de novembro de 1939, *War Journal of Franz Halder* (A.G. EUCOM, 1971), 2:58; Defesa de Toussaint, Julgamento por Crimes de Guerra, SOA.

De modo que alegou: Alexander Toussaint, entrevistas.

Von Tippelskirch transmitiu suas descobertas: Entrada do diário, 29 de novembro de 1939, *War Journal of Franz Halder*, p. 58.

"Não diga tanta": Alexander Toussaint, entrevistas.

"rumores em Belgrado": Entrada do diário, 29 de novembro de 1939, *War Journal of Franz Halder*, p. 58.

Von Tippelskirch, encontrando-se: Keitel, *Erinnerungen*, p. 235.

Na aurora de 1941: John Keegan, *The Second World War* (Nova York: Penguin, 1989), p. 180-196.

"**Eu luto internamente contra**": Carta, Toussaint ao supervisor geral, 15 de maio de 1940, RH 2/2922, BMF.

"**general de olhos castanhos**": Alexander Toussaint, entrevistas.

"**grande zelo e energia**": Arquivo pessoal de Rolf Toussaint, Personalbogen 6/71086, BMF.

Eles duelaram no xadrez: Alexander Toussaint, entrevistas.

"**Saíam visons**": Penerova, "The House", p. 23. Alguns erros de ortografia foram corrigidos no texto.

"**O judeu**": "Otto Petschek-pražský Rothschild", *Moravská orlice*, 12 de janeiro de 1941.

"**Lista de Prisões da Gestapo**": *Die Sonderfahndungsliste G.B.*, 1940, Arquivos da Hoover Institution, http://digitalcollections.hoover.org/objects/55425.

Naquele mês de outubro: Cabograma, Koeppens a Rosenberg, "Tuesday, October 7, 1941", Bundesarchiv Berlin, R 6/34a, em Martin Vogt (org.), *Herbst 1941 im Führerhauptquartier* (Coblença: Bundesarchiv, 2002), p. 63-66.

Havia uma janela panorâmica: Kershaw, *Hitler: A Biography*, p. 624-626.

Hitler, que era um vegetariano dedicado: Por exemplo, Henry Picker, *Hitlers Tischgespräche im Führerhauptquartier* (Munique: Hocke Books, 1963, 2014).

"**O sistema de resgate/reféns**": Cabograma, Koeppens a Rosenberg, "Tuesday, October 7, 1941", p. 66.

"**Todos os judeus do protetorado**": Ibidem, p. 64-65.

"**Depois da guerra**": Ibidem, p. 63-66.

seu novo chefe: Robert Gerwarth, *Hitler's Hangman: The Life of Heydrich* (New Haven, CT: Yale University Press, 2011), p. 14-83.

Como muitos outros: Talvez entre os problemas estivesse o relacionamento de Toussaint com o almirante Canaris, uma velha ameaça para Heydrich. Veja nota 429 em Jan Björn Potthast, *Das jüdische Zentralmuseum der SS in Prag: Gegnerforschung und Völkermord im Nationalsozialismus* (Frankfurt: Campus, 2002), p. 137, 165; Gerwarth, *Hitler's Hangman*, p. 272-273.

"**campo de trânsito temporário**": Carta, Heydrich a Bormann, 11 de outubro de 1941, em doc. 16 em Miroslav Kárný (org.), *Protektorátní politika Reinharda Heydricha* (Praga: Tisková, 1991), p. 132-136.

Em 15 de outubro de 1941: Carta de Horst Böhme, 15 de outubro de 1941, em Kárný, *Protektorátní politika Reinharda Heydricha*, p. 137.

Em novembro: Cabograma, Toussaint ao OKW, 13 de novembro de 1941, 1799 ÚŘP-ST, Arquivos Nacionais Tchecos, http://www.badatelna.eu/fond/959/reprodukce/?zazn amId =339715&reproId=372871.

A luz do dia, mais suave: Penerova, "The House", p. 24.

mandaram-no "escrever": Foreign Broadcast Monitoring Service, Federal Communications Commission, 13 de março de 1942, *Morgenthau Diary*, v. 508, p. 164, https://catalog.archives.gov/id/28276963.

vários relatórios: Gerwarth, *Hitler's Hangman*, p. 2, 276.

"problema judaico": Peter Longerich, *The Wannsee Conference and the Development of the "Final Solution"* (Londres: The Holocaust Educational Trust, 2000), p. 4.

Reinhard's Crime: Gerwarth, *Hitler's Hangman*, p. 270.

Toussaint manteve: Evidências fotográficas em um documentário recente mostram um triste Toussaint no concerto ao lado de sua esposa, Lilly, Reinhard e Lina Heydrich. "Atentát: Episode 39/44", *Heydrich-konečné řešení*, dirigido por V. Křístek (Praga: Česká televize, 2012).

Na manhã seguinte: O relato dos eventos de 27 de maio de 1941 foi extraído principalmente de Gerwarth, *Hitler's Hangman*, p. 1-13.

"Lackeitel": Em Geoffrey Megargee, *Inside Hitler's High Command* (Lawrence: University of Kansas Press, 2000), p. 42.

"a intervenção ativa": Declaração sob juramento do chefe de gabinete de Fromm, Carl Erik Koehler, 15 de fevereiro de 1949, documentos do Julgamento por Crimes de Guerra de Toussaint, AFT.

Toussaint foi acordado: Há dois relatos apresentados por Toussaint em seu julgamento no pós-guerra. Segundo um depoimento, ele recebeu uma ligação às seis horas da manhã do dia seguinte, mas, em outro momento de sua defesa, ele disse que foi na noite de 9 de junho. Concluo que a ligação ocorreu na manhã do dia 10, como é corroborado por vários outros depoimentos de testemunhas. Veja defesa de Toussaint e testemunhas de Toussaint, Julgamento por Crimes de Guerra, SOA.

"Senhor": Defesa de Toussaint, Julgamento por Crimes de Guerra, SOA.

"**Como os habitantes**": Jan Richter, "The Lidice Massacre After 65 Years", Radio Prague, 6 de agosto de 2007, http://www.radio.cz/en/section/curraffrs/the-lidice-massacre-after-65-years.

Toussaint passou o dia: Por exemplo, declaração de Brickenstein sob juramento, 16 de fevereiro de 1949, OP 61643, BHSA.

Ele encontrou Frank: René Küpper, *Karl Hermann Frank (1898-1946): Politische Biographie eines Sudeten-Deutschen Nationalsozialisten* (Munique: Oldenbourg, 2010), p. 275-278.

"**Se você soubesse**": Defesa de Toussaint, Julgamento por Crimes de Guerra, SOA.

"**Você deveria julgar**": Ibidem.

7. PRAGA ESTÁ EM CHAMAS?

Rudolf e Rolf Toussaint: Alexander Toussaint, entrevistas.

uma audaciosa sequência: Frank, testemunho em julgamento, 10 de junho de 1945, Nuremberg, Alemanha: Tribunal Militar Internacional, v. 104, 31.04; 20 de junho de 1945, 14, na Coleção de Julgamentos de Nuremberg de Donovan, Cornell University Law Library.

Frank havia ido: Brandes, *Die Tschechen unter deutschem Protektorat*, v. 2, p. 121-122.

No sábado: Roučka, "Saturday, May 5, 1945", *Skončeno a podepsáno*, n.p.

O Levante de Praga: Detalhes sobre o Levante de Praga são principalmente de Pavel Machotka e Josef Tomeš (org.), *Pražské povstání 1945: Svědectví protagonistů* (Praga: Ústav T. G. Masaryka, 2015); Brandes, *Die Tschechen unter deutschem Protektorat*, v. 2, p. 113-146.

"**impedir a destruição**": Defesa de Toussaint, Julgamento por Crimes de Guerra, SOA.

"*schlapper Kerl*": Depoimento de Hans Gottfried von Watzdorf sob juramento em 1º de setembro de 1949, SpkA K 1834, Staatsarchiv Muenchen.

Bloody Ferdinand: Alexander Toussaint, entrevistas.

"**liquidar a revolta sem hesitar**": Citado em Roland Kaltenegger, *Generalfeldmarschall Ferdinand Schoerner: vom Kommandierenden General zum Feldmarschall der letzten Stunde, 1943-1973* (Würzburg: Flechsig, 2014), p. 123.

"Por ordem de SS Feldmarschall Schörner": Cabograma, Toussaint ao setor subsidiário Beneschau L95, 5 de maio de 1945, British National Archive ULTRA Decryption File, caixa HW 1/3758. CX/MSS/T541/24.

Ele enrolou: Vigilantes relataram que em muitas áreas de Praga, as unidades da Wehrmacht mostraram pouca resistência aos rebeldes tchecos. Brandes, *Die Tschechen unter deutschem Protektorat*, v. 2, p. 125.

A disputa entre: "Minutes of Meetings Between Representatives of the Czech National Council and Their Military Representatives on the One Side and General Toussaint, Two Officers and Headmaster Rudl Representing the German Side", terça-feira, 8 de maio de 1945, caixa 3, Česká národní rada 1945-1949, Vojenský historický archiv (doravante VHA), a partir de agora citado como "Atas de reuniões", VHA.

Schörner despachou cinco divisões: Wehrkreis Prague (Área Militar de Praga), B-135, microficha 0129G, 0128, Record Group (doravante RG) 338, AARN. A informação biográfica sobre Schörner deriva de Peter Steinkamp, "Generalfeldmarschall Ferdinand Schörner", em *Hitlers militärische Elite*, Gerd R. Ueberschär (org.) (Darmstadt: Primus Verlag, 1998), p. 236-244.

Patton queria continuar: Igor Lukes, *On the Edge of the Cold War: American Diplomats and Spies in Postwar Prague* (Oxford, Reino Unido: Oxford University Press, 2012), p. 32-54.

Ele enviou um de seus: *Vollmacht* [procuração], assinada por Frank e Toussaint, em 5 de maio de 1945; Německé státní ministerstvo pro Čechy a Moravu (110 AMV), caixa 109, Národní České republiky, http://www.badatelna.eu/fond/2199/ zaznam/984054.

O assessor de Toussaint: Rolf Toussaint, entrevista, "Gebt meinem Vater die Freiheit wieder", *Deutsche Soldaten Zeitung (DSZ)*, março de 1960; carta, Rolf Toussaint a Stanislav Auský, 23 de outubro de 1977, caixa 2, Coleção Stanislav A. Auský, Arquivos Hoover Institution, Stanford, CA.

"com uma bandeira branca": Rolf Toussaint, entrevista.

Rolf, você precisa entender: Ibidem.

"*Das ganze*": Cabograma de Pückler, 5 de maio de 1945, em Wolfgang Schumann e Olaf Groehler (org.), *Deutschland im Zweiten Weltkrieg*, v. 6, *Die Zerschlagung des Hitlerfaschismus und die Befreiung des deutschen Volkes (Juni 1944 bis zum 8. Mai 1945)* (Köln: Pahl-Rugenstein, 1985), p. 765.

NOTAS

Um de seus homens chegou com notícias peculiares: Eu reconstruí os detalhes da reunião entre Toussaint, Meyer-Detring e Pratt juntando informações de várias fontes, incluindo "After Action Report, April 28 to May 9, 1945", caixa 13260, entrada 427, 616-CAV-0.3, 23º Esquadrão de Reconhecimento de Cavalaria, 16ª Divisão Blindada, Relatórios de Operações da Segunda Guerra Mundial, 1941-1948, RG, 407, AARN; Roučka, *Skončeno a podepsáno*, n.p; Jindřich Pecka, *Na demarkační čáře. Americká armáda v Čechách v roce 1945* (Praga: Ústav pro soudobé dějiny AV ČR, 1995), p. 77-80; Karel Pacner, *Osudové okamžiky Československa*, 3. ed. (Praga: Brána, 2012), p. 246-250; e Bryan J. Dickerson, *The Liberators of Pilsen: The U.S. 16th Armored Division in World War II Czechoslovakia* (Jefferson: McFarland & Co, 2018).

Às dez da manhã seguinte: Defesa de Toussaint, Julgamento por Crimes de Guerra, SOA.

Tinham feito faixas: Machotka e Tomeš, *Pražské povstání 1945*, p. 19-22.

"estava com seu ajudante-geral": Ibidem. O sequenciamento e a descrição das negociações de 8 de maio provêm principalmente de "Atas de reuniões", VHA. Também utilizei as memórias do representante do CNC Albert Pražák, *Politika, a revoluce: Paměti* (Praga: Academia, 2004), p. 107-130, reimpresso em Machotka e Tomeš, *Pražské povstání 1945*; Roučka, "Tuesday, May 8, 1945", *Skončeno a podepsáno*, n.p; e John Toland, *The Last 100 Days* (Nova York: Random House, 1966).

"O senhor tem autoridade suficiente": "Atas de reuniões", VHA.

"Não tenho a autorização": "Die Tätigkeiten des Tschechischen Nationalrates in Prag zwischen 4. und 9. Mai 1945", MSG 137-3, BMF.

Todos os olhos se voltaram para: Carta, Auský a Rolf Toussaint, 10 de outubro de 1977, caixa 2, Coleção Stanislav A. Auský, Arquivos Hoover Institution.

"Seu filho foi encontrado": "Atas de reuniões", VHA.

explodir a represa: Horst Naude, *Erlebnisse und Erkenntnisse als Politischer Beamter im Protektorat Böhmen und Mähren* (Munique: Fides--Verlagsgesellschaft, 1975), p. 182.

E, para completar: Alexander Toussaint, entrevistas.

Toussaint sacou a arma: Defesa de Toussaint, Julgamento por Crimes de Guerra, SOA; "Gedächtnisprotokoll der Unterhaltung mit General Toussaint in München", 18 de março de 1965, AFT.

Mas Pückler não estava: Arthur von Briesen, declaração sob juramento, 17 de fevereiro de 1949, AFT.

Toussaint e Von Briesen: Idem; Jindřich Marek, *Barikáda z kaštanů: Pražské povstání v květnu 1945 a jeho skuteční hrdinové* (Cheb: Svět křídel, 2005), p. 204-205.

"Faltam dez horas": "Atas de reuniões", VHA.

Kutlvašr concordou: Stanislav Kokoška, *Prag im Mai 1945: Die Geschichte eines Aufstandes* (Praga: Univerzita Karlova, 2009), p. 212.

Quem sou eu agora?: Toland, *The Last 100 Days*, p. 581.

8. "SE ESTIVER ATRAVESSANDO O INFERNO, SIGA EM FRENTE"

"Se estiver atravessando": Essa citação é frequente e incorretamente atribuída a Winston Churchill. Sua proveniência não é clara. "Quotes Falsely Attributed to Winston Churchill", *The International Churchill Society*, https://www.winstonchurchill.org/resources/quotes/quotes-falsely-attributed/.

O trem de munição nazista: O relato sobre o trem de refugiados proveniente de Lübberstedt que foi atingido por bombardeiros britânicos em 2 de maio de 1945 foi uma história que ouvi de minha mãe. É comprovada por Rüdiger Kahrs, "The Evacuation of the Satellite Camp Lübberstedt in Bremen to Ostholstein 1945", *Schleswig-Holstein History*, v. 36, p. 93-96, 1999; e mais detalhadamente em Barbara Hillman, Volrad Kluge e Erdwig Kramer, *Lw. 2/XI, Muna Lübberstedt: Zwangsarbeit für den Krieg* (Bremen: Edition Temmen, 1996), p. 130-135. Os eventos também são corroborados por declarações mais ou menos contemporâneas coletadas pelo National Committee for Attending Deportees (Degob), https://www.degob.org. Veja, em particular, as declarações (conhecidas como "protocolos") números 1236, 1453, 1574, 1801 e 1827.

Muitas outras tiveram ferimentos mais leves: Geoffrey P. Megargee (org.), *The United States Holocaust Museum Encyclopedia of Camps and Ghettos, 1933-1945* (Bloomington, IN: Indiana University Press, 2009), v. 1, n.1, p. 157-158.

No dia seguinte: "May 3-9, 1945," *Diary of the 6th Guards Armoured Brigade, Brigade Headquarters*, catálogo War Office 171/4321-4, Arquivos Nacionais do Reino Unido.

Depois de certa escassez inicial de alimentos: Union O.S.E., "Report on the Situation of the Jewish in Germany: October/December 1945" (Genebra, 1946), p. 29-30.

9. "ELE, O MESTRE DA BOÊMIA E DA EUROPA"

"Ele, o mestre da": Atribuída a Otto von Bismarck, provavelmente apócrifa. Por esse motivo, a citação assume diferentes formas: veja, por exemplo, Suzy Platt (org.), *Respectfully Quoted: A Dictionary of Quotations Request from the Congressional Research Service* (Washington, D.C.: Biblioteca do Congresso, 1989), p. 27.

O palácio de Otto Petschek: Por exemplo, carta, Steinhardt a Williamson, 28 de julho de 1945, caixa 82, Documentos de Laurence A. Steinhardt (doravante Documentos de Steinhardt), Biblioteca do Congresso (doravante BC), Washington, D.C.

O recém-chegado embaixador dos EUA: Detalhes sobre a vida de Laurence antes de seu período como embaixador na Tchecoslováquia são de Lukes, *On the Edge of the Cold War*, p. 67-80. Para uma resposta ao fato de Lukes oferecer uma avaliação diferente de Laurence, consulte Peter Mareš, "History in the Service of a Story: On Igor Lukes's Book 'On the Edge of the Cold War'", *Czech Journal of Contemporary History*, v. 4, p. 157-176, 2016.

os soviéticos haviam tomado o edifício: Penerova, "The House", p. 24-25; Dulcie Ann Steinhardt Sherlock, livro de memórias não publicado, Arquivos da família Steinhardt (doravante AFS), p. 107.

"alguns oficiais russos": Carta, Steinhardt a Williamson, 28 de julho de 1945, caixa 82, Documentos de Steinhardt, BC.

Ele havia feito o mesmo: Laurence foi reconhecido, por pelo menos uma autoridade, pela ajuda que prestou aos refugiados como embaixador em tempos de guerra. Veja "Visas for Life: The Righteous and Honorable Diplomats Project", Institute for the Study of Rescue and Altruism in the Holocaust, https://www.holocaustrescue.org/visas-for-life. Outros adotaram uma perspectiva mais crítica acerca de seus esforços naquele período. Veja, por exemplo, I. Izzet Bahar, "Turkey and the Rescue of Jews During the Nazi Era: A Reappraisal of Two Cases; German-Jewish Scientists in Turkey & Turkish Jews in Occupied France", PhD diss., University of Pittsburgh, 2012. A família de Laurence afirma que ele foi ativo na ajuda a refugiados, muitas vezes colocando-se em perigo, e que esse trabalho era necessariamente secreto: família Steinhardt, entrevistas do autor, Washington, D.C., 13 de novembro de 2015, e Washington, D.C., 6 de novembro de 2015. Veja também Mordecai Paldiel, *Diplomatic Heroes of the Holocaust* (Jersey City: KTAV, 2007), p. 215.

"acampando nesse estádio coberto": Carta, Steinhardt a Alling, 19 de setembro de 1945, caixa 82, Documentos de Steinhardt, BC.

"tinha esperança": Carta, Steinhardt a Schoenfeld, 21 de maio de 1945, caixa 82, Documentos de Steinhardt, BC.

"haviam se arrastado de quatro até a Casa Branca": Citado em Walter Ullmann, *The United States in Prague, 1945-1948* (Boulder, CO: East European Quarterly, 1978), p. 13. Inserções entre colchetes omitidas.

Franklin Roosevelt havia enviado: Por exemplo, Dennis J. Dunn, *Caught Between Roosevelt and Stalin: America's Ambassadors to Moscow* (Lexington: University Press of Kentucky, 1998), p. 97-144.

"vendedor de cavalos": Família Steinhardt, entrevista do autor, Washington, D.C., 7 de outubro de 2016.

"um judeu rico e burguês": Dunn, *Caught Between Roosevelt and Stalin*, p. 107

"onde temos uma chance de recuperar": Carta, Steinhardt a Riddleberger, 1º de setembro de 1945, caixa 82, Documentos de Steinhardt, BC.

"Na Primeira Guerra Mundial": Geoffrey Roberts, "Stalin's Wartime Vision of the Peace, 1939-1945", em *Stalin and Europe: Imitation and Domination, 1928-1953*, Timothy Snyder e Ray Brandon (org.) (Oxford, Reino Unido: Oxford University Press, 2014), p. 249.

"uma questão de sabedoria política": Carta, Beneš a Fierlinger, 9 de agosto de 1945, caixa 987/35, Archiv Kanceláře prezidenta republiky; também citado em Lukes, *On the Edge of the Cold War*, p. 88.

"Eu não gostaria de ocupar": Carta, Steinhardt a Williamson, 28 de julho de 1945, caixa 82, Documentos de Steinhardt, BC.

Os soldados soviéticos haviam roubado: Cabograma, Klieforth ao Departamento de Estado, 21 de junho de 1945, *FRUS* 1945, Europa, v. 4, William Slany, John G. Reid, N. O. Sappington e Douglas W. Houston (org.) (Washington, D.C.: Government Printing Office, 1968), p. 459-460.

"A verdade prevalece, mas é uma chatice": Por exemplo, em Matěj Barták, *Velká kniha citátů* (Praga: Plot, 2010), p. 226. Veja Marcia Davenport, *Too*

Strong for Fantasy (Pittsburgh: University of Pittsburgh Press, 1993), p. 433, para planos de se casar; e Sherlock, livro de memórias não publicado, AFS, p. 122, para o apelido "Johnny".

Ele disse a Laurence: Cabograma, Steinhardt ao Departamento de Estado, 25 de agosto de 1945, *FRUS*, 1945, v. 4, p. 485.

"O que os soviéticos fizeram": Carta, Steinhardt a Williamson, 28 de julho de 1945, caixa 82, Documentos de Steinhardt, BC.

"Em nome do sr. Viktor Petschek": Carta, Hollitscher a Williamson, 28 de agosto de 1945, caixa 46, Documentos de Steinhardt, BC.

"A resposta é 100% não": Carta, Williamson a Steinhardt, 29 de agosto de 1945, caixa 46, Documentos de Steinhardt, BC.

"A repentina desocupação": Cabograma, Steinhardt ao Departamento de Estado, 31 de agosto de 1945, *FRUS*, 1945, v. 4, p. 486-487.

Em 14 de setembro: Salvo especificação em contrário, todos os detalhes e citações do encontro de Laurence com Beneš em 14 de setembro de 1945 podem ser encontrados em: Cabograma, Steinhardt a Departamento de Estado, 14 de setembro de 1945, *FRUS*, 1945, v. 4, p. 490-492.

"união dos povos eslavos": Roberts, "Stalin's Wartime Vision of the Peace", p. 249.

"para que ele saiba": Carta, Steinhardt a Williamson, 25 de setembro de 1945, caixa 82, Documentos de Steinhardt, BC.

"Como sabe": Cabograma, Byrnes a Steinhardt, 2 de novembro de 1945, *FRUS*, 1945, v. 4, p. 506-507.

10. VIDA EXUBERANTE

"Recebi sua mensagem": Cabograma, Byrnes a Steinhardt, 9 de novembro de 1945, *FRUS*, 1945, v. 4, p. 508.

"Obviamente, fiquei muito surpreso": Carta, Williamson a Steinhardt, 21 de novembro de 1945, caixa 46, Documentos de Steinhardt, BC.

Entre essas distrações: Cecilia Sternberg, *The Journey: An Autobiography* (Nova York: Dial, 1977). Salvo especificação em contrário, todas as informações sobre os Sternberg e citações atribuídas a eles e a Laurence enquanto em sua presença podem ser encontradas em *The Journey*.

As ondas de soldados: Contei com a descrição de Lukes sobre o evento em *On the Edge of the Cold War* (p. 110-111), além de fotos do AFS.

"General Harmon": David Vaughan, "November 1945: Homeward Bound", Radio Prague, 11 de agosto de 2008, https://www.radio.cz/en/section/archives/november-1945-homeward-bound.

O inverno, dolorosamente frio: Walter Birge, *They Broke the Mold: The Memoirs of Walter Birge* (Paul Mold Publishing, 2012), p. 298.

Como a missão diplomática: Sherlock, livro de memórias não publicado, AFS, p. 108. Salvo especificação em contrário, mais informações sobre as aventuras diplomáticas de Dulcie Ann provêm de seu livro de memórias.

Ela estava participando de um jantar diplomático: Sherlock, livro de memórias não publicado, AFS, p. 107-108.

"Ele ainda estava no auge da vida": Sternberg, *The Journey*, p. 27.

"Excelência": Carta, Sternberg a Steinhardt, 10 de setembro de 1945, caixa 94, Documentos de Steinhardt, BC; Sternberg, *The Journey*, p. 26-27.

"reunidos como gado": Sternberg, *The Journey*, p. 35.

"não ligaria para isso": Ibidem, p. 28.

"falar de mulher para mulher": Ibidem.

"Diga-me": Ibidem.

"terrorismo sem Deus": Gary B. Nash *et al.*, *The American People: Creating a Nation and a Society*, Concise Edition, Combined Volume, 7. ed. (Upper Saddle River, NJ: Pearson Hall, 2011), p. 786.

"o país ainda vive": Carta, Yarrow a Foster Dulles, 26 de dezembro de 1945, caixa 82, Documentos de Steinhardt, BC.

"Sua propriedade foi tomada": Carta, Goodrich a Petschek, 21 de janeiro de 1946, caixa 49, Documentos de Steinhardt, BC.

"Fui informado": Carta, Yarrow a Foster Dulles, 26 de dezembro de 1945, caixa 82, Documentos de Steinhardt, BC.

"O embaixador sugeriu": Ibidem.

"os comunistas terão sorte": Carta, Steinhardt a Foster Dulles, 26 de dezembro de 1945, caixa 82, Documentos de Steinhardt, BC.

11. PEQUENAS SALVAÇÕES

"Inquestionavelmente, há uma": Carta, Steinhardt a Williamson, 1º de maio de 1946, caixa 95, Documentos de Steinhardt, BC.

a meta de Gottwald: Cabograma, Steinhardt ao Departamento de Estado, 27 de maio de 1946, *FRUS*, 1946, Eastern Europe, The Soviet Union, v. 6, Roger P. Churchill e William Slany (org.) (Washington, D.C.: Government Printing Office, 1969), p. 199-200.

"a influência da civilização": Carta, Steinhardt a Williamson, 1º de maio de 1946, caixa 95, Documentos de Steinhardt, BC.

"daria início a novas ações": Carta, Yarrow a Steinhardt, 23 de maio de 1946, caixa 50, Documentos de Steinhardt, BC.

No dia da eleição: Lukes, *On the Edge of the Cold War*, p. 134; George F. Bogardus, entrevista por Charles Stuart Kennedy, 10 de abril de 1996, *Association for Diplomatic Studies and Training Foreign Affairs Oral History Project* (doravante *ADST*), BC.

"Eles lhe faziam perguntas": Bogardus, entrevista.

"seria controlada": Cabograma, Steinhardt ao Departamento de Estado, 15 de maio de 1946, 860F.00/5-1546, caixa 6570, Central Decimal Files, 1945-1949, RG 59, AARN.

"Apesar da": Cabograma, Steinhardt ao Departamento de Estado, 27 de maio de 1946, *FRUS*, 1946, v. 6, p. 199-200.

"Não vejo intenção": Cabograma, Steinhardt ao Departamento de Estado, 3 de junho de 1946, 860F.00/6-346, caixa 6570, Central Decimal Files, 1945-1949, RG 59, AARN.

"de bom senso": Cabograma, Steinhardt ao Departamento de Estado, 3 de julho de 1946, *FRUS*, 1946, v. 6, p. 204-205.

"Tenho todos os motivos": Carta, Steinhardt a Foster Dulles, 23 de julho de 1946, caixa 7, DBY, BPDE.

barganhando muito: Carta, Steinhardt a Williamson, 29 de julho de 1946, caixa 95, Documentos de Steinhardt, BC.

"presunção": Carta, Steinhardt a Williamson, 29 de agosto de 1946, caixa 95, Documentos de Steinhardt, BC.

"[A] consideração importante": Carta, Steinhardt a Boček, 26 de setembro de 1946, caixa 89, Documentos de Steinhardt, BC.

"O palácio originalmente servia": Carta, Ministério da Defesa Nacional ao Ministério das Relações Exteriores, 7 de agosto de 1946, caixa 1, Territorial Departments — Standard, AMZV.

"não pode ser substituída": Carta, Steinhardt a Boček, 26 de setembro de 1946, caixa 89, Documentos de Steinhardt, BC.

"Durante toda minha vida": Carta, Steinhardt a National Property Administration, 7 de maio de 1947, caixa 49, Documentos de Steinhardt, BC. Esse memorando é datado de 7 de maio de 1946, mas está incorreto, como fica claro no contexto da carta, que mostra que foi realmente escrito em 7 de maio de 1947.

"bonito e muito confortável": Carta, Steinhardt a Therese Rosenblatt, 14 de novembro de 1945, caixa 82, Documentos de Steinhardt, BC.

"sua opulência e extrema exuberância": Sternberg, *The Journey*, p. 26.

"interferindo em meus deveres fundamentais": Carta, Steinhardt a National Property Administration, 7 de maio de 1947, caixa 49, Documentos de Steinhardt, BC (datado incorretamente; veja nota acima).

"esta pequena mãe tem garras": Citado em Stach, *Kafka: The Early Years*, p. 23.

"grandes obstáculos": A missiva de Yarrow é transmitida a Foster Dulles em carta, Riddleberger a Foster Dulles, 21 de maio de 1947, AFP.

"Stalin e Molotov": Cabograma, Steinhardt ao Departamento de Estado, 10 de julho de 1947, *FRUS*, 1947, The British Commonwealth, Europe, v. 3, Ralph E. Goodwin *et al.* (org.) (Washington, D.C.: United States Government Printing Office, 1972), p. 319-320.

"Agora, ele está em posição de": Cabograma, Steinhardt ao Departamento de Estado, 10 de julho de 1947, 840.50 RECOVERY/7-1047, caixa 5720, Central Decimal Files, 1945-1949, RG 59, AARN.

"Todos os Estados eslavos": Cabograma, Steinhardt ao Departamento de Estado, 11 de julho de 1947, 840.5 RECOVERY/7-1147, caixa 5720, Central Decimal Files, 1945-1949, RG 59, AARN.

"[A] situação política aqui": Carta, Steinhardt a Foster Dulles, 21 de outubro de 1947, caixa 84, Documentos de Steinhardt, BC.

"A campanha eleitoral": Ibidem.

Ele relatou a Washington: Cabograma, Steinhardt ao Departamento de Estado, 6 de outubro de 1947, *FRUS*, 1947, Eastern Europe; The Soviet Union, v. 4, Roger P. Churchill e William Slany (org.) (Washington, D.C.: Government Printing Office, 1972), p. 235.

"**com o apoio anglo-saxão**": Em Gerhard Wettig, *Stalin and the Cold War in Europe: The Emergence and Development of East-West Conflict, 1939-1953* (Lanham, M. D.: Rowman & Littlefield, 2008), p. 110.

"**'elementos reacionários'**": Lukes, *On the Edge of the Cold War*, p. 192.

"**[A] situação está confusa**": Citado em Ullmann, *The United States in Prague*, p. 147.

"**Se os [socialistas]**": Cabograma, Steinhardt ao Departamento de Estado, 21 de fevereiro de 1948, 860F.00/2-2148, caixa 6572, Central Decimal Files, 1945-1949, RG 59, AARN.

"**comitês de ação**": Cabograma, Steinhardt ao Departamento de Estado, 23 de fevereiro de 1948, 860F.00/2-2348, caixa 6572, Central Decimal Files, 1945-1949, RG 59, AARN.

"**Havia muito menos**": Birge, *They Broke the Mold*, p. 319.

"**a recepcionista da embaixada**": Ibidem.

"**sombria**": Ibidem.

"**parecia ter envelhecido**": Todas as citações e detalhes do encontro de Laurence com os Sternberg podem ser encontrados em Sternberg, *The Journey*, p. 40-41.

"**foi submetido**": Cabograma, Steinhardt ao Departamento de Estado, 27 de fevereiro de 1948, *FRUS*, 1948, Eastern Europe; The Soviet Union, v. 4, Rogers P. Churchill, William Slany e Herbert A. Fine (org.) (Washington, D.C.: United States Government Printing Office, 1974), p. 741-742.

"**Não há evidências de que**": Ibidem.

"**por causa de uma briga**": Em Peter Neville, *Hitler and Appeasement: The British Attempt to Prevent the Second World War* (Londres: Hambledon Continuum, 2006), p. 107.

"**com um alto baque**": Cabograma, Caffery ao Departamento de Estado, 22 de fevereiro de 1948, 860F.00/2-2448, caixa 6572, Central Decimal Files, 1945-1949, RG 59, AARN; também citado em Lukes, *On the Edge of the Cold War*, p. 195.

Masaryk foi almoçar: Sherlock, livro de memórias não publicado, AFS, p. 122. Todos os detalhes sobre o último almoço de Laurence com Masaryk provêm das memórias de Dulcie Ann.

"**críticas amargas**": Cabograma, Steinhardt ao Departamento de Estado, 10 de março de 1948, *FRUS*, 1948, v. 4, p. 743-744.

"**reunir qualquer**": Carta, Steinhardt a Vedeler, 7 de abril de 1948, 860F.00/4-748, caixa 6573, Central Decimal Files, 1945-1949, RG 59, AARN.

"**A tempestade de fevereiro**": Protocolo da Sessão da Assembleia Constituinte, 10 de março de 1948, http://www.psp.cz/eknih/1946uns/stenprot/094schuz/s094002.htm.

"**Os eslavos se uniram**": Protocolo da Sessão da Assembleia Constituinte, 29 de abril de 1948, http://www.psp.cz/eknih/1946uns/stenprot/109schuz/s109004.htm.

"**[As] últimas três semanas**": Carta, Steinhardt a William Rosenblatt, 19 de março de 1948, caixa 93, Documentos de Steinhardt, BC.

"**O que aconteceu**": Carta, Steinhardt a Diamond, 20 de abril de 1948, caixa 90, Documentos de Steinhardt, BC.

"**retorno às autoridades**": Carta da Embaixada Americana em Praga ao Ministério das Relações Exteriores da Tchecoslováquia, 1º de julho de 1948, caixa 193, GS-A, 1945-1954 EUA, AMZV.

"**O que você está fazendo aqui?**": Alexander Toussaint, entrevistas.

"**foi mais bem-sucedida**": Cabograma, Steinhardt a Vedeler, 7 de abril de 1948, 860F.00/4748, caixa 6573, Central Decimal Files, 1945-1949, RG 59, AARN.

"**dinheiro de madeira**": Sherlock, livro de memórias não publicado, AFS, p. 107.

"**A residência do embaixador**": "Life Visits U.S. Embassy in Prague", *Life*, 15 de novembro de 1948.

"**Eu gosto de vir**": Ibidem.

"**o Estado tcheco promete**": Carta, Hollitscher a Yarrow, 2 de julho de 1948, AFP.

"**a menos que o Departamento considere**": Memorando de Conversação do Departamento de Estado, participantes: Steinhardt, Yarrow, Vedeler, Williamson, Donaldson, Oliver e Taylor, 21 de julho de 1948, AFP.

"**Adolf tem um intenso senso**": Carta, Steinhardt a Ballance, 7 de setembro de 1948, caixa 58, Documentos de Steinhardt, BC.

Operação Flying Fiancée: Todas as citações e detalhes podem ser encontrados em Birge, *They Broke the Mold*, p. 341-350.

12. "NUNCA, NUNCA, NUNCA SE RENDA"

"Nunca, nunca, nunca se renda": Esta citação é uma versão abreviada de uma fala de Winston Churchill divulgada em outubro de 1941. Winston S. Churchill, *The Unrelenting Struggle: War Speeches by the Right Hon. Winston S. Churchill* (Londres: Cassell, 1942), p. 274-276.

"Que as mulheres sejam equiparadas": H. Gordon Skilling, *T. G. Masaryk: Against the Current, 1882-1914* (Hampshire, Reino Unido: Macmillan Press, 1994), p. 128.

"usados": Moshe Schiff, sobrinho de Frieda Grünfeld, mais tarde Frieda Eisen, entrevista por telefone feita pelo autor, 14 de setembro de 2017.

"o jugo da exploração capitalista": Ilya Ehrenburg, "Answer to a Letter", *Jewish Life*, junho de 1949, p. 27.

13. NADA ESMAGA MAIS A LIBERDADE QUE UM TANQUE

Nada esmaga mais a liberdade: Shirley expressou variações desse sentimento a diversos jornalistas; eu o adaptei aqui. Veja, por exemplo, Richard Bassett, "Taking Shelter in a Riot with Shirley Temple", *Times* (de Londres), 30 de outubro de 1989.

O palácio; terça-feira: As memórias publicadas por Shirley sobre suas experiências em Praga em agosto de 1968, "Prague Diary", *McCall's*, 1969, foram a fonte mais importante para este capítulo. Em alguns casos, alterei o tempo das citações do "Prague Diary" do presente para o passado para melhorar o fluxo do texto. A hora, o veículo e outros detalhes da ida de Shirley ao palácio em 20 de agosto de 1968 estão em sua autobiografia, capítulo um, que foi generosamente disponibilizada a mim por sua família. Como o manuscrito ainda não foi totalmente paginado, ele é citado por capítulos, e não por página específica. Veja também Julian M. Niemczyk, adido da Força Aérea em Praga de 1967 a 1969, entrevista por Charles Stuart Kennedy, 16 de dezembro de 1991, *ADST*, BC.

"poderia derreter uma plateia": James O. Jackson, "Sounds, Sights of a Country Being Crushed", *Evening Star*, 22 de agosto de 1968.

Naquela tarde: Veja, por exemplo, Craig R. Whitney, "Prague Journal: Shirley Temple Black Unpacks a Bag of Memories", *New York Times*, 11 de setembro de 1989; "Přijetí u ministra dr. Vlčka", *Lidová demokracie*, 21 de agosto de 1989;

Black, "Prague Diary", p. 75; e Bill McKenzie, "A Conversation with Shirley Temple Black", *Ripon Forum*, dezembro de 1990, p. 5-6.

ela estava inquieta: Shirley Temple Black, *Child Star: An Autobiography* (Nova York: McGraw-Hill Publishing Company, 1988).

os linhas-duras da época de Stalin: Dean Vuletic, "Popular Culture", em Stephen A. Smith (org.), *The Oxford Handbook on the History of Communism* (Oxford, Reino Unido: Oxford University Press, 2014), p. 575.

conferência oficial de escritores comunistas: Jaromír Navrátil (org.), *The Prague Spring 1968: A National Security Archive Reader* (Nova York: Central European University Press, 1998), p. 5.

Dubček tinha apenas dezoito anos: Alexander Dubček, *Hope Dies Last: A Autobiography of Alexander Dubček*, ed. e trad. Jiri Hochman (Nova York: Kodansha America, 1993).

Ele queria reformar o comunismo: Ver, por exemplo, Kieran Williams, *The Prague Spring and Its Aftermath: Czechoslovak Politics, 1968-1970* (Cambridge, Reino Unido: Cambridge University Press, 1997).

"socialismo com rosto humano": Navrátil, *The Prague Spring 1968*, p. 92-95.

"A esperança chegou ao ápice": Niemczyk, entrevista.

"[O] repórter de televisão": Kenneth N. Skoug Jr., Diretor Comercial/Financeiro em Praga, 1967-1969, entrevista por Charles Stuart Kennedy, 22 de agosto de 2000, *ADST*, BC.

"encantada com essas pessoas": Para esta citação, bem como detalhes sobre o momento em que Shirley voltou a seu quarto de hotel após a reunião e seus resultados, consulte Black, "Prague Diary", p. 75. Mais detalhes em Black, autobiografia, capítulo 1. A afirmação de que a reunião ocorreu no campus da Universidade Carolina é de Anne Edwards, *Shirley Temple: American Princess* (Nova York: William Morrow, 1988), p. 264.

"Sua reunião com o sr. Dubček": Whitney, "Prague Journal".

"um muro de pedra sombrio": Black, "Prague Diary", p. 75.

"como essas coisas": Whitney, "Prague Journal".

"parecia muito boa mesmo": Black, "Prague Diary", p. 75; veja o diário também para a rotina de Shirley na noite de 20 de agosto de 1968.

"era um compromisso": Ibidem.

"aeroporto": Whitney, "Prague Journal".

"**O que quer que seja**": Para esta e todas as outras citações e mais detalhes sobre o que Shirley ouviu e pensou durante as primeiras horas de 21 de agosto de 1968, veja Black, "Prague Diary", p. 75.

"**Acorde, madame!**": Ibidem.

"**Grandes tanques verdes**": Ibidem.

"**Veículos blindados rodavam**": Ibidem.

"**descrentes e confusos**": Ibidem.

"**Então, um pequeno grupo**": Ibidem.

"**A um quarteirão de distância**": Ibidem.

"**Enquanto os tanques continuavam**": Ibidem, p. 91.

Fragmentos de informação: Ibidem. Usando os escritos de Shirley, e o contexto fornecido por relatos jornalísticos, reconstruí a manhã de 21 de agosto de 1968. Veja Alan Levy, *So Many Heroes* (Sagaponack, NY: Second Chance Press, 1980); Peter Rehak, "Undated Occupation", Coleção Associated Press online, 30 de agosto de 1989; Clyde Farnsworth, "People of Prague Scream Defiance at the Tanks", *The New York Times*, 22 de agosto de 1968; Robert Littell (org.), *The Czech Black Book* (Nova York: Praeger, 1969). Também consultei materiais do governo dos EUA em Czechoslovak Crisis Files, 1968, Gabinete da Executive Secretariat, RG 59, AARN; e transmissões de rádio interceptadas pelo governo dos EUA (captadas e gravadas pelo Serviço de Informações de Transmissão no Exterior [doravante Site], um braço da inteligência, de código aberto, do governo dos EUA).

"**As camareiras, os auxiliares de mesa e os hóspedes**": Black, "Prague Diary", p. 91.

"**Unidades militares estão se aproximando**": "Troops Near Prague Radio", 21 de agosto de 1968, *Prague Domestic Service in Czech*, Daily Report (Site-FRB-68-164), Site; Cronologia de Crise na Tchecoslováquia, caixa 1, entrada 5193, arquivo do lote 70D19, Czechoslovak Crisis Files, 1968, Gabinete da Executive Secretariat, RG 59, AARN.

"**Uma multidão de cidadãos**": "Soviet Troops in Prague", *Prague CTK International Service in English*, Daily Report (Site-FRB-68-164), 21 de agosto de 1968, Site.

"**Inúmeros tanques vieram para o centro**": Black, "Prague Diary", p. 75.

"uma impressão avassaladora": Ibidem, p. 91.

"As tropas soviéticas tentavam apagar": "Fighting Reported", *Prague CTK International Service in English* (Praga), Daily Report (Site-FRB-68-164), 21 de agosto de 1968, Site.

"Nove ambulâncias passaram uivando": Black, "Prague Diary", p. 75; "1215 Situation Report", *Prague CTK International Service in English* (Praga), Daily Report (FBISFRB-68-164), 21 de agosto de 1968, Site.

"As pessoas fugiram antes do tiroteio": "Fighting Reported", *Prague CTK International Service in English* (Praga), Daily Reports (Site-FRB-68-164), 21 de agosto de 1968, Site.

"Vinte pessoas gravemente feridas": "Care for Wounded", *Prague CTK International Service in English* (Praga), Daily Report (Site-FRB-68-164), 21 de agosto de 1968, Site.

O que está acontecendo?: Black, "Prague Diary", p. 91.

Logo, uma multidão: Ruth Dorf, esposa do geólogo preso com Shirley no Alcron, "Impressions of Czechoslovakia Accumulated After a Week of Travel", manuscrito não publicado, Arquivo da Família Black (doravante AFB), p. 3; "To Serve a Healthy World", AFB.

"Brilhe, Shirley, brilhe": Black, *Child Star*, p. 20; Rosalind Shaffer, "The Private Life of Shirley Temple, Wonder Child of the Screen", *Chicago Tribune*, 9 de setembro de 1934.

"Um grande cartaz de papelão": Black, "Prague Diary", p. 91.

"ao apresentar": Ibidem.

"Um homem corpulento": Ibidem.

"Um garoto": Ibidem.

"o assunto era": Ibidem.

"Se você olhar através": Ibidem, p. 91-93.

"idosos e costumavam se preocupar": "Shirley Temple Black Wakens to Sound of Prague Firing", *The Washington Post*, 22 de agosto de 1968.

As coisas estão piorando: Black, "Prague Diary", p. 93.

"Não — respondeu": Ibidem.

uma fuga escondida em um caminhão de feno: Timothy Kenny, "Changing Communism: Czech Leaders Rigid, Slow to Accept Reforms", *USA Today*, 16 de outubro de 1989.

Eles são estranhos: Black, "Prague Diary", p. 93.

Alemão, sério?: Ibidem.

"**Há pouco tempo**": Cronologia da crise tcheca, 21 de agosto de 1968, caixa 1, entrada 5193, arquivo do lote 70D19, Czechoslovak Crisis Files, 1968, Gabinete da Executive Secretariat, RG 59, AARN.

"**uma mulher, mais ousada**": Black, "Prague Diary", p. 93.

"**Veja**": Ibidem.

"**Durante um longo tempo**": Ibidem, p. 94.

"**Preciso ir**": Salvo especificação em contrário, todas as citações e detalhes sobre a fuga de Shirley do Alcron para a embaixada dos EUA podem ser encontradas em Black, "Prague Diary", p. 94.

"**os tiros têm sons diferentes**": Jackson, "Sounds, Sights".

"**Dar assistência urgente ao fraterno povo**": Navrátil, *The Prague Spring 1968*, p. 456.

Larry Modisett: Black, "Prague Diary", p. 94; "American Safe, Tell of Turmoil, Tragedy", *Los Angeles Times*, 23 de agosto de 1968.

O comboio passou por muitos: Ibidem, p. 94-95.

"**ainda segurando os oito cravos vermelhos**": Ibidem, p. 95.

O que você viu?: David Brinkley e Garrick Utley, "Invasion/Americans/Border", *NBC Evening News*, NBC, 23 de agosto de 1968, Arquivo de notícias da Vanderbilt Television.

14. UMA PRODUÇÃO REVOLUCIONÁRIA

Ela era republicana: Salvo especificação em contrário, as informações biográficas de Shirley podem ser encontradas em Patsy G. Hammontree, *Shirley Temple Black: A BioBibliography* (Westport, CT: Greenwood Press, 1998), p. 143-188.

"**conhecer esse nome**": Uri Friedman, "Shirley Temple: Actress, Ambassador, Honorary African Chief", *Atlantic*, 11 de fevereiro de 2014.

"brisa fresca": "Shirley Captures the UN", *The Washington Post*, 28 de novembro de 1969.

"Agora eu entendo": Theodore S. Wilkinson, entrevista por Charles Stuart Kennedy, 11 de janeiro de 1999, *ADST*, BC.

"a melhor propriedade": Niemczyk, entrevista.

"Eu disse sim": Dennis Murphy, "Shirley Temple Black Named Ambassador", *NBC News*, 15 de setembro de 1989; McKenzie, "A Conversation with Shirley Temple Black", p. 5; e Mark Seal, "Shirleyka", *American Way*, 1º de abril de 1990, p. 92.

"chegando como uma estranha": Black, autobiografia, capítulo 1.

"um remanso stalinista": Joy Billington, "Star Turn in Prague", *Illustrated London News*, 7102, 2 de setembro de 1991.

Os líderes tchecos tinham pouco afeto: Žantovský, *Havel*, p. 277-285.

Shirley viu-se diante de um problema espinhoso: Cabograma, Black ao Departamento de Estado, 23 de agosto de 1989, Prague 05736, doc. n. C06406518, MDR. Veja também cabograma, Black ao Departamento de Estado, 19 de outubro de 1989, Prague 07303, em Vilém Prečan (org.), *Prague-Washington-Prague: Reports from the United States Embassy in Czechoslovakia, November-December 1989* (Praga: Biblioteca Václav Havel, 2004), p. 13-17. Consegui suplementar a coleção de cabos da Embaixada em Praga contidos em *Prague-Washington-Prague* com quase sessenta outros que foram desclassificados e fornecidos a mim pelo Departamento de Estado em resposta a uma solicitação de Revisão Obrigatória de Desclassificação que registrei (Departamento de Estado dos EUA MP-201700697, referido como MDR).

"Se Praga fosse Roma ou Paris": Whitney, "Prague Journal".

"Eu a adorei em *Bright Eyes*": Dan Rather, *The Camera Never Blinks Twice: The Further Adventures of a Television Journalist* (Nova York: William Morrow, 1994), p. 175.

"Mas, papai": Thomas N. Hull III, oficial de assuntos públicos em Praga, 1989-1993, entrevista por Daniel F. Whitman, de 8 a 9 de janeiro de 2010, *ADST*, BC.

uso de "força": Cabograma, Black ao Departamento de Estado, 2 de agosto de 1989, Prague 05232, doc. n. C06406504, MDR.

"presentes no perímetro": Cabograma, Black ao Departamento de Estado, 20 de novembro de 1989, Prague 08087, em Prečan, *Prague-Washington--Prague*, p. 92.

Em 21 de agosto: Whitney, "Prague Journal"; Clifford (Cliff) G. Bond, chefe do departamento político da Embaixada dos EUA em Praga em 1989, entrevista do autor, Washington, D.C., 28 de junho de 2017. Para descrever o que Shirley viu durante o protesto de 21 de agosto de 1989, recorri principalmente às seguintes fontes: Cabograma, Black ao Departamento de Estado, 22 de agosto de 1989, Prague 05726, doc. n. C0606522, MDR; Oldřich Tůma, *Zítra zase tady!* (Praga: Maxdorf, 1994), p. 69-71; Jiři Suk *et al.*, *Chronologie zániku komunistického režimu v Československu 1985-1990* (Praga: Ústav pro soudobé dějiny AV ČR, 1999), p. 80-81; Padraic Kenney, *A Carnival of Revolution: Central Europe 1989* (Princeton, NJ: Princeton University Press, 2003), p. 267-268; e "Demonstrace, 21. Srpen 1989", vídeo de Ústav pro studium totalitních režimů, https://www.ustrcr.cz/uvod/listopad-1989/audio-video/srpen-1989-audio-video.

Ela tinha cuidado: Ruthe Stein, "Czechs' Favorite Diplomat: Success Didn't Spoil Shirley Temple Black", *San Francisco Chronicle*, 16 de outubro de 1991; Bond, entrevista, 28 de junho de 2017.

"Era uma opressão": Ross Larsen, "Three Extraordinary Years for Temple Black", *Prague Post Magazine*, 30 de junho de 1992.

"Os bolcheviques vieram com tanques": Michael Wise, "Prague Riot Police Charge Protestors on Invasion Anniversary", Reuters, 21 de agosto de 1989.

"o ativismo político [estava] crescendo": Cabograma, Black ao Departamento de Estado, 30 de agosto de 1989, Prague 05959, doc. n. C06406529, MDR.

Em 22 de agosto: Black, autobiografia, capítulo 9. A data exata da reunião é discutível, mas as evidências apontam para 22 de agosto.

"Foi uma oportunidade": Alexandr Vondra, "Discussion on the Velvet Revolution", painel Clifford Bond e Michele Bond, American Center in Prague, agosto de 2015.

"havia muita emoção": Seal, "Shirleyka", p. 93.

Shirley sentiu que a mudança: Shirley disse a repórteres após a Revolução de Veludo que sabia que a mudança chegaria à Tchecoslováquia, mas ficou surpresa com a velocidade com que varreu o país. Veja, por exemplo, "Czeching It Out", *Los Angeles Daily News*, 16 de maio de 1990; e "Sloboda je najväčší dar", *Národná Obroda*, 10 de julho de 1992.

"Ninguém sabia": Guttman, "Interview: Shirley Temple Black".

"não muito": Whitney, "Prague Journal".

"Eu queria que você viesse": Larsen, "Three Extraordinary Years for Temple Black".

"Shirley Temple abre portas": Timothy Kenny, "Czech Leaders Rigid, Slow to Accept Reforms", *USA Today*, 16 de outubro de 1989.

"Se deu certo, ótimo": Larsen, "Three Extraordinary Years for Temple Black".

Não gostei: Todo o diálogo citado entre Shirley e Bilák pode ser encontrado em "Prala bych vam to nejlepsi", *Prostor*, 27 de junho de 1992. Ênfase acrescentada. Outros detalhes em: McKenzie, "A Conversation with Shirley Temple Black", p. 6.

"a mensagem antiga": Kenny, "Czech Leaders Rigid".

senso de humor provocador: Para a camiseta STB de Shirley, veja Vera Glasser, "From Hollywood to Prague Shirley Temple Black Has Challenging Assignment", *St. Louis Post-Dispatch*, 31 de julho de 1991; para a placa personalizada, consulte Jack Anderson e Dale Van Atta, "Shirley Temple Black — Our Woman in Czechoslovakia", *The Washington Post*, 28 de abril de 1991.

ela o chamou de Gorby: Alan Levy, "Ambassador Shirley Temple Black", *Prague Post*, 26 de novembro de 1991.

"O que será?": Sarah Kaufman, "Shirley Temple, Remembering Curly Top", *The Washington Post*, 6 de dezembro de 1998.

"Ela e toda sua família": Hull, entrevista de Whitman; Hull, entrevista por telefone do autor, 30 de agosto de 2017.

"todo mundo na embaixada": Painel de Cliff Bond, "Discussion on the Velvet Revolution".

"Por que os americanos": Michele Bond, "Discussion on the Velvet Revolution".

Mas Shirley e sua equipe: Soube da personalidade e dos papéis dos funcionários da embaixada em Praga em 1989 por meio de minhas entrevistas com eles, particularmente Cliff Bond, 28 de junho de 2017 e 1º de agosto de 2017, ambas em Washington, D.C.; Edward (Ed) Kaska, Washington,

D.C., 26 de julho de 2017; e Ted Russell, entrevista por telefone, 29 de agosto de 2017.

"Mantemos": Painel de Michele Bond, "Discussion on the Velvet Revolution".

Em 4 de outubro: Para detalhar a reunião de Havel e Shirley na biblioteca do palácio em 4 de outubro de 1989, usei Václav Havel, "Rozhovor s. V.H., Hrádeček 15. listopadu 1989", entrevista de Irena Gerová, em Irena Gerová, *Vyhrabávačky-deníkové zbrushky a rozhovory z let 1988 a 1989* (Praga: Paseka, 2009), p. 146-148; Anderson e Van Atta, "Shirley Temple Black"; "Sloboda je najväčší dar"; Shirley Temple Black, "Those Czech Dissidents Were Not Ignored", *The Washington Post*, 16 de fevereiro de 1990; "Czeching It Out"; Michael Ryan, "As Ambassador to Prague Shirley Temple Black Watches a Rebirth of Freedom", *People*, 8 de janeiro de 1990; e Hull, entrevista de Whitman. Também me beneficiei de várias conversas informais com Miloš Forman a partir de 2011.

"inteligente... esperta... corajosa": "Miloš Forman: The Coming of the Velvet Revolution", vídeo do YouTube, 1:06, The Arts Initiative and the Columbia Center for New Media Teaching and Learning, publicado por "ColumbiaLearn", 25 de maio de 2015, https://www.youtube.com/watch?v=P3GL0c-NnpCs&list=PLSuwqsAnJMtwqVoj_mYRiAmvJvJULztv9&index=7.

"A residência do embaixador americano": John Updike, "Bech in Czech", *The New Yorker*, 20 de abril de 1987, p. 32.

Ele estava sentado quieto: Por exemplo, Timothy Garton Ash, *We the People* (Cambridge, Reino Unido: Penguin Books, 1999), p. 117-118.

"Vašku, você pode": Gerová, *Vyhrabávačky*, p. 147.

"[Foi] quase": Václav Havel, *To the Castle and Back* (Nova York: Vintage, 2008), p. 52.

"mais coisas mudaram": Ibidem.

"uma longa conversa": Black, "Those Czech Dissidents Were Not Ignored".

"trabalhava no Departamento": Gerová, *Vyhrabávačky*, p. 148.

"líder moral": McKenzie, "A Conversation with Shirley Temple Black", p. 4.

"carismático": Ryan, "As Ambassador to Prague".

"[iria] ficar para sempre": "Sloboda je najväčší dar".

"atitude do governo": John Tagliabue, "Police in Prague Move to Break Up Big Protest March", *The New York Times*, 29 de outubro de 1989.

em uma reunião com Štěpán: Salvo especificação em contrário, todas as citações e todos os detalhes do primeiro encontro de Shirley com Štěpán em 18 de outubro de 1989 podem ser encontrados em: cabograma, Black a Department of State, 19 de outubro de 1989, Prague 07303, em Prečan, *Prague-Washington-Prague*, p. 13-17.

Shirley ordenou que sua equipe: Robert Kiene, "The Velvet Revolution and Me", manuscrito não publicado, 2014, p. 6; Edward Epstein, "From Hollywood to the Velvet Revolution, Shirley Temple Black..." *San Francisco Chronicle*, 23 de abril de 1995.

Sábado, 28 de outubro: Para escrever a parte sobre o protesto de 28 de outubro de 1989 em Praga e o envolvimento de Shirley, consultei suas declarações e escritos, incluindo cabogramas enviados pela embaixada e assinados por ela (particularmente: cabograma, Black ao Departamento de Estado, 31 de outubro de 1989, Prague 07590, documento n. C06406570, MDR), bem como, por exemplo, Michael Kukral, *Prague 1989: Theater of Revolution* (Boulder, CO: East European Monographs, 1997), p. 40-43; Rob McRae, *Resistance and Revolution: Václav Havel's Czechoslovakia* (Ottawa: Carleton University Press, 1997), p. 94-97; Jiří Suk, *Chronologie zániku komunistického režimu v Československu*, p. 93-94; Epstein, "From Hollywood"; "Sloboda je najväčší dar"; Tagliabue, "Police in Prague"; Michael Wise, "Over 10,000 Attacked as They Demand New Government in Prague", Reuters, 28 de outubro de 1989; Bassett, "Taking Shelter in a Riot"; Seal, "Shirleyka", p. 46, 48; "Zneužili 28. října", *Rudé Právo*, 30 de outubro de 1989; Anderson e Van Atta, "Shirley Temple Black"; Richard Bassett, repórter do *Times* (de Londres), escritório em Praga durante 1989, entrevista por telefone do autor, 27 de junho de 2017; Robert McRae, encarregado de negócios canadense em Praga durante 1989, entrevista por telefone do autor, 17 de julho de 2017; Ryan, "As Ambassador to Prague"; fotos da embaixadora Shirley e Charlie Black no parapeito do hotel em 28 de outubro de 1989, AFB; Wilkinson, entrevista; Ted Wilkinson, "Shirley Temple Black: A Natural Diplomat", *The Foreign Service Journal*, v. 91, n. 6, p. 93, junho de 2014; "Einst Kinderstar, heute US-Botschafterin in Prag", *Blick für die Frau*, 1989, p. 20-21; e Edward Lucas, "Prague Rally Thwarted as Police Try New Tactics", *The Independent*, 30 de outubro de 1989.

"dia de outono cinza e amargamente frio": McRae, *Resistance and Revolution*, p. 94.

Estou a fim de dar uma volta: Epstein, "From Hollywood".

"A Praça Wenceslas se enchia": Lucas, "Prague Rally Thwarted".

"levantaram uma faixa": Ibidem.

"a verdade prevalece": Wise, "Over 10,000 Attacked".

"baixinho": Epstein, "From Hollywood".

"subia, depois descia": Kukral, *Prague 1989*, p. 41.

"De repente, centenas e centenas": McRae, *Resistance and Revolution*, p. 94.

"A crescente multidão": Kukral, *Prague 1989*, p. 41-42.

"Masaryk!", "Liberdade!" e "Havel!": Ibidem, p. 42.

"Suas botas pesadas": McRae, *Resistance and Revolution*, p. 95.

"forçando a multidão": Wise, "Over 10,000 Attacked".

"[A] polícia havia": Kukral, *Prague 1989*, p. 42.

"eles simplesmente adentraram": McRae, *Resistance and Revolution*, p. 95.

"Agora vamos correr": Epstein, "From Hollywood".

"atravessaram outra rua": Ibidem.

"Toda vez que atravessávamos": Ryan, "As Ambassador to Prague".

"atrás de um outdoor ali perto": Todas as citações e detalhes deste parágrafo podem ser encontrados em Bassett, "Taking Shelter in a Riot". Seal, em "Shirleyka", confirma que Shirley deu autógrafos.

"O que está fazendo aqui?": Epstein, "From Hollywood". Shirley, nesta entrevista de 1995 para o *San Francisco Chronicle*, atribuiu esse diálogo a uma conversa entre ela e um "jornalista de Londres". No entanto, isso é provavelmente uma lembrança equivocada: Black, autobiografia, capítulo 9; Basset, entrevista. Consequentemente, atribuí esse diálogo a Perry Shankle.

"Refletindo sobre a polícia": Bassett, "Taking Shelter in a Riot".

"a violência em Praga não lhe era estranha": Ibidem.

"Shirley Temple passou": Wilkinson, entrevista. O tempo da citação foi alterado para melhor fluidez.

"mas algumas centenas": McRae, *Resistance and Revolution*, p. 95.

"*Ach, synku, synku*": Kukral, *Prague 1989*, p. 42, 43.

"Durante a cantoria": Ibidem, p. 43.

"As pessoas debochavam e assobiavam": Ibidem.

"**formaram um tipo de caixa**": McRae, *Resistance and Revolution*, p. 95-96.

"**Essas poucas centenas**": Ibidem, p. 96.

"**Alguns jovens de roupas casuais**": Tagliabue, "Police in Prague".

"**repetindo 'Sem violência!'**": Wise, "Over 10,000 Attacked".

"**gritaram 'Gestapo!' e 'O mundo está observando!'**": Tagliabue, "Police in Prague".

"**Posso ser derrubada**": Anderson e Van Atta, "Shirley Temple Black".

"**duzentas e cinquenta pessoas foram detidas**": Tagliabue, "Police in Prague".

"**dirigindo suas tropas**": Kiene, "The Velvet Revolution and Me", p. 6; ver também "Zneužili 28. října", *Rudé Právo*, 30 de outubro de 1989.

Então você desobedeceu: Epstein, "From Hollywood".

"**maior manifestação tcheca**": Michael Wise, "Prague Police Break Up Pro-Democracy Rally", Reuters, 28 de outubro de 1989.

"**apesar de terem sido**": Epstein, "From Hollywood".

"**Havia apenas uma estrela**": Hull, entrevista de Whitman.

15. A VERDADE PREVALECE

Shirley adoraria: Entrevistas do autor com Kiene, por telefone, 29 de junho de 2017; Kaska; Bond, 28 de junho e 1º de agosto de 2017; Cameron Munter, Tchecoslováquia, Departamento de Estado em 1989, por telefone, 2 de agosto de 2017; Hull; e Russell.

"**quem poderia prever**": Black, autobiografia, capítulo 9.

No início da tarde: O que escrevi sobre as experiências dos três funcionários da embaixada durante a noite de 17 de novembro de 1989 se baseia principalmente em minhas entrevistas com eles (Bond, 28 de junho de 2017 e 1º de agosto de 2017; Kaska; e Kiene) e no manuscrito não publicado de Kiene, bem como nos cabogramas enviados por Shirley ao Departamento de Estado: Prague 08082, 18 de novembro de 1989; Prague 08087; Prague 08097; e Prague 08109, todos de 20 de novembro de 1989. Eles podem ser encontrados em Prečan, *Prague-Washington-Prague*, p. 87-97, p. 101-102. As experiências de Shirley no palácio derivam de McRae, entrevista. Outras fontes importantes sobre os eventos do dia incluem Kukral, *Prague 1989*, p.

47-59; McRae, *Resistance and Revolution*, p. 99-106; Kenney, *A Carnival of Revolution*, p. 280-289; John Keane, *Václav Havel: A Political Tragedy in Six Acts* (Nova York: Basic Books, 2000), p. 338-342; a investigação oficial dos fatos: Assembleia Federal da República Federativa Tcheca e Eslovaca, "Závěrečná zpráva vyšetřovací komise Federálního shromáždění pro objasnění událostí 17. listopadu 1989", acessível em http://www.psp.cz/eknih/1990fs/tisky/t1236_01.htm; o álbum de fotos de Tomki Němec, de 17 de novembro de 1989, *Velvet Revolution*, disponível online em https://tomkinemec.photoshelter.com/gallery/17-November-1989/G0000z2P2W9C1No0/ (doravante denominado Foto, Němec); e Milan Otáhal e Miroslav Vaněk, *Sto studentských revolucí* (Praga: Nakladatelství Lidové noviny, 1999).

"**A verdade prevalece?**": Foto, Němec.

"**Estudantes, não tenham medo**": "Připomeňte si události 17. listopadu 1989 minutu po minutě", *iDNES*, 17 de novembro de 1989, http://zpravy.idnes.cz/pripomente-si-udalosti-17-listopadu-1989-minutu-po-minute-pij-/domaci.aspx?c=A091116_120725_domaci_js.

"**Renunciar!**": Ibidem.

"**Não vamos celebrar**": Michael Wise, "Tens of Thousands Demand Reform in Prague", Reuters, 17 de novembro de 1989.

"**A opressão é pior**": "Clamor in the East; Riot Police in Prague Beat Marchers and Arrest Dozens", *The New York Times*, 18 de novembro de 1989.

"***Svobodu!***", "***Masaryk!***": Kukral, *Prague 1989*, p. 50.

"**Havel!**": McRae, *Resistance and Revolution*, p. 102.

"***Svobodné volby!***": Kukral, *Prague 1989*, p. 50.

"**Para a Praça Wenceslas!**": Ibidem, p. 51; Bond, entrevista, 28 de junho de 2017.

"**A multidão de estudantes**": Bond, entrevista, 1º de agosto de 2017.

"**Conte a Vašek!**": Keane, *Václav Havel*, p. 339.

"**Tchecos! Venham conosco!**": Kukral, *Prague 1989*, p. 51.

"**Quarenta anos de comunismo são suficientes**": Cabograma, Black ao Departamento de Estado, 18 de novembro de 1989, Prague 08082, em Prečan, *Prague-Washington-Prague*, p. 88.

"**Os estudantes marcharam para o norte**": Bond, entrevista, 1º de agosto de 2017.

"Algo realmente grande está acontecendo": McRae, entrevista.

"A polícia está bloqueando": Bond, entrevista, 1º de agosto de 2017.

"State Ops": Munter, entrevista.

"Faça xixi antes de ir": Kaska, entrevista.

"um salão de baile": Kiene, "The Velvet Revolution and Me", p. 8.

"Quando você se depara": Žantovský, *Havel*, p. 284.

"leis serão": Cabograma, Black ao Departamento de Estado, 19 de outubro de 1989, Prague 07303, em Prečan, *Prague-Washington-Prague*, p. 16.

"pareciam durões, com raiva": McRae, *Resistance and Revolution*, p. 104-105.

"Nós venceremos": Keane, *Václav Havel*, p. 341.

"Vocês têm que nos proteger": Assembleia Federal da República Federativa Tcheca e Eslovaca, "Závěrečná zpráva vyšetřovací komise".

"Para nossa consternação": Kiene, "The Velvet Revolution and Me", p. 8.

"De repente, a multidão percebeu": Keane, *Václav Havel*, p. 341.

"decidiu que a discrição": Kiene, "The Velvet Revolution and Me", p. 8.

"Temos que sair daqui": Kaska, entrevista.

"Nós a convidamos": Kiene, "The Velvet Revolution and Me", p. 9.

"Vi uma jovem mãe, com uma criança nos braços": Bond, entrevista, 1º de agosto de 2017.

"assassinos treinados": McRae, *Resistance and Revolution*, p. 105.

"Tenho que correr": Bond, entrevista, 1º de agosto de 2017.

"violência sem sentido": "U.S. Slams Czechoslovakia for Violence Against Protestors", Reuters, 20 de novembro de 1989.

"O governo": Paula Butturini, "Prague, Czechoslovakia", *Chicago Tribune*, 19 de novembro de 1989.

"uma estranha vibração": Kiene, "The Velvet Revolution and Me", p. 9.

"Passei sobre a ponte com a multidão": Ibidem.

"não queiramos seguir": Cabograma, Black ao Departamento de Estado, 21 de novembro de 1989, Prague 08144, em Prečan, *Prague-Washington-Prague*, p. 108.

"*Svobodu!*": Kukral, *Prague 1989*, p. 65.

"**Finalmente chegou**": Paul Wilson, correspondência com o autor, novembro de 2017.

"**nos afogue aqui**": Žantovský, *Havel*, p. 301.

"**Do nada**": Ibidem, p. 302.

"**uma enorme onda**": Kukral, *Prague 1989*, p. 72.

"**O som era**": Ibidem.

"**Queridos amigos**": "Václav Havel's Remarks Over Wenceslas Square, November 21, 1989", Biblioteca Václav Havel, http://www.vaclavhavel-library.org/cs/index/novinky/768/utery-21-listopad-1989.

"**O arcebispo exortou**": McRae, *Resistance and Revolution*, p. 127.

"**deu ordens**": Cabograma, Black ao Departamento de Estado, 22 de novembro de 1989, Prague 08171, em Prečan, *Prague-Washington-Prague*, p. 124.

"**a entrada é controlada**": Cabograma, Black ao Departamento de Estado, 24 de novembro de 1989, Prague 08208, em Prečan, *Prague-Washington-Prague*, p. 146.

"**Eu chamei as forças**": Ibidem.

"**treinadas para lidar**": McRae, *Resistance and Revolution*, p. 136.

"**Em 1620, um pequeno grupo de peregrinos**": Shirley Temple Black, oração de Ação de Graças, 23 de novembro de 1989, AFB.

"**Exortamos todos os membros**": "Declaration of Civic Forum Representative Václav Havel on Wenceslas Square, Prague", 23 de novembro de 1989, Arquivo Digital do Programa de História e Políticas Públicas, Arquivo USD AV CR, KC OF, Dokumenty OF — cópia da impressão do computador. Traduzido por Caroline Kovtun, http://digitalarchive.wilsoncenter.org/document/111760.

"**Václav Havel fez**": Cabograma, Black ao Departamento de Estado, 24 de novembro de 1989, Prague 08208, em Prečan, *Prague-Washington-Prague*, p. 145.

"**os ultimatos**": As observações de Václavík podem ser encontradas em Milan Otáhal e Zdeněk Sládek (org.), *Deset pražských dnů (17.-27. Listopad 1989). Dokumentace* (Praga: Academia, 1990), p. 298-299.

"**Junto com os trabalhadores**": Ibidem.

"entregues à": Cabograma, Black ao Departamento de Estado, 25 de novembro de 1989, Prague 08237, em Prečan, *Prague-Washington-Prague*, p. 149.
"Ele parece ter": Ash, *We the People*, p. 94.
"Dubček!": Kukral, *Prague 1989*, p. 84.
"Vocês sabem que eu os amo": McRae, *Resistance and Revolution*, p. 143.
"Nós já": Ibidem, p. 144.
"Dubček no castelo": Ibidem.
"Dubček-Havel": Ash, *We the People*, p. 95.
"Todos os membros do *Presidium*": Vídeos da entrevista coletiva, com o anúncio de Jiří Černý, podem ser encontrados no YouTube; por exemplo, "Demise komunistické strany Demision of the communist party", vídeo do YouTube, 0:46, publicado por "Nezapomente1989", 16 de fevereiro de 2009, https://www.youtube.com/watch?v=rkt9biL0rew.
"uma Tchecoslováquia livre": Ash, *We the People*, p. 96.
"para poder dizer": Stein, "Czechs' Favorite Diplomat".
"Na Polônia levou": Ash, *We the People*, p. 78.
"Olhando-os severamente nos olhos": "Remembering Ambassador Shirley Temple", Embaixada dos EUA na República Tcheca, 21 de fevereiro de 2014, https://cz.usembassy.gov/remembering-ambassador-shirley-temple-black-february-21/.

16. "O PASSADO NUNCA ESTÁ MORTO. NEM SEQUER É PASSADO"
"O passado nunca está morto": William Faulkner, *Requiem for a Nun* (Nova York: Random House, 1951), p. 92.
"eurocratas de classe executiva": "Václav Klaus, an Unusually Combative Czech", *The Economist*, 1º de fevereiro de 2001.
"Veneno velho em novas embalagens": Para o texto do discurso de Jiří Schneider, consulte Organization for Security and Co-Operation in Europe (OSCE), "Summary Report of the OSCE High Level Meeting on Confronting Anti-Semitism in Public Discourse", 23-24 de março de 2011, http://www.osce.org/odihr/77450?download=true, 22.
"Em países com pequenas comunidades judaicas": Ibidem.
"forças do nacionalismo": "An Open Letter to the Obama Administration

from Central and Eastern Europe", *Radio Free Europe*, 16 de julho de 2009, https://www.rferl.org/a/An_Open_Letter_To_The_Obama_Administration_From_Central_And_Eastern_Europe/1778449.html.

"depravado": Albrecht Dümling, "The Target of Racial Purity: The 'Degenerate Music' Exhibition in Düsseldorf, 1938", em Richard A. Etlin (org.), *Art, Culture, and Media Under the Third Reich* (Chicago: University of Chicago Press, 2002), p. 43-72.

"uma ficção da mídia": *Parlamentní listy*, 2 de maio de 2015.

"Eu pensei com muito cuidado": *MF Dnes*, 4 de maio de 2011, p. 4.

"Eu não descendo dos macacos": "Klaus's Aide Hájek Says bin Laden Is Nothing but Media Fiction", *ČTK*, 2 de maio de 2011.

"quero dizer claramente": Václav Klaus, "Prezident republiky o výrocích Petra Hájka a jejich interpretaci", 4 de maio de 2011, https://www.klaus.cz/clanky/2828.

"é uma ocasião": Václav Klaus, "Notes for the *[sic]* Independence Day Speech 2011", 30 de junho de 2011, https://www.klaus.cz/clanky/2860.

"o carnaval gay": Petr Hájek, "*Jsem kryptofašista. Doznávám se*", *Parlamentní listy*, 4 de agosto de 2011, http://www.parlamentnilisty.cz/arena/politici-volicum/Petr-Hajek-Jsem-kryptofasista-Doznavam-se-204468.

"Confúcio acima de Rousseau": Rob Cameron, "Uproar Over Appointment of Ultra Conservative as Ministerial Adviser", *Radio Prague*, 5 de abril de 2011, http://www.radio.cz/en/section/curraffrs/uproar-over-appointment-of-ultra-conservative-as-ministerial-adviser.

louvar como "ótimo": "Bátora se před několika lety účastnil neveřejné antisemitské přednášky", *Novinky.cz*, 30 de abril de 2011, https://www.novinky.cz/domaci/232168-batora-se-pred-nekolika-lety-ucastnil-neverejne-antisemitske-prednasky.html.

"A Embaixada Americana está feliz": Declaração da embaixada dos EUA, como aparece em Erik Tabery, "In Prague, a Fight for Gay Rights Goes International", *The Atlantic*, 14 de setembro de 2011.

"Discordo totalmente": Václav Klaus, "Prohlášení prezidenta republiky k dalšímu exemplárnímu útoku na svobodu slova", Comunicado à imprensa, 5 de agosto de 2011, https://www.klaus.cz/clanky/2896.

levou a imprensa a acreditar: "Klaus Says Ambassadors' Letter on Homosexuals March Unprecedented", *ČTK*, 8 de agosto de 2011.

"Adormeço": Dan Bilefsky, "Picture Him in a Mohawk: A Czech Prince Seeks Young Voters", *The New York Times*, 24 de janeiro de 2013.

"ninguém impede": "Klaus Says Ambassadors' Letter on Homosexuals March Unprecedented", *ČTK*, 8 de agosto de 2011.

"temporada do pepino": "Czech PM Says State Official Bátora Must Not Behave Like Activist", *ČTK*, 9 de agosto de 2011.

"velho fascista": "TOP 09 Says Bátora Should Leave Czech Ministry — Press" *ČTK*, 11 de agosto de 2011.

"velho *lame duck*": "TOP 09 Ministers Leave Czech Cabinet Meeting, Want Bátora Sacked", *ČTK*, 17 de agosto de 2011.

"velhinho triste": Brian Kenety, "TOP 09 Stage Cabinet Meeting Walk Out, Demand Batora's Exit", *Ceska pozice*, 31 de agosto de 2011, http://ceskapozice.lidovky.cz/top-09-stage-cabinet-meeting-walk-out-demand--batora-s-exit-p2a-/tema.aspx?c=A110817_155152_pozice_33011.

"crucial": James Kirchick, "Advocate", *Tablet*, 19 de janeiro de 2012, http://www.tabletmag.com/jewish-news-and-politics/88591/advocate/2.

Uma matéria do *The New York Times*: Bruce I. Konviser, "Czech Leader Is Isolated in Opposing Gay Parade", *The New York Times*, 15 de agosto de 2011.

As notas completas e a bibliografia podem ser encontradas em www.NormanEisen.com (Endmatter).

Impresso no Brasil pelo Sistema Cameron da Divisão Gráfica da
DISTRIBUIDORA RECORD DE SERVIÇOS DE IMPRENSA S.A.